Mit diesem Zeichen in der Randspalte sind zusätzliche **Informationen** gekennzeichnet, zu den blauen Begriffen gibt es Artikel auf der CD-ROM.

In der Reihe „Basiswissen Schule“ sind erschienen:

5. bis 10. Klasse

Biologie (376 Seiten)
ISBN 978-3-411-71482-7

Chemie (320 Seiten)
ISBN 978-3-411-71472-8

Computer (276 Seiten)
ISBN 978-3-411-71512-1

Deutsch (288 Seiten)
ISBN 978-3-411-71592-3

Englisch (320 Seiten)
ISBN 978-3-411-71961-7

Mathematik (392 Seiten)
ISBN 978-3-411-71502-2

Physik (360 Seiten)
ISBN 978-3-411-71462-9

7. Klasse bis Abitur

Astronomie (272 Seiten)
ISBN 978-3-411-71491-9

Geographie (416 Seiten)
ISBN 978-3-411-71611-1

Geschichte (464 Seiten)
ISBN 978-3-411-71581-7

Kunst (400 Seiten)
ISBN 978-3-411-71971-6

Literatur (464 Seiten)
ISBN 978-3-411-71602-9

Musik (352 Seiten)
ISBN 978-3-411-71981-5

Politik (464 Seiten)
ISBN-978-3-411-04590-7

Technik (264 Seiten)
ISBN 978-3-411-71522-0

Wirtschaft (288 Seiten)
ISBN 978-3-411-71533-6

11. Klasse bis Abitur

Biologie Abitur (464 Seiten)
ISBN 978-3-411-04550-1

Chemie Abitur (464 Seiten)
ISBN 978-3-411-04570-9

Englisch Abitur (360 Seiten)
ISBN 978-3-411-71951-8

Informatik Abitur
(440 Seiten)
ISBN 978-3-411-71621-0

Mathematik Abitur
(464 Seiten)
ISBN 978-3-411-71741-5

Physik Abitur (464 Seiten)
ISBN 978-3-411-71751-4

Die GPI e. V. hat die Reihe „Basiswissen Schule“ von 2002 bis 2006 jährlich mit der Comenius Medaille für exemplarische Bildungsmedien ausgezeichnet.

Der Software-Preis GIGA-MAUS der Zeitschrift „Eltern for family“ wird verliehen für empfehlenswerte Familiensoftware und Onlineangebote.

Der deutsche Bildungssoftware-Preis „digita“ wird verliehen für E-Learning-Produkte, die didaktisch und technisch herausragend sind.

Das Internetportal von „Basiswissen Schule“ www.schuelerlexikon.de erhielt 2004 das Pädi-Gütesiegel als empfehlenswertes Internet-Angebot für Jugendliche.

Detallierte Informationen zu den einzelnen Bänden unter **www.schuelerlexikon.de**

Duden
Basiswissen Schule

Englisch

Dudenverlag Mannheim · Leipzig · Wien · Zürich

DUDEN PAETEC Schulbuchverlag Berlin · Frankfurt a. M.

Herausgeberinnen
Dagmar Knapp
Elisabeth Schmitz-Wensch

Autoren
Inka Artinger
Anne-Cathrin Friedrich
Peter Huuck
Eva Kopriosek
Dr. Ute Lembeck
Virginia Lodd
Judith Martin
Elisabeth Schmitz-Wensch
Heike Schommartz

Die Autoren der Inhalte der beigefügten CD-ROM sind im elektronischen Impressum auf der CD-ROM aufgeführt.

Bibliografische Information der Deutschen Nationalbibliothek
Die Deutsche Nationalbibliothek verzeichnet diese Publikation in der Deutschen Nationalbibliografie; detaillierte bibliografische Daten sind im Internet über http://dnb.ddb.de abrufbar.

Redaktion Dagmar Knapp, Karin Pilot

Gestaltungskonzept Britta Scharffenberg
Umschlaggestaltung Hans Helfersdorfer
Layout Susanne Raake
Grafik Susanne Raake, Matthias Schwoerer

Druck und Bindung Těšínská tiskárna, Český Těšín
Printed in Czech Republic

F E D

ISBN-13: 978-3-89818-725-1 (DUDEN PAETEC Schulbuchverlag)
ISBN-10: 3-89818-725-X (DUDEN PAETEC Schulbuchverlag)
ISBN-13: 978-3-411-71961-7 (Dudenverlag)
ISBN-10: 3-411-71961-3 (Dudenverlag)

Inhaltsverzeichnis

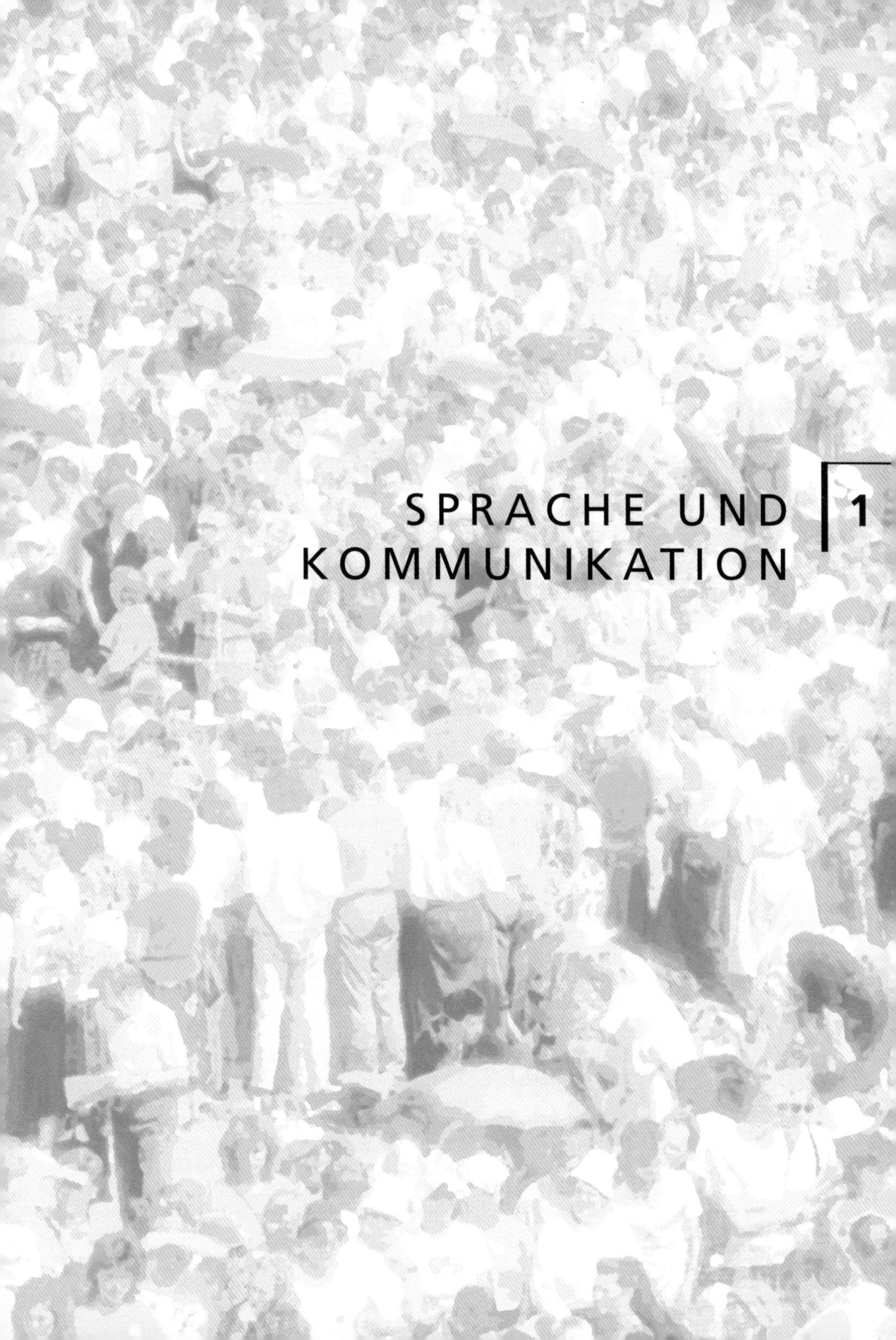

SPRACHE UND KOMMUNIKATION 1

1.1 Die Verbreitung des Englischen

Schüler chatten im Web, haben ihre eigene homepage, tragen coole *baggy* Jeans und Sweatshirts, haben CD-Player und Walkmen und hören damit englische oder amerikanische Songs. Englisch ist überall und wird häufig schon in der Grundschule als erste Fremdsprache erlernt. In technologischen Bereichen, wie z. B. der Computerbranche, kommt man ohne englische Wörter nicht mehr aus. Häufig wird bemerkt, dass man statt von Deutsch lieber von Deutschlisch oder Denglisch sprechen sollte, weil deutsche und englische Ausdrücke so oft durcheinander gemischt werden. Dies gilt in ähnlicher Weise auch für andere Länder auf der ganzen Welt.

bilingual = zweisprachig

In einigen europäischen Ländern, wie z. B. in den Niederlanden, Finnland, Dänemark und Schweden ist Englisch heute so weit verbreitet und wird auf so hohem Niveau gesprochen, dass die Menschen in diesen Ländern nach Ansicht einiger Wissenschaftler in etwa 10–20 Jahren komplett bilingual sein könnten. Der Grund hierfür ist die in diesen Ländern betriebene Bildungspolitik. In den Niederlanden z. B. spielt Englisch als Unterrichtssprache an den Universitäten sowie in wissenschaftlichen Veröffentlichungen eine wichtige Rolle; im niederländischen Fernsehen werden englische oder amerikanische Filme im Originalton gezeigt.

Amtssprache = Sprache, in der sich die Bürger eines Staates an die Verwaltung wenden können. Eine Sprache ist offizielle Amtssprache, wenn sie per Gesetz dazu bestimmt wurde.

In vielen Nachfolgestaaten ehemaliger britischer Kolonien in Asien, Afrika und der Karibik wird Englisch als offizielle Amtssprache und/oder als Zweitsprache in Regierungsinstitutionen, im Bildungssystem und im Rechtssystem gebraucht.
Weltweit ist Englisch nach Chinesisch die – je nach Quelle – am zweit- bzw. dritthäufigsten gesprochene Sprache auf der Erde. Dabei ist die Anzahl der Menschen, die Englisch als Muttersprache sprechen, kleiner als der Anteil derer, die Englisch als Zweit- und Fremdsprache sprechen.

Englisch als Zweitsprache unterscheidet sich von Englisch als Fremdsprache darin, dass es nicht nur in der Schule erlernt, sondern auch zu offiziellen Zwecken und Amtsgeschäften genutzt wird.

Wie viele Menschen sprechen Englisch?

Englisch als Muttersprache	**Englisch als Zweitsprache**	**Englisch als Fremdsprache**
Die Anzahl der Muttersprachler wird auf ca. 350 Mio. Menschen geschätzt.	Englisch als Zweitsprache wird von ca. weiteren 350 Mio. Sprechern vor allem in den ehemaligen britischen Kolonien gesprochen.	Je nach Schätzung sprechen zwischen 670 Mio. bis zu 1 Mrd. Menschen Englisch als erlernte Fremdsprache.

Wie die Karte zeigt, hätte ein Englisch sprechender Reisender also in beinahe jedem Land der Erde gute Chancen auf Menschen zu treffen, die Englisch zumindest ansatzweise sprechen und verstehen.

Die ehemaligen britischen Kolonien haben sich einschließlich Großbritanniens im so genannten Commonwealth zusammengeschlossen. Zum Commonwealth gehören 54 Staaten, in denen insgesamt etwa 30 % der Weltbevölkerung leben.

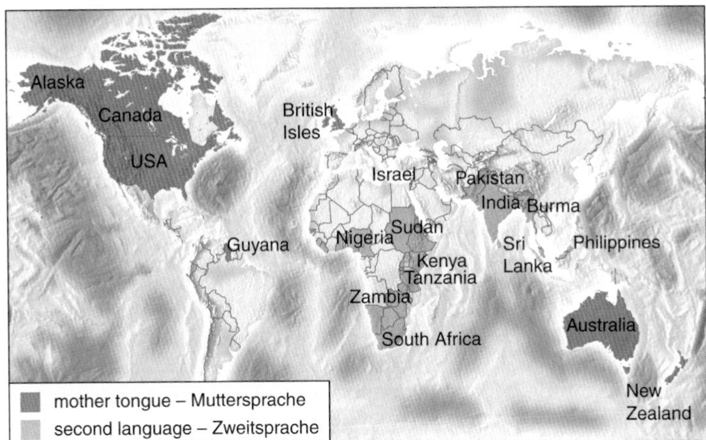

1.1.1 Englisch als Amts- und Verkehrssprache

WILLIAM SHAKESPEARE, englischer Schauspieler, Dichter und Bühnenautor, geb. 1564, gest. 1616 in Stratford-upon-Avon. Berühmt ist z. B. sein Stück „Ein Sommernachtstraum".

Noch zu Ende des 16. Jahrhunderts, zur Lebenszeit WILLIAM SHAKESPEARES, sprachen nur etwa fünf bis sieben Millionen Menschen Englisch. Die Verbreitung der Sprache war auf die Britischen Inseln beschränkt. Heute sprechen Australier, Neuseeländer, Iren, Amerikaner und Kanadier Englisch als Muttersprache. In vielen Staaten Afrikas, der Karibik und Asiens wie auch in Europa sprechen viele Menschen täglich Englisch, obwohl es nicht ihre Muttersprache ist. Sie gebrauchen es als Amtssprache in der Verwaltung, im politischen und im Rechtssystem, in den Medien, den Schulen und Universitäten und auch in privaten Unterhaltungen. Wie kam es innerhalb weniger Jahrhunderte zu dieser weltweiten Verbreitung der englischen Sprache?

Gründe für die weltweite Verbreitung der englischen Sprache:

- Die Briten führten Englisch in den Kolonien des **British Empire** als Sprache der Verwaltung, des politischen Systems, des Rechtssystems und des Bildungssystems ein.
- Die Staaten, in denen Englisch heute als Muttersprache gesprochen wird, waren Einwandererstaaten. Die Ureinwohner, insbesondere die nordamerikanischen Indianer und die australischen Aborigines, wurden unterdrückt. Der überwiegende Anteil der Einwanderer war schottischer, englischer und irischer Herkunft. Sie brachten Englisch also bereits als Muttersprache mit.
- Zum Zeitpunkt der Unabhängigkeit der ehemaligen britischen Kolonien in Asien, Afrika und der Karibik waren die Regierungs-, Bildungs-, Verwaltungs- und Rechtssysteme englisch geprägt. Diese wurden aus

praktischen Gründen oft beibehalten und Englisch wurde **Amts- und Zweitsprache.**

intranational = innerhalb eines Staates

- Viele ehemals britische Kolonien sind Vielvölkerstaaten und deshalb vielsprachig. Englisch dient hier als **intranationale Lingua franca** (Verkehrssprache, ↗ S. 10).
- Heute ist die technologische, politische, wissenschaftliche und wirtschaftliche Vorherrschaft der USA ein wichtiger Grund für die weltweite Verwendung von Englisch. Englisch dient als **internationale Lingua franca** zwischen Staaten, Privatpersonen und in der Geschäftswelt (↗ S. 11).

international = zwischen Staaten

ELISABETH I. von England (1533–1603)

Seit dem späten 16. Jahrhundert trugen britische Entdecker, Armeen, Handelsfirmen und Expeditionen ihre Sprache in alle Erdteile. Sie errichteten das britische Kolonialreich, das **British Empire.** Um 1919/20 hatte das British Empire seine maximale Ausdehnung erreicht. Weite Teile Asiens, Afrikas und der Karibik waren britische Kolonien. Die Anfänge des British Empire liegen in der Regierungszeit der englischen Königin ELISABETH I. Während ihrer Herrschaft stieg England zur Seemacht auf; seine Kolonialgeschichte begann, denn nur auf dem Seeweg und mit Eroberung strategisch wichtiger Stützpunkte (z. B. 1704 Gibraltar, 1800 Malta) konnten britische Eroberer, Armeen und Händler in alle Teile der Erde vordringen. Auch die Staaten, in denen Englisch heute als Muttersprache gesprochen wird – die USA, Australien, Irland, Kanada und Neuseeland – waren zunächst britische Kolonien. Hierhin brachten irische, schottische und englische Einwanderer Englisch bereits als ihre Muttersprache mit. Das Erbe der ursprünglichen Einwanderer findet sich noch heute z. B. im australischen Englisch, in dem viele regionale Ausdrücke aus England, Schottland und Irland erhalten geblieben sind. Auffällig ist z. B. auch, dass viele Australier den Buchstaben *„h" „haitch"* nennen, was ursprünglich von Iren mit katholischem Hintergrund stammt.

Irland	1171 suchte ein verbannter irischer König Unterstützung beim englischen König HEINRICH II. Der setzte daraufhin mit einer Armee nach Irland über und vergab später eroberte Gebiete an englische Gefolgsleute als Freilehen. So begann die Kolonialisierung Irlands.
USA	1607 wurde in Jamestown, Virgina, die erste britische Siedlungskolonie gegründet. Bis 1732 folgen 12 weitere Kolonien. 1776 – 1783 erkämpften die nordamerikanischen Kolonien ihre Unabhängigkeit.
Australien	1770 entdeckte Kapitän JAMES COOK die Ostküste Australiens. 1788 gründeten die Briten eine Strafkolonie in Botany Bay, in die Menschen oft schon wegen kleinster Vergehen deportiert wurden. Seit Goldfunden um 1850 kamen auch freiwillige Einwanderer ins Land. Die australischen Kolonien schlossen sich 1901 zu einem Bundesstaat im Rahmen des British Commonwealth of Nations zusammen.

Neuseeland	1769 nahm Kapitän JAMES COOK Neuseeland für England in Besitz, 1840 wurde es britische Kolonie. Die ersten Siedler waren vor allen Dingen Walfänger, sowie Missionare, die die Ureinwohner Neuseelands, die Maoris, bekehren wollten.
Kanada	Nach dem amerikanischen Unabhängigkeitskrieg zogen sich die Anhänger der britischen Krone in das heutige Ontario zurück. Kanada blieb britische Kolonie.

JAMES COOK, 1728 in Yorkshire geboren, erschlagen 1779 auf Hawaii. COOK führte drei Weltumsegelungen durch und besuchte die meisten Inselgruppen des Pazifiks. Er erkannte, dass Neuseeland eine Doppelinsel ist und erforschte u. a. die unbekannte Ostküste Australiens.

Australien, Neuseeland und Kanada wurden 1918 dem britischen „Mutterland" gleichgestellte Mitglieder des British Commonwealth und sind seit den 30er-Jahren (Westminster Statut 1931) unabhängig. Die Staaten sind aber nach wie vor Mitglieder des Commonwealth. Die englische Queen ist formales Staatsoberhaupt, auch wenn sie de facto keinerlei politischen Einfluss hat. Die Republik Irland wurde 1921 unter Abtrennung Nordirlands unabhängig und ist seit 1949 nicht mehr Mitglied des Commonwealth.

Im atlantischen Dreieck des Sklavenhandels brachten britische Händler und Sklavenhändler Englisch nach Westafrika und in die Karibik. Bereits seit dem 15. Jahrhundert steuerten Sklavenhändler aus Großbritannien und anderen europäischen Ländern die Westküste Afrikas an, um Handel zu treiben und Menschen aus den Gebieten des heutigen Nigeria, Ghana, Gambia, Sierra Leone und Kamerun zu verschleppen und zu versklaven. Mit der Errichtung von riesigen Plantagen (z. B. Baumwoll- oder Zuckerrohrplantagen) im Süden der heutigen USA und in der Karibik nahm der Sklavenhandel noch zu.

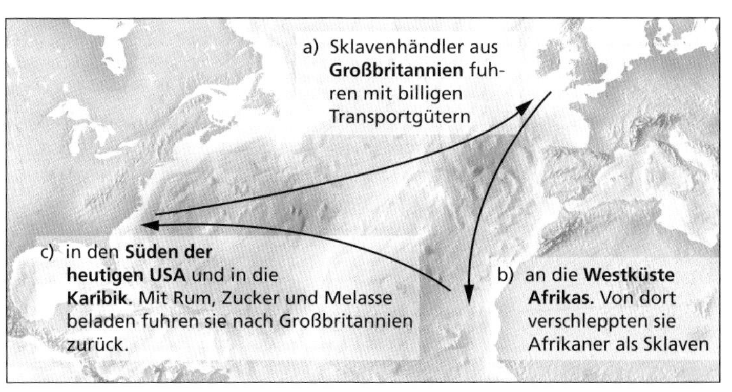

Der Sklavenhandel wurde zu einem entscheidenden Wirtschaftsfaktor der Kolonialmächte.

Die verschleppten Sklaven mussten sich vermutlich bereits nach ihrer Gefangennahme und während des Schiffstransports mit den Aufsehern verständigen; ganz sicher wurde diese Verständigung aber nach ihrem Verkauf an die Plantagenbesitzer notwendig. Die Sklavenaufseher auf den Plantagen waren oftmals Schotten, Iren oder Engländer. Damit eine Verständigung möglich war, entwickelte sich zwischen Aufsehern und Sklaven sowie zwischen den Sklaven, die unterschiedlichste Herkunftssprachen sprechen konnten, das so genannte **Pidgin-Englisch.**

1.1.2 Englisch als Lingua franca

Queen Victoria (1819–1902) wurde 1876 *Emporess of India.* In ihre lange Regentschaft fiel die Blütezeit des englischen Kolonialismus.

Auch weite Teile Asiens waren britisch kolonialisiert. 1876 wurde die englische Königin Victoria sogar zur Kaiserin von **Indien** gekrönt. Seit der Unabhängigkeit Indiens und Pakistans 1947 erlangten mehr und mehr ehemals britische Kolonien die Unabhängigkeit und das British Empire löste sich auf. Die weltpolitische Bedeutung Großbritanniens nahm ab und die USA übernahmen in der westlichen Welt die militärische, politische und wissenschaftliche Vorreiterrolle. Viele Fremdsprachenlerner orientieren sich deshalb heute sowohl am **britischen** als auch am **amerikanischen Englisch** als dem **Standard,** dem sie sich annähern wollen.
Heute ist Englisch vor allem aus praktischen Gründen nach wie vor weltweit verbreitet: In vielen ehemals britischen Kolonien besteht **Vielsprachigkeit** und Englisch wird dort als **intranationale Lingua franca** benutzt. In Indien z. B. leiten sich aus 15 Hauptsprachen die weiteren Sprachen und über dreihundert Dialekte Indiens ab. Tageszeitungen werden in 87 verschiedenen Sprachen und den unterschiedlichsten Schriftarten veröffentlicht. In den Schulen Indiens sind 57 Sprachen Unterrichtssprachen. Die britischen Kolonialherren hatten Englisch als Sprache der Verwaltung und des Rechtssystems eingeführt. Außerdem war Englisch Unterrichtssprache an vielen Universitäten und Schulen. Damit war es auch Sprache der Bildung und der Wissenschaft, und die Beibehaltung von Englisch bot sich aus praktischen Gründen an. Nach der Unabhängigkeit von Großbritannien wurde Hindi zur offiziellen Amtssprache Indiens erklärt. Englisch sollte zunächst für eine Übergangszeit von 15 Jahren weiterhin für offizielle Zwecke genutzt werden können und dann ganz allmählich durch Hindi ersetzt werden. Unter anderem wegen Ressentiments gegen Hindi insbesondere im Süden Indiens wurde Englisch 1967 aber weiterhin als *associate official language,* also als nebengeordnete offizielle Sprache, festgeschrieben. Nach Schätzungen aus dem Jahr 2002 benutzen heute etwa 100 bis 200 Millionen Menschen in Indien Englisch täglich. Mindestens 37 Millionen davon sprechen Englisch auf ausreichendem bis gutem Niveau – womit Indien die drittgrößte englischsprachige Nation nach den USA und Großbritannien wäre. Aus ähnlichen Gründen wurde Englisch auch in anderen Staaten Asiens als Amtssprache beibehalten.

Zeitgenössische indische Autoren wie Salman Rushdic setzen sich auf kreativ-humorvolle Weise mit dem kolonialen Erbe des indischen Englisch auseinander.

Vor allem in Südostasien und Südasien ist Englisch weit verbreitet, wie folgende Tabelle zeigt:

Legende:
fett = Mitglied im Commonwealth,
kursiv = Englisch ist offizielle Zweitsprache,
Normalschrift = Englisch wird als Fremdsprache erlernt und gesprochen.

Südostasien und Pazifik	Ostasien	Südasien
Brunei, Fidschi, Indonesien, Kambodscha, Laos, ***Malaysia, Singapur,*** Myanmar (= Birma), *Philippinen,* Thailand	China, Hongkong, Korea, Japan, Taiwan	**Bangladesch,** Bhutan, Pakistan, **Malediven,** ***Mauritius, Seychellen,*** **Sri Lanka**

Immer mehr Menschen in Asien lernen Englisch schon in der Kindheit, obwohl Englisch nicht unbedingt die Muttersprache der Eltern ist. Englisch wird dann im Schulsystem, in der Gesellschaft und/oder im Elternhaus als so genannte **Erstsprache** erlernt. Dieses Englisch wird nicht nur z. B. in der Schule, sondern auch zu privaten Unterhaltungen verwendet. Beispiel hierfür ist Singapur: Hier sind Englisch, Malay, Tamil und Mandarin-Chinesisch die vier offiziellen Sprachen. De facto ist aber Englisch die vorherrschende Sprache, da z. B. Sprecher von Malay häufig kein Tamil sprechen und umgekehrt. In Singapurs Schulsystem ist von der Grundschule bis zur Universität Englisch durchgängig Unterrichtssprache. Dabei handelt es sich nicht etwa um „typisch britisches" Englisch. Besonders das in privaten Unterhaltungen gebrauchte Englisch ist vielmehr eine stark umgangssprachliche Version, in die viele Bestandteile der vor Ort gesprochenen Sprache(n) einfließen können. Diese umgangssprachlich geprägte Version von Englisch kann dann die alleinige Sprache oder eine von mehreren Sprachen sein, die von Kindheit an erlernt und gesprochen werden.

Über 75 % aller Singapurer sind chinesischer Abstammung, rund 14 % sind Malaien und etwa 7 % indisch-tamilischer Herkunft. Das staatliche Fernsehen ist viersprachig, Zeitungen und Zeitschriften erscheinen ebenfalls in den vier Sprachen.

Ein weiterer wichtiger Grund für die Beibehaltung des Englischunterrichts in den Schulen, bilingualen Schulsystemen oder sogar durchgängig englischsprachiger Schulsysteme (Singapur) ist auch die Vorherrschaft der USA. In Asien, wie auch in Europa und anderen Teilen der Welt, wird Englisch als **internationale Lingua franca** akzeptiert. Englisch wird gelernt, um Anteil an der wirtschaftlichen, technologischen und wissenschaftlichen Entwicklung zu haben, die zu großen Teilen von den USA ausgeht. Dies ist auch der Grund, weshalb in vielen Staaten der Europäischen Union (EU) Englisch schon von Kindheit an als erste Fremdsprache gelehrt wird. Die Europäische Union hat mit dem Europäischen Referenzrahmen *(Common European Framework)* einen gemeinsamen Standard für den Fremdsprachenunterricht an den Schulen der EU entwickelt. Der Fremdsprachenunterricht wird auch deshalb so wichtig genommen, weil er die Verständigung der Menschen innerhalb der EU fördert.

Der **Europäische Referenzrahmen** legt fest, welche Fähigkeiten ein Lerner auf einem bestimmten Niveau haben sollte.

Auf der Verwaltungsebene der EU ist Englisch ebenfalls Lingua franca. Innerhalb der Europäischen Union sind derzeit elf Sprachen offizielle Sprachen: Dänisch, Deutsch, Englisch, Finnisch, Französisch, Griechisch, Italienisch, Niederländisch, Portugiesisch, Spanisch und Schwedisch; Englisch und Französisch sind die offiziellen Arbeitssprachen der EU. Offizielle Dokumente müssen in allen elf Sprachen veröffentlicht werden und Besprechungen werden mithilfe von Simultanübersetzern durchgeführt. Tatsächlich ist Englisch aber die am häufigsten benutzte Sprache auf EU-Ebene. Deshalb hört man in der öffentlichen Diskussion häufig die Meinung, dass die Europäische Union den Tatsachen folgen und Englisch zur offiziellen Sprache innerhalb der EU machen solle. Dadurch könnte die EU auch die etwa 360 Millionen Dollar sparen, die alljährlich für Übersetzungsdienste ausgegeben werden.

1.1.3 Englisch als Muttersprache und als Fremdsprache

Englisch ist nicht gleich Englisch, wie das Beispiel der afrikanischen, asiatischen und karibischen Exkolonien, in denen Englisch z. B. als Pidgin-Englisch, Kreol oder stark umgangssprachliche Variante gesprochen wird, zeigt. Auch die **muttersprachlichen Varianten des Englischen** unterscheiden sich voneinander. Ein Weltreisender würde schnell feststellen, dass z. B. australisches Englisch anders als amerikanisches, britisches, kanadisches, neuseeländisches oder irisches Englisch klingt. Ebenso lässt sich sagen, dass britisches Englisch z. B. nicht gleich britisches Englisch ist. Die Briten sprechen kein einheitliches Englisch. Vielmehr können sich Aussprache, Grammatik und Wortschatz bei verschiedenen Sprechern stark voneinander unterscheiden. Diese Eigenheiten hängen von der
- regionalen,
- ethnischen und
- sozialen Herkunft

des Sprechers ab. Innerhalb der muttersprachlichen Varianten von Englisch gibt es

Wie im Deutschen gibt es auch im Englischen eine allgemein verständliche Hochsprache und Dialekte, die nur in bestimmten Gegenden gesprochen wird.

- **Dialekte** bzw. regional gefärbte Varianten. Diese unterscheiden sich in Bezug auf Grammatik, Wortschatz und Aussprache relativ stark voneinander. Hier ein Beispiel für regionale Ausspracheunterschiede im britischen Englisch:

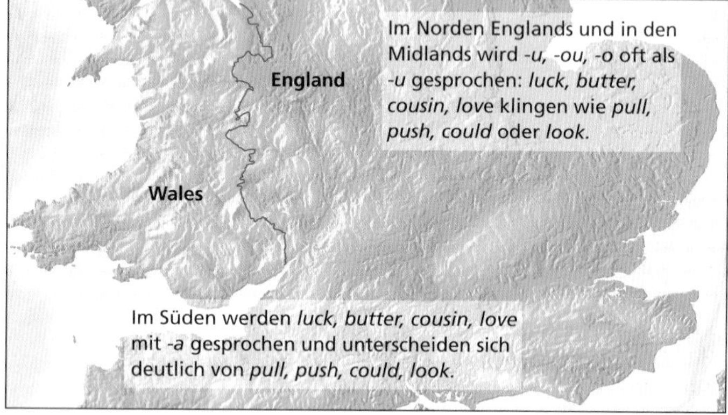

- **Ethnische Dialekte.** Dies sind die von Zuwanderern gesprochenen Varianten des Englischen. Dazu ein Zitat eines britischen Mädchens, dessen Familie aus Jamaika stammt:

Im Deutschen kann z. B. das Deutsch von Sprechern aus russisch- oder türkischstämmigen Familien ein ethnischer Dialekt sein.

"But mm ... Oh God mi mummy come down. She say 'What you doin' 'ere?' And started tellin me off ... And den after she say 'Patricia. A wa yu do? ..." (Oh God, my mummy came down. And she started telling me off. ... And after that she said: Patricia. And what did you do?) Dasselbe Mädchen könnte in anderen Situationen auch Kreol sprechen.

David Sutcliffe, *British Black English,* Oxford 1982, S. 132, zitiert nach Barbara A. Fennell, *A History of English,* Oxford 2001, S. 205

- **Soziolekte.** Kann man an der Sprechweise einer Person deutlich ihre soziale Herkunft erkennen, spricht man von einem Soziolekt. Das heißt, Briten aus Arbeiterfamilien sprechen unter Umständen anders als solche aus wohlhabenden, gebildeten Familien.

In Neuseeland, Kanada und Australien sind die regionalen Unterschiede viel weniger stark ausgeprägt als in Großbritannien. Hier wanderten Iren, Schotten, Waliser und Engländer ein und brachten verschiedenste Dialekte des Englischen als ihre Muttersprache mit. Da sich die Einwanderer untereinander verständigen wollten und mussten, glichen sie ihre Aussprache einander an. Deshalb existieren auch hier regionale Unterschiede, diese sind aber insgesamt nicht so vielfältig und stark ausgeprägt wie im britischen Englisch. In diesen Varianten, wie auch im amerikanischen Englisch, gibt es ebenfalls ethnische Dialekte und Soziolekte.
Für Fremdsprachenlerner ist es wichtig zu wissen, dass verschiedene Varianten und Dialekte von Englisch existieren. Durch Hörverständnisübungen können sie sich an die wichtigsten Aussprachemuster gewöhnen, um sie später – z. B. auf einer Reise, während eines Schüleraustauschs oder im Berufsleben – zu verstehen. Das heißt aber nicht, dass Fremdsprachenlerner Englisch auch mit der gleichen Aussprache wie die Muttersprachler sprechen und alle Dialekte verstehen müssen. In den Schulen wird vielmehr das so genannte **General British English** und das **General American English** gelehrt. Wie der Name sagt, wird auf die Bevorzugung einer bestimmten Variante verzichtet und vielmehr ein allgemeiner Standard angestrebt.

Unter **Received Pronounciation** kann man sich das nasal klingende Englisch vorstellen, das Fremde als typisch britische Aussprache ansehen. Britische Offiziere, die RP sprachen, sagten z. B. *bahd* für *bird, eventschalleh* für *eventually, patschas* für *purchase;* das „a"

General British English umfasst verschiedene regional gefärbte Varianten ebenso wie die so genannte **Received Pronunciation (RP)**. „Received" bedeutet auch „akzeptiert", d. h. in den gesellschaftlich höheren und gebildeten Schichten anerkannt.

Bis in die 70er-Jahre hinein dominierte RP auch beim britischen Sender BBC. Erst seit den 70er-Jahren sind auch andere regionale Varianten zugelassen. Traditionell war die Fähigkeit, RP zu sprechen, unbedingte Voraussetzung für eine Karriere in vielen Bereichen. Heute hat der Einfluss von RP stark abgenommen und auch andere regionale Varianten sind allgemein akzeptiert.

Eine weitere Bezeichnung für **General American** ist *network standard,* da dieser Aussprachetyp auch von den Sprechern der nationalen Radio- und Fernsehsender (den so genannten *networks)* verwendet wird.

General American English ist das amerikanische Englisch, das in der so genannten Northern-Midland-Region der USA gesprochen wird, etwa von Ohio aus nach Westen gehend. General American wird dieses Englisch auch genannt, um anzudeuten, dass es sich hier um eine neutrale und weniger von Dialekten geprägte Sprechweise handelt.

Ein Fremdsprachenlerner, der das britische und amerikanische Englisch kennt, kann sich auch in die anderen muttersprachlichen Varianten „einhören": In Bezug auf die Aussprache ähneln australisches und neuseeländisches Englisch dem britischen Englisch, kanadisches ähnelt eher dem amerikanischen Englisch. Obwohl sich die muttersprachlichen Varianten in Bezug auf Aussprache und Wortschatz voneinander unterscheiden, muss man sich fragen, warum diese Unterschiede nicht noch größer sind. Immerhin lagen Tausende von Seemeilen und viele Reisewochen per Schiff zwischen dem „Mutterland" Großbritannien und den Kolonien.

NOAH WEBSTERS Reform war maßgeblich für die meisten orthographischen Unterschiede zwischen dem amerikanischen und dem britischen Englisch verantwortlich.

Zudem gab es durchaus Bemühungen, wie z. B. die des amerikanischen Lehrers und Rechtsanwaltes NOAH WEBSTER (1758–1843), das amerikanische Englisch vom britischen Standard zu befreien. WEBSTER war der Meinung, dass das britische Englisch für ein unabhängiges Amerika nicht mehr länger der Standard sein dürfte, an dem sich die Amerikaner orientierten. 1828 gab er deshalb das „American Dictionary of the English Language" heraus, das bis heute unter dem Namen „WEBSTER's Dictionary" fortlebt. Warum entwickelten sich die muttersprachlichen Varianten über die Jahrhunderte dennoch nicht weiter auseinander? Dies geschah unter anderem deshalb nicht, da
- das geschriebene Englisch zur Zeit der Auswanderung bereits standardisiert war; an diesem geschriebenen Standard konnten sich die englischsprachigen Auswanderer orientieren;
- sich die Auswanderer zumindest teilweise weiterhin als Briten fühlten. Sie teilten mit dem „Mutterland" die gemeinsame Literatur und Kultur und nahmen auch nach ihrer Auswanderung weiter Anteil daran.

Bis ins 14. Jahrhundert schrieben die Briten, wie sie sprachen. Die geschriebene Sprache repräsentierte also die lokalen Dialekte. Erst im 15. Jahrhundert begann die Standardisierung des geschriebenen Englisch, die sich mit der Erfindung des Buchdrucks gegen Ende des 15. Jahrhunderts fortsetzte.

All diese Faktoren verhinderten eine weitergehende Auseinanderentwicklung der verschiedenen muttersprachlichen Varianten. Heute wirken vor allem die Medien, etwa durch die weltweite Verbreitung amerikanischer Filme, und die Kommunikationstechnologien einer weiteren Auseinanderentwicklung entgegen. Der Vorteil für die Fremdsprachenlerner von heute liegt darin, dass sie (zumindest das geschriebene) Englisch aus den verschiedenen muttersprachlichen Ländern verstehen können, selbst wenn sich vereinzelt Unterschiede finden. Für Fremdsprachenlerner in den höheren Klassenstufen sind besonders die Unterschiede zwischen britischem und amerikanischem Englisch wichtig. Unterschiede finden sich vor allem in der Aussprache, aber auch in Bezug auf Wortschatz, Schreibweise und Grammatik. Die Unterschiede sind aber nicht so schwerwiegend, dass sie das Verstehen eines geschriebenen Textes behindern könnten. Ein Stolperstein können Unterschiede im britischen und amerikanischen Wortschatz sein. Beispiele für Wörter, die im britischen Englisch etwas anderes bezeichnen als im amerikanischen:

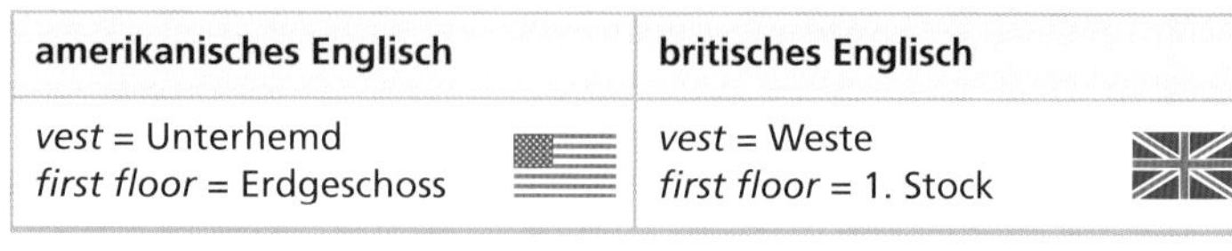

amerikanisches Englisch	**britisches Englisch**
vest = Unterhemd *first floor* = Erdgeschoss	*vest* = Weste *first floor* = 1. Stock

Zusätzliche Bezeichnungen, die in der jeweils anderen Variante nicht gelten:

grade principal raincoat rubber boots (Gummistiefel) vacuum cleaner fall, autumn photocopier, xerox machine pharmacy, drugstore taxi, cab	mark headteacher raincoat, mac(intosh) rubber boots, wellingtons, wellies vacuum cleaner, hoover autumn photocopier pharmacy, chemist's taxi

AE = amerikanisches Englisch, BE = britisches Englisch

Beispiele für unterschiedliche Wörter, die für den gleichen Gegenstand benutzt werden:

gas(oline) truck elevator	petrol lorry lift

Daneben gibt es zahlreiche Begriffe, die nur in jeweils einer der beiden Varianten verwendet werden, weil sie von Einwanderergruppen stammen, die in den USA bzw. Großbritannien nicht so dominant sind:

ursprünglich jiddische Wörter	**ursprünglich indische Wörter**
schlock – „Mist" („billiges Zeug") *to schlepp* – „sich schleppen", „tragen" *kosher* – rein	*pukka* – „richtig", „korrekt" *to curry* – ein Currygericht zubereiten

Kanadier, Australier und Neuseeländer benutzen sowohl britische als auch amerikanische Ausdrücke. Ein Schüler, der britisches und amerikanisches Englisch kennt, wird also wiederum mit den anderen Varianten zurechtkommen.

Im kanadischen Englisch lässt sich in Bezug auf Aussprache und Schreibweise sowohl der britische wie auch der amerikanische Einfluss belegen.

Kanadier sagen z. B.:
BE: *tap* (Wasserhahn), *braces* (Hosenträger), *porridge* (Haferbrei) statt AE *faucet, suspenders, oatmeal.*
AE: *gas* (Benzin), *truck* (Laster), *wrench* (Schraubenschlüssel) statt BE *petrol, lorry, spanner.*

Daneben gibt es in allen muttersprachlichen Varianten Ausdrücke, die in den jeweils anderen Varianten nicht unbedingt anzutreffen sind. Diese Ausdrücke wurden in der Regel von den jeweiligen Ureinwohnern (Indianern, Aborigines, Maori) übernommen, um bis dahin unbekannte Tiere, Pflanzen und geographische Gegebenheiten zu bezeichnen. Vereinzelt wurde auch die Bedeutung von schon bestehenden Wörtern verändert, z. B. um bis dahin unbekannte Tiere oder Pflanzen zu benennen. Ebenso wurden aus bereits bestehenden Begriffen neue Wörter geschaffen, um bis dahin Unbekanntes zu bezeichnen.

Wortneuschöpfungen aus englischen Wörtern	*Bullfrog, eggplant*	z. B. Wörter mit ***back:*** *outback* – das Hinterland *outback farm* – eine Farm im australischen Hinterland	z. B. *bach* – ein Haus am Strand (abgekürzt von *bachelor* – Junggeselle)

1.1.4 Sprache als Kommunikationsmittel

Miaow??

Begegnet ein Sprachbenutzer einer ihm unbekannten Wortneuschöpfung, so kann er ihre Bedeutung meist aus dem Gesprächszusammenhang erschließen.
Die Gesprächspartner sind in der Lage sich zu verständigen, weil sie über einen gemeinsamen Vorrat sprachlicher Zeichen verfügen. Dieses gemeinsame Zeichensystem ist Grundvoraussetzung sprachlicher **Kommunikation.**

Kommunikation = Verständigung, Austausch von Informationen

Sprache als Zeichensystem

Jede Sprache fügt aus einer bestimmten Anzahl von **Lautzeichen** (gesprochenen Zeichen) und **Schriftzeichen** Wortzeichen zusammen, die eine festgelegte Bedeutung tragen. Sie bilden den **Wortschatz** der Sprache. Wörter dienen als Bausteine der Sätze; aus ganzen Satzreihen entstehen Texte. Die Beschreibung der Regeln, nach denen Sprachzeichen zu Wörtern und Sätzen kombiniert werden können, nennt man die **Grammatik.**

θ und ŋ sind **Lautzeichen** der gesprochenen Sprache; sie werden durch **phonetische Symbole** dargestellt. Die Buchstaben *th* und *ng* sind **Schriftzeichen.**

Sprache ist ein komplexes System geschriebener oder gesprochener Zeichen, das die Mitglieder einer **Sprachgemeinschaft** benutzen, um sich zu verständigen.

Zugvögel wie die Wildgänse tauschen im Flug Signallaute aus, um die Flugformation zu erhalten.

Beispiele weniger komplexer Zeichensysteme, die zur Verständigung benutzt werden, finden sich in der Tierwelt. Künstlich geschaffene Verständigungssysteme stellen die Bild- und Signalzeichen für den Straßen-, Schienen- und Flugverkehr oder für die Seefahrt dar. Zur Herstellung von Computerprogrammen werden so genannte Programmiersprachen entwickelt.

In jeder Sprache besteht eine Übereinkunft darüber, welches Zeichen welchem Gegenstand oder Sachverhalt oder welcher Bedeutung zuzuordnen ist. Erst diese Übereinkunft ermöglicht die Verständigung zwischen den Mitgliedern einer Sprachgemeinschaft. Die Beziehung zwischen einem bestimmten Gegenstand **(Bezeichnetes)** der Vorstellung, die man von ihm hat **(Begriff)**, und seinem Wortzeichen **(Bezeichnendes)** ist in jeder Sprache willkürlich festgelegt. Daher unterscheiden sich die Wortzeichen, mit denen die verschiedenen Sprachen ein und denselben Gegenstand oder Sachverhalt bezeichnen.

Jedes Zeichen des Sprachsystems besitzt eine feststehende Bedeutung.

Sprachbenutzer beziehen sich auf gesprochene und geschriebene Zeichen mit festgelegter Bedeutung. Die gesprochene Sprache wird vom Kleinkind durch Imitation gelernt. Die geschriebene Sprache ist ein Kulturgut, sie ist abstrakter und arbeitet nur mit sichtbaren Zeichen.

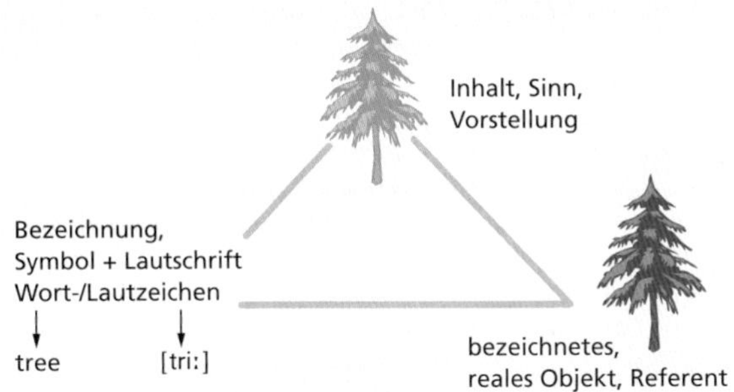

Der Kommunikationsvorgang

Mowgli wird von Wölfen großgezogen und kennt die menschliche Sprache nicht.

"'How can I be a man, 'Mowgli asked himself, 'if I don't understand man's talk? Now I am as foolish here as a man would be with us in the jungle. I must learn their talk.'"

RUDYARD KIPLING, The Jungle Book. Longman Classics 1991, p. 41

Wenn man sich vorstellt, wie schwierig es ist, Hilfe anzufordern in einem Land, dessen Sprache man nicht spricht, erkennt man schnell, welche Funktion die Sprache für das Zusammenleben in der Gesellschaft ausübt. Sie ist das wichtigste Hilfsmittel der Menschen, um sich zu verständigen, Beziehungen zu anderen Menschen herzustellen und zu gestalten.

Sprache wirkt als Informationsträger in der Kommunikation zwischen einem Sender (Sprecher/Schreiber) und einem Empfänger (Hörer/Leser).

Wie Sprache zur Kommunikation eingesetzt wird, veranschaulicht das Kommunikationsmodell:

Situation
Handlungszusammenhang

Sender (Sprecher, Schreiber)	Absicht: Nachricht →	Empfänger (Hörer, Leser)
Empfänger (Hörer, Leser)	← Rückmeldung	Sender (Sprecher, Schreiber)

Kontext = der inhaltliche (Sinn-, Gedanken-) Zusammenhang; Sach- und Situationszusammenhang

Jede Kommunikation findet immer in einem bestimmten **Kontext** (Zusammenhang) statt: Sie kann Bestandteil einer Handlung sein oder in eine Situation eingebettet sein. Die Kommunikation wird ausgelöst durch einen **Sender** (Sprecher/Schreiber), der einem Kommunikationspartner **(Empfänger**/Hörer/Leser) mit einer bestimmten **Absicht** eine **Mitteilung** (Nachricht) macht. In einer längeren Kommunikation tauschen Sender und Empfänger ein paar Mal die Rollen. Durch Gesichtsausdruck, Gestik oder eine sprachliche Reaktion meldet der Empfänger zurück, ob er die Nachricht entschlüsselt und verstanden hat. Er gibt ein **Feedback.** Löst die sprachliche Mitteilung die gewünschte Reaktion des Empfängers aus, so gilt die Kommunikation als geglückt.
Als **Medium** zur Übermittlung seiner Nachricht setzt der Sender die Sprache oder den Sprachtext ein. Er wählt einen bestimmten sprachlichen **Code,** d. h. er verschlüsselt die Nachricht so, dass sie seine Absicht umzusetzen vermag.
Außerdem wählt der Sender den **Kanal** oder den Weg aus, auf dem er seine Nachricht übermittelt. Er hat die Wahl zwischen dem **akustischen Kanal** (Telefongespräch), dem **optischen Kanal** (geschriebener Text, Bild, Brief, E-Mail) oder beidem zugleich (Gespräch, Vortrag).

Kommunikationsmodell nach FRIEDEMANN VON THUN, Miteinander reden, Bd. 1

Damit eine sprachliche Kommunikation gelingt, müssen mindestens folgende Bedingungen erfüllt sein:
1. Sender und Empfänger benutzen einen zumindest teilweise übereinstimmenden Vorrat an sprachlichen Zeichen und Verknüpfungsregeln, den **Code.**
2. Sender und Empfänger stehen in einer Beziehung zueinander: dem **Kontakt.**
3. Die übermittelte Nachricht ist eingebettet in einen Sachzusammenhang oder in eine Situation, die sowohl dem Sender wie auch dem Empfänger bekannt ist, den **Kontext.**

Berücksichtigt der Sprecher eine oder mehrere der Bedingungen nicht angemessen, wird die Kommunikation gestört *(failure of communication),* bis es sogar zum Abbruch der Kommunikation kommt. Der Sprecher kann seine Absicht nicht umsetzen.

Die vier Seiten einer Nachricht

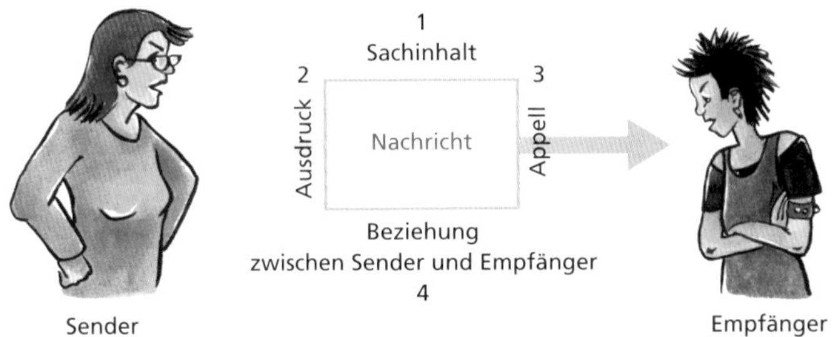

2 – Ausdruck: Ziele und Motive des Senders
3 – Appell: kann Handlungsaufforderung beinhalten,
z. B. „Es ist kalt." → Bitte schließe das Fenster.

Die Sprechhandlung

Da sprachliche Äußerungen in der Regel mit einer bestimmten Absicht *(intention)* gemacht werden, z. B. um jemanden zu informieren oder zu überzeugen, werden sie auch als sprachliche Handlungen oder als **Sprechhandlungen *(speech acts)*** bezeichnet. Mit einer Aussage kann man nicht lediglich einen Sachverhalt beschreiben, sondern auch direkten Einfluss auf seine Umwelt ausüben. Sprechhandlungen bilden die kleinsten Einheiten sprachlicher Kommunikation.

Eine Äußerung ist eine Sprechhandlung, wenn sie absichtlich zur Erzielung einer bestimmten Wirkung eingesetzt wird.

Wie sich diese Handlungen in einer Äußerung zeigen, veranschaulicht das folgende Beispiel:

Alice veranlasst ihren Bruder vermutlich zu einem Kommentar, auf jeden Fall aber zu einer neuen Handlung, der Hilfe beim Aufbauen des Zeltes. **Sprechakte** können außersprachliche Handlungen miteinander verbinden und neue Handlungen veranlassen.

Alice and her brother Ron have arrived at a campingsite. Alice is tired and wants to put up the tent; but it turns out to be quite large. So Alice asks Ron, "Can you help me put up the tent? I can't do it alone."

intention: getting Ron's help
speech act: asking for help (request)

> Wer eine Sprache benutzt, verwendet dabei nicht nur die Regeln des Zeichensystems, sondern zugleich auch die Regeln sozialer Interaktion.

Beispiele für Sprechhandlungen im Englischen:	
speech acts	**examples**
suggestion (Vorschlag)	Let's watch the new film at the Roxy.
invitation (Einladung)	Would you like to have dinner with us tonight?
advice (Ratschlag)	I'd take the earlier train if I were you.
command (Anordnung)	Take your dirty shoes off!
appreciation (Anerkennung)	Your brother did a good job as a farmer.
agreement (Zustimung)	Yes, you are right.
telling a lie (lügen)	"It wasn't me who broke the window," Tim blushed.

1.2 Arbeitsweisen des Fremdsprachenerwerbs

1.2.1 Hör- und Leseverstehen

Hörverstehen

Das **Hörverstehen** ist eine grundlegende Voraussetzung für das Erlernen der Muttersprache und weiterer Fremdsprachen. Es ist ein komplexer geistig-sprachlicher Prozess, bei dem verschiedene Teilprozesse mal hintereinander, mal gleichzeitig ablaufen. Das intensive Zuhören ist daher eine von mehreren Voraussetzungen für eine erfolgreiche Kommunikation. Zuhörtechniken bedürfen einer Reihe verschiedener Fähigkeiten (z. B. Hörfähigkeit, Verstehensfähigkeit, Sprechfähigkeit, Denkfähigkeit, Konzentrationsfähigkeit), um aus dem bloßen Hörer einen aktiven Zuhörer zu machen. Über das aktive Hören erweitert sich unser passiver und aktiver Wortschatz, da wir für die Umwelt und damit auch für das Sprachbewusstsein sensibilisiert werden. Daher bedeutet aktives Zuhören auch die kritische Auseinandersetzung mit dem Gehörten. Das Ohr ist das erste Sinnesorgan, das lange vor der Geburt fertig ausgebildet ist und damit ist das Hören der erste Sinn des Menschen.

Das Hörverstehen selbst bildet schon beim Kleinkind die erste Voraussetzung für das Erlernen der Muttersprache. Es hört die Laute, ahmt sie nach und beginnt zu begreifen, was die Laute bedeuten.

Je mehr Erfahrungen wir mit unseren Mitmenschen und unserer Umwelt machen, desto besser können wir einschätzen, wie die Informationen, die uns erreichen, verstanden werden sollen. Dennoch kann es vorkommen, dass man als Hörer etwas in das Gehörte hineininterpretiert, was der Sprecher so nicht beabsichtigte. Wie kann ein solches Missverständnis entstehen?

Das Vierohrenmodell

nach FRIEDEMANN VON THUN, Miteinander reden, Bd. 1

Sprecher
Was ist das für einer?
Was ist mit ihm?

Sachinhalt
Wie ist der Sachverhalt zu verstehen?

Beziehung
Wie redet der eigentlich mit mir?
Wen glaubt er vor sich zu haben?

Botschaft
Was soll ich tun, denken, fühlen aufgrund seiner Meinung?

Der Hörer wägt ab, wer mit ihm redet, in welcher Stimmung der **Sprecher** ist, und leitet daraus seine Bereitschaft ab, überhaupt zuhören zu wollen. Daneben wird der Hörer sein Welt- und Sprachwissen einsetzen. Er wird sich fragen, wie der **Sachverhalt** zu verstehen ist. Dabei achtet der Hörer darauf, wie jemand redet und wie man selbst als Zuhörer angesehen wird **(Beziehungsebene).** Nun wird er sich fragen, was die eigentliche **Botschaft** ist, was er nach Meinung des Sprechers tun, denken oder fühlen soll. Selbstverständlich werden unsere vier Ohren erst durch die vielfältigen Erfahrungen, die wir in unserem Leben gemacht haben, in der Lage sein, alle Prozesse ablaufen zu lassen. Da aber jeder Hörer individuelle Erfahrungen gemacht hat, kann es passieren, dass verschiedene Hörer identisch ausgesandte Botschaften unterschiedlich verstehen.

Weltwissen = allgemeines Wissen, Kenntnisse und Erfahrung über Gesellschaft und Umwelt, z. B. dass Autos meist vier Räder haben oder es Fahrkartenautomaten gibt.

Um ein englisches Wort oder Sätze korrekt sprechen zu können, muss zuerst das Wort oder der Satz gehört und korrekt verstanden werden. Im Gegensatz zum Kleinkind kann ein Schüler, der eine Fremdsprache lernen möchte, bewusst auf die Laute hören, Unterschiede feststellen, willentlich nachsprechen und sich selbst korrigieren. Außer der Aussprache und dem Erfassen der Bedeutung werden mit der Zeit noch weitere Feinheiten beim Hörverstehen erkenn- und nachvollziehbar, wie der Grundton eines Textes (z. B. sachlich, ironisch). Die Satzmelodie (↗ Kapitel, 2.4.2, S. 113) mit fallender oder steigender Stimmlage wird zunächst unbewusst nachgeahmt und erst später bewusst nachvollzogen werden können.

Für beginnende Fremdsprachenlerner ist es unerlässlich, aktiv zuzuhören. Nur mit zielgerichtetem, aufmerksamem und interessiertem Zuhören wird man in der Lage sein, bewusst auf die Laute zu hören, Unterschiede zur Muttersprache festzustellen und auf die Eigenart von Aussprache und Intonation zu achten. Bevor man einen Ton nachahmen kann, muss man wissen, wie er klingt. Im Laufe der Zeit entwickelt man

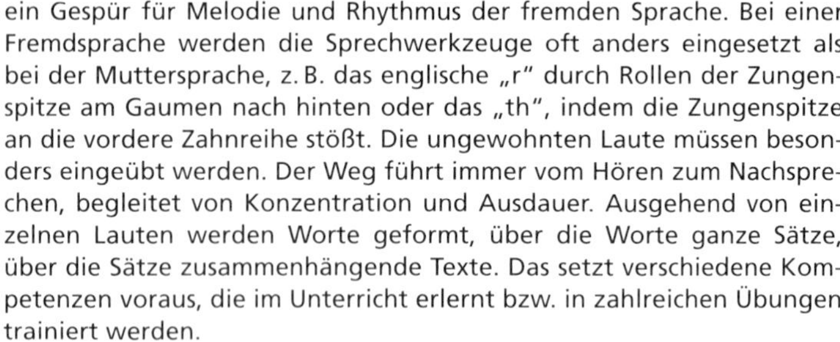

ein Gespür für Melodie und Rhythmus der fremden Sprache. Bei einer Fremdsprache werden die Sprechwerkzeuge oft anders eingesetzt als bei der Muttersprache, z. B. das englische „r“ durch Rollen der Zungenspitze am Gaumen nach hinten oder das „th“, indem die Zungenspitze an die vordere Zahnreihe stößt. Die ungewohnten Laute müssen besonders eingeübt werden. Der Weg führt immer vom Hören zum Nachsprechen, begleitet von Konzentration und Ausdauer. Ausgehend von einzelnen Lauten werden Worte geformt, über die Worte ganze Sätze, über die Sätze zusammenhängende Texte. Das setzt verschiedene Kompetenzen voraus, die im Unterricht erlernt bzw. in zahlreichen Übungen trainiert werden.

Kompetenz (lat.) = Sachkenntnis, Urteilsvermögen, Zuständigkeit

Extensives oder globales Hörverstehen

Unter dem extensiven Hörverstehen ist das „Hineinhören“ in einen Hörtext zu verstehen, um sich **grundsätzlich zu orientieren,** ohne alle Einzelinformationen eines gehörten Textes zu erfassen. Es geht dem Hörer darum, zu erkennen, was in einem Text insgesamt gemeint ist und inwieweit dieser Text für folgende Aufgaben von Bedeutung sein könnte. Wenn ein Schüler sich z. B. mit dem Thema „Haustiere“ beschäftigt und einen Text hört, wird er darauf achten, ob Schlüsselwörter im Sinne des Themas zu hören bzw. verwendet worden sind *(pet, hamster, budgie, guinea pig, ...).* Findet er keine Verbindung zu seinen Vorstellungen, wird er diesen Text als für seinen Zweck nicht brauchbar einstufen und das Interesse verlieren.

In einer vorher angefertigten Mindmap kann viel Sprachmaterial vorkommen, was du vielleicht im Hörtext wieder erkennst.

Tipps zum extensiven oder globalen Hören:
- Was ist vom Text zu erwarten, wenn man den **Titel** hört? Dabei nicht von einzelnen unbekannten Wörtern verunsichern lassen.
- Versuchen, sich die gesamte Zeit über zu konzentrieren. Nicht an einer schwierigen Stelle einfach abschalten.
- Versuchen, wieder in den Text „hineinzukommen“, den **„roten Faden“** suchen und wieder aufnehmen.
- Kontrollfrage stellen: Habe ich den **Zusammenhang des Textes** verstanden?
- Wenn möglich, den Text noch einmal anhören und dabei versuchen, Verständnislücken zu schließen.

Selektives Hörverstehen

Beim selektiven Hören wird die Konzentration durch Vorgaben auf ganz bestimmte **Teilinformationen** gelenkt. Der Hörer soll einem Text einzelne wichtige Informationen entnehmen, die ihm unter einer ganz bestimmten Fragestellung oder einem ganz bestimmten Gesichtspunkt vorgegeben wurden. Die Hauptaussage spielt meist eine untergeordnete Rolle. Oft werden bei dieser Art des Hörverstehens **W-Fragen** gestellt.

Fragewörter geben die Richtung an, in die man in den Text hineinhören sollte.

Tipps zum selektiven Hören:
- Auf **Fragewörter** achten.
- Beim ersten Hören noch keine Fragen beantworten, sondern sich auf den „roten Faden“ konzentrieren.

- Nach dem ersten Hören nochmals die Fragen durchlesen und Vermutungen über deren Beantwortung anstellen.
- Auf die **Reihenfolge der Fragen** achten. Da diese meist am Text orientiert sind, sind auch die Antworten in dieser Reihenfolge zu erwarten.
- Auf **Schlüsselwörter** achten. Sie kann man u. a. durch mehrfaches Nennen bzw. besondere Betonung oder Lautstärke erkennen. Auch Konjunktionen sind sehr wichtig, da sie Sätze verknüpfen, z. B. *but, after, although etc.*.
- Für die Beantwortung der Fragen auf das Sprachmaterial aus den Fragen zurückgreifen. So hat man häufig schon passende Verben, Adjektive etc. parat.
- Den Text erneut hören und versuchen, Verstehenslücken zu schließen.

Schlüsselwörter sind sinntragende Wörter in einem Text.

Intensives oder detailliertes Hörverstehen

Beim detaillierten Hörverstehen sollen Texte sowohl ihrer Gesamtaussage nach als auch in ihren Details erfasst werden. Gerade ein fremdsprachlicher Text sollte einmal vollständig gehört werden, ohne alle Einzelheiten verstehen zu wollen. Zunächst ist es wichtig, den „roten Faden" zu erkennen und sich über die Hauptaussage verständigen zu können (Worum geht es?).
Unbekannte Wörter werden beim ersten Hinhören ignoriert oder im Zusammenhang erschlossen. Der Hörer muss sich mit dem Hörtext intensiv auseinander setzen, muss ihn richtig kennen lernen und je nach der Höraufgabe auch **im Detail** verstehen. Das erfordert durchgängige Konzentration, Intention, Sach- und Sprachkenntnis.

Tipps zum intensiven oder detaillierten Hören:
- Auf **Fragewörter** achten.
- Beim ersten Hören noch keine Fragen beantworten, sondern sich auf den „roten Faden" konzentrieren.
- Nach dem ersten Hören kann der Text, sofern er sich auf einem Speichermedium befindet (Kassette, CD, DVD, Video etc.), mehrmals angehalten werden. Die Pausen können helfen, über das Gehörte nachzudenken, **bereits Bekanntes zu erkennen und Neues zu erschließen.**
- Auf die **Textzusammenhänge** achten: Wie folgt ein Glied des Textes auf das andere? Ergibt sich ein logischer Zusammenhang?
- Vokabeln im Wörterbuch nachschlagen.
- Eventuell Text im Buch nachlesen und mit dem Tonträger vergleichen.
- Akzeptieren, dass vielleicht nicht alle Einzelheiten eines Textes vollständig verstanden werden, ohne sich entmutigen zu lassen.
- Versuchen im Text zu „hüpfen" und **Verbindungen zu schaffen** zu den verstandenen Stellen. Dabei Vermutungen anstellen und eine Verknüpfung zu den einzelnen verstandenen Textstellen herstellen, sodass der Inhalt im Wesentlichen verstanden wird.

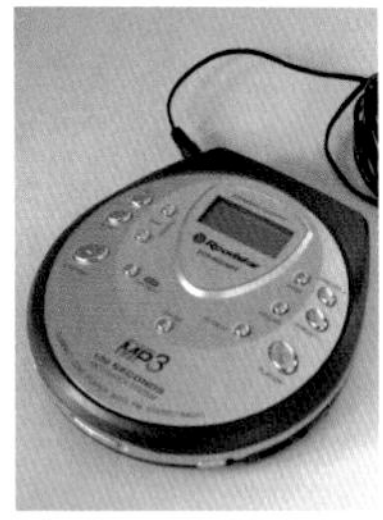

Pre-listening activities sind Maßnahmen, die das Hörverstehen vorbereiten. Dazu gehören auch die Rahmenbedingungen für das Hören wie Lautstärke, technische Fragen etc.

Pre-listening activities

Diese Aktivitäten sollen den Zuhörer auf einen Text einstimmen und ihn mit dem Thema vertraut machen. Wer diese Übungen gut nutzt, hat meist kaum Probleme, einem Text zu folgen. Er hat sein vorhandenes Wissen ak-

tiviert, besitzt die notwendige Erwartungshaltung und ist weniger angespannt als derjenige, der überhaupt nicht weiß, was auf ihn zukommen wird. Folgende Gesichtspunkte können auf den Text einstimmen:
- **Hörerwartung** *(context of interest)* aufbauen, z. B. eigene Fragen/ Hypothesen: Zu dem Thema erwarte ich, dass ...
- **Vorwissen** strukturieren, z. B. mittels Brainstorming oder Mindmapping: Was weiß ich schon zu dem Thema?
- **Eigene Meinung** zum Thema *(own opinion):* Welche Erfahrungen habe ich schon diesem Thema gesammelt?

While-listening strategies helfen, das Hörverstehen während des Hörens zu erleichtern.

While-listening activities

Während des Hörverstehens sind verschiedene Aktivitäten gefordert, die dem Hörer beim Erfassen eines Hörtextes helfen sollen. Zu unterscheiden sind **individuelle Strategien,** wie Hypothesen über den weiteren Verlauf des Textes aufstellen, Vermutungen über die Redeabsicht des Sprechers anstellen, eine Leitfrage stellen, Bilder und Skizzen zum Verstehen hinzuziehen etc.

Note taking

Das *note taking* ist im Englischunterricht oft Bestandteil einer Übung zum Hörverstehen. Bei diesem Übungstyp soll ein Hörtext unter einer vorgegebenen Fragestellung erfasst werden. Während des Zuhörens achtet man auf die für die Fragestellung wichtigen Textstellen und notiert in Stichworten die Angaben, nach denen gefragt wird. Die Notizen müssen nicht perfekt ausformuliert sein. Es kommt darauf an, während des Notizenmachens weiter den Text zu verfolgen. Daher genügt es, wirklich nur das Notwendigste stichwortartig aufzuschreiben. Zeit spart man, indem man:
- statt der Namen nur die Anfangsbuchstaben notiert,
- Handlungen nur durch ein Verb angibt,
- auf Artikel, Adjektive und Adverbien verzichtet.

Das folgende Beispiel skizziert das *note taking* zu einer Inhaltsfrage: *How did the Treefolds come to London?*

Text for listening	Notes
The Treefold family moved into London in 1998, because Mr Treefold had been offered a better job with a computer company. It wasn't until five years later that they bought their own house in the suburbs.	1998 ← job – computer company 2003 own house → suburbs

Post-listening strategies dienen der effizienten Verarbeitung des Gehörten.

Post-listening activities

Es ist wichtig, auch die *post-listening activities* bereits vor dem ersten Hören zu kennen, denn nur so können diese mit Erfolg vorbereitet werden. Hier einige Formen, die im Unterricht eingesetzt werden:

- Finding out (facts, statements, figures, names etc.).
- Writing down own opinion about the text/the opinions in the text.
- Talking about the topic.
- Giving a report about the subject.
- Finding a conclusion.
- Finish the story.

Leseverstehen

Lesen ist die aktive Auseinandersetzung des Lesers mit einem geschriebenen Text. Lesen ist nicht nur ein reines Dekodieren von Buchstaben auf der Wort- und Satzebene, sondern auch ein Vorgang, der durch vorhandenes Wissen gesteuert wird. Lesen ist daher ein **datengesteuerter** und **wissensgeleiteter Prozess.** Die direkt oder indirekt vermittelten Informationen des Autors muss der Leser mit einem bestimmten Leseziel erschließen. Wichtig ist, dass sich der Leser darüber klar wird, mit welchem Ziel er einen Text liest und welche Aufgaben zu bewältigen sind. Dabei kann sich der Leser Wissen aneignen wollen, Fragen beantwortet bekommen oder der Lösung eines Problems näher kommen. So vergleicht er meist unbewusst sein bereits vorhandenes Wissen mit den im Text vermittelten Informationen. Der Leser stellt dabei fest, inwieweit sie miteinander übereinstimmen und an welchen Stellen die Informationen über seinen Wissensstand hinausgehen. So kann er sein Wissen erweitern bzw. kritisch betrachten und gegebenenfalls überdenken. Wenn der Leser Widersprüche erkennt und diese durch die Lektüre nicht überwinden kann, wird er den Text als für ihn unbrauchbar zurückweisen.

Der **Lesegegenstand** (Was lese ich?) wird im Schulalltag in der Regel bestimmt
- durch das Lehrbuch, das bestimmte Themenbereiche behandelt,
- durch den Lehrer, der meist die Auswahl der Texte vornimmt,
- durch die Unterrichtssituation und
- durch die Schüler selbst, die sich an der Auswahl der Texte beteiligen.

Die **Lektüreauswahl** hat entscheidenden Einfluss auf die Motivation zum Lesen.

Die unter diesen Aspekten ausgewählten Texte werden dann mithilfe von unterschiedlichen Leseaufträgen bearbeitet. Der **Leseauftrag** (Wie will ich den Text verstehen?) wird im Schulalltag meist durch die Aufgabenstellung, Anweisungen und Anleitungen gelenkt. Dabei kann sich auch der Leser selbst Leseziele festlegen. Es gilt nun, zu diesen Zielen die richtige Lesestrategie zu finden, um das Ziel erreichen zu können.

Das Wort „Strategie" ist ursprünglich ein Begriff aus der Kriegskunst. Es bezeichnet die langfristige Planung und Führung eines Krieges und seiner Feldzüge zur Erreichung des Kriegszieles.

Lesestrategien sind zweckgerichtete Handlungen zum Erreichen eines bestimmten Zieles. Erkennbar werden sie durch die Art und Weise, wie sich der Leser mit einem Text auseinander setzt. Die strategische Kompetenz des Lesers setzt deshalb eine fundierte Kenntnis voraus: wann und unter welchen Bedingungen es nützlich ist, bestimmte Strategien zu verwenden, welcher Nutzen mit diesen zweckgerichteten Handlungen verbunden ist und welche Techniken zur sinnvollen und effektiven Aufgabenbearbeitung hilfreich sind.

Beispiele für Leseziele und entsprechende Strategien zum Erreichen dieser Ziele:

Leseziel	Lesestrategie	Beispiel
sich einen Eindruck verschaffen	*skimming*	Überfliegen eines Zeitungsartikels, um herauszufinden, welche Meinung der Autor zu einem bestimmten Thema vertritt
eine bestimmte Information finden	*scanning*	Fragen zu Zeitangaben aus einem geschichtlichen Sachtext herausfinden
etwas genau wissen wollen	detailliertes Lesen	Aufgabenstellungen genau erfassen
einen Satz inhaltlich vollständig erfassen	Satzverstehen	genaues Übersetzen von fremdsprachlichen Texten

einen längeren Text zu einem kürzeren umformen	Reduzieren	Verfassen einer schriftlichen Argumentation zu einem bestimmten Thema

skimming (engl.) = das Abgeschöpfte, der Schaum
skim over (engl.) = flüchtig lesen, überfliegen, durchblättern

Skimming

Skimming gehört zu den schnellen Lesemethoden. Wenn der Schüler im Unterricht unter Zeitdruck steht und zügig herausfinden muss, ob ein Text zum weiteren Verlauf des Unterrichts benötigt wird, ob er die entscheidenden Informationen liefert oder aber ob er mithilfe des Textes sein Wissen auffrischen kann, ist schnelles Lesen unabdingbar. Das Ziel des Skimming ist die schnelle Erfassung des Inhaltes eines Textes oder des Gesamteindrucks und ist somit sehr gut für einen Grobüberblick geeignet.

skimmed milk = „abgeschöpfte" Milch

Es erfüllt dabei wichtige Funktionen:
- sich zügig einen **Überblick** über den Inhalt eines Buches verschaffen,
- in einem Nachschlagewerk zügig den Abschnitt mit den aktuell **relevanten Informationen** finden,
- sich zügig den Inhalt eines längeren oder kürzeren Textes erschließen und sich einen **Grobüberblick** verschaffen,
- sich den Inhalt eines bereits früher gelesenen Textes wieder in Erinnerung rufen und bestimmte Informationen auffrischen,
- aus einer Menge von Texten eine **Auswahl treffen,** die für das eigene Leseziel geeignet sind, und somit entscheiden, ob es sich lohnt, sich mit einem bestimmten Text näher zu beschäftigen.

scan (engl.) = abtasten, genau oder kritisch prüfen, forschend ansehen, einen Text überfliegen
scanning (engl.) = Informationen aus einem Text herauspicken

Scanning

Das Scanning gehört zu den Schnelllesemethoden. Sie besteht darin, einen Text gezielt zu überfliegen und bestimmte Daten herauszufinden und zu ordnen. Dabei bewegt sich das Auge schnell von oben nach unten über den Text und „tastet" dabei nach den gesuchten Hinweisen, die zum Leseziel führen. Mit dem Scanning lassen sich so **gezielt spezifische Informationen** in einem Text finden, die sich vom allgemeinen Schriftbild absetzen (Zahlen, Eigennamen, Tabellen, Grafiken, Bilder und Bildunterschriften).

Detailliertes/intensives Lesen

Das detaillierte oder intensive Lesen bedarf einer langen Bearbeitungszeit. Der Leser muss sich mit dem Text intensiv auseinander setzen und – je nach Leseauftrag – auch im Detail verstehen. Dies erfordert entsprechende Konzentration, Motivation und Sachkenntnis. Beim ersten Lesen kommt es nur darauf an, den „roten Faden" zu erkennen und sich ganz kurz mit eigenen Worten zum Inhalt äußern zu können und die Kernaussage zu erkennen. Daher sollte der Leser in der ersten Phase das Wörterbuch nicht benutzen und sich Wortbedeutungen mithilfe des Kontextes erschließen (↗ Kapitel 2.2.1).
Der Leser muss sich bei dieser Lesestrategie dem Text mehrmals nähern. Nach der Anfangsphase ist es nunmehr wichtig, den Text **systematisch**

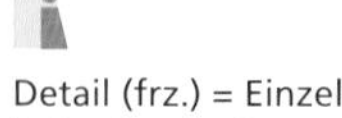

Detail (frz.) = Einzelheit, Einzelteil

und konzentriert Wort für Wort zu erschließen und mithilfe des Kontextes bzw. des Wörterbuches die richtige Bedeutungsvariante des unbekannten Wortes zu erkennen. Erst beim wiederholten Lesen wird es möglich, alle Details zu verstehen, Strukturen zu erschließen und Zusammenhänge zu erkennen. Das Zusammenspiel von Inhalt und Form wird aufgedeckt, indem man Markierungen am und im Text vornimmt, Notizen zum Inhalt einzelner Textabschnitte anfertigt, eventuell Thesen und Hauptgedanken vermerkt und so den Text nach und nach „entschlüsselt".

Kennenlernen des Textes
Skimming → Thema / Textsorte / Überblick

Intensives Lesen
- mehrmaliges Lesen
- Verständnis aller Einzelheiten
- Nachschlagen im Wörterbuch
- gezieltes Unterstreichen oder Markieren

Gesamtverständnis
Gesamtverständnis des Textes → Hintergrundinformationen (Inferieren) → Untersuchung einzelner Textstellen → Gesamtverständnis des Textes

Tipps zum weiteren Vorgehen:
- Stifte und Marker helfen bei der **optischen Strukturierung** des Textes.
- **Fragen an den Text stellen,** entweder durch die Aufgabenstellung bereits vorgegebene oder selbst formulierte.
- Den Text jetzt systematisch und langsam nach der vorgegebenen Fragestellung lesen und ihn in Sinneinheiten gliedern. So lässt sich die **Hauptaussage** besser herausarbeiten.
- Den Text gezielt im Hinblick auf die Aufgabenstellung markieren, damit man wichtige Stellen schnell wieder finden kann.
- Beziehungen zwischen den einzelnen Abschnitten des Textes herstellen und nach deren Bedeutung absteigend sortieren.

Inferenz (lat.) = aufbereitetes Wissen, das aufgrund von logischen Schlussfolgerungen gewonnen wurde

Inferieren

Lesen bedingt immer ein bestimmtes Vorwissen (Sachwissen und Handlungswissen), um den Textinhalt erschließen zu können. Ziel des Lesens ist es, dieses Wissen zu erweitern bzw. zu erneuern. Ein unbekannter Text kann dem Leser neue Fakten bieten, sodass er weitere Zusammenhänge erkennt, die zu einem Umdenkungsprozess führen. Bei der Methode des Inferierens stellt der Leser bereits vorhandenes Wissen den Textinformationen gegenüber und überprüft, was Neues hinzugenommen wird, was geändert werden muss und was in seinen Augen nicht akzeptiert werden kann. So vermischt er beide Wissensquellen miteinander und kommt zu der für ihn wichtigen Textaussage. Obwohl der Text für alle Leser die gleichen Fakten bietet, aber jeder Leser über ein individuelles Wissen verfügt, kann es sein, dass verschiedene Leser auch zu unterschiedlich interpretierten Textaussagen gelangen können.

Satzverstehen

In kurzen Sätzen ist es meist einfach, die Bedeutung unbekannter Wörter zu erschließen und die richtige Variante für die konkrete Verwendung herauszufiltern und so die Satzaussage zu erkennen. Aber vor allem in Sachtexten können längere Sätze mit einer komplizierten Satzstruktur dem Leser Verständnisschwierigkeiten bereiten. Hier gilt es, die Beziehung der einzelnen Satzteile und der verwendeten Wörter zu verstehen. Mitunter will der Autor eine Menge Informationen in einem Satz unterbringen und verknüpft daher einen oder mehrere Hauptsätze mit untergeordneten Nebensätzen. Es ist für den Leser erst einmal wichtig, diesen komplexen Satzaufbau zu durchschauen und die Abhängigkeiten der einzelnen Teilsätze zu erkennen. Dabei lässt sich solch ein zusammengesetzter Satz relativ einfach „entschlüsseln". Zuerst sollte sich der Leser auf den/die **Hauptsatz/-sätze** konzentrieren. Danach lassen sich die verschiedenen Abhängigkeiten der Nebensätze relativ schnell aufdecken.

Tipps zum Satzverstehen:
- Den/die **Hauptsatz/-sätze** bestimmen und erkennen, welcher Teil des Gesamtsatzes allein stehen könnte. Diesen Satz/diese Sätze mit einer geraden Linie unterstreichen.
- Untersuchen, in welcher Art die einzelnen **Nebensätze** den Hauptsatz näher bestimmen – dabei auf Kommata, Konjunktionen, Relativpronomen und adverbiale Bestimmungen im Nebensatz achten. Die Nebensätze mit einer Wellenlinie unterstreichen und mit Pfeilen kennzeichnen, worauf sie sich beziehen.
- Nun in den Hauptsätzen herausfinden, wer/was handelt/macht/beeinflusst (Was passiert?).
- Die **Zusatzinformationen** zur Kernaussage herausfinden, d. h., was der Leser Näheres erfährt. Zum Beispiel könnte es sein, dass zum Handelnden des Hauptsatzes erklärt wird, **wie/warum/wo/wann** er etwas tut oder wie er näher definiert/erklärt wird.

reduzieren (lat.) = zurückführen, einschränken, verkleinern, mindern

Reduzieren

Das Ziel des Reduzierens liegt darin, dass aus einem langen Text ein kürzerer entsteht. Dazu wird der **wesentliche Inhalt** erfasst. Falls vorhanden, werden zu unterschiedlichen Fragen mithilfe des Textes die Antworten gefunden. Reduzieren heißt also auch **filtern** oder sieben. Der Leser entscheidet nach Bearbeitung des Textes, welche Stellen für sein Leseziel wichtig sind und welche einfach vernachlässigt werden können.

Tipps zum Reduzieren:
- Falls es **Leitfragen** zu beantworten gibt, sollte man nach nochmaliger Lektüre bei der Beantwortung verschiedener Fragen auch verschiedenfarbige Stifte benutzen. So kann man sich schneller **orientieren.**
- Nachdem der Text gelesen wurde, sollte man mit den **Markierungen** und den Randnotizen (eigene Abkürzungen, Kommentare, Symbole usw.) beginnen.
- Schlüsselbegriffe (wichtige Fachbegriffe, Oberbegriffe usw.) am Rand **notieren,** um später schneller die passenden Textstellen zu finden.
- Erst nach diesen Schritten mit dem **schriftlichen Bearbeiten** von Fragen beginnen. Dabei muss immer die Frage im Vordergrund stehen: Passt das Markierte noch zur Frage?
- Die Beantwortung der Fragen so **übersichtlich** wie möglich gestalten, d. h. auch die Möglichkeit zur Veranschaulichung von Fakten und Zusammenhängen nutzen. Eine andere Möglichkeit ist die Zusammenfassung in Tabellen oder Diagrammen, die einen schnellen Überblick verschaffen.
- Aufzählungen auch als solche kennzeichnen (Anstriche oder Nummerierungen).
- **Eigene Schlussfolgerungen** oder Konsequenzen, die sich aus dem Gelesenen ergeben, mit speziellen Symbolen kennzeichnen.
- Abschließend nochmals die Notizen durchlesen und prüfen, ob das Geschriebene **logisch aufgebaut** ist, zu den Fragen passt und verständlich, d. h. auch für andere nachvollziehbar geschrieben ist. Falls Veränderungen vorgenommen werden sollen, könnte ein erneuter Blick in den Ausgangstext von entscheidender Bedeutung sein.

Antizipieren

antizipieren (lat.) = gedanklich vorwegnehmen

Antizipation beim Lesen bedeutet, dass der Leser sein vorhandenes sprachliches und fachliches (Vor)wissen, das er zum Text und seinem Thema bereits hat, aktiviert. Es heißt nichts anderes, als dass der Leser sich gedanklich auf den Text einstimmt. Die ersten optischen Signale, die der Leser registriert, sind Überschriften, Zwischenüberschriften und Illustrationen. Mit ihrer Hilfe zieht der Leser die ersten Schlüsse auf die Textsorte und das Thema, das ihn erwartet. Automatisch ordnet er sie seinen Vorkenntnissen zu (z. B. ich werde nun ein Gedicht lesen. Gedichte haben Strophen, Reime …) und ist auf den Text vorbereitet. Die Einstimmung auf den Text erleichtert sein Verständnis während des Lesens.

Tipps zum Antizipieren:
- Die **Überschrift** lesen und deren Bedeutung erschließen sowie vorhandene Bilder betrachten.
- Versuchen, den Gedanken freien Lauf zu lassen und sich spontan zu **den eigenen Erwartungen und Vorkenntnissen,** Interessen und Meinungen äußern – mündlich oder schriftlich in Form von Stichpunkten und Schlüsselwörtern.
- Feststellen, was man selbst noch über die **Herkunft des Textes** herausbekommen kann (Thema, Autor, Entstehungszeit, Texttyp).
- Beim Lesen **Vermutungen über Inhalt und Sprache** anstellen: „Was könnte als Nächstes im Text kommen?“

Sinn erschließendes Lesen

Der Leser versucht, aus dem Text den Sinn zu erschließen und die Hauptaussage zu erkennen. Es kommt nicht darauf an, jedes Wort zu verstehen, sondern es geht um den **globalen Zusammenhang.** Der Leser soll in die Lage versetzt werden, sich zur Hauptaussage eines Textes äußern zu können. Auch bei dieser Strategie ist es wichtig, sich sein Vorwissen bewusst zu machen und es beim Lesen einzusetzen. Unabdingbar sind Markierungen im und am Text. Besonders ist auf die Satzbeziehungen untereinander zu achten. Meist können scheinbar unwichtige Wörter von entscheidender Bedeutung für die Erschließung der Gliederung und der Textaussage sein (z. B. *but, and, although, however, nevertheless, yet).*

Tipps zum Sinn erschließenden Lesen:
- Herausfinden, **welches Thema** behandelt wird.
- Feststellen, was man zu diesem Thema bereits weiß, wie die eigene Meinung zu diesem Thema ist und wie diese begründet werden kann.
- Nicht jedes Wort nachschlagen, sondern versuchen, die Wortbedeutung möglichst **aus dem Kontext** zu erschließen.
- Im und am Text gezielt markieren, um wichtige Textstellen schnell wieder zu finden.
- Auf die **Struktursignale** (Konjunktionen, Adverbien usw.) achten.
- Den Text in Sinnabschnitte aufteilen und für jeden Teil eine passende Überschrift finden.

Autoren benutzen *sequence signals,* um logische Verbindungen im Text herzustellen, z. B. *then, because, although, another reason is ...*

While-reading activities

Unter den *while-reading activities* versteht man die während des Lesens ablaufenden verschiedenartigen Nebenhandlungen, die dem eigentlichen Leseziel dienen. Sie unterstützen das Lesen, erleichtern das Verständnis der Textaussage und helfen bei der Aufdeckung der Struktur des Textes.

Markieren gehört zu den gängigen while-reading activities.

Markieren. Wenn man Textstellen markiert, sollte man mit dem Grundsatz arbeiten: „Weniger ist mehr". Markierungen sollen es dem Leser erleichtern, in einem Text besser „navigieren" zu können, den Zusammenhang zwischen Inhalt und Form aufzudecken und Wesentliches von Unwesentlichem zu unterscheiden. Wichtig für den Leser sind seine eigenen festgelegten Markierungsprinzipien, denn nur er muss in der Lage sein, sie tatsächlich nachzuvollziehen und mit dem Text arbeiten zu können. Sicherlich ist es ratsam, die vom Lehrer empfohlenen Markierungsregeln einzuhalten, die Individualität des Lesers sollte dennoch eine wichtige Rolle spielen.

Folgende Markierungsmöglichkeiten haben sich bewährt:
- Schlüsselbegriffe mit einem Textmarker markieren oder farblich einkreisen,
- wichtige Nebeninformationen zu den Schlüsselbegriffen mit einem Feinliner unterstreichen und Beziehung dazu durch Pfeile deutlich machen,
- logische Zusammenhänge (Thesen, Antithesen, Folgerungen, Wider-

sprüche, Parallelen, Rückverweise) am Rand durch Symbole (Pfeile, Blitze, Striche etc.) kennzeichnen, eigene Meinungen und Auffassungen am Rand vermerken:
  - Zustimmung: ja/+/!
  - Ablehnung: nein/–/!!!
  - Kritik: naja!/+ –/Krit.
  - Fragen/Unklarheiten: ???
  - Definitionen: Def.
- stilistische Mittel am Rand notieren,
- Aufbau mit Linien im Text markieren (Sinnabschnitte abgrenzen),
- Aufbau am Rand deutlich machen:
  Einleitung: I.
  Hauptteil: II.
  Zwischenüberschriften: II.1./II.2/II.2.1/II.2.2 mit jeweiligem Wortlaut
  Schluss: III.

Aufbaumerkmale eines Textes erkennen

Der Autor befolgt beim Verfassen von Texten bestimmte Regeln. So wird er sich sorgfältig Gedanken gemacht haben über den Aufbau, d. h. die Anordnung der Fakten und Aussagen, Fragen, Schlussfolgerungen usw. Diese Vorüberlegungen werden den Verfasser zu einem ganz bestimmten „Textbauplan" geführt haben, den der Leser erkennen sollte, um die Überlegungen des Autors rekonstruieren zu können.
Meist ist ein Text in drei Hauptabschnitte untergliedert: Einleitung, Hauptteil, Schluss. Jeder einzelne Abschnitt innerhalb der verschiedenen Hauptabschnitte kann auch als Text im Text angesehen werden, für den dann wieder die allgemeinen Aufbaumerkmale gelten. Am Anfang steht ein **einleitender Satz *(topic sentence)*,** der den inhaltlichen Aspekt des Absatzes benennt. Danach folgen im Hauptteil Sätze mit Beispielen, Begründungen, Fakten etc. Im Schlussteil des Abschnittes findet sich meist ein Satz, der diesen Abschnitt zusammenfasst.

comprehensive, adj. (engl.) = umfassend, im Gesamten betrachten

Comprehension questions

Der Leser wird in seiner Informationsaufnahme gelenkt durch verschiedene Aufgabenstellungen, Fragen, Arbeitsaufträge usw. Es geht darum, diese zu lösen bzw. zu bearbeiten. Dabei muss der Leser meist mehrere verschiedene Teilaufgaben lösen, die jeweils eine andere Lesestrategie erfordern können. So wird es möglich, den Text sowohl global als auch detailliert zu verstehen.

Das Beantworten von Verständnisfragen gehört zu den oft geforderten post-reading activities.

Der Leser muss bei diesen Teilaufgaben:
- den Text lesen,
- Fragen zum Text beantworten,
- bestimmte Informationen herausfiltern,
- Meinungen identifizieren und bewerten können,
- Gestaltungsmerkmale erkennen,
- wesentliche Aussagen zum Text treffen können,
- Schlüsselwörter erkennen, markieren und diese in Beziehung setzen,
- zentrale Informationen erfassen und visuell darstellen,
- Wesentliches von Unwesentlichem unterscheiden, den Text strukturieren usw.

1.2.2 Sprechen und Schreiben

Sprechen

skill (engl.) = Fertigkeit, Fähigkeit

Sprechen ist neben Lesen, Schreiben und Hören ein *skill,* den man im Englischunterricht erlernt. Während man Schreiben, Lesen und z. T. auch Hören für sich alleine üben kann, braucht man für das Sprechen einen Partner, ein Gegenüber. Das Hauptziel des Erlernens jeglicher Fremdsprache ist es ja, dass man sich durch sie mit Menschen aus anderen Ländern verständigen kann. Um sich ausdrücken zu können, müssen Wortschatz, Grammatik und Aussprache in kürzester Zeit so miteinander kombiniert werden, dass das Gegenüber einen versteht. Beim Schreiben hat man hierzu viel mehr Zeit. Das Sprechen hingegen erfordert eine schnelle Auffassungsgabe, Flexibilität und auch einen gewissen Mut zum Fehler.
Schüchternen Schülern fällt es oft besonders schwer, sich in der Fremdsprache auszudrücken. Nichts aber ist effektiver als darauf loszuplaudern, wenn man sich verbessern möchte. Es kann hilfreich sein, sich die zu erwartende Gesprächssituation vorzustellen und sich bestimmte Sätze und Ausdrücke zurechtzulegen. Im Unterricht erfolgen solche Gespräche in einer künstlichen Situation, denn es ist immer möglich, auf die eigene Muttersprache zurückzugreifen. Am besten bittet man den Muttersprachler zu verbessern. Verwendet der Muttersprachler eine neue Redewendung, dann kann diese in den eigenen Sprachgebrauch übernommen werden. Indem man den neuen Begriff gleich selbst verwendet, wird er im Gedächtnis stärker verankert.

Muttersprachler findet man z. B. in britischen oder irischen Pubs oder natürlich am Flughafen. Es hilft aber auch, auf englischsprachige Werbung zu achten, sich Filme im Original anzuschauen und sich dabei die Aussprache und Intonation einzuprägen. Auch wer sich für Songtexte interessiert, schnappt interessante Redewendungen auf.

Ein Hilfsmittel, um mehr Zeit zum Überlegen zu haben, sind **Füllwörter** *(fillers),* die inhaltlich kaum etwas aussagen. Wenn diese Ausdrücke wohl dosiert eingesetzt werden, ermöglichen sie eine flüssige Kommunikation.

Well, I don't know if we should get it. **Yeah, I suppose** you are right. **It is sort of** an animal, **you know. Anyway,** let's go over there. Ok, **whatever.**

Zudem sollte man sich für bestimmte Alltagssituationen Gesprächsmuster zurechtlegen, die man dann automatisch abrufen kann.

Konversationshilfen

Konversation starten. Um den potentiellen Gesprächspartner für sich zu gewinnen, ist es wichtig, einen guten Eindruck zu machen. Positiv wirkt immer ein nettes Lächeln, Blickkontakt und eine entspannte Körperhaltung. Nach einer freundlichen Begrüßung nennt man seinen Namen und macht einen Gesprächsanstoß.

I'm studying English at school and I'm really interested in your country. May I ask you some questions? I'm from Germany and I'm new here. Could you please explain some things to me?

Small Talk = leichte, beiläufige Konversation, Geplauder

In manchen Situationen, wie z. B. im Zugabteil, muss man manchmal ein kurzes Gespräch führen, um die Atmosphäre zu retten. Diese Art der Kommunikation nennt man **Small Talk.** Als Themen eignet sich Belangloses wie zum Beispiel das Wetter *(Very hot today, isn't it?; When will this rain ever end?)* oder die Umgebung, in der man sich befindet *(Oh, what a beautiful view!).* Für den Small Talk ungeeignet sind alle Fragen, die zu persönlich sind, wie z. B. das Alter, der Beruf, das Einkommen und Ähnliches.

Fragen nach den Hobbys:
- What kind of sports/music/clothes do you like?
- Are you interested in pop music/painting/horse riding ...?
- Have you ever tried free climbing?
- Have you ever been to London?
- What do you normally do at weekends?

Vorschläge machen:
- Let's go to a café!
- Let's buy some ice cream!
- Why don't we go shopping?
- Would you like to go to the cinema with me?

Konversation im Gang halten. Dass ein Gespräch einmal ins Stocken gerät, ist ganz normal. Deshalb muss es aber noch nicht beendet werden. Man sollte nicht die ganze Zeit nur von sich erzählen, sondern seinem Gesprächspartner durch gezielte Fragen und Nachfragen zeigen, dass man sich für seine Person interessiert.

Have you ever been to Germany?
Did you like the food there?
Do you really eat sausages and tomatoes for breakfast?
What foreign languages are being taught at your school?

What kind of music do you like?

I like pop music.

Oh, me too. Do you have a favourite band?
Have you ever been at a concert of theirs?
(Warst du schon mal auf einem ihrer Konzerte?)

Gesprächstempo reduzieren/Nachfragen

Could you please speak more slowly?
Can you speak up, please?
I didn't quite get that. (Ich habe das nicht ganz verstanden.)
Can you repeat that, please?
I didn't understand you.
I am sorry, my English is not that good, I am still learning.
I have never heard that word. Can you please explain it to me?

Eine Konversation besteht aus **Gesprächsanstößen, Antworten** und **Gesprächsweiterführungen.** Damit eine Unterhaltung am Leben bleibt, muss man auf den Gesprächspartner eingehen.

What did you do last night? (Anstoß)
We went to the cinema. (Antwort)
Oh, really? (Weiterführung)
What did you watch? (Anstoß)
Harry Potter. (Antwort)
Have you been yet? (Anstoß)
No, I have no money. (Antwort)
Yeah, I see. (Weiterführung.)

Konversation beenden

It was nice talking to you, but unfortunately I have to go now.
I really enjoyed our conversation, maybe we can repeat that one day.
Oh, I am already late. I'd better go now. Hope to see you soon.
Take care. (Mach es gut.)

Telefonieren

Telefonieren ist eine besonders schwierige Form des Gesprächs, da man sein Gegenüber nicht sieht. Man hört nur die Sprache, Mimik (Gesichtsausdruck) und Gestik (Körpersprache) fehlen. Wichtige Formulierungen:

- Hello, this is Wendy speaking.
- May I please speak to Nick?
- Can I please leave a message?
- Please try again later.
- Can I call you back/Can he call you back?
- Please hold the line./Please hold on for a minute.
- Please leave your name and number.
- He is not available at present.

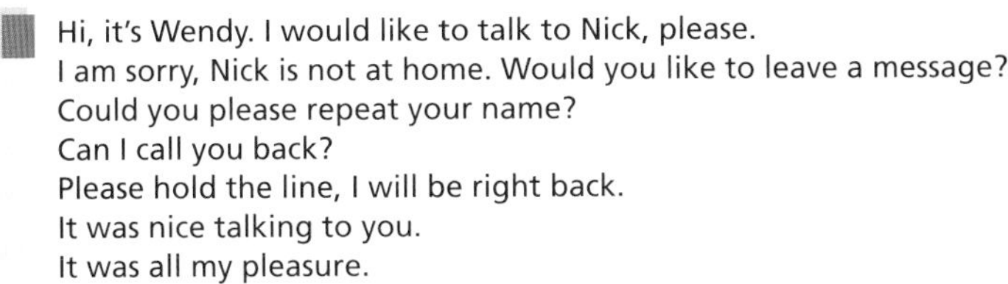
Hi, it's Wendy. I would like to talk to Nick, please.
I am sorry, Nick is not at home. Would you like to leave a message?
Could you please repeat your name?
Can I call you back?
Please hold the line, I will be right back.
It was nice talking to you.
It was all my pleasure.

Schreiben

Vor dem Verfassen eines Textes sollte, je nach Schreibanlass Stil bzw. Wortwahl und die äußere Form angepasst werden. Das Layout einer E-Mail an einen Freund unterscheidet sich sowohl äußerlich als auch inhaltlich stark von einem Beschwerdebrief, den man an eine englische Fluggesellschaft schreibt. Lediglich Schriftstücke, die man für sich selbst erstellt (z. B. Notizen während des Unterrichts) können spontan erfolgen. Alles, was für jemand anderen zu lesen bestimmt ist, muss so strukturiert sein, dass der Leser den Gedankengang des Verfassers nachvollziehen kann. Im Englischunterricht schreiben Schüler sowohl **Sachtexte** als auch **kreative Texte** und analysieren literarische Texte. Je nach Aufgabenstellung erfolgt der **Schreibprozess gelenkt,** d. h., man bekommt viele Vorgaben, an die man sich halten muss, oder aber **frei und ungelenkt,** d. h. man kann seiner Phantasie in einem weiten Rahmen freien Lauf lassen.

Beispiele für **Sachtexte** sind u. a. *Summary* (Textzusammenfassung), *Report* (Bericht), *Renarration* (Nacherzählung), *Comment* (Stellungnahme), *Composition*. Beispiele für **kreative Texte** sind z. B. Phantasiegeschichte, Märchen, Gedicht, Reizwortgeschichte usw.

Allgemeines zum Aufbau eines Textes

Normalerweise besteht ein Text aus:
- Überschrift/Titel,
- Einleitung/Hinführung,
- Hauptteil,
- Schluss/Zusammenfassung/Resümee.

Häufig macht man beim Verfassen eines englischen Textes den Fehler, dass man sich zu sehr an der Muttersprache orientiert. Dadurch wirkt der Satzbau oft unnatürlich und konstruiert. Im Gegensatz zum Deutschen wird im Englischen großer Wert auf klare, einfache Sprache gelegt. Beim Verfassen eines englischen Textes gilt es deshalb, vorangestellte und eingeschobene Nebensätze kurz zu halten und das Subjekt so weit wie möglich an den Satzanfang stellen. Deutsche neigen – vor allem wenn sie sachlich schreiben – zum Nominalstil (Beamtendeutsch), d. h., die Nomen dominieren die Sätze. Im Englischen ist es besser, den Schwerpunkt auf Verben zu setzen.

The meaning for this is that … (Nomen) → This means that … (Verb)

Auch Passivsätze sollten möglichst sparsam gebraucht werden.

The finding of researchers is that more and more children are overweight. (Nomen) → Researchers have found out that more and more children are overweight. (Verb)
Four mistakes were admitted by the pupil. *(passive voice)* → The pupil admitted four mistakes. *(active voice)*
A recommendation was made by inspectors. *(passive voice)* → Inspectors made a recommendation/Inspectors recommended … *(active voice)*

Beim **Beantworten von Fragen zum Text** *(questions on the text)* gilt es, die Formulierung der Fragestellung aufzugreifen und in der gleichen Zeitstufe zu antworten.

Question: Why did *Linda stay at home on Saturday night?* (simple past)
Answer: *Linda stayed at home on Saturday night* because her Mum did not allow her to go out. (simple past)
Question: How long have you been waiting? (present perfect progressive)
Answer: I have been waiting for 1 hour. (present perfect progressive)

Kreatives/Fantasievolles Schreiben

Diese Form des Schreibens kann z. B. von einem Bild, einer Bildergeschichte, einem Satz oder einer Überschrift ausgehen. Auch hier gilt wieder der dreiteilige Aufbau mit Einleitung, Hauptteil und Schluss. Die **Einleitung** führt knapp zum Thema hin, im anschließenden **Hauptteil** wird Spannung aufgebaut. Der **Schluss** ist wiederum kurz zu halten.
Er rundet den Aufsatz ab. Mit dieser Art von Texten soll der Leser unterhalten werden. Daher muss man anschaulich und abwechslungsreich schreiben. Dies bezieht sich sowohl auf den Wortschatz als auch auf den Satzbau. Wörter wie *good, nice, bad* sagen nicht sehr viel aus, deshalb ist es wichtig, Ausdrücke zu finden, die anschaulich das Spezielle wiedergeben. Hier ist es hilfreich, unter verschiedenen begriffsähnlichen Wörtern das am besten geeignete auszuwählen, nachfolgend am Beispiel von *good* demonstriert:

Das kreative Schreiben lässt dem Verfasser mehr Freiraum, da eine Textgrundlage um- und neu gestaltet werden kann.

The food was **excellent.**	Das Essen war hervorragend.
This T-shirt is **fantastic!**	Dieses T-Shirt ist phantastisch!
You have to read that book. It is **terrific.**	Du musst dieses Buch lesen. Es ist sagenhaft.
This is a **perfect** example.	Dieses Beispiel ist vollkommen.
Wow, what a **brilliant** idea!	Wow, was für eine brilliante Idee!
They live in a **marvellous** house.	Sie wohnen in einem wunderbaren Haus.
We had a **great** time together.	Wir verbrachten großartige Stunden miteinander.
She made an **amazing** progress.	Sie hat erstaunliche Fortschritte gemacht.

Erzählungen werden zudem lebendiger, wenn man im Hauptteil **wörtliche Rede, Gedanken** und **Gefühle** der handelnden Personen einbaut. Zur Veranschaulichung können auch **Vergleiche** mit *as* oder *like* oder aber bildhafte **Ausdrücke** (Metaphern) herangezogen werden.

He ran **like** the devil was behind him.
She was **as** cool **as** a cucumber.

Eine zusammenhängende, harmonische Geschichte erhält man durch die Verwendung von Konjunktionen und Präpositionen. Dies kann die Qualität eines Textes beeinflussen:

The alarm clock was broken and Susan woke up too late. She had breakfast. Susan left the house late. The girl had to run. She had to catch the bus. She ran very fast but the bus was gone. Susan wanted to call her boss. She noticed that her mobile phone was still at home. Susan took a taxi to work.

Since her alarm clock was broken, Susan woke up too late. **After** breakfast she left the house. The girl had to run **in order to** catch the bus. **Although** she ran very fast, the bus was gone. **Because of** this she wanted to call her boss **but** her mobile phone was still at home. **Finally** she took a taxi to work.

Umschreiben einer Textsorte

Hier wird z. B. ein Gedicht vorgelegt. Dieses soll in eine kurze Erzählung umgeschrieben werden. In unserem Beispiel wird eine Kontaktanzeige, die in einer Tageszeitung erscheinen könnte, in ein Gedicht umgearbeitet. Wichtig ist hierbei, sich die Kriterien der zu erarbeitenden Textart in Erinnerung zu rufen. Hier wäre es die Gestaltung in Verszeilen, teils auch mit Endreim *(me, see)*.

Where is my love,

Handsome, sporty, clever
that is me
Is it so hard for the girls
to see?
When they are around
I cannot talk
I'm so shy.
in the cinema,
while playing soccer
while listening to music
I ask myself why, why, why?
Not asking for much
Just a natural "she"
Sharing my hobbies
Who wants to spend time
with me.

Marriage advertisement
(Kontaktanzeige)

♥ ♥ ♥ ♥ ♥ ♥ ♥ ♥ ♥ ♥ ♥

18 y male student,
handsome,
sporty but shy.
Interested in
cinema, soccer, rock music.

Searching for natural girl
(17–20 y)
to go out, do sports +
maybe
for common future.

♥ ♥ ♥ ♥ ♥ ♥ ♥ ♥ ♥ ♥ ♥

SPRACHPRAXIS 2

2.1 Entwicklung der englischen Sprache

2.1.1 Historische Einflüsse auf die Sprachentwicklung

Wer Englisch lernt, dem begegnen immer wieder Vokabeln, die ihm aus dem Deutschen oder anderen Fremdsprachen vertraut vorkommen. Die Erklärung für diese Ähnlichkeiten liefert die Siedlungs- und Eroberungsgeschichte Englands. Sie hat die Sprache des Landes entscheidend geprägt. Verschiedene Völker haben die Entwicklung der englischen Sprache beeinflusst.

AD (lat.) = anno domini, v. Chr.

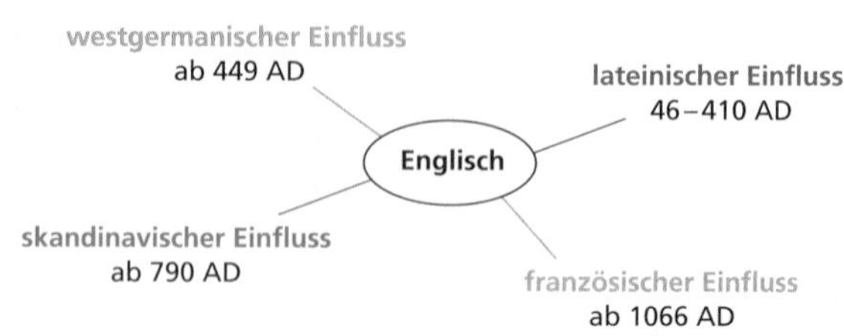

Genauso wie die deutsche Sprache hat die englische Sprache ihren Ursprung in der germanischen, speziell der westgermanischen Sprachfamilie. Diese hat sich im Laufe des 2. Jahrtausends v. Chr. von der indogermanischen Sprachfamilie gelöst. Wichtig für die Entstehung des Englischen ist die Invasion Englands durch die westgermanischen Stämme der Angeln, Sachsen und Jüten ab 449 n. Chr. Die westgermanischen Dialekte, die die eindringenden Stämme mitbrachten, wurden von Anfang an einheitlich *Englisc* (Englisch) genannt. Mit der Verschmelzung dieser Dialekte formierte sich eine neue Sprache, die auch das Keltische in sich aufnahm. Überreste des Keltischen trifft man noch heute in einer Reihe von Ortsnamen, Weiterentwicklungen finden sich im heutigen *Welsh* und im *Gaelic* Irlands und Schottlands. Die Dialekte der Angeln, Sachsen und Jüten bildeten den grundlegenden Wortschatz und die Grammatik des Altenglischen. Auf den Einfluss dieser germanischen Stämme, die aus Gegenden der deutschen Nordseeküste in England eindrangen, lassen sich folgende Ähnlichkeiten zurückführen:

NE = New English
OE = Old English
AS = Anglo-Saxon

NE	bread	OE	bread	Brot
NE	bid	AS	biddan	bitten
NE	speak	AS	specan	sprechen
NE	week	AS	wicu	Woche
NE	day	AS	dag	Tag

Die Konsonantenfolge *sk* (wie in *sky, skin)* weist auf den skandinavischen Einfluss hin.

Einflüsse der skandinavischen Periode

Angriffswellen und Plünderungen der Wikinger entlang der englischen Küste seit dem 8. Jahrhundert fanden ihren Höhepunkt in der Entstehung des dänischen Reiches unter KNUT DEM GROSSEN, der von London aus über England, Norwegen und Dänemark regierte. Von 1016 bis 1042 herrschten dänische Könige von England aus. Zahlreiche Lehnwörter – vor allem aus dem Bereich der Alltagssprache – sind in dieser Zeit in den englischen Wortschatz gelangt.

Ein **Lehnwort** ist ein Begriff, der aus einer Sprache in eine andere übernommen (entlehnt) wurde.

Nomen: birth, egg, link, skill, skin, skirt, sky, trust, want
Adjektive: awkward, flat, ill, loose, low, tight, weak
Verben: to cast, crawl, die, get, give, glitter, take, thrust

Die **normannische Eroberung** von 1066 hat die Entwicklung der englischen Sprache entscheidend verändert. Für ca. 200 Jahre wurde das normannische Französisch die Alltagssprache der Oberschicht. Amtsträger, Geistlichkeit und Personen, die aufgrund ihrer Tätigkeit Kontakt zur Oberschicht hatten, beherrschten beide Sprachen. Folge dieser Periode ist der französisch geprägte Wortschatz in den Bereichen:

Politik: sovereign, crown, state, country, power, minister, parliament, council, peace, war, battle, arms, officer
Justiz: justice, just, crime, property; to sue, plea, cause, to accuse
Religion: service, virgin, to preach, to pray, to save
Kunst: colour, design, paint, arch, tower, column, palace.

Der **Einfluss des Lateinischen** fand in zwei Phasen statt: einmal in der Zeit, als England eine römische Provinz war (46 AD – 410 AD), zum anderen zur Zeit der Renaissance, als die klassischen Wissenschaften einen Aufschwung erfuhren und damit das Lateinische wieder auflebte.
Auf die Zeit der römischen Besetzung Englands gehen insbesondere Ortsnamen mit den lateinischen Endungen **-chester, -caster** (= lat. **castra** = Lager) zurück, wie in **Colchester, Winchester, Rochester, Lancaster** etc.
Viele lateinische Wörter haben ihren Weg in die englische Sprache gefunden, ohne dabei ihre ursprüngliche Bedeutung aufzugeben, wie:

enormous = von der Norm abweichend,
extravagant = vom normalen Pfad abkommen,
extraordinary = außerhalb der normalen Ordnung,
aggravate = Gewicht hinzufügen,reizen, verschlimmern
ponder = wiegen; Gedanken abwägen.

Ebenso wurden lateinische Suffixe, wie z. B. *-ment* oder *-ation,* mit englischen Wörtern verbunden, sodass sich Wörter ergaben wie:

acknowledgement, amazement, bereavement, fulfilment.

Auch in der Folgezeit zeigt das Englische die Tendenz, Bezeichnungen für Neues aus anderen Sprachen zu übernehmen. Der reiche Wortschatz des Englischen, in dem es nicht selten für einen Begriff mehrere Synonyme gibt, ist ein Ergebnis dessen. Als Beispiel für die lexikalische Vielfalt des Englischen können die Entsprechungen für das deutsche Adjektiv „groß" dienen. Im Deutschen kann das Wort „groß" nahezu in allen Schattierungen benutzt werden, wie in „ein großer Mann, ein großes Haus, eine große Kälte" etc. Im Englischen dagegen wird sehr viel stärker differenziert, z. B. *a tall man, a great number, a big mistake.*

Synonym = bedeutungsgleiche Wörter, *big and tall are synonyms*

2.2 Wortschatz

Im folgenden Kapitel werden Methoden des Umgangs mit unbekannten Wörtern vorgestellt. Zunächst einmal kann die Bedeutung neuer Wörter auf verschiedene Arten erschlossen und hergeleitet werden. In einem zweiten Schritt finden Methoden Anwendung, die dafür sorgen, dass Vokabeln besser behalten und auch nach längerer Zeit aus dem Gedächtnis abgerufen werden können. Um den Erfolg der nachfolgend vorgestellten Verfahren besser einschätzen zu können, ist etwas Hintergrundwissen nützlich. Daher wird nun skizziert, wie das Gedächtnis prinzipiell funktioniert.

Über die Sinnesorgane werden Sinneseindrücke ans Gehirn übermittelt und als Gedächtnisinhalte in der so genannten Großhirnrinde gespeichert. Bevor sie dort hingelangen, werden alle eintreffenden Informationen im Zwischenhirn mit Gefühlen „angereichert".

Das eigentliche **Speichern der Informationen** geschieht in **drei Schritten:**

1. Schritt: Ultrakurzzeitgedächtnis

Aufmerksamkeit Wiederholung

Da aus unserer Umwelt über unsere Sinnesorgane in einer Sekunde 10 Milliarden Informationseinheiten zum Gehirn gelangen, müssen diese Informationseinheiten gefiltert werden, bevor sie die Großhirnrinde erreichen. Daher wählt unser Gehirn nur einen Teil aus und lässt nur hundert Informationseinheiten durch.

Beschränkt auf 5 bis 10 Informationseinheiten, auch *chunks* genannt. Dies können Buchstaben, Wörter, Sätze sein.

2. Schritt: Kurzzeitgedächtnis

Verarbeitungsprozess in mehreren Hirnregionen

Das Kurzzeitgedächtnis wird auch Arbeitsgedächtnis oder Arbeitsspeicher genannt. Innere und äußere Reize verändern den Zustand ständig. Hier werden die Informationseinheiten ein zweites Mal gefiltert. Es sind jetzt nur noch zehn Informationseinheiten in einer Sekunde, die kurzfristig gespeichert werden. Informationen mit sieben bis acht Zeichen können einige Sekunden bis maximal 20 Minuten gespeichert werden.

Wichtig ist, dass einfache und grundlegende Information bereits als Netz vorhanden sind, damit komplexe Informationen im Gedächtnis besser verknüpft werden können.

3. Schritt: Langzeitgedächtnis

Dieser Gedächtnisteil behält Informationen für mehrere Jahre. Es wird nur noch eine Informationseinheit pro Sekunde abgespeichert. An intensiv erlebte eigene Erfahrungen kann man sich meist gut erinnern. Dinge, die keine persönliche Bedeutung haben, werden in der Regel schlechter behalten und sollten deshalb öfter wiederholt werden.

Das Ziel besteht nun natürlich darin, sprachliches Material im Langzeitgedächtnis abzuspeichern. Zu den Rahmenbedingungen gehören neben einer sorgsamen Gestaltung des häuslichen Arbeitsplatzes, auch eine Zeitplanung, die Platz für Pausen und Erholungsmöglichkeiten lässt, sowie ein langer und erholsamer Schlaf.

Generell ist der Lerneffekt größer, wenn man sich die Lerninhalte nicht vom Lehrer „servieren" lässt, sondern den Stoff aktiv selbst bearbeitet. Beim Texte bearbeiten, Schlüsselbegriffe finden, Mindmaps und Skizzen erstellen werden neue Strukturen und Zusammenhänge klar, die das Gedächtnis stärken.

Folgende allgemeine Tipps können hilfreich sein:

- **Lernstoff aufteilen** und **häufig kürzere Lernpausen machen.** Es ist sinnvoller, den Lernstoff in mehreren kleinen Lernschritten zu lernen, weil das menschliche Hirn wenige Informationen besser in mehreren kleinen Etappen aufnehmen kann.
- **Wiederholen.** Erneute Beschäftigung mit Lernstoff, den man bereits einmal beherrscht hat, erfordert nur einen Bruchteil der Lernarbeit, die für das anfängliche Lernen notwendig war, weil viele Gedächtnisspuren vorhanden sind. Regelmäßiges Wiederholen spart also Zeit und hilft, wichtige Dinge zu behalten.
- **Nicht zu früh wiederholen.** Wiederholen sollte man aber erst, wenn die Lernkurve abgeflacht ist. Die Lernkurve beschreibt, dass zu Beginn eines Lernvorgangs am schnellsten gelernt wird. Je näher man zum Lernziel kommt, umso langsamer wird der Lernfortschritt. Richtig sind daher regelmäßige Wiederholungen in größeren zeitlichen Abständen mit jeweils wenigen Lerndurchgängen.
- **Strukturiert lernen.** Das Lernen ist ein ganzheitlicher Vorgang, der aus mehreren kleinen aufeinander folgenden Handlungsschritten zusammengesetzt ist. Übe diese Schritte als ganzen Block, sodass dieser beim Lernen immer automatisch abläuft.

2.2.1 Erschließungstechniken

Wenn du einen Text verstehen möchtest, ist es nicht notwendig, dass du die Bedeutung jedes einzelnen Wortes erfassen kannst, weil nicht alle Wörter gleich wichtig sind. Es gibt bestimmte Wörter, die eine größere Bedeutung haben, weil sie den Sinn eines Textes enthalten, so genannte **Schlüsselwörter *(key words).*** Dazu ein Beispiel:

Schlüsselwörter *(keywords)* sind sinngetragende Wörter eines Textes.

Walton Online is one of at least 150 Internet-based public schools that were founded nationwide in recent years. Many of them are in partnership with private companies, e. g. insurance or printing companies. The Department of Education noted the emergence of many online public schools and said they were experiencing an "unexpected growth". Many parents wishing to supervise their children's education consider Walton to be an attractive option.

Sollten aber diese Schlüsselwörter unbekannt sein, dann können folgende Verfahren zur Bedeutungserschließung helfen:

Lehnwörter sind solche Wörter, die **Ähnlichkeit** mit Begriffen aus dem Deutschen oder anderen Sprachen haben und uns deshalb vertraut sind. So kann man beispielsweise das englische Wort *republic (n.)* leicht erkennen, weil es offensichtliche Ähnlichkeit nicht nur mit dem Deutschen hat *(franz.: république, span.: república, lat.: res publica).* Die englische Sprache ist reich an Lehnwörtern, da sie in der Vergangenheit stark den Einflüssen des Lateinischen, des Griechischen, des Französischen und des Germanischen unterlag (↗ S. 40).

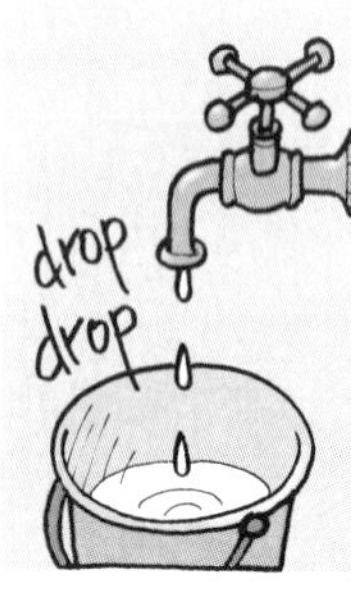

Lautimitierende oder auch **lautmalende** Wörter sind Ausdrücke, die mit dem Klang des Wortes den Sachverhalt an sich ausdrücken, z. B. *to hiss* (zischen – Schlange), *to sniff* (schniefen), *to hum* (summen – Hummeln, Bienen).

Es gibt viele Wörter, die heute weltweit gebraucht werden. Zu diesen Wörtern gehören vor allem solche, die der Computersprache zugeordnet werden können. Aber auch Begriffe, die das Reisen, die Filmindustrie oder Wirtschaftssprache betreffen, wie *memory* (Erinnerung), *to save* (speichern, sichern), *airport* (Flughafen), *movie* (Film), *business* (Geschäft), sind hier zu nennen. Auch aus dem **Kontext,** das heißt aus dem Sinnzusammenhang, in dem der Text steht, lässt sich sehr häufig die Bedeutung eines Wortes erschließen, ganz besonders dann, wenn ein Wort verschiedene Bedeutungen hat.

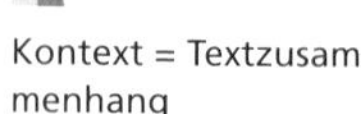

Kontext = Textzusammenhang

After the next corner you turn **right.**
We should use our **right** to demonstrate.

Sprache verändert sich ständig, indem bestimmte Wörter immer weniger gebraucht werden, während neue Wörter hinzukommen. Ausgangspunkt der **Wortbildung *(word formation)*** ist in der Regel ein bekanntes Wort, das mit anderen Wörtern oder Wortteilen kombiniert wird. Man nennt den bedeutungstragenden Teil des Wortes **Wortstamm.** Wörter, die **denselben Stamm** besitzen, werden in so genannten **Wortfamilien** (↗ S. 48) zusammengefasst. Durch die Zusammensetzung von Stamm und einem bzw. mehreren Wortteilen erhalten diese Wörter eine neue Bedeutung.

Wortfamilien bestehen aus Wörtern mit derselben Wurzel bzw. demselben Wortstamm *(root).*

Ableitungen können durch bestimmte Wortteile gebildet werden. Solche Wortteile sind vor allem Vorsilben **(Präfixe – *prefixes)*** und Nachsilben **(Suffixe – *suffixes).*** Wie der Name schon sagt, können diese jedoch nicht allein, also ohne Wortstamm, stehen:

Präfix (lat.) = Vorsilbe; Suffix (lat.) = Nachsilbe

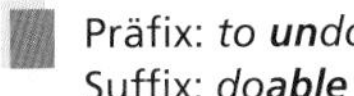

Präfix: *to* ***un****do*
Suffix: *do****able***

Wenn der Stamm eines Wortes bekannt ist, kann mithilfe der Analyse der anderen Wortteile die Bedeutung des Wortes häufig erschlossen werden. Im Englischen gibt es eine Vielzahl von Präfixen und Suffixen, von denen die am häufigsten verwendeten hier aufgelistet sind. Wenn die Bedeutung der Vor- bzw. Nachsilbe und der Stamm des Wortes bekannt sind, kann die Wortbedeutung leichter ermittelt werden.

Vorsilbe	Bedeutung	Beispiel
ab-	von, weg	abuse (n., v.)
ad-	zu, hinzu	adverb (n.), adjust (v.)
bi-	zwei	bilingual (adj.), bilateral (adj.)
in-	nicht	incomplete (adj.), invalid (adj., n., v.)
inter-	zwischen	internet (n.), interview (n.)
pre-	vor	prepaid (adj.), prehistory (n.)
re-	wieder	reaction (n.), reread (v.), reusable (adj.)
sub-	unter	subway (n.), subtitle (n.)
uni-	einheitlich	uniform (n.), universal (adj.)

Bestimmte Vorsilben wie *re-* können bei Verben, Nomen und Adjektiven verwendet werden.

Komposita

Durch die **Zusammensetzung** zweier oder mehrerer Wörter, z. B. **Nomen, Adjektive** oder **Verben** (auch Partizipien), entstehen neue Wörter, so genannte **Komposita *(compound words):***

- Nomen: dish + **washer** = dishwasher
- Adjektiv: **washing +** machine = washing machine
- Verb: stone + **washed =** stonewashed
  Mithilfe von **Ableitungen** bestimmter Vokabeln können Wortbedeutungen **hergeleitet** werden. Wie in den folgenden Beispielen können durch Ableitungen die Wortarten gewechselt werden:

Komposita erhält man, wenn man zwei Wörter kombiniert, die zusammen ein neues Wort mit eigenständiger Bedeutung ergeben.

high (adj., hoch) – height (n., Höhe, Körpergröße)
wide (adj.) – width (n.)
long (adj.) – length (n.)
strong (adj.) – strength (n.)
proud (adj.) – pride (n.)

In den auf Seite 45 unten genannten Beispielen ist der Wortstamm noch erkennbar, auch wenn es bei der Bildung des Substantivs zu einer Vokalveränderung kommt.

crime (n., Verbrechen) – criminal (adj., n., kriminell, Krimineller)

Hier ist der Wortstamm *crim-*, das Substantiv erhält die Endung *-nal*, eingeschoben wird das *i* vor der Substantivendung.

Kollokation = Wortverbindung (von lat. collocare = nebeneinander setzen, lat. collacation = Stellung, Anordnung)

Kollokationen *(collocations)* beschreiben die Weise, wie ein **Nomen mit zwei oder mehreren Wörtern verbunden** ist, sodass sie eine Einheit ergeben. Bestimmte Nomen können nur in Zusammenhang mit bestimmten Verben oder Adjektiven stehen. Das bedeutet, dass ein Wort mehrere verschiedene Bedeutungen hat und diese nur in Verbindung mit einem ganz bestimmten Nomen, Verb oder Adjektiv stehen können. Die Beispiele sollen das verdeutlichen:

Es ist sinnvoll, sich neue Wörter mithilfe von Kollokationen anzueignen, da sich so Fehler vermeiden lassen.

to spend money on chocolate (Geld **für** Schokolade ausgeben)
to be good at English (gut **in** Englisch sein)
to do homework (Hausaufgaben **machen)** ≠ to make homework
to have a bad cold (eine schlimme Erkältung haben)
heavy traffic (starker Straßenverkehr)
a heavy drinker (ein starker Trinker)
to make a fool of yourself (einen Affen aus sich machen)
to be in a bad mood (schlechte Laune haben)
to go crazy (verrückt spielen)

Solche false friends sollte man sich einprägen, um Fehler zu vermeiden.

Falsche Freunde *(false friends)* sind Wörter, die dem Deutschen **äußerlich** sehr **ähnlich** sehen, aber im Englischen eine oft grundsätzlich verschiedene Bedeutung haben. Da diese Ähnlichkeit zwischen den deutschen und den englischen Wörtern irreführend ist, werden diese Wortpaare *false friends* genannt.

Unbekanntes Wortmaterial mit dem Wörterbuch erarbeiten

Wörterbücher liefern in der Regel eine Vielzahl von Informationen zu einem bestimmten Wort: wie viele Bedeutungen es hat, welche Wortart es ist, grammatische Aspekte wie die Form eines Substantivs im Plural oder die Zeitform eines Verbs, Ableitungen, die Aussprache und Beispiele mit dem Wort und die Übersetzung(en) dazu. Diese ganzen Informationen zu einem Wort nennt man **Eintrag *(entry)*.**
Das Bedeutsame bei der Arbeit mit Wörterbüchern ist sicherlich die Fülle von Abkürzungen und die vielen Beispiele, die bei der Mehrzahl der Wörter zu finden sind. Jedes Wörterbuch benutzt seine eigenen Abkürzungen, deren anschauliche Erklärungen man aber immer auf einer der ersten Seiten des Wörterbuches finden kann. Auf der nächsten Seite ist ein Ausschnitt aus einem Wörterbuch, an dem die wichtigsten Begriffe im Zusammenhang mit dem Wörterbuch erklärt werden: Nicht immer ist die erste Übersetzung passend. Besser ist es, sich den ganzen Abschnitt zu dem entsprechenden Wort durchzulesen und dann die passende Übersetzung zu wählen.

fett gedruckt:
das gesuchte Wort

hochgestellte Zahl:
die wievielte Bedeutung

in den Schrägstrichen:
Lautschrift für die Aussprache

mean¹ /miːn/ *n.* Mittelweg, *der;* Mitte, *die;* **a happy ~:** der goldene Mittelweg

mean² *adj.* 1 (niggardly) schäbig (abwertend) 2 (ignoble) schäbig (abwertend), gemein ‹*Person, Verhalten, Gesinnung*› 3 (shabby) schäbig (abwertend) ‹*Haus, Wohngegend*›; armselig ‹*Verhältnisse*›; **be no ~ athlete/feat** kein schlechter Sportler/keine schlechte Leistung sein

mean³ *v.t.*, **meant** /ment/ 1 (have as one's purpose) beabsichtigen; **~ well by** *or* **to** *or* **towards sb.** es gut mit jmdm. meinen; **I ~t him no harm** ich wollte ihm nichts Böses; **what do you ~ by [saying] that?** was willst du damit sagen?; **I ~t it** *or* **it was ~t as a joke** das sollte ein Scherz sein; **~ to do sth.** etw. tun wollen; **I ~ to be obeyed** ich verlange, dass man mir gehorcht; **I ~t to write, but forgot** ich hatte [fest] vor zu schreiben, aber habe es [dann] vergessen; **do you ~ to say that …?** willst du damit sagen, dass …? 2 (design, destine) **these plates are ~t to be used** diese Teller sind zum Gebrauch bestimmt *od.* sind da, um benutzt zu werden; **I ~t it to be a surprise for him** es sollte eine Überraschung für ihn sein; **they are ~t for each other** sie sind füreinander bestimmt; **I ~t you to read the letter** ich wollte, dass du den Brief liest; **be ~t to do sth.** etw. tun sollen 3 (intend to convey, refer to) meinen; **if you know** *or* **see what I ~:** du verstehst, was ich meine?; **I really ~ it, I ~ what I say** ich meine das ernst; es ist mir Ernst damit 4 (signify, entail, matter) bedeuten; **the name ~s/the instructions ~ nothing to me** der Name sagt mir nichts/ich kann mit der Anleitung nichts anfangen

meander /mɪ'ændə(r)/ *v.i.* 1 ‹*Fluss:*› sich schlängeln *od.* winden 2 ‹*Person:*› schlendern

meaning /'miːnɪŋ/ *n.* Bedeutung, *die;* (of text etc., life) Sinn, *der;* **this sentence has no ~:** dieser Satz ergibt keinen Sinn; **if you get my ~:** du verstehst, was ich meine?; **what's the ~ of this?** was hat [denn] das zu bedeuten?

Zahlen:
Anzahl der Übersetzungen/ Bedeutungen

deutsches Wort:
Übersetzung

fett gedruckt:
Beispiele mit dem Wort

Wellenlinie:
ersetzt das gesuchte Wort

Dreiecksklammer:
Bedeutung nach dem Zusammenhang, in dem das Wort steht

2.2.2 Memotechniken

In diesem Kapitel werden einige Wege dargestellt, wie das Langzeitgedächtnis trainiert werden kann. **Memotechniken** sind Verfahren, die dazu beitragen, dass Lerninhalte einfacher ins Langzeitgedächtnis gelangen und dort wirkungsvoll gespeichert und verknüpft werden können. Sie sind sozusagen „gedächtnisfreundliche" Filter, Übersetzer oder Verknüpfer. Diese Memotechniken sind übrigens auch für andere Fächer und bei anderen Sachverhalten geeignet. So

Erinnerungsstrategien – auch Memotechniken genannt – erleichtern den Spracherwerb.

Synonyme = begriffs-ähnliche Wörter
Antonyme = gegen-sätzliche Begriffe

kann man sich auch englische Wörter leichter aneignen und merken, ohne dass sie immer wortwörtlich auswendig gelernt werden müssen. Anhand von bestimmten inhaltlichen Anordnungen, die sowohl zeitlich als auch graduell sein können, lassen sich Beziehungen zwischen Wörtern herstellen. Das funktioniert inhaltlich einmal über Synonyme und Antonyme), aber auch über Wortfamilien und thematische Felder. Beispiele für eine **zeitliche** und **graduelle Anordnung** sind:

always	boiling
never	hot
often	warm
sometimes	cool
usually	cold
seldom, rarely	freezing

Synonyme *(synonyms)* bezeichnen Wörter, die mit anderen Wörtern begriffsgleich sind, also prinzipiell dasselbe bedeuten. Es können sich aber auch Bedeutungsabweichungen bemerkbar machen, die wiederum im Zusammenhang mit dem Text zu verstehen sind.

Adjektive:	wet, damp, moist, humid, watery, liquid, sopping, dripping The floor was damp, but not wet.
Verben:	to sleep: to doze, to nap, to be asleep, to rest She was resting, but she was not asleep.
Nomen:	house: residence, domicile, home, habitation, building The hotel was his place of residence, but it had never been his home.

Antonyme *(antonyms)* eines Wortes bezeichnen den gegensätzlichen Begriff. Solche Kombinationen lassen sich leichter merken.

Adjektive:	small ↔ tall beautiful ↔ ugly
Verben:	increase ↔ decrease rise ↔ fall
Nomen:	fire ↔ water sky ↔ earth head ↔ toe

Nachfolgend soll eine **Wortfamilie** mit Ableitungen und Zusammensetzungen am Beispiel von *pass* verdeutlicht werden:

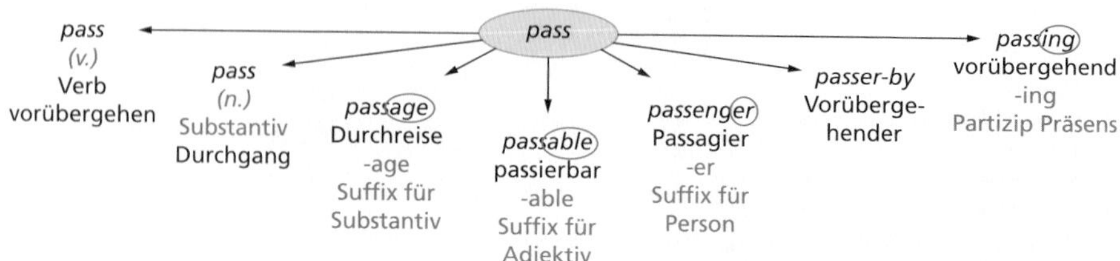

Semantische Wortfelder ***(semantic fields)*** oder auch **thematische Wortfelder** genannt, zeigen einen **Oberbegriff** mit den dazu passenden **thematischen Unterbegriffen** auf. Es gibt verschiedene Aspekte, nach denen man Wörter zu einem thematischen Wortfeld ordnen kann. So mögen Oberbegriffe für verschiedene Aspekte des Themas stehen, Unterbegriffe können Adjektive zu einem Substantiv sein. Mit dem Oberbegriff *„nature"* wird hier ein (unvollständiges) semantisches Feld dargestellt, in einer Form, die sich allgemein für die Erstellung eines solchen Feldes sehr gut eignet.

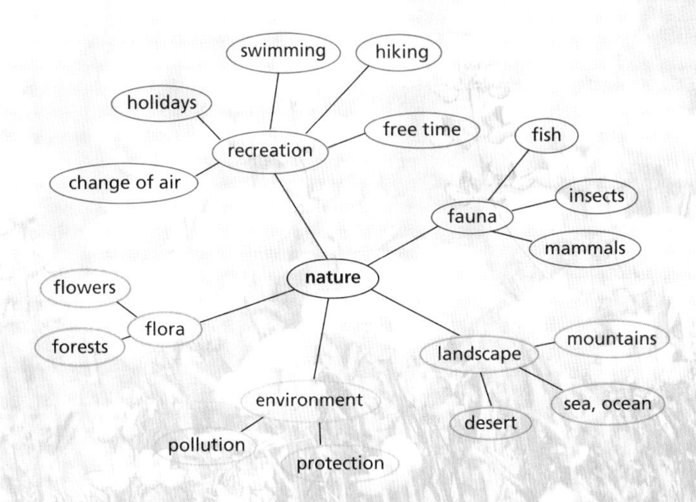

Thematische Wortfelder werden aus einem Oberbegriff und den dazu passenden Unterbegriffen gebildet.

Der Mensch lernt nicht nur über das Schreiben, sondern braucht vor allem auch visuelle (sehen), auditive (hören) und haptische (anfassen) Wege, um zu lernen. Neben dem **Vokabelheft,** das sicherlich immer noch das übliche Hilfsmittel ist, um Vokabeln zu „archivieren", gibt es zahlreiche andere Wege, sich neue Wörter einzuprägen. Für manche Lerner ist es hilfreich, sich kurze Texte oder Wörter vorzusprechen oder auch aufzunehmen, um diese wiederholt anzuhören und sich so einzuprägen.

Visuelle Hilfen sprechen vor allem die Lerner an, die sich Dinge am besten mit verbildlichten Darstellungen merken können, also die visuellen Lernertypen. So kannst du von bestimmten Gegenständen selbst Bilder zeichnen anstatt das englische Wort mit einer deutschen Übersetzung zu umschreiben.

Vermeide reine Übersetzungen, nutze, sooft es möglich ist, andere Erläuterungen.

Merkverse, Eselsbrücken und eine Lernkartei sind bewährte Hilfen. Du kannst dir natürlich auch eigene Kollagen anfertigen. Deiner Fantasie sind keine Grenzen gesetzt!

Mithilfe der so genannten **kreativen Wortbildtechnik** kann man Begriffe visuell darstellen. Bei dieser Variante das Wort in seiner Bedeutung gezeichnet, wie hier veranschaulicht.

2.3 Grammatik

2.3.1 Nomen und Artikel

Ein **Nomen** wird auch **Substantiv** oder Hauptwort genannt.

Nomen ***(nouns)*** bezeichnen Lebewesen, Dinge/Sachen, Orte, Berufe etc. Der Gebrauch der Nomen ist im Englischen unproblematisch, da es im Englischen kein Geschlecht (Genus) der Nomen gibt.

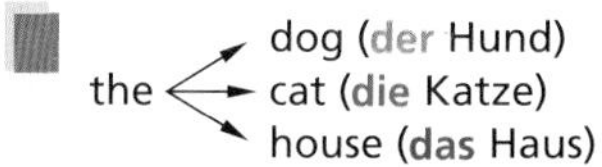

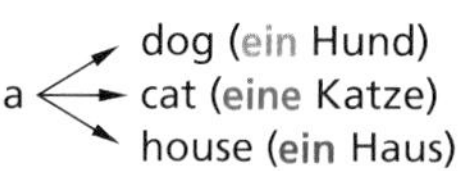

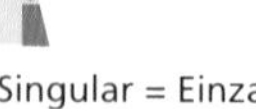

Singular = Einzahl; Plural = Mehrzahl

Im Deutschen werden Nomen großgeschrieben; im Englischen bis auf Ausnahmen bei Eigennamen dagegen nicht. Nomen gibt es im Singular *(singular)* oder im Plural *(plural).* Im Englischen wird der Plural von Nomen in der Regel mit dem **Anhängen von -s** an die Singularform des Wortes gebildet. Enden Wörter auf *-s, -x, -ch, -sh, -z,* die als Zischlaute ausgesprochen werden, wird **-es** an die Singularform des Wortes angehängt.

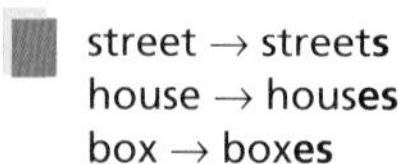

street → street**s**
house → hous**es**
box → box**es**

Es gibt jedoch auch eine Reihe von Nomen, die **unregelmäßige Pluralformen** aufweisen.

Endung auf -y mit vorhergehendem Vokal → -y	toy → toy**s**
Endung auf -y mit vorhergehendem Konsonant → -ies	party → part**ies**
Endung auf -f, -fe oder -ff → -ves	thief → thie**ves,** knife → kni**ves**
Endung auf -o → oes **Endung auf -o → os**	potato → potat**oes** piano → pian**os**
Singular und Plural gleich	sheep → sheep, fish → fish
besondere Pluralform	foot → f**ee**t, man → m**e**n, woman → wom**e**n, mouse → m**ice**, tooth → t**ee**th, child → child**ren**
Plural mit lateinischem oder griechischem Ursprung	foc**us** → foc**i**, corp**us** → corp**ora,** analys**is** → analys**es**

Besondere Pluralformen müssen gelernt werden.

Nomen bezeichnen entweder Dinge, die **zählbar *(countable)*** oder **nicht zählbar *(uncountable)*** sind. Zählbare Nomen stehen im Singular oder Plural. Sie können mit dem unbestimmten Artikel *a/an* und Zahlwörtern kombiniert werden:

one apple, two apples, three apples
a song
books

Nicht zählbare Nomen hingegen bilden keine eigene Pluralform und können nicht mit dem unbestimmten Artikel *a/an* stehen.

food: rice, pasta, meat, juice, bread, sugar, flour, salt, milk
sand, money, music, electricity, blood, water, (home)work, air, space, nature, gas, oil, behaviour, furniture, luck, news, weather, sun, traffic, advice, baggage/luggage, information, permission, prohibition, travel etc.

Mengenangaben wie *some, any, a lot of, lots of* werden sowohl bei zählbaren als auch bei nicht zählbaren Nomen verwendet.

Man kann den Plural von nicht zählbaren Nomen trotzdem ausdrücken, indem man sich bestimmter Wendungen bedient:

a piece of/pieces of	advice information news
a bowl of/bowls of	rice pasta

a packet of/packets of	salt
a cup of/cups of/	tea, coffee
a glass of/glasses of	juice
a bottle of/bottles of	beer

Ausnahmen bilden u. a. die folgenden Wörter, da sie sowohl zählbar als auch nicht zählbar sein können.

How many **rooms** are in your new flat? → zählbar
Wie viele **Räume** hat deine neue Wohnung?
Is there enough **room** for your bags? → nicht zählbar
Ist dort genug **Platz** für deine Taschen?

Auch beim Gebrauch der folgenden Nomen kommt es zu einem Bedeutungsunterschied, je nachdem ob sie zählbar oder nicht zählbar sind.

oak (Eichenholz/Eichenbaum)	*work (Arbeit/Werk)*
people (Leute/Volk)	*experience* (Ereignisse/Erfahrung)
room (Zimmer/Platz)	*hair* (Haar/Haare)
paper (Zeitung/Papier)	*time* (Mal/Zeit)
wood (Wald/Holz)	*space* (Platz/Weltall)

Im Vergleich zu den deutschen vier Fällen gibt es im Englischen nur drei. Dativ und Akkusativ werden zum **Objektfall *(object case)*** zusammengefasst.

Wie aus der Übersicht ersichtlich, gibt es lediglich bei der Pluralform und beim Genitiv andere Endungen.

Fall	**Singular**	**Plural**
1. Fall: Nominativ	the brother	the brothers
2. Fall: Genitiv	the brother**'s**	the brothers**'**
3. Fall: Dativ	the brother	the brothers
4. Fall: Akkusativ	the brother	the brothers

Der Genitiv zeigt einen Besitz an und wird mit dem Anhängen von **'s** an den Singular des Wortes geformt.

Dies gilt auch, wenn das Nomen im Singular bereits auf *-s* endet, z. B. *James's recipe*.

mom**'s** car
Paul**'s** computer
his brother**'s** opinion
my sister**'s** bag
Susie**'s** tickets

Wenn man anzeigen möchte, dass mehreren Leuten etwas gehört (Besitzfall im Plural), so wird das Plural-s nur noch durch den Apostroph ergänzt.

- his brother**s'** opinion (die Meinung seiner Brüder)
  her parent**s'** house (Wort im Plural mit *-s)*
  a women**'s** problem (unregelmäßige Pluralform, die dann um *'s* ergänzt wird)

Auch bei **Zeitangaben** steht der Genitiv mit *-s.* **Ortsangaben** benutzen ebenso den Genitiv, weil man das nachfolgende Nomen weglassen kann.

- **Zeitangaben:**
  Next **year's** New Years Eve Party will be great.
  Last **month's** weather was better.

  Ortsangaben:
  Let's meet them at my **friends'** (flat).
  He is at the **hairdresser's** (shop).

In bestimmten Fällen wird der Genitiv mit einer so genannten ***of-phrase*** gebildet:
Singular: *of* + Artikel/Pronomen + Nomen im Singular
the sound of the CD player
Plural : *of* + Artikel/Pronomen + Nomen im Plural
the sound of the CD players

Der ***of*-Genitiv** wird bei **Sachbezeichnungen, Orts- und Mengenangaben** angewendet:

- the colour **of** your eyes (Sachbezeichnungen)
  the city **of** Nottingham (Ortsangabe)
  a couple **of** drinks (Mengenangabe)

Beim so genannten **doppelten Genitiv** handelt es sich um die **Kombination** aus den beiden bekannten Genitivformen. Er wird wie folgt gebildet:

of-phrase* + *-s

Der doppelte Genitiv wird gebraucht, wenn ein **Teilverhältnis** ausgedrückt werden soll:

- a classmate **of** Catherine**'s** (eine von Catherines Klassenkameraden)

Er steht aber auch nach **Mengenangaben** *(some, any, several* oder Zahlwörtern) und *a:*

- I haven't got any **of** this band**'s** albums.

Der Artikel

Im Englischen, wie auch im Deutschen, unterscheidet man zwischen dem **bestimmten** und dem **unbestimmten Artikel.** Der Gebrauch ist meist ähnlich wie im Deutschen.

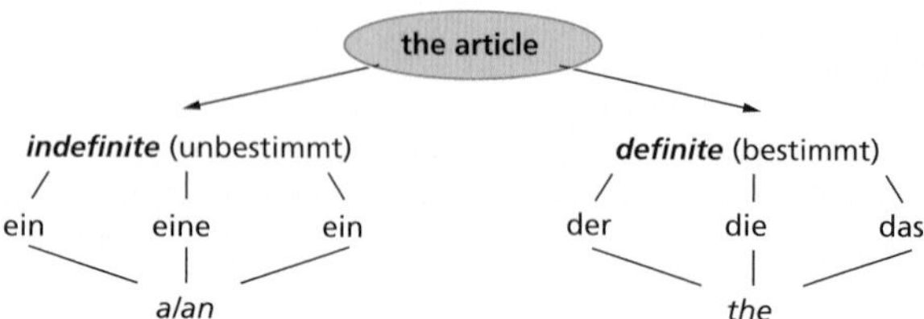

Der **unbestimmte Artikel** ist bei allen drei Geschlechtern gleich: *a* oder *an. a* steht in der Regel vor allen Wörtern, die mit einem **Konsonanten** beginnen. *an* steht vor Wörtern, die mit einem **Vokal** beginnen. Wird ein Vokal wie ein Konsonant ausgesprochen, steht auch *a.* Wird ein Vokal gar nicht ausgesprochen, steht *an.*

an arrogant man [ən]	a new dress [ə]
an unusual experience	a uniform
an hour	a house
an old car	a year

In der folgenden Tabelle werden Beispiele gezeigt, bei denen **der unbestimmte Artikel** steht.

allgemeine Verwendung	**Beispiele**
Nationalität	**a** Frenchman/Frenchwoman, **an** Australian
Berufsbezeichnungen	Oh, you are **a** doctor!
Religionszugehörigkeit	I am **a** Protestant.
Zeiteinheiten	I go swimming **once** a week.
nach *as* und *without*	I wouldn't go out without **an** umbrella today. You can use this mug **as** a glass.
Gewichts- und Maßeinheiten (in der Bedeutung von **per/pro)**	oranges for € 1,99 **a kilo**
als Zahlwort (Zahlen mit der Bedeutung von *one)*	I own **a** house in the Caribbean.
nach Wendungen wie *such, half, quite, rather, what, so*	**What a** cute baby! It's **quite a** problem/surprise.

Andere Zeiteinheiten wären z. B. *five times **a** month, twice **a** year.*

Bei Funktionen und Titeln, die Personen zu einem bestimmten Zeitpunkt innehaben, wird kein unbestimmter Artikel verwendet:

He was headmaster of my school when I was there.

Die Aussprache von ***the*** ändert sich, wenn der Anfangsbuchstabe des nächsten Wortes ein Vokal ist und auch als solcher ausgesprochen wird: *the **b**ook* [ðə], aber *the **e**vening* [ði].

allgemeine Verwendung des bestimmten Artikels	**Beispiele**
geographische Namen im Plural, Flüsse und Meere sowie nicht englische Berge	the Ballearic Islands the Rhine, the Mediterranean the Rocky Mountains
Familiennamen im Plural	the Smiths
Eigen- oder **Stoffnamen, abstrakte Nomen,** die entweder durch einen **Relativsatz** bzw. ein **Adjektiv näher erklärt** werden oder wenn dem Begriff ein ***of*** folgt	**The technology *of*** today is very advanced. The **love *that*** I've had was wonderful. **the *beautiful* nature of Wales**
Himmelsrichtungen	Let's go **to the south** this summer.
Tageszeiten in Verbindung mit *in, on, during*	in the evening, during the holidays
nach Mengenangaben wie *all, both, double, half, most of*	all the time, double the distance, half the plate, most of the things

Wenn das Nomen genauer bestimmt oder erläutert wird, steht ein bestimmter Artikel vor dem Nomen.

Der bestimmte Artikel steht jedoch **nicht** bei folgenden Begriffen:

allgemeine Verwendung	**Beispiele**
abstrakte (nicht greifbare) **Begriffe**	love, happiness, society, technology, nature, history, eternity, time (Zeit). Time flies.
Stoffnamen (meist nicht zählbare Nomen)	water, paper, blood, wine, coal
geographische Namen (Namen von Seen, Ländernamen in Verbindung mit Adjektiven)	New Zealand, Colombia, Africa, Berlin, Lake Victoria, Southern Spain
Namen für Straßen, Plätze, Parks, Brücken, Gebäude, Bahnhöfe	Oxford Street, Piccadilly Gardens, Paddington Station
Zeitangaben (Jahreszeiten, Tage, Monate etc.)	spring, Friday, March, breakfast
Namen von Institutionen	school, hospital, university, church. The politicians discuss this problem in parliament.

2.3.2 Pronomen und Präpositionen

Pronomen *(pronouns)* werden im Deutschen auch **Fürwörter** genannt, weil sie stellvertretend für ein anderes Wort stehen.

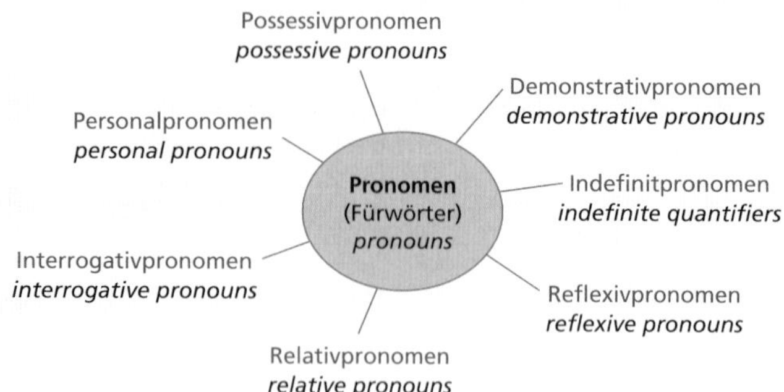

Personalpronomen *(personal pronouns)* sind die **Stellvertreter der Nomen,** weil man sie anstelle von Personen, Tieren, Dingen verwenden kann. Personalpronomen können sowohl **Subjekt** als auch **Objekt** eines Satzes sein und haben eine **Subjektform** und eine **Objektform:**

Andrew is at school.	*He* is at school.
Andrew = Subjekt	he = Andrew = Subjekt
The teacher talked to *Andrew.*	The teacher talked to *him.*
(Andrew = Objekt)	(him = Andrew = Objekt)

Da das Englische nicht zwischen Dativ und Akkusativ unterscheidet, gibt es nur eine Form für beide Fälle, die Objektform.

	Person	Subjektform (auf die Fragen „Wer?“ oder „Was?“)		Objektform (auf die Fragen „Wem?“, „Wen?“ oder „Was?“)	
Singular	**1. Person**	I	ich	me	mir/mich
	2. Person	you	du	you	dir/dich
	3. Person	he, she it	er, sie, es	him, her, it	ihm/ihn, ihr/sie, ihm/es
Plural	**1. Person**	we	wir	us	uns/uns
	2. Person	you	ihr	you	euch/euch
	3. Person	they	sie	them	ihnen/sie

Possessivpronomen *(possessive pronouns)* heißen im Deutschen auch **besitzanzeigende Fürwörter,** weil sie einen Besitz oder eine Zugehörigkeit ausdrücken. Sie können entweder vor dem Nomen stehend gebraucht werden oder auch allein stehend, wenn sie sich auf ein vorhergehendes Nomen beziehen. Daher unterscheidet man bezüglich ihres Gebrauchs zwei Formen:

adjektivisch
(vor dem Nomen stehend)

This is **our** new house.

substantivisch
(Bezug nehmend auf vorangehendes Nomen, allein stehend)
This new house is **ours.**

	Person	adjektivisch		substantivisch	
Singular	**1. Person**	my	mein(e)	mine	meine(r)
	2. Person	your	dein(e)	yours	deine(r)
	3. Person	his, her, its	sein, ihr, sein	his, hers	seine(r), ihre(r)
Plural	**1. Person**	our	unser	ours	unsere
	2. Person	your	euer	yours	eure
	3. Person	their	ihre	theirs	ihre

Es gibt noch einige Regeln in Verbindung mit den Possessivpronomen zu beachten.

- Im Englischen (anders als im Deutschen) müssen Possessivpronomen auch bei **Kleidungsstücken** und **Körperteilen** gebraucht werden.

  He cleaned **his shoes.** (Er hat seine Schuhe geputzt.)
  She warmed **her feet.** (Sie wärmte sich die Füße.)

- Bei **abstrakten Begriffen** wie *water, music, life,* wenn sich diese Begriffe bestimmten Einzelwesen zuordnen lassen.

  I like **their** music. (Ich mag ihre Musik.)

- *own* verstärkt das Possessivpronomen, darf aber nur mit dem **adjektivischen Possessivpronomen** verwendet werden.

  I saw that robbery with **my own** eyes!
  My friend has got a shop **of her own.**

- ***of* + Possessivpronomen** steht hinter einem Nomen, das mit *a*, einem Zahlwort oder einem Demonstrativpronomen kombiniert ist.

  She is not **a** friend **of ours.**
  This is **one** dog **of mine.**
  Today is one **of those** days!

Das **Demonstrativpronomen** ***(demonstrative pronoun)*** oder auch das **hinweisende Fürwort** deutet auf Personen oder Dinge hin, die bereits bekannt oder noch näher zu bestimmen sind.
Demonstrativpronomen gibt es im Singular und Plural, sie unterscheiden sich in ihrer Anwendung nach **räumlicher** und **zeitlicher Nähe** bzw. **Entfernung:**

	das räumlich/zeitlich Nähere	das räumlich/zeitlich Entferntere
Singular	**this** (dieses hier) **This** is our train, because …	**that** (das da/dort, jenes) … **that** train over there goes in the opposite direction.
Plural	**these** (diese hier) **These** suitcases belong to us.	**those** (diese da/dort, jene) **Those** ones are not ours.

Demonstrativpronomen werden entweder wie Adjektive (adjektivisch) **vor dem Nomen** gebraucht, oder sie können sich – **allein stehend** – als Pluralformen auf das **vorangehende** oder **folgende Nomen beziehen** oder ein **Adverb ersetzen.**

adjektivisch: Have you seen **this** film?
allein stehend: Do you like the earrings? No, I prefer **these.**
als Adverb: I am not **that** good at Maths. (anstelle von „so")

Reflexivpronomen ***(reflexive pronouns)*** werden im Deutschen oft als **rückbezügliche Fürwörter** bezeichnet und wie folgt gebildet:

	Person	Reflexivpronomen
Singular	1. Person	my**self**
	2. Person	your**self**
	3. Person	him**self,** her**self,** it**self**
Plural	1. Person	our**selves**
	2. Person	your**selves**
	3. Person	them**selves**

Achte darauf, dass sich im Plural die Schreibweise von *self* zu *selves* ändert.

I did **myself** a favour and got **myself** a nice bottle of wine. (Ich habe **mir** einen Gefallen getan und **mir** eine Flasche Wein gekauft.)

Sie können ein Subjekt oder Objekt auch besonders **hervorheben.** Dann kann man *-self* mit dem deutschen „selbst" übersetzen. In Verbindung mit *by* können Reflexivpronomen mit „allein" übersetzt werden.

We built our house **ourselves.**
(Wir bauten unser Haus selbst [allein].)
Do you know who I saw at the party? Jack Michaelson **himself!**

Es gibt einige Präpositionen und Verben, nach denen (oft im Gegensatz zum Deutschen) keine Reflexivpronomen stehen dürfen:

z. B. nach folgenden Verben: afford, apologize, argue, be afraid of, be interested in, be pleased, change, complain, concentrate on, decide, develop, feel, get ready, get used to, hide, hurry up, imagine, lie down, look forward to, meet, move, open, quarrel, refer to, relax, rely on, remember, rest, sit down, turn round, watch, wonder, worry.

Keine Reflexivpronomen nach folgenden Präpositionen des Ortes: *above, in front of, behind, with.*

Soll eine wechselseitige Beziehung ausgedrückt werden, wird kein Reflexivpronomen verwendet, sondern die Wendung *each other.*

The man and the woman talked **to each other** for a long time.
Der Mann und die Frau haben **sich** lange unterhalten.

Der lateinische Ausdruck für Fragepronomen ist Interrogativpronomen.

Fragepronomen *(interrogative pronouns)* bzw. **Fragefürwörter** leiten Fragesätze ein.

	Subjekt	**Objekt**	**Objekt im Genitiv**
Frage nach Personen	**Who** saw me? (wer) **What** woman saw me? (was für …) **Which** of my sisters saw me? (welche/r/s)	**Who**(m) does this cat belong to? (wem, wen) **What** boy did you meet there? (was für …) **Which** of them do you prefer? (welche/r/s)	**Whose** T-Shirt is this? (wessen)
Frage nach Dingen	**What** is the topic of the lesson? (was) **What** countries have you visited? (was für …) **Which** of the countries do you prefer? (welche/r/s)	**What** will you do now? (was) **What** languages do you know? (was für …) **Which** language do you like most? (welche)	

Welches der Fragewörter man verwendet, hängt von bestimmten Umständen ab:

nach einer Person oder einer Sache

Wonach soll gefragt werden?

nach Personen oder Dingen aus bestimmter Anzahl bzw. uneingeschränkter Anzahl

nach Subjekt oder Objekt (welches Satzglied)

Die Entscheidung *what* oder *which* hängt davon ab, ob man nach Personen/Dingen aus einer **uneingeschränkten Anzahl** *(what* – was für ...) oder nach Personen/Dingen aus einer **bestimmten (eingeschränkten) Menge** *(which* – welche/r/s) fragt.

of leitet immer eine Einschränkung ein, weswegen es nur in Verbindung mit ***which*** stehen kann.

What (kind of) films do you like? **Was für** Filme magst du?
Which of the films have you seen so far? **Welche** (der) Filme hast du schon gesehen?

Relativpronomen *(relative pronouns)* heißen im Deutschen auch **bezügliche Fürwörter,** weil sie sich auf Wörter oder vorausgehende bzw. nachgestellte Sätze beziehen. Sie leiten Relativsätze ein.
who wird für Personen, ***which*** oder ***that*** für Dinge eingesetzt; ***whose*** zeigt einen Besitzfall an.

That is the woman **who** bought the old house.
Mike has a motorbike, **which** runs very fast.
That is the cat **whose** owner is on holiday.

Indefinitpronomen *(indefinite quantifiers)* werden häufig auch als **unbestimmte Zahlwörter (Fürwörter)** bezeichnet, weil sie eine unbestimmte Menge oder Anzahl ausdrücken. Diese Grafik soll zunächst einen Überblick über die Anzahl und Bedeutung der *quantifiers* geben:

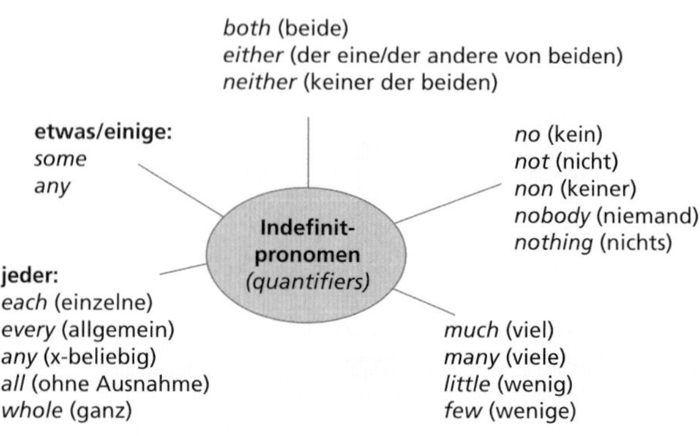

Die Verwendung der Indefinitpronomen im Englischen unterscheidet sich von deren Gebrauch im Deutschen. Für ein unbestimmtes Zahlwort im Deutschen gibt es im Englischen nicht selten mindestens zwei Ausdrücke, deren unterschiedliche Anwendung man kennen muss:

quantifier	Deutsch	Anwendung	Beispiel
some	etwas/einige	– im bejahten Satz – im Fragesatz, wenn eine bejahte Anwort erwartet wird	I like **some** songs written by them. Would you like to listen to **some?**
any		– im verneinten Satz – im (allgemeinen) Fragesatz – in bejahten Sätzen im Sinn von „jeder Beliebige" – in Nebensätzen der *If*-Sätze	I don't like **any** song by them. Do you know **any** of their songs? I like **any** music. If I had **any** of their songs here, I would play them now.
much	viel	stehen nur vor nicht zählbaren Begriffen	**much** fantasy (viel Fantasie)
little	wenig	stehen vor nicht zählbaren Begriffen	**little** fantasy (wenig Fantasie)
many	viele	stehen nur vor zählbaren Begriffen	many people (viele Leute)
few	wenige		few people (wenige Leute)
each	jeder Einzelne	vor Nomen oder allein stehend	each time (jedes einzige Mal)
every	jeder (allgemein)	vor Nomen im Singular	**every** time (jedes Mal)
any	jeder (x-beliebig)	im Sinne von „egal welcher"	at **any** time (irgendwann)
all	alle	– hat vor Nomen im Plural allgemeine Bedeutung – vor Nomen im Singular (= ganz) – vor Adjektiv (= ganz, völlig)	**All** my friends were confused. My friends were confused **all** night. I was **all** confused.
whole	ganz	bezeichnet ein Ganzes	Tell me the **whole** story!
no	**kein**	wie ein Adjektiv vor dem Nomen	There was **no** help for me.
none	keiner	wie ein Nomen in Bezug auf ein vorangegangenes oder nachfolgendes Nomen	**None** of my books could help me.

not	nicht	als Verneinung meist hinter dem Hilfsverb	I could **not** help her.
nobody	niemand	wie ein Nomen für Personen	There was **nobody** who could help me.
nothing	nichts	wie ein Nomen für Dinge	There was **nothing** I could do.
both	beide	bei Zusammengehörigkeit einer Zweiergruppe (auch als Nomen allein stehend)	**Both** ways lead to my house. (Beide Wege führen zu meinem Haus.)
either	einer von beiden	als Adjektiv vor Nomen im Singular	**Either** way is alright. (Jeder der beiden Wege ist in Ordnung.)
neither	keiner von beiden	als Adjektiv vor Nomen im Singular oder als Nomen (allein stehend mit Bezug auf Nomen im Plural)	**Neither** way was the right one. (Keiner der beiden Wege war der richtige.)

Der Gebrauch dieser Formen orientiert sich allgemein am Gebrauch von *some/any.*

Mit *any, some, every* und *no* können auch Zusammensetzungen gebildet werden, z. B.:

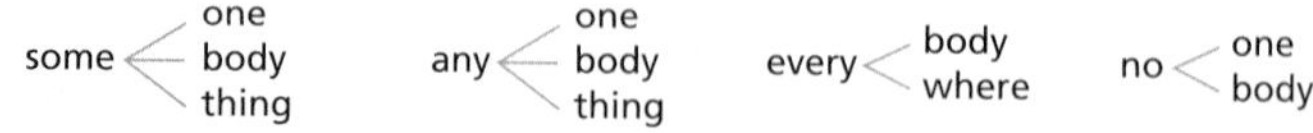

Präpositionen

Präpositionen *(prepositions)* heißen auch **Verhältniswörter,** weil sie das Verhältnis zwischen zwei Gegenständen, zwei Wörtern oder Satzgliedern ausdrücken. Präpositionen sind in Sätzen bedeutungstragend. Wenn sie entfielen, ergäben viele Sätze keinen Sinn mehr. Präpositionen lassen sich formal in zwei Gruppen unterscheiden:

Präpositionen

einfache *(at, in, on, by* usw.)

zusammengesetzte *(into, instead of, nearby* usw.)

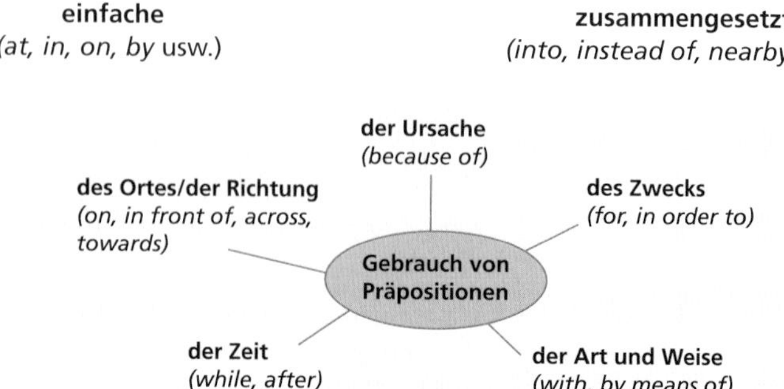

Häufig verwendete Präpositionen der Zeit

Die Präpositionen *at, in, on* können sowohl zeitliche als auch räumliche Bedeutung haben.

Präposition	Deutsch	Verwendung	Beispiel
in	im, in	in einem Zeitraum, z. B. Monatsangaben, Jahresangaben, Jahreszeit, Tageszeit	**In** July it's very hot. **In** the winter it is cold. **In** the morning I am sleepy.
at	um, im, an/zur	genauer Zeitpunkt, z. B. Tageszeit, Uhrzeit, Festtage, feststehende Wendungen	**At** 7 o'clock I have my breakfast. **At** noon I take a nap.
on	an, am	an bestimmten Tagen, z. B. Wochentage, Datum	**On** Saturdays I go shopping. **On** bank holidays the shops are shut.
after	nach	steht vor der Zeitangabe	**After** 11 pm I don't like to be disturbed.
to	vor	bei (Uhrzeit)	At ten **to** two the cake is ready.
ago	vor	steht nach der Zeitangabe	Two years **ago** I met the love of my life.
before		steht vor der Zeitangabe	**Before** Christmas I went to London.
between	zwischen		**Between** Tuesdays and Thursdays I look after the dog.
by	bis	bis (spätestens) Donnerstag	**By** Thursday (at latest) I have to finish the paper.
till/until		bis zu einem bestimmten Zeitpunkt	I don't have any time **until** 3 pm.
during	während	während (der Ferien)	**During** the holidays I stay with my grandmother.
for	seit	seit (Zeitraum)	I have been seeing him **for** two years.
since		seit (Zeitpunkt)	I have known him **since** 2004.
from … to from/until	von … bis	von Montag bis Mittwoch	**From** Monday **to** Friday I work in the shop.
past	nach	bei (Uhrzeit)	At ten **past** two the bus leaves.
within	innerhalb	eines Zeitraumes	I will know if I have the job **within** a month.

Präpositionen des Ortes

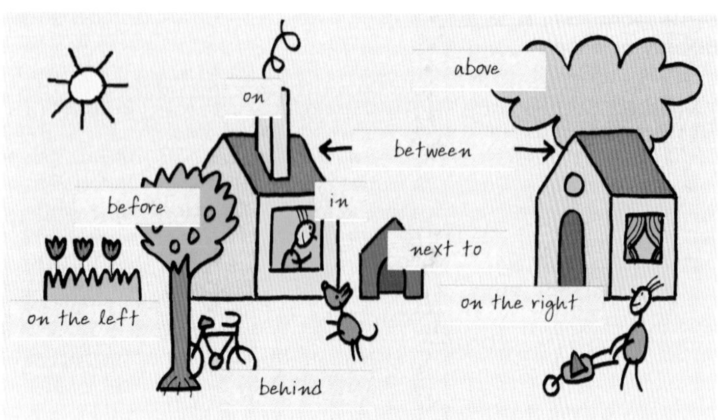

Präpositionen der Richtung

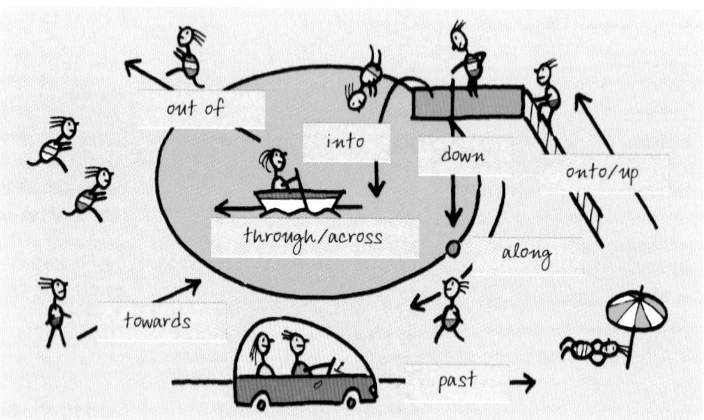

Weitere Präpositionen des Ortes und der Richtung

Präposition	Deutsch	Besonderheiten bei der Verwendung	Beispiel
among	zwischen	zwischen vielen	He was hiding **among** the trees.
at	am, in, bei, auf, im	an einem bestimmten Punkt, Kleinstadt, Dorf, Adresse	We will meet **at** the Brandenburg Gate.
below	unter	unterhalb	**Below** the pavement there is earth.

beside	neben		Come and sit **beside** me.
near	in der Nähe		He lives **near** the station.
off	abseits	außer Sichtweite	The hotel is just **off** the main road.
opposite	gegenüber		He stood **opposite** the window.
over	über, oberhalb, durch	ohne Berührung der Grundfläche	The crow flew **over** the field.
round	um … herum		We danced **round** the tree.
to	zu(m), nach	Endziel	He ran **to** the train.
under		unmittelbar darunter	She lives upstairs **under** the roof.
up	hinauf		We climbed **up** the hill.

Andere Präpositionen sind:

Präposition	**deutsche Bedeutung**	**Art der Präposition**	**Beispiel**
as	da	Präposition der Ursache	We will take the umbrella **as** it is raining.
because of	wegen		**Because of** the rain we have to take the umbrella.
by	mit, durch	Präposition des Mittels	I managed to pass the exam **by** studying every weekend.
except	außer		Everybody **except** me had an ice cream.
instead of	anstelle von		I went to the concert **instead of** Sally.
like	wie		**Like** George, Martin is a doctor, too.
of	von/aus		The cake was **of** chocolate.
per	pro		He drove 30 miles **per** hour.
with	mit	Präposition des Mittels	He walked **with** difficulty.
without	ohne		She danced **without** delight.

to look at = ansehen, auf etwas blicken, *to look for* = nach etwas suchen, *to look into* = hineinsehen, *to look on/upon as …* = betrachten als

Wortkombinationen aus bestimmten **Präpositionen + Verb** werden auch ***phrasal verbs*** genannt. Sie sind typisch für die englische Sprache und sollten wiederholt geübt werden.

to look	about	sich umsehen
	after	sich kümmern
	out	aufpassen, vorsichtig sein
	over	durchsehen
	up	nachschlagen

Präpositionen stehen in der Regel vor dem Objekt, sie können aber auch am Satzende stehen bei:

Fragen nach dem Objekt	What are you looking **for?**
notwendigen Relativsätzen	This is the boy (who) I was looking **for.**
Infinitivkonstruktionen	I have nothing to look **for.**
Passivkonstruktionen	This is the person that was looked **for.**

2.3.3 Adjektive und Adverbien

Man fragt nach Adjektiven mit „was für ein?" oder „welche/r/s"?

Adjektive *(adjectives)* beschreiben Eigenschaften von Nomen, also Personen und Dingen, und werden deshalb auch als **Eigenschaftswörter** bezeichnet. Sie verändern sich weder im Numerus, d. h. Singular oder Plural, noch im Genus (männlich, weiblich, sächlich) oder Kasus (Fall).

Singular: a **high** mountain (ein hoher Berg)
Plural: **high** mountains (hohe Berge)

Auch bei den Verben der Sinneswahrnehmung *(feel, look, smell, taste)* werden **Adjektive** verwendet.

Adjektive können an **verschiedenen Stellen im Satz** stehen:

attributiver Gebrauch	**prädikativer Gebrauch**
vor dem Nomen	als Teil des Prädikats (nach *be, get, become, seem, grow, turn)*
The **good** football team is playing at home tonight.	The football team seems to be **good.**

Adjektive können im Satz auch **als Nomen** benutzt werden.

- **im Singular** nach einem Possessivpronomen oder bestimmten Artikel, wenn sie einen abstrakten, allgemeinen Sachverhalt bezeichnen.

  I can't see **the good** of it. (das Gute)

- **im Plural** nach dem bestimmten Artikel, wenn sie eine Gruppe im allgemeinen bezeichnen.

  The rich and **the beautiful** live a wonderful life. (die Reichen, die Schönen)

Die meisten Adjektive können **gesteigert** werden, d. h., dass aus der **einfachen Form** des Adjektivs **(Positiv)** eine **Steigerungsstufe (Komparativ)** und eine **Höchststufe (Superlativ)** entwickelt werden kann.

Positiv:	rich	(reich)
Komparativ:	richer	(reicher)
Superlativ:	(the) richest	([am] reichsten)

Die Schreibweise ändert sich:
- Stummes e am Wortende fällt weg: large – larger – largest.
- Konsonant nach kurzem Vokal wird verdoppelt: big – bigger – biggest.
- *y* wird zum *ie*, wenn vor dem *y* ein Konsonant steht: dirty – dirtier – dirtiest.

Man unterscheidet bei der Steigerung *(comparison)* von Adjektiven:

regelmäßige Steigerung
mit dem Anhängen von **-er** an den Stamm des Adjektivs im Komparativ; mit dem Anhängen von **-est** an den Stamm des Adjektivs im Superlativ bzw. durch das Voranstellen von *more/most*

unregelmäßige Steigerung
Der Komparativ und Superlativ wird nicht durch Endungen an den an den Stamm gebildet, sondern mit **neuen Wörtern.**

Die Steigerung von Adjektiven geschieht nach folgendem System:

Bildung	Anwendung	Beispiel
-er (Komparativ) **-est (Superlativ)**	• einsilbige Adjektive • zweisilbige Adjektive, die auf -er, -le, -ow, -y enden	poor – poorer – poorest clever – cleverer – cleverest simple – simpler – simplest narrow – narrower – narrowest happy – happier – happiest
more (Komparativ) **most (Superlativ)**	• zweisilbige Adjektive, die nicht auf -er, -le-, -ow, -y enden • drei- und mehrsilbige Adjektive	faithful – more faithful – most faithful beautiful – more beautiful – most beautiful
unregelmäßige Steigerung	müssen auswendig gelernt werden	good – better – best bad – worse – worst much/many – more – most

Je nach Zusammenhang ändert sich die Steigerung dieser Adjektive:

far	further/farther	furthest/farthest	(Maß der Entfernung)
	further	–	(„weiter" im Sinne von zusätzlich)
late	later	latest	(chronologisch)
	latter	latter	(Abfolge)
near	nearer	nearest	(räumlich)
	–	next	(Abfolge)
old	older	oldest	(allgemein)
	elder	eldest	(bei Familienmitgliedern)

Wenn eine Gleichheit oder eine Ungleichheit, also ein **Vergleich,** ausgedrückt werden soll, muss man sich der folgenden Wendungen bedienen:

Folgt der Steigerungsform ein Personalpronomen, steht dieses im *object case.*

than (als) ≠ *then* (dann)

Vergleich	Bildung	Beispiel
Gleichheit	*as* + Positiv + *as*	My sister is **as old as** me, because she is my twin.
Ungleichheit	*not as* + Positiv + *as* *less* + Positiv + *than*	My brother is **not as tall as** me and my sister. My brother is **less tall than** my sister and me.
höherer Grad	Komparativ *(-er/ more)* + *than*	My sister is **taller than** me.
höchster Grad	*the* + Superlativ	My sister is **the tallest** in our family.
„je … desto"	*the* + Komparativ (…) *the* + Komparativ (…)	**The older** children get, **the taller** they are.

Adverbien *(adverbs)* sind solche Wörter, die sich auf das Verb des Satzes beziehen und es näher bestimmen, und werden daher auch als **Umstandswörter** bezeichnet.
Viele Adverbien erkennt man an der Endung *-ly,* die an ein Adjektiv angehängt wird.

Adjektiv:
This is a very **slow** car.

Adverb:
This car drives very **slowly.**

Adverbien unterscheidet man in:

ursprüngliche Adverbien
z. B. Orts- und Zeitangaben wie *here, there, today, soon* usw.

von Adjektiven abgeleitete Adverbien
durch Anhängen von *-ly:*
complete – completely

Ausnahmen bilden: *good – well; hard – hard; fast – fast.* Von einigen Adjektiven kann man keine **Adverbien** bilden (z. B. *friendly, difficult).* Letztere bilden das Adverb mit einer Umschreibung, z. B. *in a friendly way.*

Manche Adverbien haben die **gleiche Form und Bedeutung** wie ihre Adjektive. Zu ihnen gehören:

daily, weekly, monthly, yearly, early, likely, fast, long, straight, low

Einige Adverbien haben die **gleiche Form** wie die Adjektive, aber eine **andere Bedeutung:**

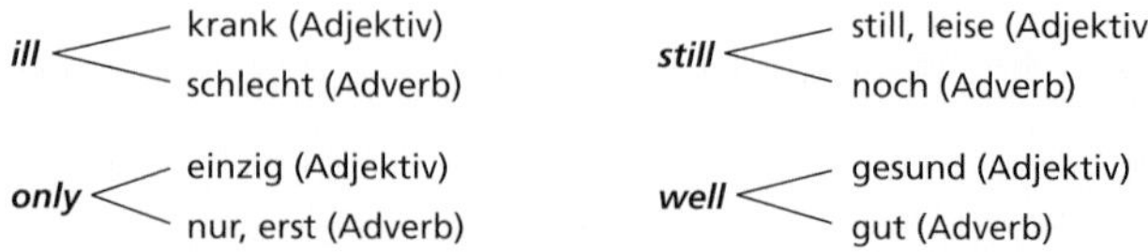

Andere Adjektive wiederum besitzen zwei Adverbformen, von denen die erste identisch ist mit dem Adjektiv, die zweite auf *-ly* endet und häufig eine andere Bedeutung hat.

Adjektiv/ 1. Adverbform	**deutsche Bedeutung**	**2. Adverbform**	**deutsche Bedeutung**
deep	tief	deeply	zutiefst
fair	gerecht/fair	fairly	ziemlich
free	frei/kostenlos	freely	frei/ungehin-dert
hard	hart	hardly	kaum
just	gerecht/nur	justly	gerecht
late	spät	lately	kürzlich
most	am meisten, sehr	mostly	meistens
near	nahe	nearly	fast/beinahe
pretty	hübsch/ziemlich	prettily	hübsch
ready	fertig/bereit	readily	bereitwillig
right	richtig	rightly	zu Recht
short	kurz	shortly	in Kürze
slow	langsam	slowly	langsam
wrong	falsch	wrongly	zu Unrecht

Steigerung von Adverbien. Adverbien werden ähnlich gesteigert wie Adjektive.

Bildung	**Anwendung**	**Beispiel**
-er (Komparativ) **-est (Superlativ)**	• *ursprüngliche Adverbien* • mit Adjektiven formgleiche Adverbien	soon – soon**er** – soon**est** hard – hard**er** – hard**est**
more (Komparativ) **most (Superlativ)**	Adverbien, die auf *-ly* enden	clearly – **more** clearly – **most** clearly

unregelmäßige Steigerungen	müssen auswendig gelernt werden	well – better – best badly – worse – worst ill – worse – worst much – more – most near – nearer – nearest (next) little – less – least (wenig) far – further/farther (further) – furthest/farthest late – later – latest (last)

Es gibt verschiedene **Arten von Adverbien** im Hinblick darauf, was sie näher beschreiben und an welcher Position sie im Satz stehen:

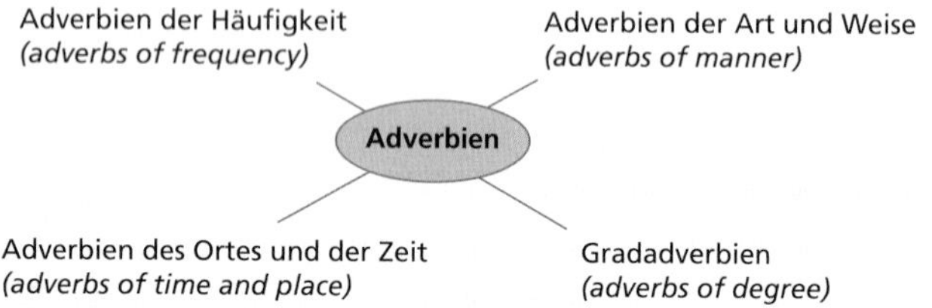

Adverbien der Art und Weise *(adverbs of manner)* beschreiben die Art und Weise, wie eine Tätigkeit ausgeführt wird, sie beschreiben also das **Wie einer Handlung.** Zu diesen Adverbien werden vor allem solche gezählt, die auf *-ly* enden.

The streets were icy. Dad drove his car very **slowly** and **carefully.**

Adverbien der Häufigkeit *(adverbs of frequency)* machen Angaben über die Häufigkeit einer Handlung. Zu ihnen gehören unter anderem

often (oft), *sometimes* (manchmal), *never* (niemals), *always* (immer), *once* (einmal), *weekly* (wöchentlich), *seldom* (selten), *rarely* (selten), *normally* (normalerweise), *usually* (gelegentlich).

My students **rarely** do their homework.

Adverbien des Ortes und der Zeit *(adverbs of time and place)* veranschaulichen Zeit und Ort einer Handlung. Zu ihnen zählen vor allem diese Adverbien:

Adverbien der Zeit: *today* (heute), *tomorrow* (morgen), *now* (jetzt), *then* (dann), *still* (still), *soon* (bald), *yet* (noch)
Adverbien des Ortes: *here* (hier), *there* (da, dort), *nowhere* (nirgendwo).

We wanted to see fireworks **today,** but they were **nowhere** to be seen.

Gradadverbien ***(adverbs of degree)*** beschreiben entweder eine Verstärkung, eine Abschwächung oder eine Einschränkung. Einige häufig vorkommende Gradadverbien sind:

almost (fast), *very* (sehr), *hardly* (kaum), *only* (nur), *rather* (lieber), *fully* (völlig, vollständig), *completely* (völlig).

I **completely** forgot to do my homework.

Alle diese Adverbien können an verschiedenen Positionen im Satz stehen:

Art der Adverbien	Stellung im Satz	Beispiele
Adverbien der Art und Weise (*adverbs of manner*)	• am Satzanfang zur Verdeutlichung eines Rahmens für den folgenden Satz (durch Komma abgetrennt) • am Satzende • vor dem Vollverb bzw. nach dem ersten Hilfsverb (wenn Verb betont werden soll)	**Angrily**, he slammed the door and left. He slammed the door **angrily**. He **angrily** left the house.
Adverbien der Häufigkeit (*adverbs of frequency*)	• am Satzanfang zur Verdeutlichung eines zeitlichen Rahmens (durch Komma abgetrennt) • am Satzende (bei Adverbien einer bestimmten Häufigkeit) • vor dem Vollverb bzw. nach dem ersten Hilfsverb (bei Adverbien einer unbestimmten Häufigkeit)	**Normally**, the summers in Germany are also quite warm. I read a newspaper **weekly**. My friend **sometimes** smokes a cigarette.
Adverbien des Ortes und der Zeit *(adverbs of time and place)*	• können am Satzanfang und -ende stehen • sind beide Adverbien in einem Satz, so gilt „Ort vor Zeit".	**Now** I'm going home. I'm going home **now**. I will stay **here tonight** – I won't go home anymore.
Gradadverbien (*adverbs of degree*)	• vor dem Vollverb bzw. nach dem ersten Hilfsverb (Einschränkung) • vor dem Vollverb oder nach dem letzten Hilfsverb (als Verstärkung) • am Satzende (nur bestimmte Gradadverbien: *a bit, a little, a lot, by far, very much, for sure*) • vor dem Adjektiv oder Adverb, das näher bestimmt werden soll	I would **rather** listen to music than watch TV. I would have **completely** forgotten, if you hadn't reminded me! I like you **a lot**. That woman is **very** beautiful.

2.3.4 Hilfsverben und modale Hilfsverben

Je nach Gebrauch können folgende Verben sowohl Hilfsverben *(auxiliaries)* oder Vollverben *(full verbs)* sein: *to have, to be, to do, dare, need.*

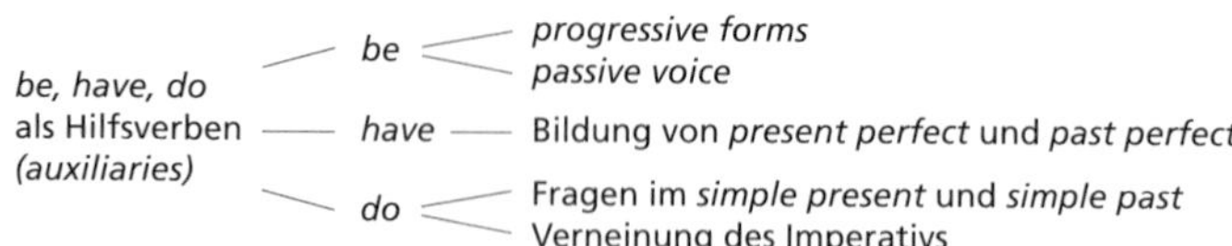

To have, to do, to be gehören zu den am häufigsten verwendeten Verben. In ihrer Funktion als Hilfsverben verwendet man sie zur Bildung bestimmter Zeitformen des Vollverbs.
To have drückt als Vollverb Besitz und Zugehörigkeit aus. Als Übersetzung für „haben", „besitzen" ist *have (got)* Zustandsverb *(state verb).*

Im britischen Englisch kann man sowohl *have* als auch *have got* verwenden. Im amerikanischen Englisch wird üblicherweise *have* verwendet.

Vera has (got) a house in France.

To be drückt als Vollverb einen Zustand oder eine Eigenschaft aus.
To have als Tätigkeitsverb *(activity verb)* kommt in vielen Wendungen vor:

have breakfast, have a drink, have a go, have a party etc.

To do dient als Vollverb für Tätigkeiten. Es kann übersetzt werden mit tun, machen, erledigen.

infinite forms = *infinitive, present participle, past participle*

to have **als Hilfsverb**		
Formen	**Gebrauch**	**Beispiele**
present tense: I – you – we – they **have/haven't** he – she – it **has/ hasn't**	Zur Bildung der Zeitformen, insbesondere des *perfect tenses.*	He **has** already **asked** her. She **hasn't seen** him for ages. **Have** you ever **tried** to juggle?
past tense: I – you – he/she/it – we – they – **had/hadn't**	Zur Bildung der Zeitformen, insbesondere des *past perfect.*	After I **had watched** the film, I called a friend. After he **had had** many drinks, he took the bus.
infinite forms: **have, having, had**		
	to have to = „müssen"	She **has to** leave very early next morning.
	have sth. done = „etwas machen lassen"	They **had** their kitchen painted. *(past participle)*

to have als Vollverb		
Formen	**Gebrauch**	**Beispiele**
present tense: I – you – we – they **have/haven't** he – she – it **has/ hasn't**	*to have/have got* = „besitzen"	He **has (got)** a very old book. **Have** you **(got)** any sisters?
past tense: I – you – we – they – he – she – it **had/ hadn't**		I didn't have it.
infinite forms: **have, having, had**		
	to have in der Kombination mit einem Nomen *(to have a rest; to have breakfast; to have a talk; to have a shower etc.)*	**Did you have breakfast** this morning? I **didn't have a shower** this morning because I overslept. After he **had had** many drinks, he took the bus.

Im *past tense* steht *have* als Vollverb ohne *got*.

to do als Hilfsverb		
Formen	**Gebrauch**	**Beispiele**
present tense: I – you – we – they **do/don't** he – she – it **does/ doesn't**	zur Bildung von Fragen, bei nicht zusammengesetzten Zeiten wie dem *present perfect*	**Do** you often go and see your friends?
past tense: I – you – we – they – he – she – it **did/ didn't**		**Did** you visit the Houses of Parliament when you were in London?
infinite forms: **do, doing, done**		
	zur Bildung von Verneinungen	He **doesn't** like listening to classical music.
	in Kurzsätzen *(e. g. question tags)*	You like playing the guitar, **don't you?** Yes, I **do.**
	zum Hervorheben einer Aussage	She **does** enjoy playing the piano.

***to do* als Vollverb**		
Formen	**Gebrauch**	**Beispiele**
present tense: I – you – we – they **do/don't** he – she – it **does/ doesn't**	*to do* drückt eine Tätigkeit aus und steht deswegen oft in der *progressive form*	Look, she **is doing** the dishes.
past tense: I – you – we – they – he – she – it **did/ didn't**		He **did** his very best to pass the exam. What **do** you **do** in the evenings?
infinite forms: **do, doing, done**		
	in Verneinungen	Father **doesn't do** the housework. We **didn't do** the jour-ney in three hours.
	in Fragen	**Did** you **do** your home-work yesterday? How **do** you **do** it?

***to be* als Hilfsverb**		
Formen	**Gebrauch**	**Beispiele**
present tense: I **am,** you – we – they **are/are not** he – she – it **is/is not**	zur Bildung der ***progressive form*** (Zeitform von *to be* und die *progressive form* eines Voll-verbs)	The children **are running** across the schoolyard. They **will be sitting** in class soon.
past tense: I – he – she – it **was/was not,** you – we – they **were**		
infinite forms: **be – being – been**		
	Zur Bildung des ***Passivs*** (Zeitform von *to be* und des *past participle* = 3. Verbform eines Vollverbs)	The school **is being cleaned** right now. The pupils **have been taken** to a concert.

***to be* als Vollverb**		
Formen	**Gebrauch**	**Beispiele**
present tense: I **am,** you – we – they **are/are not** he – she – it **is/is not**	zum Ausdruck einer Beziehung von Personen/Begriffen zueinander in Bezug auf Eigenschaften (Adjektiv); in Kurzsätzen (z. B. *question tags)*	He **is very interested** in history.
past tense: I – he – she – it **was/was not,** you – we – they **were**		**Did** you visit the Houses of Parliament when you **were** in London?
infinite forms: **be – being – been**		You **are** in the kitchen, **aren't** you? – Yes, I am.
	als *linking verb* in Bezug auf Ort	The airport **is north of the city.**
	in Bezug auf Zeit	Opening hours **are from 7 to 11.**
	in Bezug auf Nomen	The teachers **are good friends.**

***need* als Hilfsverb**		
Formen	**Gebrauch**	**Beispiele**
need (brauchen, dringend müssen), *need have done*	– nur in Verneinungen und Fragen, die 3. Person Singular wird ohne *-s* gebildet, – der Infinitiv wird ohne *to* angeschlossen, – keine Umschreibung mit *to do* bei Frage und Verneinung	You **needn't tell** me anything about your friendship. **Need** we really **get up** so early next morning?

***need* als Vollverb**		
Formen	**Gebrauch**	**Beispiele**
need (brauchen, dringend müssen), *need have done*	– in bejahten Sätzen, aber auch in Fragen und Verneinungen, – kann mit Infinitiv, mit Nomen, mit passivem Infinitiv verbunden werden, – 3. Person im *simple present* wird mit *-s* gebildet, der Infinitiv wird mit *to* angeschlossen, – Frage und Verneinungen werden mit *to do* umschrieben	These cars **need** a lot of petrol. **Do** you **need** more help? You **won't need to have** your hair cut today. The building **needs to be repaired.**

***dare* als Hilfsverb**		
Formen	**Gebrauch**	**Beispiele**
dare (sich wagen), (selten) *dared have done*	– nur in Verneinungen und Ausrufen mit *how,* die 3. Person Singular wird ohne -s gebildet, – der Infinitiv wird ohne *to* angeschlossen, – kein *to do* bei Frage und Verneinung	She **daren't go and see** her teacher. **How dare you walk** across our garden?

***dare* als Vollverb**		
Formen	**Gebrauch**	**Beispiele**
dare (sich wagen), (selten) *dared*	– in Verneinungen und Fragen, aber nicht in Ausrufen mit *how,* – 3. Person im *simple present* wird mit -s gebildet, – der Infinitiv wird mit *to* angeschlossen, – Frage und Verneinungen werden mit *to do* umschrieben	The pupils **wouldn't dare to leave** the school premises. **Does he dare** to go to the headmaster?

Modale Hilfsverben und deren Ersatzverben

Modale Hilfsverben werden anderen Verben vorangestellt, um deren Bedeutung differenziert auszudrücken. Modale Hilfsverben geben an, mit welcher Gewissheit, Verpflichtung oder Freiheit die im Verb benannte Handlung ausgeführt werden soll. Anders als im Deutschen steht das Hilfsverb nie ohne Vollverb. Die Zeitform wird mit dem modalen Hilfsverb oder seinem Ersatzverb gebildet; dieses hat bei allen Personen die gleiche Form. Das Vollverb folgt immer dem Infinitiv.

Modale Hilfsverben nach Sprechabsichten

Sprechabsichten	**modales Hilfsverb**	**Beispielsätze**
Fähigkeit/Unfähigkeit, Bitte um Erlaubnis, Vorschlag/Angebot	**can**	**Can** you drive that truck? **Can** I use your car tomorrow? I **can** get you the tickets for tonight's show.
zukünftige Möglichkeit; höfliche Frage oder Bitte, Vorschlag	**could**	There **could** be another accident on that road. **Could** I use your mobile phone, please? We **could** go for another walk next week.
Notwendigkeit, Annahme (Als Ersatzverb = *to have to* wird es in Frage und Verneinung mit *to do* umschrieben.)	**must**	You **must change** trains at Victoria. They **must be crossing** the Channel now.

Aussagen über Fähigkeit/ Unfähigkeit (meist ein Einzelfall oder eine bestimmte Situation)	**to be able to**	We **were able to talk** to him although he was busy. He **will be able to speak** French this time after his language course.
Verbot	**must not/ may not** (nicht dürfen)	You **must not ride** a bike on a motorway. You **may not go** out until 5 o'clock in the morning.
Vermutung, Möglichkeit; Erlaubnis; *may* mit größerer Wahrscheinlichkeit als *might*	**may**	You **may** not get in. He **may** come tonight. (vielleicht kommen) **May** I come in?
geringe Wahrscheinlichkeit	**might**	I **might have left** the key at school but I am not sure at all.
Vorschläge, Angebote erbitten	**shall**	**Shall** I bring you another piece of cake? What **shall** we do next?
Rat, Pflicht, Vorschlag geben oder erbitten; Vermutungen; Warnung, Tadeln; moralische Verpflichtung	**should/ ought to** (sollte eigentlich)	I think we **should** leave very soon. You **ought to** visit your grandmother in hospital. The play **shouldn't** last longer than two hours. You **should be working** harder for your exam. He **ought to have gone** to his teacher for help. should have/ought to have + past participle (hätte sollen)
Ausdruck einer Bitte, eines Wunsches	**will/ would** (wollen)	**Will you please keep** an eye on my suitcases?
Ausdruck einer früheren Gewohnheit	**would** oder **used to**	My friend **would/used to play** cricket when he was young.

Die modalen Hilfsverben können nur im *present tense* und im Höchstfall noch im *past tense* benutzt werden. Deshalb müssen für die Bildung der anderen Zeiten ihre **Ersatzverben** verwendet werden.

Formen von *can/be able to*

present tense	Many Scandinavians **can** speak English.
past tense	He **could** not understand a word of French. He **was able to** rescue the child from the fire.
present perfect	He **has not been able to** finish work until today.
past perfect	I **had been able to.**
future I	**Will** he **be able to** break the world record?

	future II (future perfect)	I **will have been able** to finish the task by next Friday.
	conditional I	I **would be able to** speak French some day if only I took more lessons.
	conditional II	If he had practised more, he **would have been able to** achieve a better result.
Formen von *have to*	**present tense**	I **have to** answer the questionnaire right now.
	past tense	Tom **had to** take the dog for a walk.
	present perfect	We **have had to** do a lot of overtime lately.
	past perfect	They **had had to** paint the house before they moved in.
	future I	She **will have to** look for a babysitter.
	future II (future perfect)	I **will have had to** complete the investigation before making an official statement.
	conditional I	He **would have to** look after the dog if he stayed at home.
	conditional II	The police **would have had to** start another investigation if they hadn't found any suspects.

modale Hilfverben *(modal auxiliaries)*	**Ersatzverben *(substitutes)***	**Beispiele**
can – kann *could* – konnte/könnte *could have* – hätte können	*to be able to*	As it didn't rain for days, we **were able to** finish building our home. *(simple past)*
may – kann vielleicht, dürfen *might* – kann vielleicht (schwächer als *may)* *might have* – hätte können	*to be allowed to*	After he **had been allowed to drive** that fast car, he won the race. *(past perfect)* I **might have tried** earlier to phone you.
shall – sollte *should* – soll *should have* – hätte sollen	*to be (supposed) to* (Wiedergabe einer Anweisung/vom Schicksal oder Umständen bestimmt)	She **was supposed to meet** her instructor at the gym. *(simple past)* In the 1980s the Millers emigrated to America where they **were to stay** for good. *(simple past)*
ought to – soll *ought to have* – hätte sollen		They **ought to have** helped the old woman carry her suitcases. *(simple past)*
must – muss	*to have to,* *to have got to*	They **have just had to leave** for their trip to England. *(present perfect)*
must not – nicht dürfen	*not to be allowed to*	They **would not be allowed to travel** if they could not display their passports. *(conditional I)*

2.3.5 Infinitiv, Gerundium und Partizip

finite Verbform: kann gebeugt werden
infinite Verbform: kann nicht gebeugt werden, bleibt unverändert

Verbformen werden unterschieden in solche, die man **beugen** kann, und in solche, die man **nicht beugen** kann. Ein Verb zu beugen bedeutet, dass es der **Person und Zeit angepasst** wird. Die infiniten Verben hingegen sind **unveränderbar.** Folgende Verbformen gelten als infinite Verbformen:

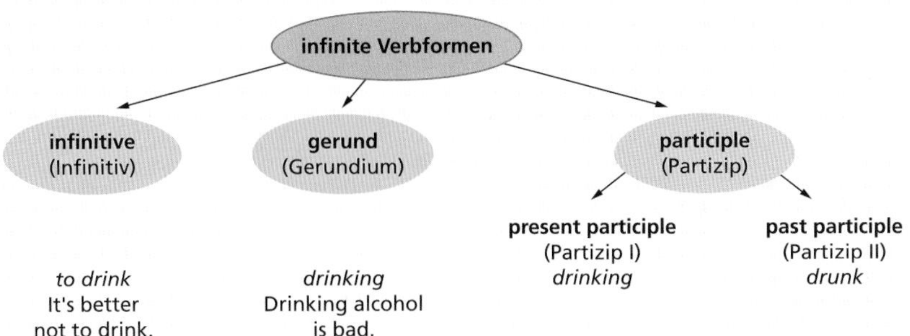

Der Infinitiv *(the infinitive)*

Der Infinitiv ist die **Grundform** des Verbs. Es gibt ihn in folgenden Formen:

Zeit	Aktiv	Passiv
simple present	(to) drink	(to) be drunk
present progressive	(to) be drinking	
simple present perfect	(to) have drunk	(to) have been drunk
present perfect progressive	(to) have been drinking	

Infinitivkonstruktionen können Sätze verkürzen.

Remember not to drink alcohol tonight!
Denke daran, heute keinen Alkohol zu trinken!

In englischen Satzkonstruktionen gibt es **Infinitive** entweder **mit** oder **ohne *to:***

Infinitiv mit *to*

She **wants to study** at university.
Sie möchte an der Universität studieren.

Infinitiv ohne *to*

They **help** her **study** at university.
Sie helfen ihr an der Uni zu studieren.

Der **Infinitiv mit *to*** steht in folgenden Fällen:

Anwendung	**Beispiel**
Verb + Objekt + Infinitv mit *to* nach Verben des Denkens, Aufforderns, Wünschens, Veranlassens und Verursachens: *agree, allow, appear, cause, expect, forget, hope, learn, remember, seem, start, teach, tell, try, want* etc.	Sorry, I **forgot to tell** you about my new job. They are **expected to buy** the car. I was trying **not to laugh** about his joke when the phone rang.
nach Fragewörtern und ***whether***	I didn't know **what** to do.
nach bestimmten **Adjektiven,** nach **Superlativen** und **Zahlwörtern** und nach bestimmten Adjektiven: *right, wrong, easy, hard, difficult* etc.	It is not **easy to talk** about his brother. He was **the last to** arrive at the party. She was **the third to** ask this question.
nach *for* + direktes Objekt	She waited **for him to lift** the suitcase.
nach *too/enough* + Adjektiv	It is **too late to catch** the bus.
drückt Zweck, Ziel oder Absicht aus und verkürzt Nebensätze, die mit *so that, such that, in order* eingeleitet werden	She rang again **in order to** convince her to help her.
passivischer Infinitiv bei Verben wie *leave, need, remain*	This statement **needs to be proved.**

Dem Infinitiv folgt **kein *to*** in folgenden Fällen:

Anwendung	**Beispiel**
nach den **modalen Hilfsverben** (außer: *ought, used*)	They **couldn't stay** for the weekend. **But:** They **ought** to save money.
nach Wendungen wie *had better, would rather, would sooner, why not*	I **would rather move** to Paris. **Why not** visit your dad?
nach **Verben der Sinneswahrnehmung** (*feel, hear, notice, see, watch* etc.)	I **noticed** my neighbour **leave** the house.
nach *let/let's/make*	**Let's go** for a walk.

Das Gerundium *(the gerund)*

Beim **Gerundium** handelt es sich um ein **substantiviertes Verb,** d. h. um ein Verb, das zum Substantiv (Nomen) geworden ist. Im Deutschen gleicht die Form dem Infinitiv, der aber groß geschrieben wird (z. B. das Fliegen). Im Englischen wird das Gerundium gebildet, indem man an den **Infinitiv** eines Verbs die **Endung *-ing*** anhängt (z. B. *the flying).* Folgende Formen des Gerundiums sind möglich:

Zeit	Aktiv	Passiv
present tense	flying	being flown
present perfect	having flown	having been flown

Das Gerundium funktioniert im Satz als Nomen und kann sowohl Subjekt als auch Objekt und prädikative Ergänzung sein.

Subjekt: Flying is fun for me.
Objekt: I like **flying** more than going by train.
Prädikative Ergänzung: The way of travelling I like most is **flying.**

Es gibt eine Vielzahl von Wendungen und Wortarten, nach denen das Gerundium folgt:

Präpositionen + Gerundium		
after/ before by instead of without in spite of	nach(dem), vor(her) (da)durch, dass trotz/(an)statt ohne	We arrived in Paris **after driving** all night. **By checking** her receipt … **Instead of working** hard … She helped **without knowing.** **In spite of being** ill she went to work.

Weitere sind: *accuse of* (beschuldigen), *blame for* (vorwerfen), *succeed in* (erfolgreich sein in), *specialize in* (sich spezialiseren auf), *talk about/of* (über etwas reden)

Verb + Präposition		
cope with	bewältigen	I'll **cope with being** late.
dream of	träumen von	He **dreams of leaving** N.Y.
get used to	sich gewöhnen	He'll **get used to getting** up early.
insist on	bestehen auf	She **insisted on paying** the bill.
look forward to	sich freuen	I'm **looking forward to seeing you** soon.
think of	denken an	I'm **thinking of buying** a new car.

Auch nach den Konstruktionen **Nomen + Präposition** sowie **Adjektiv + Präposition** steht oftmals ein Gerundium. Hier eine Auswahl häufig vorkommender Wendungen: :

Nomen + Präposition		
chance of	Chance zu	Is there still any **chance of** getting tickets?
danger of	Gefahr zu	I see the **danger of** losing money.
difficulty in	Schwierigkeit	I had **difficulty in** understanding him.
doubt about	Zweifel über	I have **doubts about** asking her.
hope of	Hoffnung auf	Is there still **hope of** winning the match?
opportunity of	Gelegenheit zu	You have the **opportunity of** changing lines here.
possibility of	Möglichkeit zu	There is no **possibility of** deciding later.
reason for	Grund zu	There is no **reason for** denying it.
risk of	Risiko zu	Isn't there a **risk of** getting involved?
trouble with	Ärger mit	They had **trouble in** getting visas.
way of	Art und Weise zu	That's my **way of** solving the problem.

Adjektiv + Präposition		
afraid of	*Angst vor*	She's **afraid of** asking you.
crazy about	*verrückt nach*	He is **crazy about** buying CDs.
excited about	*aufgeregt über*	I'm **excited about** meeting him.
famous for	*berühmt für*	They are **famous for** their food.
fond of	*begeistert von*	He is **fond of** going to a concert.
good/bad at	*gut/schlecht in*	You are **quite good** at skiing.
keen on	*scharf auf*	You are **keen on** watching that film.
sick/tired of	*genug haben von*	I'm **tired of** waiting for her.

Auch nach folgenden Ausdrücken steht das Gerundium. Es ist günstig, sich solche Wendungen einzuprägen, da sie „typisch englisch" – eben authentisch klingen.

can't help	nicht anders können
don't mind	nichts dagegen haben
how about	Wie wäre es mit …?
it's (no) good	nicht gut sein

it's no use	keinen Sinn haben
there's no point of	keinen Sinn haben
what about	Wie wäre es mit …?
it's worth	Wert sein

Die nachfolgend aufgelisteten Verben stehen auch mit dem Gerundium:

Verben ohne Präpositionen		
avoid	vermeiden	Avoid telling her about it!
consider	in Betracht ziehen	Have you ever considered asking him?
imagine	sich (etw.) vorstellen	Imagine flying to the moon.
keep (on)	weiter machen	Keep on trying!
mind	stören, ausmachen,	Would you mind closing the door?
risk	riskieren	Don't risk losing money!
stop	aufhören	Please stop smoking!

Weitere Verben sind: *delay* (aufschieben), *deny* (leugnen), enjoy (genießen), *mention* (erwähnen), *miss* (verpassen), *reject* (zurückweisen), resist (widerstehen), *suggest* (vorschlagen)

Es gibt aber auch einige Verben, nach denen **sowohl das Gerundium als auch der Infinitiv** stehen kann. In solchen Fällen ergeben sich dann meistens **Bedeutungsunterschiede.**
Folgende Verben können mit Gerundium oder Infinitiv stehen, ohne dass sich ihre Bedeutung ändert: *to begin, to continue, to intend, to start.*

Would you please **continue to read.**
Would you please **continue reading.**

Möchte man allgemein ein **Mögen** oder **Nichtmögen** mit *to like, to love, to prefer, to hate* ausdrücken, so verwendet man das **Gerundium.** Gebraucht man diese Verben in einer **speziellen Situation,** insbesondere im Zusammenhang mit *would,* folgt ein **Infinitiv mit *to.***

Normally I **hate cycling,** but today I **would like to go** for a ride.

Bei den folgenden Verben ändert sich die Bedeutung abhängig davon, ob ein Gerundium oder Infinitiv folgt:

Verb	**Bedeutung mit Gerundium**	**Bedeutung mit Infinitiv**
to go on	etwas weiterhin tun	etwas (Neues) als Nächstes tun
to forget	vergessen, etwas getan zu haben	vergessen, etwas zu tun
to regret	bereuen, etwas getan zu haben	bereuen, etwas tun zu müssen
to remember	sich erinnern, etwas getan zu haben	daran denken, etwas zu tun
to stop	aufhören, etwas zu tun	aufhören, um etwas anderes zu tun
to try	etwas probieren	sich bemühen, etwas zu tun

Das *present participle* im Passiv wird aus *being + past participle* gebildet. Das *past participle* hat im Aktiv und Passiv die gleiche Form. Das *perfect participle* lautet im Aktiv *having + past participle* und im Passiv *having been + past participle.*

Das Partizip

Das **Partizip** *(the* ***participle)*** wird auch **Verbaladjektiv** genannt, da Verben mit einer bestimmten Form auch als Adjektiv agieren können, wenn sie vor Nomen stehen. Partizipien haben keine Pluralformen und können wie Verben Aktiv und Passiv bilden. Man unterscheidet zwischen:

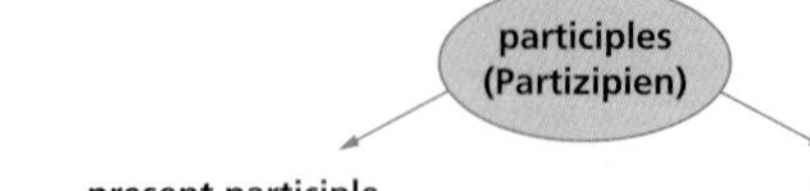

present participle
(Partizip I bzw. Partizip Präsens)
Infinitiv + *-ing*

past participle
(Partizip II bzw. Partizip Perfekt)
Infinitiv + *-ed* bei regelmäßigen Verben bzw. 3. Verbform bei unregelmäßigen Verbformen

present participle	past participle
Zur Bildung der Verlaufsform: Look, it's **snowing** again! A **growing** number of people are unemployed.	Zur Bildung der 3. Form der unregelmäßigen Verben: They have **bought** many CDs.
Anstelle von Relativsätzen (im Aktiv): Young people **leaving** home will find it easier to get a cheap room.	Anstelle eines Relativsatzes **vor dem Nomen** (im Passiv): The progress **made** in medicine will save lifes.
Als Adjektiv, das ein Nomen näher bestimmt: **Rising** prices lead to less consumption.	Zur näheren Bestimmung eines Nomens: The cars **produced** in Japan are quite cheap.
Als Verkürzung eines Adverbialsatzes: **Realising** that he couldn't win, he decided to stop the race.	Anstelle eines Adverbialsatzes: Having **stayed** in Germany for many years, Sue **decided** to move to New York.
Nach Verben der **Sinneswahrnehmung** (z. B. *see, watch, hear, listen to, smell, feel* etc.): He **watched** her **sleeping.** I **heard** them **shouting.**	Nach ***have*** **+ Objekt,** um auszudrücken, dass eine Handlung veranlasst wird , d. h. jemand macht es nicht selbst, sondern lässt es machen: My brother will **have** his car **repaired** tomorrow. She will **have** her tongue **pierced** next week.
Nach Verben der **Ruhe und Bewegung** (z. B. *run, go, come, stay, stand, lie, sit* etc.): The pupils **sat waiting** for the teacher.	
Als Gerundium und Subjekt des Satzes: **Mailing** your CV isn't enough, I think.	

Nicht nur Relativsätze können durch Partizipien verkürzt werden, sondern auch Adverbialsätze. Dies ist möglich, wenn das Subjekt des Hauptsatzes dem Subjekt des Nebensatzes entspricht.

Rushing down the stairs **he** lost his wallet.
While **he** was rushing down the stairs **he** lost his wallet.
Während er die Treppen hinuntereilte, verlor er seine Brieftasche.

Es gibt Partizipien, die Teil einer idiomatischen Wendung geworden sind: *generally/roughly speaking, considering that, supposing that, saying that* etc.
Assuming that I pass the exam, I will go to university.

Dabei gibt es zwei Arten von Adverbialsätzen, die durch Partizipien verkürzt werden können:

Adverbialsätze	
adverbiale Bestimmung der Zeit **(adverbial clause of time)**	adverbiale Bestimmung des Grundes **(adverbial clause of reason)**
Sie stehen unverändert anstelle eines Nebensatzes, der mit *when* oder *while* eingeleitet wird.	Sie stehen unverändert anstelle eines Nebensatzes, der mit *as, because, since* eingeleitet wird.
When watching a film, I always eat popcorn. **While** waiting for his teacher, he read a book.	**As** I was leaving anyway, I gave him a lift in my car. **Since** she was my boss, I had to be nice to her.

2.3.6 Die Zeitformen des Vollverbs

Es gilt den Unterschied zwischen den grammatischen Zeitformen, *tenses* genannt, mit Bezeichnungen wie *present continuous, past perfect progressive* etc. und der wirklichen Zeit *(time)* zu beachten. So kann z. B. die grammatische Zeitform *present progressive* auf die Gegenwart und auf die Zukunft bezogen sein. Grammatische Zeitformen beziehen sich auf das Verhältnis der realen Zeit zu dem Zeitraum, über den ein Sprecher etwas sagen möchte.

In der englischen Sprache gibt es von den meisten grammatischen Zeitformen **zwei Varianten** – die einfache Form und die Verlaufsform. Die einfache Form wird verwendet, um darzustellen, dass eine Handlung **regelmäßig** stattfindet. Die Verlaufsform hingegen drückt aus, dass ein Vorgang **in diesem Moment bzw. über eine bestimmte Dauer** geschieht. Bestimmte Verben werden nur in der *simple form* gebraucht, da sie einen Zustand, ein Besitzverhältnis, Gefühle, Meinungen oder Wünsche anzeigen. Diese Verben werden Zustandsverben *(state verbs)* genannt.

Weitere Zustandsverben: *to suppose, to mean, to understand, to believe, to remember, to belong, to contain, to depend on, to seem, to hear, to wish, to doubt, to see, to smell, to taste* etc.

Zustandsverben *(state verbs)*
- Verben, die einen Zustand, eine Eigenschaft oder einen Besitz ausdrücken: *be, belong to, consist, contain (possession verbs)*
- Verben des Meinens, Wissens, Vermutens: *agree, believe, imagine, know, think, realize, suppose (abstract verbs)*
- Verben des (Nicht)mögens: *hate, love, like, wish (emotion verbs)*

Normalerweise werden diese Zustandsverben in der *simple form* verwendet. Wenn sich die beschriebenen Handlungen aber wiederholen oder wenn Vorwürfe geäußert werden, steht die *progressive form.*

 Peter is very forgetful. He is always losing his keys.

Vorgangs- oder Tätigkeitsverben *(activity or dynamic verbs)* hingegen können auch die Verlaufsform bilden.

Tätigkeitsverben *(activity verbs)*
Man sieht, wie jemand etwas tut: Bewegungen, Handlungen, Aktionen: *to go, to eat, to drink, to sleep, to play, to run, to watch, to get, to rain, to listen, read, to write, to come, to sing, to talk, to work* etc.

Bis auf wenige Ausnahmen besitzen englische Verben drei verschiedene Formen, auch Stammformen genannt. Die Stammformen unregelmäßiger Verben muss man kennen, um alle Zeitformen korrekt ableiten zu können.

i

regelmäßiges (regular) Verb
unregelmäßiges (irregular) Verb

1. Verbform ***infinitive***	**2. Verbform** ***past***	**3. Verbform** ***past participle***
to live	lived	lived
to sing	sang	sung

Streng genommen werden nur zwei Zeitformen allein durch das Verb ausgedrückt: die einfache Gegenwart *(simple present)* und die einfache Vergangenheit *(simple past)*. Die *simple-present*-Form hat die Form des Infinitivs (1. Stammform), das *simple past* wird mit der 2. Stammform gebildet. Die zahlreichen übrigen Zeitformen werden mithilfe der Hilfsverben und Partizipien gebildet.

Past, present und *future* haben jeweils
- eine Perfektform, die eine abgeschlossene Handlung anzeigt,
- eine Verlaufsform *(progressive or continuous form)* die eine zu einem bestimmten Zeitpunkt andauernde Handlung anzeigt,
- eine Verlaufsform im Perfekt *(perfect progressive form)*, die anzeigt, dass eine laufende Handlung zu einem bestimmten Zeitpunkt abgeschlossen sein wird.

	present	**past**	**future**
simple forms	you drink, she drinks you walk, she walks	drank walked	will/shall take will/shall walk
progressive forms	am/is/are drinking am/is/are walking	was/were drinking was/were walking	will be drinking will be walking
perfect forms	have/has drunk have/has walked	had drunk had walked	will have drunk will have walked
perfect progressive forms	have/has been drinking have/has been walking	had been drinking had been walking	will have been drinking will have been walking

Simple present (einfache Gegenwart)

Die einfache Gegenwart eines Verbs wird mit der Grundform (Infinitiv) gebildet. In der 3. Person Singular wird an den Infinitiv ein *-s* angehängt. Bei Verben, die auf einen Zischlaut wie *-sh, -ss, -ch* und *-x* enden, wird ein *-es* angefügt. Dies gilt auch für die Verben *do* und *go.* Endet ein Verb auf *-y* mit vorhergehendem Konsonanten, wird in der 3. Person Singular aus dem *-y* ein *-ies.* Verneinungen und Fragen werden in der Regel mit *to do* umschrieben.

Aussagesatz:	Singular (= Einzahl)	Plural (= Mehrzahl)
	I sing	we sing
	you drink	you drink
	he/she/it sing**s**/drink**s**	they sing/drink
Zischlaute:	he miss**es,** she wash**es**	
-y* und *-ies:	she stays	he tries
Fragesatz:	Do you sing?	Does he drink?
Verneinung:	I **do not (don't)** drink.	He **does not (doesn't)** sing.

Die Verbformen von *be* sind auf ↗ S. 74 und 75 dargestellt

In folgenden Situationen wird das *simple present* angewendet:

- **Regelmäßige und gewohnheitsmäßige Handlungen**: Vorgänge oder Handlungen werden wiederholt (auch, wenn sie gewohnheitsmäßig nur manchmal oder nie stattfinden).

  Father always **walks** to work.
  Time fl**ies.**
  I never **go** by train to visit my friend, I usually **go** by bike.

- **Aufeinander folgende Handlungen** bei Aufzählungen

  First I **have** a shower and then I **drink** a cup of hot chocolate.

- **Tatsachen und Gesetzmäßigkeiten**: allgemeine Wahrheiten oder Tatsachen

  Cows usually **eat** grass.
  The earth **rotates** around the sun.

- **Zusammenfassungen** von Texten

  This story **is** about …
  The author **shows** …
  He **uses** …

Folgende **Signalwörter** werden häufig mit dem *simple present* gebraucht: *often, always, sometimes, usually, every day/time/week/month/year …, normally, never, on Saturdays …* (Regelmäßigkeit); *first, then, after that, at last* (aufeinander folgende Handlungen).

My aunt **visits** her brother **every month.**
First you open the parcel, then you unwrap the paper, …

Present progressive

***ing*-Form:**
Infinitiv + *-ing.* Diese Form wird auch Partizip Präsens *(present participle)* genannt.

Die *present progressive form* eines Verbs wird mit einer Form von ***be*** und der *ing*-Form gebildet. Auch alle übrigen Verlaufsformen werden mit einer Form von ***be*** und dem Partizip Präsens gebildet.

Aussagesatz:	I am sleeping	we are talking
	you are listening	you are eating
	he/she/it is helping	they are going
Fragesatz:	Am I?	Are we?
	Are you?	Are you?
	Is he/she/it?	Are they?
Verneinung:	I am not	we are not (= aren't)
	you are not (= aren't)	you are not (= aren't)
	he/she/it is not (isn't)	they are not (= aren't)

Das *present progressive* findet Anwendung bei:

- **Handlungen,** die **gerade in diesem Moment** oder kurz vorher bzw. nachher stattfinden.

  Let's go home now. It**'s starting** to rain.
  Lisa and Roger **are playing** with their new computer game now.

- **Veränderungen,** die im **Moment des Sprechens** stattfinden.

  The doctor **is examining** my son.
  The world around us **is changing** so fast.

- **Handlungen,** die noch **nicht abgeschlossen** sind.

  The book **I'm reading** at the moment is very exciting.

- **Beschreibung von Geschehnissen** aus der Sicht eines Betrachters.

  The little child **is playing** with his toys. Look, now he **is smiling** at me!

- **zukünftigen Handlungen,** die schon fest geplant sind.

  Next Saturday we **are having** a big party.
  Later today my friends and I **are not going** to the cinema as we planned.

Signalwörter, die mit dem *present progressive* verwendet werden, sind: *now, today, at the moment, this week/month/year ..., Look! Listen!*

Simple past (einfache Vergangenheit)

Das *simple past* wird mit der 2. Verbform gebildet, d. h., bei regelmäßigen Verben wird ein *-ed* an den Infinitiv gehängt, bei unregelmäßigen Verben nimmt man die 2. Stammform des Verbs. Diese Formen sind für alle Personen gleich, werden also auch in der 3. Person Singular nicht verändert. Endet ein Verb bereits auf *-e*, dann wird hier nur noch das *-d* angefügt. Ebenso wie im *present tense* ändern sich Endungen wie *-y* zu *-ied* bei vorhergehendem Konsonanten, einfache Endkonsonanten werden bei vorhergehenden kurzen Vokalen verdoppelt, wenn diese Silbe betont ist.

waste → wast**ed,** invite → invit**ed**
study → stud**ied;** enjoy → enjo**yed**
stop → stop**ped**
prefer → prefer**red,** regret → regret**ted**

Ausnahme: travel → travel**led;** cancel → cancel**led**
aber: develo**p** → develop**ed** (Betonung auf 2. Silbe)

Verneinungen und Fragen werden mit *did (not)* + Infinitiv des Vollverbs umschrieben.

I	**didn't waste**	my time.
They	**didn't follow**	the rules.
When	**did**	you **meet** her?
Why	**didn't**	you **ask** me?

Die Vergangenheit von *be* lautet ***was*** (für die 1./3. Person Singular) bzw. ***were*** (für alle anderen Personen). Entsprechend werden auch Verneinungen und Fragen gebildet.

I	**was**	very tired yesterday.
He	**wasn't**	at home when I called.
They	**weren't**	at school last week.
Were	they	at home?
Was	she	at school yesterday?
Wasn't	he	at the party last week?

Das *simple past* wird gebraucht, um **Handlungen und Vorgänge,** die in der **Vergangenheit** begannen und zum Zeitpunkt des Sprechens bereits **abgeschlossen** sind, auszudrücken.

Signalwörter für diese Zeitform sind: *yesterday, last week/month/year, (some) time … ago, … year(s), month(s), week(s) ago.*

Aussagesatz:	I **got up** at 6 o'clock yesterday. Anne **prepared** a delicious meal last night.
Fragesatz:	**Did** you **go** to the cinema last week? What **did** the Smiths do in their holidays last summer?
Verneinung:	We **didn't enjoy** the party very much. He **didn't have** time to phone his friend.
be:	*10 years ago I **was** still at school.* You **were** late for the meal, that's why everybody **was** angry with you.

Past progressive

Das *past progressive* wird mit ***was/were* + *-ing*** gebildet.

	was/were	**-ing**
he	was	running
they	weren't	playing

Man drückt mit dem *past progressive* aus, dass eine **Handlung oder ein Vorgang in der Vergangenheit noch im Verlauf,** also noch nicht beendet war. Meist wird das *past progressive* in Verbindung mit dem *simple past* verwendet, um darzustellen, dass eine Handlung noch andauerte, während eine andere Handlung einsetzte.

My parents **were working** in the garden **all day yesterday.**
My parents came home **while** I **was having** a big party with my friends.
Yesterday we **met** a famous actress **when** we **were eating** in an expensive restaurant.

Present perfect

Das *present perfect* wird mit **have/has** und dem **past participle (3. Verbform)** des Vollverbs gebildet.

	has/have	**past participle**
I	have (I've)	done/worked
she	has/she's	done/worked

Auch hier wird bei regelmäßigen Verben *-ed* angehängt, bei unregelmäßigen wird die 3. Verbform genommen. Die Verneinung wird am Hilfsverb *have/has* sichtbar.

You **haven't (= have not) made** my bed.	**Have** you **bought** the book?	I **haven't bought** the book yet.
He hasn't (= has not) come home.	**Has** she **told** you about her boyfriend?	She **hasn't told** me about her boyfriend.

Auch Fragen und verneinte Aussagen werden mit *have* bzw. *has* gebildet. Mit dem *present perfect* wird ausgedrückt, dass eine Handlung **Auswirkungen auf die Gegenwart** hat. Wir unterscheiden drei verschiedene Situationen, in denen das *present perfect* verwendet wird.

- Handlungen, die bis in die Gegenwart andauern.

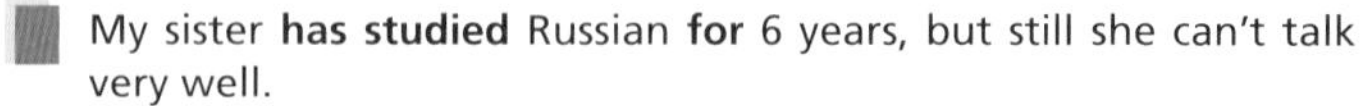

My sister **has studied** Russian **for** 6 years, but still she can't talk very well.
Have you **done** your workout exercises **all afternoon**?

- Handlungen, die erst vor kurzem abgeschlossen wurden.

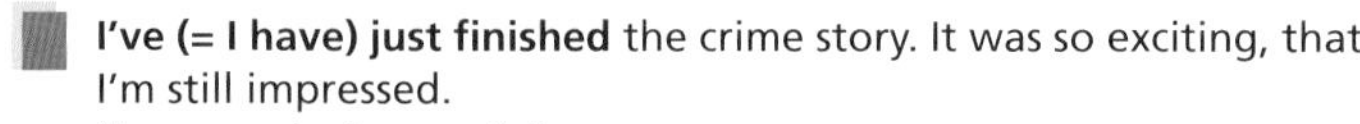

I've (= I have) just finished the crime story. It was so exciting, that I'm still impressed.
Have you **just come** in?

- Handlungen, die bereits abgeschlossen sind, die aber Auswirkungen bis in die Gegenwart haben.

Look, **I've (= I have) been** to the hairdresser's **today**. My hair is much shorter now.
We **have painted** the walls. How nice they look!

Folgende **Signalwörter** gehen meist mit dem *present perfect* einher: *since, for, never, ever, just, already, (not) yet, before, recently, up to now, today, this (week, month, year), so far, how long …?*

since im *present perfect* = **Zeitpunkt** (since 1976)
for im *present perfect* = **Zeitspanne** (for three weeks)

Present perfect progressive

Die Bildung der *progressive form* im *present perfect* geschieht durch die Kombination der Merkmale für das *simple present perfect (have/has* + 3. Verbform) und der Merkmale der *progressive forms (be + -ing)*. Daher lautet die *present perfect progressive form:* **have/has + been + -ing.**

	have/has	**been**	**-ing Form des Vollverbs**
she	has	been	playing (present participle)
they	have	been	showing
we	have not	been	trying

Das *present perfect progressive* wird bei Handlungen verwendet, die vor kurzem oder gerade eben beendet wurden, aber noch **Auswirkungen auf die Gegenwart** haben. Ebenso kann man mit dem *present perfect progressive* ausdrücken, dass sich Handlungen in einem bestimmten Zeitraum wiederholen. Es können auch Handlungen beschrieben werden, die in der Vergangenheit begannen, in der Gegenwart andauern und möglicherweise auch in der Zukunft noch andauern werden.

- kürzlich beendete Handlungen

Have you **been sleeping until now**?
You look very relaxed *now*.
My husband **has been cycling all morning**, that's why his clothes are so dirty *now*.

- sich wiederholende Handlungen

I know my girlfriend very well. We **have been going out for almost three years**.
My father is a good skier. He **has been skiing since he was a schoolboy**.

Da im Allgemeinen für das *present perfect progressive* auch die Signalwörter für das *present perfect simple* gelten, kann die Wahl der passenden Zeitform anhand der Aussageabsicht getroffen werden:

since, for, never, ever, just, already, (not) yet, before, recently, up to now, today, this (week, month, year), so far, how long …?

present perfect simple	present perfect progressive
The windows were very dirty. Now they are clean. Anthony **has cleaned** the windows.	Anthony **has been cleaning** the windows. His hands are wet and dirty.
Die Handlung ist abgeschlossen. Es interessiert das **Ergebnis der Handlung** (die sauberen Fenster), nicht die Handlung selbst.	Die Handlung ist noch nicht abgeschlossen. Bedeutsam ist die **Handlung selbst** (das Säubern der Fenster) nicht, ob sie beendet ist oder nicht.

Past perfect

Das *past perfect* wird analog zum *present perfect* gebildet.

	had	**past participle (3. Verbform)**
I	had (= 'd)	done/worked
he	had (= 'd)	done/worked
I/She	hadn't (= had not)	made the bed.

Das *past perfect* beschreibt ein Ereignis, das ausgehend von einer Erzählung in der Vergangenheit, noch vor diesem Zeitpunkt geschah (= Vorzeitigkeit). So wie das *present perfect* Auswirkungen auf die Gegenwart hat, beeinflusst das *past perfect* die Vergangenheit. Demnach steht das *past perfect* meist zusammen mit einem Satz im *past tense.*

Signalwörter sind *before* und *after.*

Before I **applied** for the job at an IT company, I **had taken** a special IT course at university.
After we **had gone** for a run, we **went** to the sauna.

Past perfect progressive

Das *past perfect progressive* wird ähnlich wie das *present perfect progressive* gebildet. Anstelle des *have/has* steht hier nun

	had +	**been + Infinitiv des Vollverbs + *-ing.***	
they	had	been	talking
she	hadn't	been	asking

Das *past perfect progressive* zeigt den **Verlauf einer Handlung** an, **bevor** etwas anderes in der **Vergangenheit** passierte.

They **had been spending** some time at the beach until they **noticed** the dark clouds.
He **had been losing** a lot of blood before the ambulance **arrived.**
The band **had been touring** the whole of Europe when they **performed** in their hometown.

Signalwörter sind u. a. *before, after, when, until* etc.

Future tense

Das Futur kann im Englischen mit mehreren Zeitformen ausgedrückt werden.

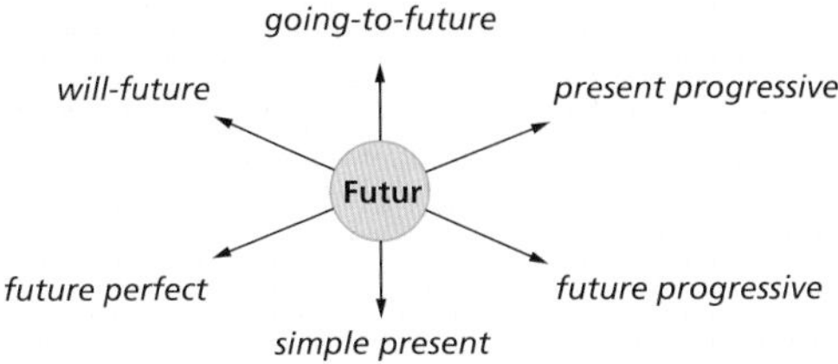

Zeitform	Beschreibung	Beispiele
future perfect simple	**will + have + Partizip Perfekt (3. Verbform)** Verneinungen werden mit **will not (= won't)** gebildet. Diese Zeitform des Futur zeigt an, dass eine **Handlung** in der **Zukunft** bereits **abgeschlossen** sein wird.	Tomorrow at 10 a.m. they **will have arrived** in Manchester. He **won't have told** her. Do you think your friend **will have written** his speech by **tonight?**
future perfect progressive	**will + have + been + ing-Form.** Das *future perfect progressive* verdeutlicht den Verlauf einer Handlung im *future perfect.*	Tomorrow at this time I **will have been working** for four hours already.
will-future	**will + Infinitiv des Vollverbs** Die Kurzformen **('ll** und **won't** (= will not) bei der Verneinung. Benutzt wird das *will-future* in erster Linie, um einen **spontanen Entschluss** auszudrücken. Des Weiteren können mit dem *will-future* zukünftige Ereignisse oder Handlungen beschrieben werden, die **nicht** vom Sprecher **beeinflusst** werden können. Ebenso verwendet man diese Form, wenn man jemandem **anbietet,** etwas zu tun, selbst **zustimmt,** oder **verspricht,** etwas zu tun, sowie jemanden **bittet,** etwas	I **will have** an ice cream now. **Will** you also **have** one with me? No, thanks, I **won't**. He **will join** us. I think **I'll visit** her at the weekend. There **will be** rain later. I'**ll go out** with you on Saturday.

by tonight = bis heute Abend

Die Kurzformen werden vor allem in mündlicher, umgangssprachlicher Konversation benutzt.

Beachte, dass bei *will* in der 3. Person Singular kein *-s* angehängt wird.

Fort-setzung	zu tun. Signalwörter sind *next week, year etc., tomorrow* – sowie nach Einleitungen wie *I (don't) think, I suppose, I'm sure* etc.	**Will** you **do** the shopping? *I'm sure* Mary **will pass** the exam.
future progressive	**will + be + -ing** Das *future progressive* drückt aus, dass eine Handlung in der Zukunft zu einem **bestimmten Zeitpunkt** gerade im **Verlauf** ist.	Tomorrow at this time I **will be flying** to Australia.
going-to-future	**be + going to + Infinitiv des Vollverbs** Mit dieser Form wird angezeigt, dass die zukünftige Handlung bereits **geplant oder beabsichtigt** ist. Aber auch bei Ereignissen, die mit **großer Wahrscheinlichkeit** eintreten werden, wird diese Form gebraucht.	Next month **I'm going to go** to Brazil for good. My boyfriend isn't **going to follow** me. Look outside! The storm **is going to be** over soon.
present progressive	Ein bereits **vereinbartes** und **geplantes Ereignis** soll geäußert werden.	My friend and I **are meeting** next Wednesday.
simple present	Es wird immer dann verwendet, wenn eine **Regelmäßigkeit** oder **Gesetzmäßigkeit** zum Ausdruck gebracht werden soll.	Easter **is** in March next year. Follow this river and you will see that it **ends up** in the sea.

for good = für immer

Der Konjunktiv *(conditional)*

Um eine **Möglichkeit** auszudrücken, wird sowohl im Deutschen als auch im Englischen häufig der **Konjunktiv** verwendet. Im Englischen wird er mit ***would + Infinitiv*** gebildet.
Die Verneinung wird durch die Ergänzung mit ***not* nach *would*** gebildet.
Man unterscheidet zwischen dem:

Die Kurzform von would lautet *'d*. Diese Kurzform ist identisch mit dem kurzen *'d* von *had*. Um sie voneinander zu unterscheiden, muss man auf das nachstehende Wort achten. Folgt der Infinitiv, handelt es sich um *would*. Folgt die 3. Verbform, steht das *'d* für *had*. I'd go there ↔ I'd gone there.

conditional I	**conditional II (conditional perfect)**
would + Infinitiv (1. Verbform)	would + have + Partizip Perfekt (3. Verbform)
We **would leave.** We **wouldn't leave.**	We **would have left.** We **wouldn't have left.**
We **would be leaving.** We **wouldn't be leaving.**	We **would have been leaving.** We **wouldn't have been leaving.**

conditional	Anwendung	Beispiel
conditional I	Bestandteil der Hauptsätze im Typ II der **conditional clauses** (↗ *if*-Sätze)	If I wasn't working overtime, I **would go** for a swim.
	in Hauptsätzen als **Konjunktiv** in der Vergangenheit oder als Umschreibung von „würde"	A nice swim now **would** be marvellous.
	in der **indirekten Rede,** wenn das einleitende Verb in der Vergangenheit steht und das Verb in der direkten Rede die *future I*-Form hat	Linda said: "I **will go** for a swim later." Linda said she **would go** for a swim.
	als Ausdruck eines **typischen Verhaltens** in der Vergangenheit	Every week she **would** take her time and go for a swim.
	als Ausdruck einer **Weigerung** in der Vergangenheit	They asked me to relax and go for a swim, but I **wouldn't.**
conditional II	Bestandteil der Hauptsätze im Typ III der **conditional clauses** (*if*-Sätze)	If I had had time, I **would have gone** for a swim.
	in Hauptsätzen wie *conditional I*, mit Bezug zur Vergangenheit (wie der deutsche **Konjunktiv II** oder als Umschreibung von „würde")	A nice swim **would have been** marvellous.
	in der **indirekten Rede,** wenn das einleitende Verb in der Vergangenheit steht und das Verb in der direkten Rede entweder die *future II*-Form oder die Form des *conditional I* hat	Linda said: "I will go for a swim, if I don't have to work overtime." Linda said she **would** have gone for a swim, if she hadn't had to work overtime.

Das Passiv *(passive voice)*

Im Unterschied zum **Aktiv, wo die handelnde Person im Mittelpunkt steht,** wird im **Passiv** die Aufmerksamkeit auf die Person oder die Sache gerichtet, **mit der etwas geschieht.** Wenn man also einen Satz im Aktiv in einen Passiv-Satz umwandelt, wird aus dem Objekt das Subjekt und aus dem Subjekt der *by-agent:*

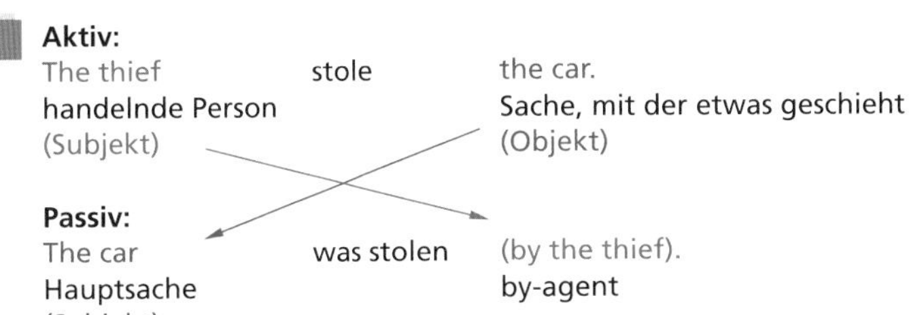

Der Dieb stahl das Auto.

Das Auto wurde (vom Dieb) gestohlen.

Den *by-agent* verwendet man nur, wenn es wichtig ist, den Verursacher der Handlung zu kennen.

Many car accidents are caused **by icy roads.**
Viele Autounfälle werden **durch glatte Straßen** verursacht.
My car was crashed into. ↔ Somebody crashed into my car.
(Somebody kann weggelassen werden.)

Die Passivformen werden im Englischen mit einer Form von ***to be*** und dem ***past participle*** (also der 3. Verbform) gebildet.

Die **Verlaufsformen** gibt es nur im *present* und *past.* Verlaufsformen in den anderen Zeitformen werden **im Passiv** nicht verwendet.

to be

simple present	**present progressive**	**simple past**	**past progressive**	**present perfect**
am/are/is	am/are/is being	was/were	was/were being	have/has been
past perfect	**future I**	**future II**	**conditional I**	**conditional II**
had been	will be	will have been	would be	would have been

Name der Zeitform	Aktiv englisch	Aktiv deutsch	Passiv englisch	Passiv deutsch
simple present	The singer of the band **writes** the song.	Der Sänger der Band **schreibt** (immer) das Lied.	The song **is written** by the singer of the band.	Das Lied **wird** (immer) vom Sänger der Band **geschrieben**.
present progressive	The singer of the band **is writing** the song.	Der Sänger **ist gerade dabei,** das Lied **zu schreiben.**	The song **is being written** by the singer of the band.	Das Lied **wird gerade geschrieben.**
simple past	The singer of the band **wrote** the song.	Der Sänger der Band **schrieb** das Lied.	The song **was written** by the singer of the band.	Das Lied **wurde** vom Sänger der Band **geschrieben**.
past progressive	The singer of the band **was writing** the song.	Der Sänger **war gerade dabei,** das Lied **zu schreiben.**	The song **was being written** by the singer of the band.	Das Lied **wurde gerade geschrieben.**
present perfect	The singer of the band **has written** the song.	Der Sänger der Band **hat** das Lied **geschrieben.**	The song **has been written** by the singer of the band.	Das Lied **ist** vom Sänger der Band **geschrieben worden**.

past perfect	The singer of the band **had written** the song.	Der Sänger der Band **hatte** das Lied **geschrieben**.	The song **had been written** by the singer of the band.	Das Lied **war** vom Sänger der Band **geschrieben worden**.
future I (will-future)	The singer of the band **will write** the song.	Der Sänger der Band **wird** das Lied **schreiben**.	The song **will be written** by the singer of the band.	Das Lied **wird** vom Sänger der Band **geschrieben werden**.
future II	The singer of the band **will have written** the song.	Der Sänger der Band **wird** das Lied **geschrieben haben**.	The song **will have been written** by the singer of the band.	Das Lied **wird** vom Sänger der Band **geschrieben worden sein**.
conditional I	The singer of the band **would write** the song.	Der Sänger der Band **würde** das Lied **schreiben**.	The song **would be written** by the singer of the band.	Das Lied **würde** vom Sänger der Band **geschrieben werden**.
conditional II	The singer of the band **would have written** the song.	Der Sänger der Band **würde** das Lied **geschrieben haben**.	The song **would have been written** by the singer of the band.	Das Lied **würde** vom Sänger der Band **geschrieben worden sein**.

Hat ein Aktiv-Satz zwei Objekte, so können zwei verschiedene Passiv-Sätze gebildet werden, da beide Objekte zum Subjekt werden können:

Aktiv:

My friend	told	me	an interesting story	yesterday.
Subjekt		Objekt 1 (wem?) indirektes	Objekt 2 (wen?/was?) direktes Objekt	

Passiv:

1. I was told an interesting story (by my friend) yesterday.
Subjekt 1

2. An interesting story was told (to me by my friend) yesterday.
Subjekt 2

Meine Freundin erzählte mir gestern eine interessante Geschichte.

Mir wurde gestern von meiner Freundin eine interessante Geschichte erzählt.

Eine interessante Geschichte wurde mir gestern von meiner Freundin erzählt.

Personalpronomen passen sich bei der Umwandlung ins Passiv an. So wird im nachfolgenden Beispiel aus dem **Objekt** im Passivsatz das Subjekt des Satzes.

Aktiv:	I told her a funny joke.	Mary interviewed him.
Passiv:	She was told a funny joke.	He was interviewed.

I → me, he → him, she → her, we → us, they → them

Modale Hilfsverben bleiben in Passiv-Sätzen **unverändert.** Lediglich das nachfolgende Vollverb nimmt die Passivform an:

My father is the only one in my family who can drive a lorry.
The lorry can only be driven by my father.

2.3.7 Sätze

Man unterscheidet verschiedene Arten von Sätzen:

type of sentence	**Beispiel**
bejahter Aussagesatz *(positive statement)*	I **drink** 2 bottles of water every day.
verneinter Aussagesatz (negative statement)	I **don't drink** 2 bottles of water every day.
Fragesatz (*question*)	**Do you drink** 2 bottles of water every day?
Bestätigungsfrage (*question tag*)	You drink 2 bottles of water every day, **don't you?**
Aufforderungen (*command*)	**Drink** 2 bottles of water every day!

Sätze bestehen meist aus mehreren Satzteilen, müssen aber immer ein Verb (Prädikat) haben, um sich Satz nennen zu können. Andere Satzteile sind Subjekt, Objekt oder adverbiale Bestimmungen.

Every year	I	give	my girlfriend	a box of chocolates	for her birthday.
adverbiale Bestimmung der Zeit	**Sub-jekt**	**Prädi-kat**	**indirektes Objekt**	**direktes Objekt**	**adverbiale Bestimmung der Zeit**

Die **Satzgliedstellung *(word order)*** ist im Englischen im Gegensatz zum Deutschen nicht veränderbar, sondern für jeden Satztyp feststehend.

Aussagesätze können entweder bejaht oder verneint sein.

Aussagesätze

She **is** tall.	She **is not** tall.
Bob **likes** football.	Tom **doesn't like** football.
She **can play** the piano.	She **can't play** the piano.

Der verneinte Aussagesatz wird gebildet, indem man dem Verb des Satzes ***do not*** bzw. ***doesn't*** voranstellt. Das Vollverb steht im Infinitiv, da das Hilfsverb nun die Beugung annimmt. Kann das Vollverb auch gleichzeitig Hilfsverb sein *(be; have (got)),* wird kein zusätzliches Hilfsverb zur Verneinung benötigt. Die Satzgliedstellung im Aussagesatz ist leicht zu merken: S–P–O (Subjekt–Prädikat–Objekt).

I	love	chocolate. (Ich liebe Schokolade.)
Subjekt	Prädikat	Objekt

Dieser Satz kann nun mit ergänzenden Satzteilen erweitert werden, ohne dass sich die Grundreihenfolge des Satzes ändert:

Normally	I	love	chocolate	from a very special shop.
Adverb	Subjekt	Prädikat	Objekt	adverbiale Bestimmung des Ortes

Auch im verneinten Aussagesatz behält die Satzgliedstellung dieses Grundmuster, mit der Ausnahme, dass das Verb mit dem Hilfsverb ***do*** und ***not*** ergänzt wird:

I	do not love	chocolate.
Subjekt	Prädikat	Objekt

Etwas komplizierter ist die Satzgliedstellung bei **Sätzen mit zwei Objekten.** Es gibt dann ein **direktes** und ein **indirektes** Objekt.

My boyfriend	gave	me	a box of chocolates.
Subjekt	**Prädikat**	**indirektes Objekt**	**direktes Objekt**

Wie im Beispiel oben steht das indirekte Objekt in der Regel vor dem direkten. Will man das indirekte Objekt aber stark betonen, kann man es hinter das direkte Objekt stellen. Bei einigen Verben muss man dann allerdings vor das direkte Objekt ein *to* stellen.

Einige dieser Verben können sein: *to bring, to explain, to introduce, to offer, to pay, to promise, to read, to say, to teach, to write.*

My boyfriend gave a box of chocolates **to** me.

Adverbiale Bestimmungen sind die Teile eines Satzes, die Adverbien enthalten. Sie können an unterschiedlicher Stelle im Satz stehen.

Fragesätze

Fragesätze können unterschieden werden in:
- Entscheidungsfragen,
- Fragen nach dem Subjekt,
- Fragen nach dem Objekt.

Die Satzgliedstellung, wie man sie auch in Aussagesätzen findet, gibt es nur bei Fragen nach dem Subjekt. In anderen Fragesätzen bedient sich die englische Sprache der Hilfsverben, die vor das Subjekt gestellt werden.

Did	you	go out	last night?
Hilfsverb	Subjekt	Vollverb	adverbiale Bestimmung

Frage	Satzgliedstellung	Beispiel
Entscheidungsfragen	Hilfsverb – Subjekt – Vollverb – Objekt Umschreibung mit *do*, wenn kein anderes Hilfsverb vorhanden ist	Is it a boy or a girl? Have you got a car? Do you walk to school?
Fragen nach dem Subjekt	Fragewort *(who/what)* – Vollverb – Objekt Man kann nach dem Subjekt auch mit *whom* und *whose* fragen.	Who has eaten my biscuit? What kind of animal is this? Whose car is this?
Fragen nach dem Objekt	Fragewort – Hilfsverb – Subjekt –Vollverb – Objekt Wiederum muss man mit *do* umschreiben, wenn kein anderes Hilfsverb vorhanden ist.	Where do you live? What are you doing? What did you buy in the shop?

Aufforderungssätze *(commands)*

Aufforderungssätze werden mit dem Imperativ gebildet. Dieser entspricht im Englischen der Form des **Infinitivs ohne *to.***

Will man die Aufforderung verneinen, stellt man dem Verb ***do not/don't*** voran. Um einen Vorschlag auszudrücken, leitet man die Aufforderung mit ***let's (not)*** ein.

Go now!	Geh jetzt!
Don't go!	Geh nicht!
Let's go!	Wollen wir los?

Question tags

Question tags sind Frageanhängsel, die durch Komma abgetrennt sind und vor allem in der gesprochenen Sprache vorkommen. Sie werden mit „stimmt's?" oder „nicht wahr?" übersetzt und stehen am Ende eines Satzes. In der Regel fordern sie vom Gesprächspartner eine Zustimmung oder Bestätigung des Gesagten, auch wenn nicht immer eine konkrete Antwort erwartet wird.

You are still at school, aren't you?
Du gehst noch zur Schule, stimmt's?

This man looks very handsome, doesn't he?
Dieser Mann sieht gut aus, nicht wahr?

Die Bildung der *question tags* erfolgt auf drei Wegen:
- Das Subjekt des Satzes erscheint im Kurzanhängsel als Pronomen.

Mike is phoning his parents, isn't **he?**

- Ist der Satz verneint, ist das Anhängsel positiv. Ist der Satz positiv, wird das Anhängsel verneint.

You **haven't stolen** that jumper, **have you?**
You **have bought** that jumper, **haven't you?**

- Sie können auch mit dem Hilfsverb des Satzes gebildet werden. Ist kein Hilfsverb vorhanden, wird mit ***do*** umschrieben.

Your sister **can** drive a car, **can't she?**
Your sister **goes** to work by car, **doesn't she?**

Zusammengesetzte Sätze *(complex sentences)*

Auch die englische Sprache hat eine Reihe von zusammengesetzten Sätzen. Sie werden unterschieden in:

Satzreihen	**Satzgefüge**
Hauptsatz + Hauptsatz	Hauptsatz + Nebensatz
main clause + main clause	*main clause + subordinate clause*
Konjunktionen	
and, but, …	Relativsätze
	Bedingungssätze
	indirekte Rede
	Adverbialsätze

Während ein Hauptsatz auch ohne Nebensatz verständlich ist, kann ein Nebensatz nicht ohne Hauptsatz stehen. Haupt- und Nebensatz werden durch Komma voneinander getrennt.

Relativsätze *(relative clauses)*

Relativsätze sind Nebensätze, die durch Relativpronomen eingeleitet werden und das Subjekt oder Objekt des Hauptsatzes näher erläutern. Man unterscheidet:

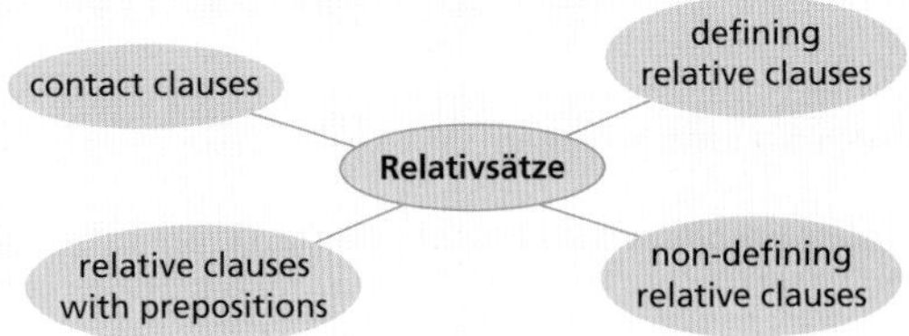

Bestimmende Relativsätze *(defining relative clauses)* sind jene Relativsätze, die für das Verständnis des Hauptsatzes **unbedingt notwendige Informationen** enthalten. Sie werden im Englischen nicht durch ein Komma getrennt. In diesen Relativsätzen können die Relativpronomen wegfallen, sofern sie Objekt sind, also der Relativsatz ein Subjekt enthält und dieses nicht identisch mit dem Subjekt des Hauptsatzes ist. Einen solchen Satztyp nennt man ***contact clause.***

Unterschied zwischen notwendigen (*defining)* und nicht notwendigen Relativsätzen *(non-defining relative clauses).*

Im Gegensatz zum Deutschen macht man im Englischen einen Unterschied zwischen notwendigen und nicht-notwendigen Relativsätzen. Von dieser Unterscheidung hängen sowohl **Zeichensetzung** als auch **Sprechpausen** zwischen Haupt- und Relativsatz ab.
Ein **Relativsatz** wird dann als **notwendig** bezeichnet, wenn er für das Verständnis des Hauptsatzes unentbehrlich ist. Er definiert das Nomen, auf das er sich bezieht.

Ohne den Relativsatz wäre nicht ersichtlich, von welchem Roman in dem Satz die Rede ist. **Notwendige Relativsätze** werden nicht durch Kommata oder Sprechpausen vom Hauptsatz getrennt.

The novel ***which was written by Joanne K. Rowling*** became world-famous.

Präpositionen stehen dann in der Regel hinter dem Verb. In der förmlichen Sprache findet man die Präposition vor dem Relativpronomen.

The man who I talked **to** is the seller of the yacht.

Der nicht notwendige Relativsatz hingegen enthält eine Zusatzinformation, die weggelassen werden kann, ohne dass dadurch die Aussage im Hauptsatz leidet.

Rowling, ***who studied at Exeter University,*** wrote the great *Harry Potter* novels.

Auch ohne den Relativsatz ergäbe der Hauptsatz Sinn. Haupt- und Nebensatz werden durch Komma abgetrennt, und man macht vor und hinter dem Relativsatz Sprechpausen. Die Präpositionen stehen meist vor dem Relativpronomen.

The yacht, **about** which people talked so much, is very luxurious.

Relativpronomen, die sich auf Sätze beziehen, werden unterschieden in jene, die sich auf den vorangehenden Satz *(which)* und solche, die sich auf den nachfolgenden Satz *(what)* beziehen. Auch ohne den Relativsatz wäre der Rest des Satzes verständlich. Bei beiden Sätzen wird der Relativsatz durch **Komma** getrennt.

I thought I knew him, which I obviously didn't.
He is a good father, but what is also nice, he is a good cook.

Bedingungssätze *(conditional sentences)*

Bedingungssätze bestehen aus zwei Teilen, einem **Nebensatz,** dem ***if*-Satz** *(if-clause)*, der eine Bedingung nennt, und einem **Hauptsatz,** der die Folge beschreibt. Es gibt im Englischen **drei Typen von Bedingungssätzen,** je nach Wahrscheinlichkeit der Erfüllung der genannten Bedingung.

If I were you, I **would go** to the doctor's.
Nebensatz, Hauptsatz

	Typ I	Typ II	Typ III
Form	if + Vollverb (Präsens), will + Infinitiv des Vollverbes	if + Vollverb (Past), would/could/should/ might + Infinitiv des Vollverbes	if + Vollverb (Past Perfect), would/could/ should/might have + Vollverb (3. Verbform)
Anwendung	wenn die Bedingung **erfüllbar/wahrscheinlich** ist (*probable condition*)	wenn die Bedingung nur **bedingt erfüllbar/eher unwahrscheinlich** ist (*improbable condition*)	wenn die Bedingung **unwahrscheinlich**, weil **nicht mehr erfüllbar** ist (*impossible condition*)
Beispiele	If I **am** rich some day, I **will buy** my own island. (Wenn ich eines Tages reich bin, kaufe ich mir eine eigene Insel.)	If I **was** rich, I **would buy** my own island. (Wenn ich reich wäre, würde ich mir meine eigene Insel kaufen.)	If I **had been** rich, I **would have bought** my own island. (Wenn ich reich gewesen wäre, hätte ich mir meine eigene Insel gekauft.)
Erläuterung	Die Wahrscheinlichkeit , dass die Bedingung erfüllt werden kann, ist noch offen.	Dass die Bedingung erfüllt werden kann, ist unwahrscheinlich, aber nicht ausgeschlossen.	Die Bedingung ist unmöglich erfüllbar, weil sie in der Vergangenheit liegt.
	Bezug auf gegenwärtiges und zukünftiges Geschehen	Bezug auf gegenwärtiges und zukünftiges Geschehen	Bezug auf vergangenes Geschehen

Nebensätze können sowohl am Anfang eines Satzes als auch am Ende stehen. Sofern der Nebensatz an erster Stelle steht, wird er vom Hauptsatz durch ein Komma getrennt. Folgt der Nebensatz auf den Hauptsatz, wird er ohne Komma angeschlossen. Die Stellung des Nebensatzes hängt davon ab, was man betonen möchte.

If you behave, I will buy you the present.
I will buy you the present if you behave.

Although it was raining, the children were playing outside.
The children were playing outside although it was raining.

Indirekte Rede *(reported speech)*

Bei der wörtlichen Rede *(direct speech)* handelt es sich um die wörtliche Wiedergabe dessen, was jemand gesagt oder geschrieben hat. Sie steht in Anführungszeichen. Wenn man Dritten gegenüber berichten möchte, was jemand anderes gesagt hat, bedient man sich der indirekten Rede *(reported speech)*. Sie steht ohne Anführungszeichen und ohne Komma.

direkte Rede	**indirekte Rede**
Mary says, "I am pregnant."	Mary said (that) she was pregnant.
Einleitungssatz	Einleitungssatz

Neben *to say* kann die indirekte Rede u. a. auch mit folgenden Verben eingeleitet werden: *to add, to answer, to believe, to complain, to exclaim, to explain, to know, to reply, to tell somebody, to think, to want to know, to wonder.*

Bei der Wiedergabe der direkten Rede durch die indirekte Rede verändern sich auch die Personalpronomen und die Adverbialbestimmungen des Ortes und der Zeit, da sich bei der Wiedergabe in indirekter Rede Sprecher und Zeitpunkt ändern.

Andrew: "I **will** stop smoking **when I am 40."**

Andrew told me (that) he **would** stop smoking **as soon as he is 40.**

Wenn das einleitende Verb in einer Vergangenheitsform steht, ändert sich in der indirekten Rede die Zeitform wie folgt:

direct speech	**reported speech**
simple present "I'm hungry."	**simple past** She said (that) she was hungry.
present progressive "We are having dinner right now."	**past progressive** She said that they were having dinner immediately.
present perfect "I've never tasted such delicious fish before."	**past perfect** He exclaimed that he had never tasted such delicious fish before.
present perfect progressive "We have been waiting for you for an hour."	**past perfect progressive** They complained that they had been waiting for him for an hour.
simple past "And we forgot to buy the tea."	**past perfect** He added that they had forgotten to buy the tea.
going-to-future "Are you going to watch the match?"	**was/were going to** He asked if they were going to watch the match.
will-future "When will you have your surgery?"	**conditional I** She asked when he would have his surgery.

Diese Veränderungen gelten auch für die Verlaufsformen. Die modalen Hilfsverben müssen in den verschiedenen Zeitformen wieder mit ihren entsprechenden Äquivalenten ersetzt werden (↗ S. 78).

Beispiele für Orts- und Zeitveränderungen sind:

Orts- und Zeitveränderungen

Ortsangaben		**Zeitangaben**	
direkte Rede	**indirekte Rede**	**direkte Rede**	**indirekte Rede**
here	there	today	that day
this	that	yesterday	the day before
these	those	now	then
		last week	the week before
		next week	the following week
		tomorrow	the next/following day

Bei der indirekten Wiedergabe von Anweisungen, Bitten und Ratschlägen umschreibt man häufig mit einem **Infinitiv mit *to*.**

"Would you lend me your car?"– She asked him to lend her his car.

Adverbialsätze *(adverbial clauses)*

Adverbialsätze sind Teil eines Satzgefüges, bei dem der Nebensatz mit einer Konjunktion eingeleitet wird. Adverbiale Nebensätze geben nähere Informationen zu der im Hauptsatz beschriebenen Handlung.

Konjunktionen sind Wörter, die einen Nebensatz einleiten, wie *before, after, since* usw.

adverbial clauses

(der Einräumung) *of concession*

(der Zeit) *of time*

(der Folge) *of result*

(des Zwecks) *of purpose*

(des Gegensatzes/des Vergleichs) *of contrast*

(des Ortes) *of place*

(des Grundes/der Ursache) *of reason*

Adverbialsatz	Konjunktion	Beispielsatz
des Ortes *(adverbial clauses of place)*	where, wherever	**Wherever** they went, they got souvenirs. I took the train to Bristol **where** I met friends.

since: zeitlich und begründend

der Zeit *(adverbial clauses of time)*	after, as, until, before, while, when	**After** the match was over they took a bus. **Before** he told his parents he talked to his girlfriend.
des Grundes *(adverbial clauses of reason)*	as, since, because	**Since** I am hungry, I will get myself a doughnut (AE donut). I didn't like the shirt **because** it was green.
des Gegensatzes *(adverbial clauses of contrast)*	whereas, while As … as the + Komparativ … the + Komparativ	We had to work **whereas** they were on vacation. **The more** he shouted **the** angr**ier** she got.
der Folge *(adverbial clauses of result)*	that, so that, so … that	He kept me talking **so that** I would miss my date. I ran so hard **that** I could hardly breathe.
des Zwecks *(adverbial clauses of purpose)*	that, so that, in order to	I put all my photos onto the floor **in order to** see them better. I cleared the dinner away **so that** my mother wouldn't have to do it.
der Einräumung *(adverbial clause of concession)*	though, although even, even though however	I thanked her for the flowers, **although** I didn't like her. I swallowed the piece of meat **even though** I was a vegetarian.

Adverbialsätze stehen
- **mit** einem **Komma vor** dem Hauptsatz: Since I saw her, I haven't called.
- **ohne Komma nach** dem Haupsatz: I haven't seen her since I last went to Paris.

Adverbialsätze des Ortes stehen meist nach dem Hauptsatz:

She moved back to the place **where** she first lived.

Adverbialsätze des Gegensatzes können vor oder nach einem Hauptsatz stehen:

Since I stopped smoking, I feel better.
I feel better **since** I stopped smoking.

2.3.8 Zahlen, Datum und Uhrzeit

Auch bei den Zahlen erkennt man das Prinzip der Wortbildung, z. B. die Nachsilben *-ty* und *-teen.*

Zahlen *(numbers)*		
Grundzahlen/Kardinalzahlen *(cardinal numbers)*	**Ordnungszahlen *(ordinal numbers)***	
1 one	1st	**the first**
2 two	2nd	**the second**
3 three	3rd	**the third**
4 four	4th	the fourth
5 five	5th	the fifth
6 six	6th	the sixth
7 seven	7th	the seventh
8 eight	8th	the eighth
9 nine	9th	the ninth
10 ten	10th	the tenth
11 eleven	11th	the eleventh
12 twelve	12th	the twel**f**th
13 **thir**teen	13th	the thirteenth
14 fourteen	14th	the fourteenth
15 **fif**teen	15th	the fifteenth
16 sixteen …	16th …	the sixteenth
20 twenty	20th	the twentieth
21 twenty-one	21st	the twenty-**first**
…	22nd	the twenty-**second**
	23rd	the twenty-**third**
30 **thir**ty	30th	the thirtieth
40 **for**ty	40th	the fortieth
50 **fif**ty	50th	the fiftieth
60 sixty	60th	the sixtieth
70 seventy	70th	the seventieth
80 eighty	80th	the eightieth
90 ninety	90th	the ninetieth
100 one/a hundred	100th	the (one) hundredth
101 one/a hundred and one	101st	the (one) hundred and first
200 two hundred	200th	the two hundredth
…		
1000 one/a thousand	1000th	the (one) thousandth
1000000 one/a million	1000000th	the (one) millionth

Zehner- und Einerzahlen werden mit einem Bindestrich geschrieben.

forty-three, sixty-two

Einer- und Zehnerzahlen werden mit Hunderter- und Tausenderzahlen durch *and* verknüpft.

two hundred **and** sixty-two, three thousand five hundred **and** twenty-one

Dezimalzahlen werden mit einem Punkt, Tausenderstellen mit einem Komma abgegrenzt.

3.08 (Deutsch: 3,08)
5,700 (Deutsch: 5.700)

Die Aussprache von „Null" ändert sich je Kontext:

In der Mathematik: zero (AE), zero, nought (BE)
Bei Zahlenreihen/Telefonnummern: O
Sportergebnisse: nil, zero (AE)
Tennis: love

Während im Deutschen nach einer Ordnungszahl ein Punkt steht, werden im Englischen die letzten beiden Buchstaben des Wortes angefügt. Diese werden oft hochgestellt.

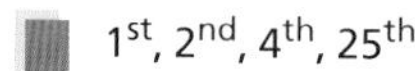
1st, 2nd, 4th, 25th

Das Datum *(the date)*

Das Datum wird mit Ordnungszahlen angegeben. Es kann auf verschiedene Arten geschrieben werden:

27th May, 2005	…	(the) twenty-seventh of May, two thousand and five
May 27th, 2005	…	May the twenty-seventh, two thousand and five

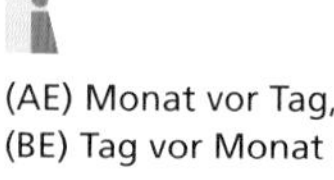
(AE) Monat vor Tag, (BE) Tag vor Monat

Im amerikanischen Englisch wird der Monat vor dem Tag genannt:

May 27th, 2005  May twenty-seventh, 2005

Die Jahreszahl wird mit Komma abgetrennt.

We will meet next Saturday, August 13th, 2005, to decide about the music festival.

Zur Datumsangabe verwendet man die Präposition ***on.*** Wenn man sich nur auf das Jahr bezieht, lautet die Präposition ***in.***

We'd love to meet you at our garden party **on** July 3rd, 2005.
I was born **in** 1989.

Die Uhrzeit *(telling the time)*

Im Englischen werden die Stunden von ein bis zwölf Uhr gezählt.

What time is it?
It's … o'clock.

ante meridiem (lat.) = vormittags; post meridiem (lat.) = nachmittags

Für die Zeit von ein Uhr nachts bis zwölf Uhr mittags wird deshalb *a.m.* angehängt. Von 13 bis 24 Uhr wird *p.m.* angehängt. Im folgenden Beispiel wurde die Schreibweise mit Punkt gewählt, man kann aber auch *am* und *pm* ohne Punkt verwenden.

1 **a.m.**, 2 **a.m.**, 3 **a.m.**, 12 **a.m.** (= noon)
1 **p.m.**, 2 **p.m.**, 3 **p.m.**, 12 **p.m.** (= midnight)

Die Präposition ***at*** wird zur Angabe der Uhrzeit verwendet.

Our train leaves **at** 9 a.m., we will arrive in Glasgow **at** 3 p.m.

Bei vollen Stunden wird *o'clock* angehängt – dann entfällt *a.m./p.m.*

five **o'clock,** twelve **o'clock**
Let's meet at six **o'clock.**

Die halbe Stunde heißt *half past,* die Viertelstunden *a quarter past* (Viertel nach) und *a quarter to* (Viertel vor).

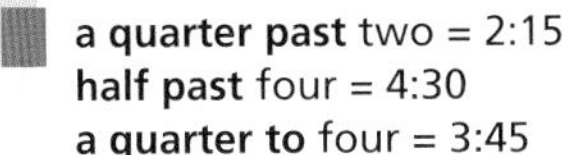

a quarter past two = 2:15
half past four = 4:30
a quarter to four = 3:45

Die Minuten der ersten halben Stunde werden mit ***past*** an die letzte volle Stunde angehängt.

twelve (minutes) **past** two = 2.12
auch: It's 2.12 (two twelve).

Die Minuten der zweiten halben Stunde werden mit ***to*** an die nächste volle Stunde angehängt.

seven (minutes) **to** three = 2.53
auch: It's 2.53 (two fifty-three).

Bei Fahrplänen werden die Stunden von 0 bis 24 Uhr gezählt.

The last train leaves Waterloo station at 23:18 (twenty-three eighteen).

What time do you want to travel? nationalXpress

From: Birmingham **To:** Canterbury

Departs	Arrives	Duration	Changes	Facilities	Select
✓ 03:00	08:45	5 hrs 45 min 70 min wait (London)	1	CC, XL, LS, WC	○
✓ 05:00	10:20	5 hrs 20 min 40 min wait (London)	1	CC, XL, LS, WC	○
✓ 06:00	11:20	5 hrs 20 min 40 min wait (London)	1	CC, XL, LS, WC	○
✓ 07:00	12:20	5 hrs 20 min 40 min wait (London)	1	CC, XL, LS, WC	○
✓ 08:00	13:20	5 hrs 20 min 40 min wait (London)	1	CC, XL, LS, WC	○

Berlin (SXF) to Bristol (BRS): all flights

Mon 08 August	Tue 09 August	Wed 10 August
€ 43.99	€ 18.99	€ 12.99
dep. 13:50	dep. 13:50	dep. 13:50
arr. 14:50	arr. 14:50	arr. 14:50

Bristol (BRS) to Berlin (SXF): all flights

Sun 14 August	Mon 15 August	Tue 16 August
€ 33.29	€ 33.29	€ 27.29
dep. 15:15	dep. 15:15	dep. 15:15
arr. 18:10	arr. 18:10	arr. 18:10

FLY EASY

2.4 Phonetik

Phonetik = Teilgebiet der Sprachwissenschaft, das sich mit der Lautbildung, den Eigenschaften der Laute und ihrer kommunikativen Funktion beschäftigt

Im Englischen scheint es bisweilen wenig Zusammenhang zwischen der Schreibweise eines Wortes *(spelling)* und seiner Aussprache *(pronunciation)* zu geben. Diese Tatsache ist für Fremdsprachenlerner nicht immer motivierend. Zum einem gibt es in der englischen Sprache eine Reihe von Homophonen und ähnlich klingenden Wörtern:

bored ↔ board, key ↔ quay, draft ↔ draught,
foot ↔ food.

Homophon = Wort, das mit einem anderen gleich lautet, aber anders geschrieben wird

Ein weiterer Stolperstein können stumme Buchstaben am Wortanfang wie das *k* in *knee* oder am Wortende wie das *b* in *dumb* sein. Diese Beispiele verdeutlichen, dass im Englischen die Rechtschreibung von der gesprochenen Sprache abweicht. Das englische Alphabet besitzt, z. B. im Gegensatz zum deutschen oder spanischen, keinen phonetischen Charakter. Ein Buchstabe korrespondiert nicht mit einem entsprechenden Laut. Englisch ist eine der Sprachen, die die Benutzung eines **Lautschriftsystems,** des **IPA (*International Phonetic Alphabet*)** erforderlich machen, um sich über die Aussprache verständigen zu können. Das IPA besteht aus Symbolen (*phonetic symbols*), die die unterschiedlichsten Laute darstellen. Mit seiner Hilfe wird die **phonetische Umschrift (*phonetic transcription*)** hergestellt, die im Wörterbuch jede Worteintragung ergänzt und die besonders für das Erlernen der Fremdsprache unverzichtbar ist.
Dennoch weist die englische Aussprache Regelmäßigkeiten auf, die sich aus bestimmten Buchstabenfolgen ergeben. Eine Regel bezieht sich z. B. auf die Veränderung der Vokallautung (*vowel sound*), die eintritt, wenn eine Silbe um den Buchstaben „e" erweitert wird:

Das geänderte Wortbild hat auch eine Änderung in der Aussprache zur Folge: Aus dem einfachen Vokallaut [ɪ] wird der Doppellaut (= Diphthong) [aɪ].

bit [bɪt] → bite [baɪt],
tap [tæp] → tape [teɪp].

Hier weitere Ausspracheregeln:
- Stumme Vokale und Konsonanten *(silent letters),* u. a.
  - *b* nach *m* in einsilbigen Wörtern: *to clim(b), com(b), dum(b)*
  - *s* vor *l,* wenn beide Bestandteil derselben Silbe sind: *ai(s)le, i(s)land*
- Aussprache der *simple past*-Endung *-ed*
  - [d] nach Vokalen und stimmhaften Konsonanten wie in *clim**bed, lied***
  - [t] nach stimmlosen Konsonanten wie in *ho**ped,** fe**tched,** lo**cked***
  - [ɪd] nach [d] und [t] wie in *deci**ded,** wan**ted,** regre**tted***

2.4.1 Aussprache

Eine andere Art der Lauterzeugung sind Klick- und Schnalzlaute in afrikanischen Sprachen.

Englisch ist eine der Sprachen, die Sprachlaute mittels des Luftstroms erzeugt, der beim Ausatmen durch die Lunge ausgestoßen wird. Im Kehlkopf (*larynx*), dem Stimmorgan, wird die Luft zur Erzeugung von Tönen genutzt. Der Kehlkopf bildet einen Hohlraum im oberen Teil der Luftröhre (*trachea*), der durch zwei Knorpel gestützt wird. Zwischen den Teilen des Knorpelgerüsts sind zwei lippenartige Stimmbänder *(vocal cords)* befestigt, die bei Betätigung der Stimmbandmuskeln wie ein Ventil geöffnet oder geschlossen werden können. Zur Tonerzeugung verschließen die angespannten Stimmbänder den Kehlkopf bis auf einen schmalen Spalt, die Stimmritze *(glottis).* Bewegt sich der Luftstrom durch die Stimmritze, geraten die Ränder der Stimmbänder in Schwingung (*vibration*), und es entsteht ein Ton *(sound).*

Die Tätigkeit der Stimmbänder bestimmt Lautstärke und Höhe der Töne. Um unterschiedliche Sprechlaute hervorzubringen, ist die Mitwirkung der Sprechwerkzeuge im Mund- und Rachenraum nötig. Die englische Sprache verfügt über 24 konsonantische **Phoneme** (*consonantal phonemes) sowie 12 Vokallaute (vowel sounds) und 9 Diphthonge (diphthongs,* Doppellaute), die aufgrund folgender Eigenschaften unterschieden werden können:

Ein **Phonem** *(phoneme)* ist die kleinste bedeutungsunterscheidende Lauteinheit in der gesprochenen Sprache.

Eigenschaften	Bezeichnung
• Bildung ohne Anhalten des Luftstroms	*vowel sound* (Vokal) [i:] beat [e] bed [ɑ:] car [ɔ:] board [i] chin [æ] bad [ɔ] body [u] bullet [u:] boots [ɜ:] bird [ʌ] but [ə] cupb<u>oa</u>rd
• mit geringer Behinderung des Luftstroms	*semi-vowels* (Halbvokale) [w; j] wie in water, you
• mit Anhalten des Luftstroms	*consonant sound* (Konsonant) [ʃ] sh-Laut wie *in sure* [dʒ] wie in *jam* [dʒæm] [v] wird mit Unterlippen und oberer Zahnreihe gebildet, wie in *very* (wie im deutschen *w)* [θ] stimmloses *th* – Zunge unter oberer Zahnreihe, wie in *thin* [ð] stimmhaftes *th* – Zunge zwischen den Zähnen, wie in *then* [ʒ] Lautbildung zwischen Zahnfleisch und hartem Gaumen, wie in *garage* [tʃ] wie in *butcher* ['bʊtʃər]
• Verbindung von zwei Vokallauten	*diphthong* (Doppellaut) [ei] came [ou] boat [ai] kite [au] cloud [ɔi] coin [iə] beard [ɔə] boring [uə] cured [ɛə] barefoot
Beanspruchung der Stimmbänder (*presence or absence of voice*)	*voiced* (stimmhaft) [ð] [b] [d] [g] zwischen Vokalen *voiceless* (stimmlos) [θ] author, thief [p] [t] [k]

Aussprache (*manner of articulation*)	*plosives* (Verschlusslaute) [p] [b] [t] [d] [k] [g] *affricates* (Verschlusslaut mit anschließendem Reibelaut) [tʃ] [dʒ] *nasal consonants* (Nasallaute) [m] [n] [ŋ] *frictionless continuant* [ʀ] *lateral* (Luft entweicht seitlich) [l] *fricatives* (Reibelaute) [f] [v] [θ] [ð] [s] [z] [ʃ] [ʒ] [h]
Artikulationsort (*place of articulation*)	*labial* (mit den Lippen) [p] [b] [m] [w] *labio-dental* (mit Unterlippe und oberen Schneidezähnen) [f] [v] *alveolar* (am Zahndamm) [t] [d] [n] [ʀ] [s] [z] [l] *palato-alveolar* (Zunge gegen Zahndamm und hinteren Gaumen) [ʃʒ] [tʃ] [dʒ] *velar* (hinterer Gaumen) [k] [g] glottal (Stimmritze) [h]
Länge bzw. Kürze	long vowel [iː] need short vowel [ɪ] chin

Das so genannte Vokaltrapez zeigt den Artikulationsort, d. h. an welcher Stelle die Zunge in Richtung Gaumen gehoben wird (vorne, hinten oder in der Mitte) und den Grad der Mundöffnung.

Adaptiert von DANIEL JONES, *Cambridge English Pronouncing Dictionary*, 2004: 16

Vowels

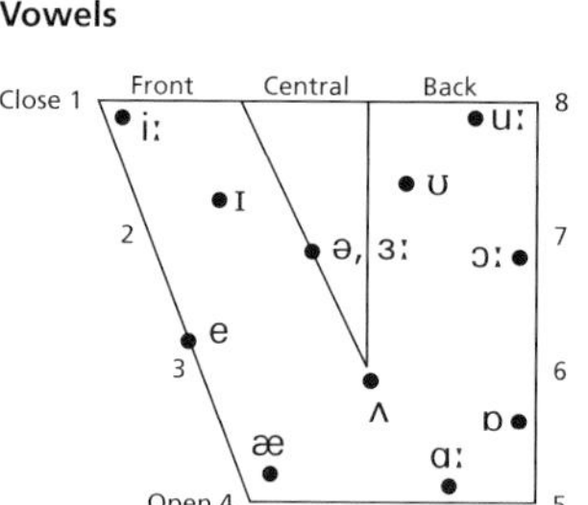

Closing diphthongs

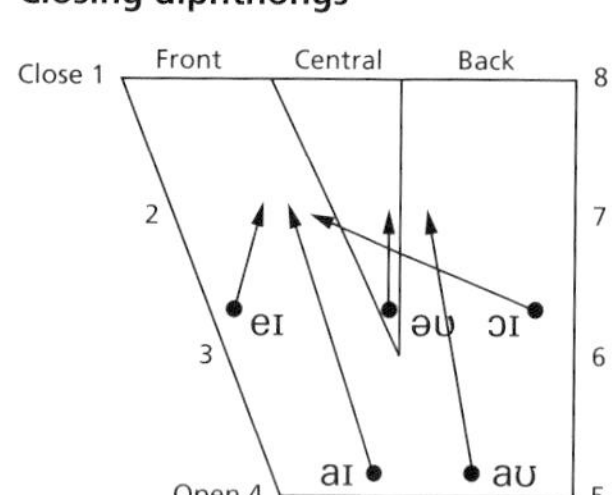

Silbenbetonung *(stress)*

Die Position der **Hauptbetonung *(primary stress)*** hat Einfluss auf die Lautung der einzelnen Vokale eines Wortes. So verschiebt sich die Betonung von *economist* [ɪˈkɒnəmɪst] zu *economics* [iːkəˈnɒmɪks] (von der zweiten zur dritten Silbe), was eine Veränderung in der Vokalqualität bei der ersten und zweiten Silbe zur Konsequenz hat. Wörter mit der folgenden Endung haben die Betonung gewöhnlich auf der Silbe, die dieser Endung vorausgeht:

-tion, -sion → education, confusion,
-ic, ical → enthusiastic, geographical,
-ian → Indian, Italian.

Verben mit drei oder mehr Silben, die auf *-ate* enden, haben die Hauptbetonung gewöhnlich auf der drittletzten Silbe. Bei der Bildung des Substantivs enden sie auf *-ation* und produzieren so eine Verschiebung der Betonung.

dedicate → dedication
negotiate → negotiation
determinate → determination

Wenn man zur Wortschatzarbeit Karteikarten verwendet, ist es sinnvoll, sich gleich die Aussprache inklusive der Betonung eines schwierigen Wortes zu notieren.

development (n.)
[dɪˈveləpmənt]
→ Entwicklung
stress
developmental
[dɪ.veləpˈmentl]
→ Entwicklungs-

2.4.2 Grundlagen der englischen Intonation

Jede Sprecheinheit hat in irgendeiner Form einen Rhythmus, der mit einem Ansteigen und Fallen der Stimmhöhe bzw. der Tonlage einhergeht. Dieses Muster der sich verändernden Stimme nennt man im Englischen *tone* oder *melody*. Es unterliegt jedoch nicht der Willkür, sondern ist z. B. in einem Gespräch oder in einer Rede von großer Bedeutung, um dem Zuhörer zu signalisieren, ob man den eigenen Gedankengang beendet hat, d. h. ob man den Äußerungen des Gesprächspartners zustimmend, ablehnend oder fragend gegenübersteht.

Wir unterscheiden im Wesentlichen

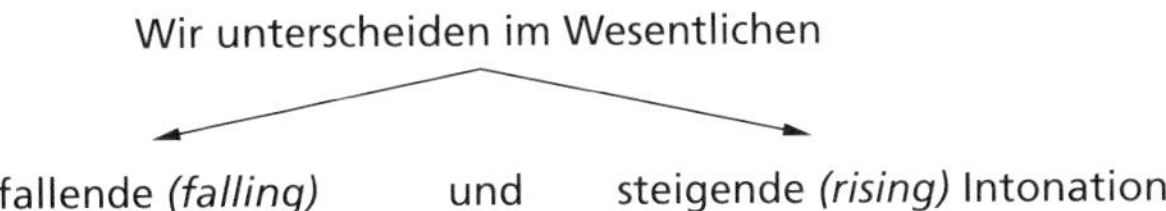

fallende *(falling)* und steigende *(rising)* Intonation.

Eine fallende Ton-/Stimmlage kommt am häufigsten vor. Sie weist darauf hin, dass man einen Gedankengang abgeschlossen hat. Generell enden folgende Satzarten eher mit einer ***fallenden Ton-/Stimmlage:***

Aussagesätze	**Beispiele**
wh-Fragen (Fragen beginnend mit who, where, when, why etc.)	Where are the paper clips? ↘
Imperativsätze	Go and see the dentist! ↘
Ausrufesätze	Please, take your seat. ↘
tag questions	That's your car, isn't it? ↘

Eine **steigende Ton-/Stimmlage** ist z. B. bei Yes/No-questions zu beobachten, wenn dem Sprecher die Antwort auf eine Frage unklar ist und er sie vom Adressaten erwartet, wie z. B. in

Don't you think these shoes look comfortable? ↗
Do you want some more tea? ↗

Die Arbeit an Intonationsmustern erleichtert die Kommunikation mit Muttersprachlern. Dabei kann auch häufiges Hören von Originaldialogen bzw. -filmen hilfreich sein.

In folgender Tabelle sind Intonationsmuster für die **fallende Intonation** dargestellt:

Legende:
–
druckstarke Silbe
*
druckschwache Silbe
↘
fallender Ton
↗
steigender Ton

Satztypen	Beispiele
Fragen beginnend mit Fragewort	– ↘ * * * * How old is your brother?
Befehle	– * ↘ Stop crying!
Ausrufe	– * * – * ↘ What a fantastic play!
Aussage	– * – * * – * * ↘ Here we are at our destination.

Nachfolgend sind Intonationsmuster für die **steigende Intonation** aufgelistet: Nachdem die Satzmelodie in der letzten betonten Silbe ihren Tiefpunkt erreicht hat, steigt sie wieder an. Folgen keine unbetonten Silben mehr, so steigt die Satzmelodie in der letzten betonten Silbe selbst:

Satztypen	Beispiele
Entscheidungsfragen (Ja/Nein-Fragen)	– * – * – * * * ↗ Will you go to London tomorrow?
Bitten	– * – * * – ↗ Will you give me the spoon, please?
Sätze, deren Wirkung unklar ist, oder die Folgen nach sich ziehen	* – * – – * ↗ I hope it won't rain too long.

Eine dritte Art ist die so genannte **emphatische *(= emphatic)* Intonation.** Sie ist dann zu beobachten, wenn ein Wort im Satz besonders stark betont werden soll. Die in seiner Umgebung stehenden Silben sind unbetont.

* ↘ * – * * * ↗ * *
I'm sorry I didn't arrive earlier.

Bei der Betonung gibt es ebenfalls einige Unterschiede. Da, wo im BE die Betonung auf der ersten Silbe liegt, ist sie im AE auf der zweiten, wie z. B. in: de'tail – a'ddress – adver'tisement – de'bris.

2.4.3 Aussprachevarianten britisches Englisch (BE) – amerikanisches Englisch (AE)

Es gibt innerhalb Englands wesentlich mehr Variationen des Englischen als in allen US-Staaten zusammen. Man sagt, dass ca. zwei Drittel der Amerikaner, die auf ca. 80 % der Gesamtfläche der Vereinigten Staaten leben, mehr oder weniger mit dem gleichen Akzent sprechen. Dennoch gibt es auch in den USA regionale Unterschiede in der Aussprache. Einen

New Yorker wird man schnell an der für ihn typischen Aussprache der Laute [aɪ] oder [ɜː] erkennen. Er wird statt *die* [daɪ] [dɔi] und statt *thirty-third* [ˈθɜːti ˈθɜːd] [ˈθɔɪdi ˈθɔɪd] sagen. Grundsätzlich lassen sich folgende Hauptunterschiede zwischen dem BE und dem AE feststellen:

American English	**British English**
r wird als Frikativ (= Reibelaut) gesprochen wie in door, car, more, farm	*r* bleibt meist stumm *(Ausnahme: linking-r)*
a ist [æ] wie in dance, fast, half	*a* ist in nebenstehenden Wörtern [ɑː]
o wird zu [ɑ] wie in dog, hot	*o* ist in nebenstehenden Wörtern [ɔ]
t wird zu [d] wie in butter [ˈbʌdə]	*t* = [t]

2.5 Orthographie und Zeichensetzung

Deutschen Schülern, die Englisch als Fremdsprache erlernen, aber auch englischen Schülern als Muttersprachlern (*native speakers)* bereitet der Umgang mit der englischen Rechtschreibung Schwierigkeiten. Bei der Erweiterung eines Wortes werden zum Beispiel wider Erwarten Buchstaben verändert oder weggelassen.

to pronounce (Infinitiv)	pronouncing (Partizip Präsens)	pronunciation (Nomen)

Außerdem ist nicht immer eine Beziehung zwischen dem Klang eines Wortes und seiner Schreibung erkennbar. Die Ursachen für dieses Phänomen sind in der Sprachentwicklung zu suchen.
Die ursprünglichste Form jeder Sprache stellt die gesprochene Sprache dar. In der gesprochenen Sprache vollziehen sich auch zunächst die Veränderungen einer Sprache.

Die Schriftsprache bildet sich später heraus als ein Versuch, gesprochene Sprache aufzuzeichnen. Das Englische als Schriftsprache existiert seit mehr als tausend Jahren. Sowohl als Schrift- wie auch als gesprochene Sprache war das Englische seit seiner Entstehung großen Wandlungen unterworfen. Die letzte bedeutende Veränderung in der Aussprache vollzog sich mit dem so genannten *great vowel shift* des Mittelenglischen vom 15. Jahrhundert ins 16. Jahrhundert hinein. Die Folge war eine Anhebung der Vokale, eine Entwicklung, die sich für den Vokallaut [e] zu [ɪ] hin noch am Ende des 17. Jahrhunderts fortsetzte. Zur Zeit SHAKESPEARES klang das Wort *clean* noch wie das heutige *lane* und nicht wie das heutige *lean.* Nachdem sich die Rechtschreibung seit ca. 1650 in der Fassung vereinheitlicht hatte, wie sie gegenwärtig verwendet wird, trat also noch der Wandel der langen Vokallaute auf, der für die Abweichung zwischen Schreibweise und Klang der Vokale verantwortlich ist.

Das *Dictionary of the English Language* (erschienen 1755) von SAMUEL JOHNSON unterstützte die Entstehung eines nationalen Schriftstandards, der mit wenigen Abweichungen auch heute noch gilt.

Flexion = Deklination eines Nomens oder Konjugation eines Verbs

Als positiver Aspekt gilt gemeinhin, dass das Englische eine nur schwach ausgeprägte Flexion ausweist:

- Der Plural der meisten Nomen wird auf *-s* gebildet.
- Die Vergangenheitsform der meisten Verben endet auf *-ed.*
- Das Partizip Präsens endet auf *-ing.*
- Nomen, Artikel und Adjektive zeigen weder Kasus noch Numerus an.
- Verben zeigen weder Numerus noch die Person an.

Diakritische Zeichen zeigen die besondere Aussprache eines Buchstabens an, wie z. B. Umlaute, die Akzente und im Französischen das ç.

Lernerleichternd sind auch folgende Faktoren:

1. In der Regel werden die englischen Konsonanten so geschrieben wie sie ausgesprochen werden.
2. Die englische Sprache hat keine diakritischen Zeichen, wie sie das Französische oder das Deutsche haben.
3. Eine Reihe von Lehnwörtern *(borrowings)* sind unangepasst ins Englische übernommen worden, sodass Nichtmuttersprachler ihre Bedeutung leicht erkennen können.

2.5.1 Regelwerk der Orthographie

Bildung der Pluralformen

Art der Nomen	Veränderung	Beispiele
Allgemeine Regel	Anhängen von **s** an den Singular	*girl/girls, tree/trees*
bei Endung des Nomens auf **s, ss, x, sh, ch** (Reibelaute)	Hinzufügen von **es** an den Singular	*bus/buses, loss/losses, box/boxes, bush/bushes, match/matches*
bei Endung des Nomens auf **y** mit vorangehendem Konsonanten	**y** ⟶ **ies**	*country/countries, lady/ladies*
bei Endung des Nomens auf **y** mit vorangehendem Vokal	**y** ⟶ **ys**	*boy/boys*
Abgeleitete Wörter aus anderen Sprachen übernehmen auch deren Pluralendungen.		*formula/formulae, crisis/crises, basis/bases, phenomenon/phenomena*
bei Endung des Nomens auf **o** mit vorangehendem Vokal	**o** ⟶ **os**	*radio/radios, echo/echos*
bei Endung des Nomens auf **o** mit vorangehendem Konsonant	Hinzufügen von **es** an den Singular	*potato/potatoes, tomato/tomatoes, hero/heroes*

bei Endung des Nomens auf **f** oder **fe**	**f/fe** ⟶ **ves**	*wife/wives, life/lives* Ausnahmen: *chief/chiefs,roof/roofs, dwarf/dwarfs*
unregelmäßige Pluralformen		*man/men, woman/women, tooth/teeth, foot/feet, goose/geese, mouse/mice, ox/oxen, child/children*
Einige Nomen haben gleiche Singular- und Pluralform.		*deer, fish, sheep, Japanese, Chinese, Swiss, aircraft*
Bei zusammengesetzten Nomen bekommt das Hauptwort das ***s.***		*son-in-law/sons-in-law, passers-by, grown-ups, mothers-to-be,*

Suffix = Nachsilbe: ein Buchstabe oder eine Gruppe von Buchstaben, die – an ein Wort/einen Wortstamm angehängt – ein neues Wort ergeben

Verdopplung des Endkonsonanten vor einem Suffix

– in einsilbigen Wörtern, wenn der Vokal vor dem Konsonanten kurz ist; aber: bei vorangehendem langen Vokal keine Verdoppelung (e. g. *eat/eating)*	*bet/betting* *wed/wedding* *drop/dropping*
– in zwei- oder mehrsilbigen Wörtern, wenn Betonung auf letzter Silbe liegt und diese einen kurzen Vokal enthält; bei Betonung auf erster Silbe keine Verdoppelung (e. g. *enter/entering)*	*begin/beginning* *refer/referring* *occur/occuring* *forget/forgettable*
– bei Wörtern, die mit ***l*** enden, wenn der vorangehende Vokal kurz ist; aber: wenn Vokal lang, dann keine Verdopplung (e. g. *sail/sailing – feel/feeling)*	*travel/travelling* *wool/woollen* *dispel/dispelling*

Einfaches und Doppel-l

Einsilbige Wörter, die auf ***ll*** enden und mit einem anderen Wort zusammengesetzt sind, verlieren ein ***l.***	*all: already, always, altogether* *full: beautiful, wonderful, plentiful, fulfil* *skill: skilful* *well: welcome*
Beim Hinzufügen von **-ness** wird das **Doppel-l** beibehalten.	*dullness, stillness, illness*

Die Schreibung von *e* vor Suffixen

Bei Wörtern, die mit einem Suffix (z. B. *-able*) verbunden werden, das mit einem Vokal beginnt, entfällt das *e*. Dies gilt nicht bei Suffixen, die mit Konsonant beginnen (e. g. *love/lovely*).

come/coming, like/lik**able**, name/nam**ing,** change/chang**ing**
Ausnahmen: due/duly, true/truly, whole/wholly, argue/argument

Beibehaltung des *e* vor Suffixen:

Nach **c** und **g** vor Suffixen, die mit **a** und **o** beginnen. Aber: Wegfall des **e,** wenn Suffix mit **i** beginnt (e. g. *notice/noticing)*	*notice/notice**able**, change/change**able**, advantage/advantage**o**us*

Schreibung von *-ie* und *-ei*

i vor **e** außer nach **c**	*chief, believe*
e vor **i** nach **c**	*ceiling, perceive, receipt*
Bei Wörtern, die mit einem (harten) **c** enden, wird ein **k** angefügt, wenn danach ein Suffix mit den Endungen **-ing, -er** und **-ed** folgt.	*traffic/trafficker picnic/picnicking panic/panicking*

Endungen mit *-ie* und *-y*

Wenn einem **End-y** ein Vokal vorangeht, bleibt das **y** bei Hinzufügung des Suffixes unverändert.	*survey/surveying/surveyor, dismay/dismayed* Ausnahmen: *pay/paid, lay/laid*
Wenn **-ing** an ein Wort angehängt wird, das mit **-ie** endet, wird **-ie** zu **-y.**	*die/dying, lie/lying, tie/tying*
Wenn ein Suffix an ein Wort angehängt wird, das in **„Konsonant + y"** endet, wird das **y** zu **i.**	*happy/happily/happier/happiness, lonely/lonelier/loneliness, deny/denies/denied/denial, pity/pitiful/pitiless* Ausnahmen: *shy/shyness, dry/dryness (aber: drier)*
Wörter, bei denen ein Vokal wegfällt oder sich ändert, wenn ein Suffix folgt	*maintain/maintenance, sustain/sustenance, abstain/abstinence, explain/explanation, pronounce/pronunciation, repeat/repetition*

Endungen mit -ise und -ize

Folgende Wörter enden auf **-ise:**	*advertise, advise, despise, disguise, enterprise, surprise, exercise, supervise*
Folgende Wörter können sowohl auf **-ise** als auch auf **-ize** enden: keine Alternative bei: apolog**ize,** real**ize,** jeopard**ize,** da diese drei Verben vom **griechischen** Suffix **-izein** (lat. **-izare)** abgeleitet sind.	*baptise/-ize, civilise/-ize, criticise/-ize, emphasise/-ize, memorise/-ize, organise/-ize, modernise/-ize*

Groß-/Kleinschreibung

Im Englischen gilt grundsätzlich die Kleinschreibung. Ausnahmen sind das Personalpronomen oder Eigennamen *(proper nouns),* d.h. Namen von Straßen, Gebäuden, geographische Bezeichnungen, Bezeichnungen für Nationalitäten, Rassen, Religionen, historische Ereignisse oder Titel, wenn sich diese auf eine bestimmte Person beziehen.

the President of the United States ↔ the president of the class
the Mayor of London ↔ every town has its mayor

Im Folgenden soll nur auf die Fälle hingewiesen werden, die häufig fehlerhaft geschrieben werden:

	Großschreibung	**Kleinschreibung**
Himmelsrichtungen (*compass points*)	bei Himmelsrichtungen, wenn diese eine **geographische Region** bezeichnen: *the **Mid-West,** the Far **East***	bei Himmelsrichtungen, wenn diese die **geographische Lage** näher bezeichnen: *Brighton is **south** of London.*
Präfixe vice-, ex-, former, late, -elect	**vice** wird großgeschrieben, wenn es in Verbindung mit einem konkreten Namen gebraucht wird: ***Vice**-President Brown*	Alle anderen Präfixe werden kleingeschrieben: ***Senator-elect** Sanders, the **former** President Carter etc.*
der bestimmte Artikel	wird nur großgeschrieben, wenn er Teil eines Namens ist: ***The** Sunday Times, **The** Guardian*	In allen anderen Fällen wird er kleingeschrieben: ***the** moon, **the** newspaper etc.*

Wörter von Institutionen wie *government, administration, union, federal, commonwealth*	werden großgeschrieben, wenn sie sich auf ein bestimmtes Land bzw. eine politische Gruppierung beziehen: *the **US Government, the Federal Republic of Germany***	werden kleingeschrieben, wenn sie allgemein gebraucht werden: *Every school needs a good **administration.***
Wörter wie *high school, church, university, college, hospital* etc.	Großschreibung nur, wenn diese Wörter Teil eines konkreten Namens sind: *He graduated from **Wheatland High School.*** *He was accepted by the **University of Stanford.***	*He graduated from **high school.*** *After high school he went to **college.***

Homophone = Wort, das gleich lautet wie ein anderes Wort, aber verschieden geschrieben wird, z. B. *be* und *bee* [bi:].

Bei folgenden Wortpaaren sollte man nicht nur auf Bedeutungsunterschiede, sondern auch auf Unterschiede in der Rechtschreibung achten. Einige Beispiele aus der Liste sind Homophone:

Leicht verwechselbare Wörter	
advice (n.) [əd'vaɪs] ←→ advise (v.) [əd'vaɪz]	Nomen: *She gave me some good **advice.*** Verb: *She also **advised** me to read the book on geography.*
all ready (adj.) [ɔ:l'redi] ←→ already (adv.) [ɔ:l'redi]	Pronomen + Adjektiv: *When the teacher arrived, they were **all ready** to leave.* Adverb: *He has **already** left.*
affect (v.) [ə'fekt] ←→ effect (n., v.) [ɪ'fekt]	*What she said did not **affect** my decision.* The headmaster **effected** many changes at his school.
choose (v.) [tʃu:z] ←→ lose (v.) [lu:z]	trotz gleicher Aussprache einmal **doppeltes** und einmal **einfaches o**
desert (n.) ['dezət] ←→ dessert (n.) [dɪ'zɜ:t]	Wüste – Betonung auf erster Silbe Nachtisch/Dessert – Betonung auf zweiter Silbe
moral (adj.) ['mɒrəl] ←→ morale (n.) [mə'rɑ:l]	moralisch – *a **moral** question* die Moral – *The **morale** of the citizens is low.*

quiet (adj.) [kwaɪət] ⟷ **quite (adv.) [kwaɪt]**	ruhig – *Church should be a **quiet** place.* ziemlich, gänzlich – *He is **quite** a clever boy for his age.*
than (conj.) [ðæn] ⟷ **then (adv., conj.) [ðen]**	Konjunktion bei Komparativen *(bigger **than**)* Adverb oder Konjunktion (dann, danach): *I washed my face; **then** I combed my hair.*
their (pron.) [ðeər] ⟷ **there (pron.) [ðeər]** ⟷ **they're (pron. + short form) [ðeər]**	Possessivpronomen von *they* *The students gave **their** opinions.* da, dort *I'll be **there** on time.* Kurzform von *they are* ***They're** at the station now.*
weather (n.) [ˈweðə(r)] ⟷ **whether (conj.) [ˈ*h*weðə(r)]**	Wetter – *The **weather** suddenly changed.* Konjunktion „ob" – *She didn't know **whether** to leave or to stay.*

Silbentrennung *(division of syllables)*

Anders als im Deutschen werden im Englischen Wörter nicht nur nach Sprechsilben, sondern besonders häufig auch nach Wortbestandteilen (Präfixe, Suffixe, Wortstamm etc.) getrennt.

In einigen Wörterbüchern wird die mögliche Trennung eines Wortes durch einen mittig gesetzten Punkt angezeigt.

Die wichtigsten Regeln zur Silbentrennung sind:	
Zusammengesetzte Wörter werden nach ihren Bestandteilen (Wortstamm + Endung) getrennt.	*won-der-ful, some-body, Scot-land, York-shire*
Bei zwei- oder mehrsilbigen Wörtern, mit Silben aus zwei oder mehr Konsonanten, wird nach dem ersten Konsonanten getrennt.	*win-dow, hap-pi-ly, nar-rate, swin-dle*
Buchstabenkombinationen wie **th, ph, ch, sh, ng, dg** werden nicht getrennt.	*mo-ther, no-thing, tro-phy, re-fresh-ing*
Zur zweiten Trennungssilbe treten **Konsonant + l, Konsonant + r** und **-qu.**	*ta-**ble**, cathe-**dr**al, li-**qu**id*

Wortstamm und Präfixe/Suffixe können getrennt werden, wobei der **Stamm eines Wortes** erhalten bleiben muss.
Häufig vorkommende Vorsilben sind:

co-, con-, ex-, re-, pre- etc.
co-opera-tion, ex-clude, re-mind, pre-scrip-tion

Auch die Steigerungsendungen *-er* und*-est* sollten zusammen stehen bleiben:
small-er, great-est.

Gängige Flexionsendungen sind:

- -es, -ed, -ing,
  bush-es, lift-ed, go-ing.

Zu den zahlreichen Ableitungssilben gehören:

- -er, -ish, -sion, -ant, -ary, -ist, -ism, -age, -ble, -ous, -ition etc.,
  plumb-er, young-ish, ex-pan-sion, so-cial-ist, so-cial-ism, zeal-ous, stum-ble, ex-hib-ition.

2.5.2 Grundlagen der Zeichensetzung

Die Zeichensetzung ist im Englischen weniger strikt geregelt als im Deutschen. Das Inventar an Interpunktionszeichen ist jedoch in beiden Sprachen sehr ähnlich. Die folgende Übersicht führt in die wichtigsten Interpunktionszeichen und deren englische Bezeichnungen ein:

Die Interpunktionszeichen *(punctuation marks)*

:	colon	Doppelpunkt
;	semi-colon	Semikolon
'	apostrophe	Apostroph
?	question mark	Fragezeichen
!	exclamation mark	Ausrufezeichen
,	comma	Komma
.	full stop – US period	Punkt
-	hyphen	Bindestrich
–	dash	Gedankenstrich
"…"	quotation marks	Anführungszeichen
(…), […]	round + square brackets	runde + eckige Klammern
…	ellipsis	Auslassungszeichen
/	virgule	Schrägstrich

Gedankenstriche stehen zwischen Wörtern, z. B. *Would you like to come and stay – we have plenty of rooms.* Bindestriche stehen innerhalb eines Wortes, z. B. *a well-prepared meal.*

Bis zu einem gewissen Grad geht die Zeichensetzung mit der strukturellen Trennung von Sätzen, Nebensätzen, Phrasen und anderen Wortgruppen einher. Die Zeichensetzung der Sprache orientiert sich an Lautmustern, die wiederum bestimmten Strukturmustern folgen. Aus den Interpunktionszeichen lässt sich damit entnehmen, wie eine Äußerung in mündlicher Rede artikuliert wird:

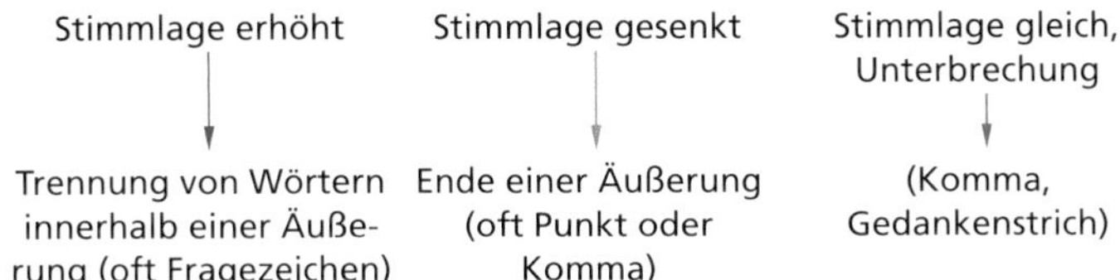

Der Gebrauch des Kommas

Das Komma ist das im Englischen am häufigsten verwendete Satzzeichen. Als Faustregeln für die Kommasetzung können gelten:

- Ein Komma steht vor einer Konjunktion, die zwei unabhängige Teilsätze *(clauses)* verbindet.
- Das Komma steht nach einleitenden Wörtern, Phrasen oder Teilsätzen.
- Das Komma wird verwendet, um Elemente abzutrennen, die Informationen hinzufügen oder unterbrechen.

Woran erkennt man unabhängige Teilsätze?

We washed the dog, and then we cleaned up the mess that he made.

Das Beispiel beinhaltet zwei unabhängige Sätze mit eigenem Subjekt und Verb, nämlich *we washed* und *we cleaned.* Im Unterschied dazu hat der Satz *We washed the dog and then cleaned up his mess* nur ein Subjekt *(= we)* mit zwei Verben.

Bei Aufzählungen ist grundsätzlich zwischen koordinierenden und häufenden (kumulativen) Adjektiven zu unterscheiden.

koordinierende Adjektive	**kumulative Adjektive**
Sofern zwei Adjektive ein Nomen in gleicher Weise charakterisieren, werden sie durch Komma getrennt.	Zwischen zwei kumulativen Adjektiven steht kein Komma.
Did you read about her short, happy life?	*The former overweight woman told us how she lost fifty-five pounds.*
Hier kann die Reihenfolge der Adjektive getauscht werden, ohne dass es zu einer Bedeutungsänderung kommt.	Hier kann die Reihenfolge der Adjektive nicht verändert werden. (Ein einprägsames Beispiel ist *green Christmas tree.)*

Testfrage: Kann man das Komma durch „und" ersetzen? Kann man die Reihenfolge der Adjektive ohne Bedeutungsunterschied verändern? Wenn ja, liegt ein koordinierendes Adjektiv vor.

Ein Komma in Adressen wird verwendet, um jeden Teil der Adresse abzutrennen, der mehr als zwei Bestandteile hat. Wenn eine verbindende Präposition vorhanden ist, entfällt das Komma.

Das Komma steht zum Abtrennen von:

Appositionen (allerdings nicht bei eng zusammengehörenden Phrasen wie *William the Conqueror/the composer Bach*)	Mrs Sharman, our new teacher, has a red car.
Partizipial- und Infinitivphrasen	The weather being fine, we went swimming. The stores having closed, we drove home. To raise enough money in time, Mary had to issue stock in her business.
Adverbien und adverbialen Phrasen, wenn sich diese auf den ganzen Satz beziehen wie *nevertheless, however, finally, moreover, on the other hand, in conclusion, in short etc.*	My friend, however, was not able to play due to illness. In conclusion, I think that people themselves should take on more responsibility.
Adverbialsätzen	Unless you help me, I won't clean our car.
längeren **Präpositionalphrasen** (von mehr als vier Wörtern) am Satzanfang	Under the pile of clothes, he found his wallet.
Aufzählungen von drei oder mehr Wörtern, Phrasen oder Teilsätzen in einer Serie	We were told to bring our gym shoes, swim suits, and tennis rackets. He entered the building, looked around, knocked on one of the doors, and opened it.
nicht notwendigen Relativsätzen (*non-defining relative clauses*)	My bike, which I only bought a week ago, has been stolen. I received your letter, which was very interesting to read.
zwei Hauptsätzen (*main clauses*)	I shall go by bike, and you will drive your car.
kontrastierenden Ausdrücken, die mit ***not*** beginnen	*I wanted this one, not that one.*
direkter Rede	"These boys", said the teacher, "brought reputation to our school."
geographischen Namen mit mehr als zwei Bestandteilen	I meant Pittsburg, Kansas, instead of Pittsburgh, Pennsylvania.

Wenn ein Satz allerdings mit einem *adverbial clause* endet, steht kein Komma.

Wenn die Teile mit einer Präposition verbunden sind, entfällt das Komma:
I meant Pittsburg in Kansas instead of Pittsburgh in Pennsylvania.

which-Sätzen, wenn sich diese auf den ganzen vorangehenden Satz beziehen	He runs for two hours every day, which means that he can't study much.
Datumsangaben, die aus mehr als zwei Teilen bestehen. Sofern beide Teile Worte oder beide Teile Zahlen sind, steht ein zweites Komma nach dem letzten Teil, falls dieser nicht das Satzende ist.	We will meet Friday, July 15. October 31, 1517, is one of the most significant dates in history. October 1517 was a major month in history.
Zahlenangaben mit mehr als drei Kommastellen. Nach jeder dritten Stelle von rechts nach links wird ein Komma gesetzt.	9,435,000 square miles
Grußformeln in schriftlicher Korrespondenz	Dear Mary, … Sincerely, …

Wenn die Teile des Datums mit einer Präposition verbunden sind, entfällt das Komma:
On a Sunday, in December 1942, the U.S. found itself in World War II.

Kein Komma steht im Englischen:

wenn **Gegenstände in einer Aufzählung** durch ***and*** oder ***or*** verbunden sind	She bought a new dress and a blouse and a pair of shoes.
bei **notwendigen Relativsätzen** (*defining relative clauses*).	Everyone who watched the film enjoyed it. The passengers who took the plane for Los Angeles were diverted to San Francisco.
bei **Objektsätzen,** eingeleitet durch **that, when, where etc.**	***She told me that*** *she would work as an au pair in the USA.* He couldn't say where to look for the key.
vor **Infinitiven oder erweiterten Infinitivsätzen**	He asked him to open the window.
bei **zusammengesetzten Verben**	They would argue over money and scream about his late nights.

Bei notwendigen Relativsätzen und bei Objektsätzen steht im Deutschen ein Komma. Anders als im Deutschen steht kein Komma vor *that* = dass.

Der Bindestrich *(hyphen)* wird benutzt:

- um **Adverb und Partizip** miteinander zu verbinden, wenn diese **vor einem Nomen** stehen

a well-known person; aber: This person is well known.
beautifully-coloured flowers; aber: The flowers were beautifully coloured.

- um **zusammengesetzte Nomen** *(compound nouns)* miteinander zu verbinden

  mother-in-law, prisoner-of-war, tennis-player, eyebrow-pencil

- bei **zusammengesetzten Ziffern** zwischen der Zehner- und der Einerstelle

  thirty-one, eighty-three

- bei **Brüchen,** sofern sie adjektivisch benutzt werden

  A two-thirds majority overrode the veto.
  Two thirds of the team members didn't support the idea.

- bei der **Silbentrennung** am Ende der Zeile.

  inter-national

Der Apostroph *(apostrophe)* + *s* wird benutzt:

um die Besitzanzeige beim **Nomen** zu bezeichnen

Michael's car, Jim's uncle, James's Park, Charles's teacher, a week's holiday, a month's notice, a day's excursion, the men's suits, the children's toys, the women's blouses.

Der Apostroph *(apostrophe)* ohne *s* wird benutzt:

um den **Besitzfall bei Pluralnomen** zu bezeichnen	the ladies' dresses, the Smiths' new car, the boys' chairs
bei Kurzformen von Verben Verneinung Pronomen + *will* Pronomen + Nomen + to be Pronomen + have Pronomen + Kurzform von *would* oder *have*	 z. B. *aren't, don't, isn't, weren't* I'll, you'll, he'll, she'll, they'll z. B. I'm, you're, he's, we're z. B. *I've; he's; you've; we've* z. B. *I'd, he'd, we'd, they'd*
für verkürzte Datumsangaben	the '96 Olympics

Beachte:
who's ↔ whose;
it's ↔ its;
you're ↔ your;
they're ↔ their.

Anführungszeichen *(quotation marks)* werden benutzt:

- um **direkte Rede** vom Rest eines Satzes abzutrennen. Komma oder Punkt stehen immer vor Anfang oder Ende von Anführungszeichen.

  All he could say was, "I didn't do it."
  "I hope", she said, "to be back by 6 pm."
  "Hello, Mary," Jeffrey stammered.

- zur **Bezeichnung von Buchtiteln, bekannten Gebäuden, Zeitungen, Magazinen** etc.

Have you read "*Death of a Salesman*"?
I have subscribed to "*The Sunday Times*".

Bei Anführungszeichen zur Wiedergabe eines Dialogs werden für jeden Sprecherwechsel neue einleitende Anführungszeichen gesetzt. Im Unterschied zum Deutschen stehen bei Zitaten, die mehr als einen Absatz umfassen, Anführungszeichen am Anfang jedes Paragraphen, aber nur einmal am Ende des letzten zitierten Wortes.
Einfache Anführungszeichen werden im britischen Englisch verwendet, um ein Zitat oder einen Titel innerhalb eines Zitates auszuweisen.

Im amerikanischen Englisch hingegen werden einfache Anführungszeichen für normale Zitate und doppelte Anführungszeichen für Zitate im Zitat verwendet.

She asked, "How many of you have read 'Waiting for Godot'?"

2.6 Stil und Register

2.6.1 Sprachvarianten: Dialekt, Stil, Register

Sprachbeherrschung bedeutet nicht nur, Wortlisten aus dem Gedächtnis abrufen zu können, sondern stilistisch und idiomatisch angemessen Wörter aus einem Repertoire auswählen zu können. Sprache findet immer in einem Kontext, etwa in bestimmten Gesprächssituationen, statt. Deshalb sind Grundkenntnisse hinsichtlich unterschiedlicher Sprachvarianten sehr nützlich.

Sprachvarianten

Dialekt *(dialect)*	**Stil *(style)***	**Sprachebene *(register)***
– regional oder sozial bedingte Sprachform innerhalb einer Sprachgemeinschaft – von den Normen der Standardsprache unterscheidbar hinsichtlich • phonetischer, • grammatikalischer, • lexikalischer Besonderheiten – regional bedingte Sprachformen innerhalb einer Sprachgemeinschaft – mündlich	– Sprachform, um den Grad an formaler Sprachverwendung zu bezeichnen – Situations- und umgebungsabhängig – nicht regional begrenzt – schriftlich und mündlich	– Sprachvariante, die mit speziellen Themen, Kontexten oder Funktionen verbunden ist – in bestimmten Berufsgruppen oder zu bestimmten Anlässen, z. B. juristische oder medizinische Fachsprache – nicht regional begrenzt – schriftlich und mündlich

Akzente *(accents)* unterscheiden sich in der Aussprache.

Mit Standardsprache ist die Sprache gemeint, die sich an den Normen der geschriebenen Sprache orientiert. Sie wird im Bildungssystem und in den Medien als anzustrebender Standard vermittelt wird. Das *Standard English* ist an keine spezifische soziale Schicht gebunden; jemand, der es benutzt, kann durchaus einen regionalen Akzent besitzen. Früher wurde für „Standardsprache" auch der wertende Begriff „Hochsprache" verwendet. Das *Standard English* kann sowohl in schriftlicher als auch in mündlicher Kommunikation Anwendung finden. ***Literary English*** ist durch einen formalen Stil (Wissenschaft, Dichtung etc.) gekennzeichnet, während das ***Colloquial English*** informell ist und sich durch alltägliche Redeweise ausweist. Dort kommen häufig Abkürzungen vor, z. B. *flu* für *influenza,* oder auch Ausdrücke im Wortverband, etwa die Verwendung von *phrasal verbs* wie *to put on* etc. Unterhalb des Standard English ist der **Slang** angesiedelt. Die Entstehung von immer neuem Slangvokabular ist heutzutage eng verbunden mit der großen Vielfalt der Kulturen, wie sie besonders im Nordosten Londons anzutreffen ist. Dort hört man unter Jugendlichen einen *Harlem basketball jargon, rap lyrics,* Slang der Simpsons, Harry-Potter-Phrasen oder Urdu-Ausdrücke.

Slang (engl.) = nachlässige, saloppe Umgangssprache (bestimmter Gruppen)

2.6.2 Stilebenen und -varianten

Die Stilebene kann auch von der Profession oder von der Klassenzugehörigkeit des Einzelnen abhängen *(upper/middle/lower class).* Sie kann sich aber auch situationsabhängig je nach Gesprächsrahmen ändern. So kann eine Mitteilung je nach Gesprächpartner sehr unterschiedlich ausfallen:

1. Aussage gegenüber einem guten Freund	"Met that guy John today. Wants to go and work in Australia. Has probably never been there."
2. Aussage gegenüber einem Kollegen	"Do you remember John? I met him today and he told me he is planning to go to Australia. I wonder if he's ever been there."
3. Aussage gegenüber seinem Chef	I met Mr Smith today, sir, if you remember. He used to work for our company. He has plans of embarking on a new life in Australia. Quite extraordinary, isn't it?

Formal/informal English

formal English → informal English

distant relationship:
teacher/pupil
doctor/patient
police
customer
client

close relationship:
family
friends
relatives
colleagues

Die Wahl der Sprachebene, die für eine Situation angemessen ist, bildet eine der Grundvoraussetzungen für das Gelingen der Kommunikation. Sie sorgt dafür, dass auf der „Beziehungsebene" zwischen den Kommunikationspartnern alles stimmt; sie sorgt für Kommunikationsbereitschaft. Umgekehrt kann die Wahl der falschen Sprachebene zu Missstimmungen führen und die Verständigung blockieren.
Stehen die Kommunikationspartner in einer engen Beziehung zueinander, z. B. in der Familie, unter Freunden und guten Arbeitskollegen, so wählen sie die **informelle Sprachebene *(informal language).*** Diese klingt auch höflich, ist aber direkter im Ton und enthält viele umgangssprachliche Wendungen. Besteht zwischen den Kommunikationspartnern nur ein loser Kontakt oder handelt es sich um die Beziehung zu einer Institution, einem Kunden oder einem Vorgesetzten, so wird die **formelle Sprachebene *(formal language)*** bevorzugt. Zu ihren Merkmalen zählen z. B. Höflichkeitsfloskeln, Fachbegriffe und ein sachlicher Ton. Sie erzeugt ein Klima des gegenseitigen Respekts.
Den unterschiedlichen Abstufungen, die es in den zwischenmenschlichen Beziehungen gibt, entsprechen Sprachebenen und deren Ausdrucksrepertoire. Die Übergänge zwischen den einzelnen Sprachebenen sind fließend und für den Fremdsprachenlernenden nicht immer erkennbar. Einige wichtige Unterschiede zwischen der formellen und der informellen Sprachebene sollte jedoch auch der Fremdsprachenschüler kennen.

In einem Essay, einer ernsten Erzählung, einer anspruchsvollen Unterhaltung oder in einer Klassenarbeit sind Wörter oder Ausdrücke wie *guy, doll, bird (girl), get cold feet, dough* (Geld) in der Regel fehl am Platz.
In der Konversation mit anderen Nichtmuttersprachlern wird gemeinhin eher ein neutraler Stil bevorzugt. Andere Stilebenen auseinander halten zu können ist zunächst eher eine rezeptive Fähigkeit.

formelle Ausdrücke	**informelle Ausdrücke**
Thank you very much.	Thanks a lot.
Would you please stop talking?	Please, stop talking. *Weniger höflich:* Be quiet! Shut up!
Thank you for your kind assistance.	Thanks for helping me. It was very kind of you to help me.
Would you be kind enough to open the door?	Please, open the door.
to attend school	to go to school
to leave school	to quit school
to participate in a discussion	to take part in a discussion
A number of school officials were present at the reception.	A number of school officials were at the reception.

2.6.3 Idiomatische Wendungen

Als idiomatische Wendung oder umgangssprachliche Redewendung bezeichnet man eine Kombination von zwei oder mehreren Wörtern, die unabhängig von der Einzelbedeutung jedes Wortes einen neuen Sachverhalt ausdrückt. Jede Sprache besitzt ein für sie eigentümliches Repertoire idiomatischer Redewendungen, deren Bedeutung nicht durch eine Wort für Wort Übersetzung erkennbar ist. So entspricht das englische Idiom *to make a mountain out of a molehill* der deutschen Redewendung „aus einer Mücke einen Elefanten machen". Auf Idiome wird in Wörterbüchern durch Abkürzungen wie *„IDM"* oder *„idiom"*. hingewiesen.

Idioms drücken einen Sachverhalt oft **bildhaft** aus.

That's easier said than done.	Das ist leichter gesagt als getan.
that is to say	sozusagen
as the saying goes	wie man so sagt
to go through thick and thin	durch dick und dünn gehen
to cut a long story short	um es kurz zu fassen, kurz und gut
to make ends meet	mit dem (wenigen) Geld auskommen
to drop s.o. a line	jdm. eine kurze Mitteilung schreiben
to lose heart	den Mut verlieren
your heart sinks	mutlos, niedergeschlagen sein
a bird's eye view	Ansicht aus der Vogelperspektive
a blind alley	Sackgasse (auch im übertragenen Sinn)

Eng verwandt mit den häufig bildhaften *idioms* sind die englischen *prepositional* oder *phrasal verbs,* Redewendungen, die durch die Kombination gebräuchlicher Verben wie *bring, give, take* usw. und einer Präposition bzw. einem Adverb (oder beidem) gebildet werden. Die Tabelle zeigt mögliche Zusammensetzungen mit dem Verb *to get:*

English phrasal verbs	**Meaning**
to get along with	to have a friendly relationship with
to get away with s. th.	to do s.th. wrong and not be punished for it
to get by on s. th.	to manage, do s. th. using nothing but the money, the food, the material you have
to get down to s. th.	to begin to do s. th.
to get in on s. th.	to take part in an activity
to get s. th. over with	to complete an action you do not like
to get over s. th.	to feel better after s. th. bad has happened
to get round s. th.	to avoid doing something

3 UMGANG MIT TEXTEN UND MEDIEN

3.1 Texte und Medien

Kommunikation = Prozess des Informationsaustausches zwischen mindestens zwei Personen

Der Austausch von Nachrichten in Form von Zeichen zwischen einem Sender bzw. Verfasser und einem oder mehreren Empfängern stellt eine Form der **Kommunikation** dar. Zum Formulieren der Nachrichten als Text können sowohl akkustische Zeichen, wie z. B. Laute, als auch Zeichen der Schriftsprache, z. B. Buchstaben, verwendet werden. Diese ordnet man dem Medium (= Verständigungsmittel) Sprache zu. Sie müssen sowohl dem Sender als auch dem Empfänger bekannt sein.

Entsprechend der Art der zu vermittelnden Zeichen müssen sich Sender und Empfänger am gleichen Ort aufhalten, z. B. beim Gespräch, oder können räumlich voneinander getrennt sein, z. B. beim Telefonieren. Außerdem hängt es von der Übertragungsweise ab, ob die Mitteilungen fast zeitgleich gesendet und empfangen werden können, z. B. beim Telefonieren, oder ob sie mit zeitlicher Verzögerung ausgesendet und empfangen werden können, z. B. im Schriftverkehr.

Bei der Informationsübertragung nutzen die Kommunikationspartner einen **Kanal** (= Transportweg), mit dessen Hilfe sie die Mitteilungen weiterleiten. Solche Kanäle sind beispielsweise Schallwellen, Papier, Tonträger, DVDs oder Videos. In der Alltagssprache bezeichnen wir diese Übertragungswege als **Medien.**

Handlungsrahmen = situativer Kontext, Sinnzusammenhang = textueller Kontext

Sprachliche Äußerungen entstehen in bestimmten Situationen, d. h. innerhalb eines **Handlungsrahmens,** der von den Faktoren Ort und Zeit, Beziehung zwischen den Kommunikationspartnern sowie dem Zweck des Informationsaustausches geprägt wird. Das bedeutet, dass eine Nachricht, die aus ihrer ursprünglichen Entstehungssituation herausgerissen ist, mehrdeutig oder sogar falsch verstanden werden kann. Oder anders gesagt: Sowohl der Verfasser als auch der Empfänger müssen den Handlungsrahmen kennen, damit eine sinnvolle Kommunikation zustande kommen kann. Die zwischen Verfasser und Adressaten ausgetauschten Mitteilungen bestehen aus Wörtern, die im Text einen bestimmten Sinnzusammenhang ergeben. Dieser bestimmt die lexikalische Bedeutung, die das Wort in dem jeweiligen Kontext trägt. Dadurch ist es für den Empfänger möglich, Mitteilungen eindeutig zu verstehen, auch wenn mehrdeutige Wörter verwendet werden. So wird beispielsweise die Nachricht *"Finally, their coach arrived"* erst im Zusammenhang mit den Sätzen *"The players had been waiting for the training to start for more than an hour. Now the one person who could tell them how to improve their game to win the match on Sunday was there."* eindeutig. Dem **Kontext** kommt eine weitere Bedeutung zu, wenn Nachrichten für den Empfänger in einer Fremdsprache vorliegen. Dann nämlich können unbekannte Wörter erschlossen werden, wie das Beispiel zeigt: *coach = a person who trains sportsmen to be successful.*

3.1.1 Text- und Medienbegriff

Jeder von uns weiß, wie ein gedruckter Text aussieht: Er besteht aus Wörtern und Satzzeichen, die zu vollständigen Sätzen zusammengefügt sind. Es können auch andere, so genannte nicht sprachliche Zeichen, wie Symbole, Grafiken oder Zeichnungen, verwendet werden.

Ein Text besteht aus einer sinnvollen in sich abgeschlossenen sprachlichen Äußerung (oder einer Reihe sich sinnvoll aufeinander beziehender sprachlicher Äußerungen). Er wird mit einer bestimmten **Absicht zur Verständigung** eingesetzt. Zur Verwirklichung dieser Absicht kann er durch nicht sprachliche Zeichen unterstützt werden.

Ein Text wird von einem oder mehreren Autoren verfasst und enthält **Mitteilungen,** die an einen oder mehrere **Empfänger** gerichtet sind. Dabei nutzt der Verfasser den Text, um eine bestimmte **Absicht** zu verwirklichen. Er kann den Adressaten informieren, beeinflussen, überreden, anleiten oder ihm etwas beschreiben. Dem Text wird also bewusst eine Funktion verliehen, um beim Empfänger einen bestimmten Zweck zu erfüllen. Entsprechend seiner Absicht nutzt der Verfasser verschiedene **Textsorten und Textformen,** um einen oder mehrere Empfänger mit Informationen oder anderen Äußerungen zu erreichen.

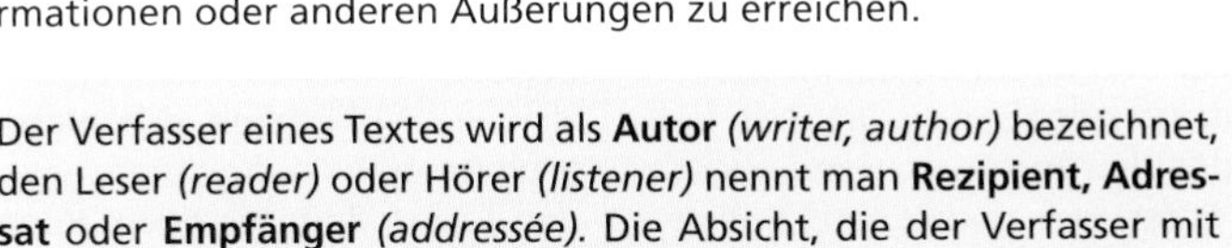

Der Verfasser eines Textes wird als **Autor** *(writer, author)* bezeichnet, den Leser *(reader)* oder Hörer *(listener)* nennt man **Rezipient, Adressat** oder **Empfänger** *(addressée).* Die Absicht, die der Verfasser mit seinem Text verfolgt, ist die **Autorintention** *(author's intention).*

Damit der Text vom Autor zum Adressaten gelangt, wird er auf einem Übertragungsweg verbreitet, den man im alltäglichen Sprachgebrauch als **Medium** bezeichnet.

Unter einem **Medium** versteht man eine Einrichtung zur **Verbreitung von Informationen,** Ideen oder anderen Mitteilungen. Kann die Nachricht von mehreren Adressaten empfangen werden, spricht man von einem **Massenmedium.** Die bekanntesten Massenmedien sind neben Büchern, Zeitungen und Zeitschriften der Fernseh- und Rundfunk, Ton- bzw. Filmträger sowie das Internet.

Hey honey, lots of things will be happening next weekend. I'll call you tomorrow! See you later, type back. Love, Mary <kiss>

Der Vorteil der traditionellen, an die Schriftform gebundenen Medien – Bücher und Zeitungen bzw. Zeitschriften – besteht darin, dass die Texte beliebig oft gelesen oder betrachtet werden können. Nachteilig ist dagegen ihre recht zeitaufwendige Herstellung und langsame Verbreitung. Diese Mängel beschleunigten die Entwicklung neuartiger Medien zur schnellen Übermittlung von Texten in Schriftform als E-Mail oder als SMS-Nachricht über Computer bzw. Handy. Sie bieten die Möglichkeit zu hochwertiger und schneller, audiovisueller Datenübertragung und nehmen heutzutage einen wichtigen Platz in der Kommunikation ein. Außerdem führten sie zur Entstehung neuer sprachlicher Ausdrucksformen, wie Bildnachrichten (MMS, *Multimedia Messaging Service).* Letztendlich entscheidet der Verfasser über den geeigneten Übertragungsweg für seinen Text.

Bei der audiovisuellen Übertragung werden die Daten gleichzeitig hörbar und sichtbar bereitgestellt.
SMS = *Short Message Service;*
E-Mail = *Electronic Mail*

3.1.2 Zur Unterscheidung von Texten

Texte verfügen über vielfältige Merkmale, die man zur Unterscheidung und Einordnung in verschiedene Gruppen heranziehen kann. Für den praktischen Umgang mit Texten ist das Merkmal des Wirklichkeitsbezuges von besonderer Bedeutung.

Spezielle Formen nicht fiktionaler Texte: Autobiographie *(autobiography),* privater/offizieller Brief *(private/official letter),* Tagebucheintrag *(diary entry),* dokumentarischer Beitrag *(documentary).*

nicht fiktionaler Text, Sachtext ***(non-fictional/factual text)***	**fiktionaler Text, literarischer Text** ***(fictional text)***
Der Bezugsrahmen ist die erlebbare Wirklichkeit, die im Text durch Angaben zu Ort, Zeit, handelnden Personen, Handlungsabläufen usw. genau beschrieben und somit überprüfbar ist.	Der Bezugsrahmen ist die vom Verfasser erdachte fiktive oder virtuelle Wirklichkeit, d. h. eine erfundene Welt, die durch Angaben zu Ort, Zeit, Personen, Handlungen usw. eingegrenzt ist.
examples: news report, feature story, reader's letter, interview, advertisement, questionnaire, handbook, flyer, political speech	*examples:* drama (comedy, tragedy), poetry (ballad, sonnet), epic text (short story, fairy tale, fable, novel), film

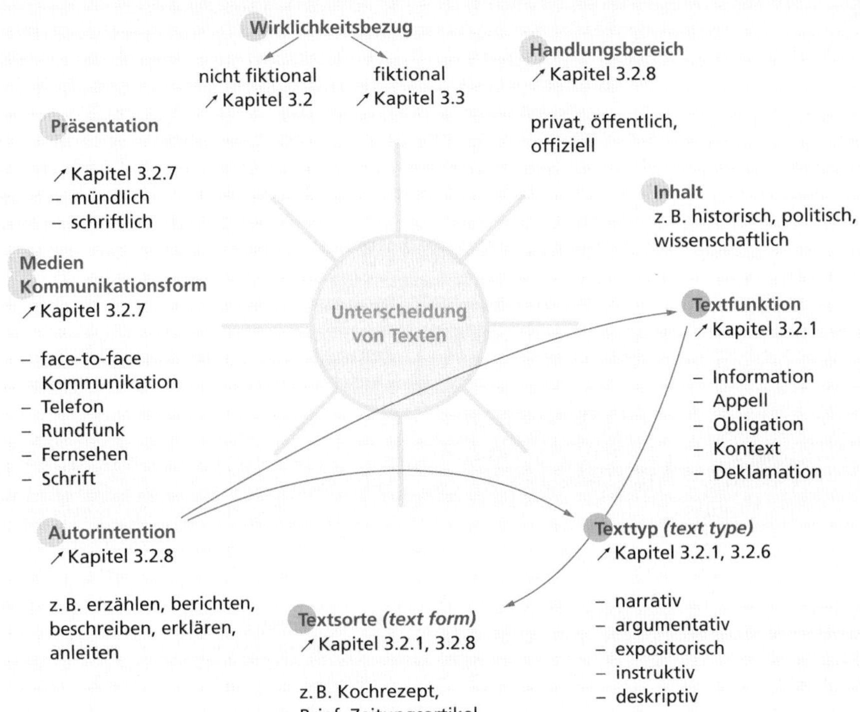

3.2 Sachtexte

3.2.1 Die Unterteilung von Sachtexten

Sachtexte *(non-fictional text, factual text)* werden überall dort eingesetzt, wo Fakten erfasst und weitergegeben werden. Man bezeichnet sie auch als nicht fiktionale oder faktuale Texte. Sachtexte enthalten Informationen über wirklich abgelaufene Geschehnisse, reale Personen bzw. Gegenstände oder tatsächlich vorhandene Probleme. Sie beinhalten Daten, die sich auf die Vergangenheit, die Gegenwart oder die Zukunft beziehen können und an der Wirklichkeit überprüfbar sind. Da wir sie im privaten und beruflichen Bereich im wahrsten Sinne des Wortes „gebrauchen", werden sie auch als **Gebrauchstexte** bezeichnet.

Als Sachtexte bezeichnet man alle Texte, die sich mit wirklichen Fakten, Ereignissen oder Vorgängen bzw. mit tatsächlich existierenden Menschen oder anderen Lebewesen befassen.

Der Begriff der Textsorte bezieht sich auf konkrete, authentische Texte in der Alltagskommunikation, z. B. eine Bedienungsanleitung *(user's manual).*

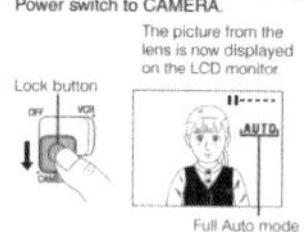

Easy Camera Recording with Full Auto Mode

Before you start recording, perform the operations described on pages 10 through 15 to prepare your VIEWCAM for recording.

1 Remove the lens cap (see page 15).

2 Hold down the Lock button and slide the Power switch to CAMERA.

Sachtexte können in unterschiedlichen **Textsorten** *(text forms)* erscheinen. Texte, die zu ein und derselben Sorte gehören, weisen zahlreiche **gleiche Eigenschaften** auf, z. B. hinsichtlich des Themas, der Wortwahl, des typischen Satzbaus, der Textstruktur. Außerdem verfügen sie über **gleiche Merkmale,** z. B. hinsichtlich der Textfunktion, des Mediums und der kommunikativen Situation, in welcher der Text eingesetzt wird. In der Alltagssprache bewegen wir uns ganz selbstverständlich in der Kategorie der Textsorte. Jeder erwartet z. B. bei einem Kochrezept – gleichgültig wo es veröffentlicht wird – einen ähnlichen Aufbau, etwa Name des Gerichts, Zutatenliste, Vorgangsbeschreibung.

Textsorte *(text form)*	**Beispiel *(example)***
Bericht *(report)*	Zeitungsartikel *(newspaper article)* Zeitschriftenartikel (*article in a magazine)*
Prospekt *(brochure, leaflet),* Informationsblatt *(flyer)*	Hotelprospekt *(hotel brochure)* Mitteilungsblatt einer Einrichtung *(leaflet of an institution)*

Sachtexte können hinsichtlich der **Textfunktion,** die sie beim Leser erfüllen sollen, in fünf Gruppen unterteilt werden. Dabei ist die tatsächliche Wirkung auf den Empfänger nicht vorhersehbar.

Textfunktion	**Kommunikationsabsicht**	**Beispiel**	**example**
Informationsfunktion *informative function*	Wissensvermittlung	Nachricht, Bericht, Rezension, Gutachten, Reisebericht, Beschreibung	news story, report, review, survey, travelogue, description
Appellfunktion *appellative function*	Meinungsbeeinflussung	Werbeanzeige, Kommentar, (politische) Rede, Rezept, Redebeitrag in einer Diskussion	advertisement, comment, (political) speech, recipe, contribution to a discussion
Obligationsfunktion *obligatory function*	Verpflichtung zum Vollzug von Handlungen	Vertrag, Angebot, Abkommen, Gelöbnis	contract/treaty, proposal, agreement, pledge
Kontaktfunktion *contact function*	Aufrechterhalten von persönlichen Beziehungen	private/offizielle Briefe, Danksagung, E-Mail, SMS	private/official letter, acknowledgement, e-mail, sms message
Deklarationsfunktion *declaring function*	ausdrückliche Festlegung eines Tatbestandes	Vollmacht, Urteil, Testament	proxy, conviction, last will and testament

Die **Autorintention** *(author's intention)* kann zur Unterscheidung von Sachtexten herangezogen werden, denn jeder Verfasser möchte mit seinem Text eine bestimmte Absicht beim Empfänger umsetzen: Um diese erfolgreich realisieren zu können, stehen dem Autor verschiedene Gestaltungselemente zur Verfügung, die in ihrer Gesamtheit auf den Adressaten wirken. Solch ein „Bündel" von Gestaltungselementen lässt sich je einem **Texttyp** *(text type)* zuordnen. Dieser wird vom Autor bewusst ausgewählt und angewendet, um die beabsichtigte Wirkung seines Textes beim Empfänger abzusichern. Man unterscheidet fünf grundlegende Texttypen:

Die Autorintention wird ausführlich in Kapitel 3.2.6 behandelt.

Texttyp (*text type*)	**Absicht**	**intention**	**example**
narrativer Text ***narrative text*** *deals with changes in time/actions*	informieren unterhalten neugierig machen Spannung erzeugen	to inform s. b. to entertain s. b. to make s. b. curious to create suspension	news report, diary entry, report about a concert
argumentativer Text ***argumentative text*** *deals with controversal ideas/problems*	argumentieren überzeugen überreden für etwas begeistern für etwas werben	to argue with s. b. to convince to persuade s. b. to raise s. b.'s interest for s. th. to advertise for s. th.	comment, advertisement, contribution to a discussion, sermon, speech
expositorischer Text ***expository text*** *explains objects/ideas*	etwas aufklären über etwas aufklären	to explain s. th. to s. b.	expository essay, paper/presentation/lecture
instruierender Text ***instructive text*** *tells reader what to do*	anleiten etwas tun lassen etwas befehlen	to instruct s. b. to make s. b. do s. th. to order s. b. to do s. th.	manual, user's guide
deskriptiver Text ***descriptive text*** *describes objects/people*	etwas beschreiben	to describe s. th. to s. b.	description of a painting or sculpture

Um einen Texttyp erfolgreich anzuwenden, muss der Autor dessen charakteristische Bestandteile genau kennen und handhaben können.
Diese Bestandteile sind:
- die **Struktur** *(structure)* oder der **Aufbau des Textes,** d. h. die Anordnung der Informationen, Fakten, Gedanken usw. die der Verfasser dem Leser mitteilen möchte,
- die **Sprachebene** *(register),* d. h. die Auswahl der situationsangemessenen, themenabhängigen Sprache,
- die **Stilmittel** *(stylistic means,* ↗ S. 146), die der Autor einsetzt, um seine Absicht erfolgreich umsetzen zu können.

In der Regel dominieren die Merkmale eines Texttyps, der für die Umsetzung der Autorintention am bedeutendsten ist.

In der Praxis findet man kaum einen reinen argumentativen oder rein narrativen Text. Autoren **kombinieren** oft die **Merkmale unterschiedlicher Texttypen.** So verwendet ein Verfasser, der z. B. eine erfolgreiche Argumentation führen möchte, neben den typischen Bestandteilen eines argumentativen Textes auch Elemente, die für einen narrativen Text charakteristisch sind. Das kann z. B. die Darstellung von Fakten in ihrer chronologischen Abfolge sein, welche die Argumentation des Verfassers unterstützen.

Folgende Kriterien können zur **Unterscheidung von Sachtexten** dienen:

- Nach der **Erscheinungsart** unterscheidet man zwischen mündlichen und schriftlichen Sachtexten. Ein Vortrag oder ein Diskussionsbeitrag stellen mündliche Sprachhandlungen dar. Ein wissenschaftlicher Aufsatz *(essay)* in einer Fachzeitschrift oder ein Bericht über eine Diskussion sind dagegen als Ergebnisse schriftlicher Sprachhandlungen anzusehen, da sie als Sachtexte in Schriftform vorliegen.
- **Medien** verbreiten Informationen auf unterschiedliche Weise. Der Rundfunk übermittelt mündliche Beiträge, schriftliche erscheinen z. B. in Fachbüchern. Das Fernsehen kann sowohl mündliche als auch schriftliche Mitteilungen ausstrahlen. Überträgt man dort eine Diskussionsrunde können z. B. Diagramme oder eingeblendete Tabellen das Verständnis der Informationen beim Publikum zusätzlich unterstützen.

- Die Art und Weise der **Präsentation** *(presentation)* und **Illustration** *(illustration)* eines Sachtextes spielt eine wichtige Rolle bei seiner Wahrnehmung durch den Empfänger, unabhängig davon, ob der Text in mündlicher oder schriftlicher Form vorliegt. Das fällt insbesondere bei Werbung auf, aber auch die Gestaltung *(layout)* und Platzierung eines herkömmlichen Sachtextes entscheidet mit über dessen Erfolg beim Publikum (↗ Kapitel 3.2.7). Beim Erfassen fremdsprachiger Texte ist der Hörer oder Leser darüber hinaus oft auf Informationen angewiesen, die über gestalterische Mittel, z. B. Fotos, Grafiken oder akkustische Signale, vermittelt werden. So können Fotos oder Filmausschnitte helfen, im Text auftretende Verständnisschwierigkeiten wettzumachen.
- Die **Erscheinungszeit** *(time of publication)* oder der **Erscheinungsort** *(place of publication)* können zur Beschreibung von Texten herangezogen werden. So weisen Sachtexte, die zwar zur selben Zeit und in gleichartigen Zeitschriften, aber in verschiedenen englischsprachigen Ländern veröffentlicht wurden, Unterschiede im Wortschatz oder in den stilistischen Mitteln auf. Daraus lassen sich Rückschlüsse auf den Sprachgebrauch in den jeweiligen Ländern ziehen.
- Die **Kommunikationssituation,** in der ein Text erscheint, ist einem gesellschaftlichen Bereich (privat, offiziell, öffentlich) zugeordnet, für den jeweils eigene Handlungsnormen gelten. Dieser gesellschaftliche Bereich wird auch **Handlungsbereich** genannt.

3.2.2 Das Erschließen von Sachtexten

Bei der Analyse *(text analysis)* untersucht man einen Text auf seinen **Aufbau** *(structure)* sowie seine Bestandteile **Wortschatz, Satzbau** und verwendete **Stilmittel** hin. So lernt man die Struktur und die verwendeten sprachlichen bzw. stilistischen Mittel *(linguistic means, stylistic devices)* für die eigene Textproduktion genau kennen.

Die Untersuchung oder Analyse eines Textes beinhaltet das Erkennen und Benennen von typischen Gestaltungsmerkmalen sowie die Erklärung ihrer Wirkung auf den Leser oder Zuhörer.

Wozu ist eine Analyse notwendig?

- Um zu erkennen, wie die Informationen im Text angeordnet sind; von der Anordnung der Mitteilungen hängt ab, ob der Leser sie beachtet, versteht und in Zusammenhänge einordnen kann.
- Um herauszufinden, wie das Zusammenspiel von Wortschatz *(choice of words)* und Satzbau *(syntax)*, das durch den Einsatz verschiedener Stilmittel *(stylistic devices)* gekennzeichnet ist, auf den Leser wirkt; ist die Kombination gelungen, wird der Leser den Text so verstehen, wie es der Verfasser beabsichtigt. Hier entscheidet sich, ob die Absicht des Autors *(author's intention)* umgesetzt wird und so ihre Wirkung auf den Leser *(effect on the reader)* bzw. die Zielgruppe *(target group)* entfalten kann.
- Mithilfe der Textuntersuchung können angemessene sprachliche Ausdrucksmöglichkeiten oder eine sinnvolle Anordnung der mitzuteilenden Fakten, Ideen und Beispiele für bestimmte Textsorten oder Texttypen herausgefunden werden. Daraus lassen sich nützliche Schlussfolgerungen für die eigene Textproduktion ableiten oder anders gesagt: Nur wer versteht, wie man einen Text sinnvoll aufbaut und wie man sprachliche, syntaktische sowie stilistische Mittel geschickt handhabt, kann selbst ein guter Autor werden.

Soll ein Sachtext im Englischunterricht erarbeitet werden, enthalten die begleitenden Aufgabenstellungen zumeist Hinweise zu den einzelnen Arbeitsschritten, die das Textverständnis erleichtern. Mit zunehmender Sprachbeherrschung verstärkt sich beim Lernenden jedoch der Wunsch, sich Texte selbstständig zu erschließen.

Tipps zur Vorgehensweise:

- Um das **Verständnis vorzubereiten,** sollte man die **Überschrift** bzw. **Zwischenüberschriften** lesen und herausfinden, **wo** der Text **veröffentlicht** wurde, z. B. in der Tagespresse, in einem Jugendmagazin oder auf einer speziellen Internetseite. Was ist bereits über das Thema und den Autor bekannt? Welche Informationen können dem Layout und eventuell vorhandenen Fotos oder anderen Abbildungen entnommen werden? Diese Daten erleichtern die Einordnung des Textes.
- Nun widmet man sich dem Lesen des **ersten und letzten Abschnitts** des Textes, um das Thema besser eingrenzen zu können. Dann sollte man den gesamten Text überfliegen und **Schlüsselwörter** *(key words)* markieren. Jetzt muss man entscheiden, welche Inhalte wichtig sind, d. h., ob man den Text genau lesen möchte, um die Details zu verstehen, oder ob sich eine weitere Bearbeitung nicht lohnt.

Scanning ↗ S. 27

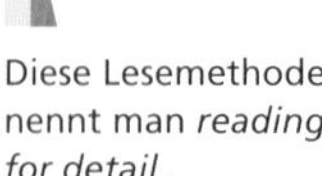
Diese Lesemethode nennt man *reading for detail.*

- Für das Detailverständnis sollte man den Text genau lesen und die **wesentlichen Informationen** markieren – das sind ca. ein bis zwei **Schlüsselwörter** in jedem Abschnitt.
- Für das **Strukturverständnis** und auch um das Vorgehen des Autors zu verstehen, kann man **jedem Abschnitt eine „Funktion" zuordnen.** Der erste Abschnitt z. B. informiert den Leser über die Durchführung einer Veranstaltung, der zweite stellt die Hauptakteure vor, der dritte liefert Hintergrundwissen über die Organisation des Ereignisses usw.

3.2.3 Analyse der Struktur

Unter der Textstruktur versteht man die Anordnung der Informationen, Meinungen, Kommentare, Zitate usw., die zur Entfaltung des Themas eingesetzt werden.

Der strukturelle Aufbau wird vom Autor bewusst gestaltet. Er lässt sich dabei sowohl von seiner **Absicht,** d. h. der beabsichtigten Wirkung auf den Leser, als auch vom aktuellen **Textgegenstand** *(subject matter)* leiten. Hinzu kommt die durch die Persönlichkeit des Verfassers geprägte individuelle Art zu schreiben. Zudem gibt es für bestimmte **Textsorten** *(text forms)* Regeln für den Aufbau, wie z. B. für offizielle Briefe, Bewerbungsschreiben oder Berichte.

Tipps zur Analyse der Textstruktur:

- Die **äußere Gliederung** des Textes in **Überschriften** und **Absätze** betrachten. In längeren Texten bilden oft mehrere Absätze je einen Abschnitt *(part),* der durch eine Zwischenüberschrift *(cross head)* oder eine Leerzeile vom vorangegangenen Teil abgegrenzt wird.
- Den Text in Einleitung – Hauptteil – Schlussteil gliedern. **Ein Teil kann aus mehreren Abschnitten bestehen.** Die **Einleitung** enthält in der Regel notwendige Informationen zum Verständnis des Textgegenstandes. Hier können bereits einige wesentliche Fragen beantwortet werden, die später im **Hauptteil** vertieft werden. Dort findet man Hintergrundinformationen *(background information),* Kommentare von Betroffenen *(comments from relevant people),* die Meinung des Verfassers *(author's opinion)* oder weiterführende Mitteilungen. Der **Schlussteil** enthält meist eine Wertung der vorab gegebenen Informationen oder weist auf mögliche Entwicklungen hin.
- Innerhalb eines Textteils erfüllt jeder Abschnitt eine bestimmte Aufgabe, dessen **Kernaussage** *(key message)* man ermitteln muss.
- Dann sollte man überlegen, welche **Funktion** diese beim Leser erfüllen soll: informieren, aufklären, überzeugen, werten usw.

Wesentliche Fragen werden als *w-questions* bezeichnet.

Learning tables[1] by rote[2] is best way

Children taught their times tables by rote can manage arithmetic much better than children taught to calculate or count on their fingers, according to Sylvia Steel of Royal Holloway College.

introduction and main thesis

Dr Steel designed a test for 241 seven- to 12-year-olds in which she found that children used three major strategies: retrieval from the memory[3], calculation and counting using their fingers or blocks.

She found that the fastest and most accurate strategy was retrieval. Counting was the slowest and least accurate. "Even for children at the top end of primary and the first year of secondary, only a third could retrieve all the answers that they were given," she said.

Dr Steel concluded[4] that "concrete" and visual methods of teaching numeracy[5] might be part of the problem because those who worked slowly were left behind.

A second, later test found that things had changed – more children were learning number facts such as times tables by rote, and of those, more than half could retrieve all their multiplication facts. None was relying on[6] counting.

main part paragraphs 2–5 giving evidence for the thesis

"The most effective way of mastering number facts is to learn by rote," Dr Steel told the conference in Exeter. But she emphasised[7] that children should also understand what they were doing.

final part paragraph 6 conclusion

[1] (times) tables: Einmaleins,
[2] to learn by rote: auswendig lernen,
[3] retrieval from the memory: Erinnerung,
[4] to conclude: schlussfolgern,
[5] numeracy: Rechnen,
[6] to rely on: sich auf etwas verlassen,
[7] to emphasise: betonen

introduction: paragraph 1 (*introductory passage/part*)

- Vorstellen des Textgegenstandes, Aufstellen einer Behauptung → Einführung in das Thema
- *naming the subject, expressing a thesis → introducing the subject matter*

subject: learning the times tables
thesis: learning by heart = best method

main part: paragraphs 2–5

- Darstellung des Textgegenstandes, Fragen Wer?, Was?, Wie?, Warum?" werden beantwortet → informieren und erläutern
- *the presentation of the subject matter incl. background information; questions Who?, What?, How?, Why? answered → to inform and comment on the topic*

evidence, test and its results → conclusion
2nd test → further evidence

final part: paragraph 6

- Zusammenfassung der Ergebnisse, Empfehlung geben → Bewertung und Schlussfolgerung
- *findings noted down, recommendation given → evaluation and conclusion (evaluation of the presented news/facts)*

Dr Steel's conclusions

3.2.4 Analyse der Sprachebene

Bei dieser Analyse steht die sprachliche Umsetzung des Textgegenstandes *(subject matter)* im Mittelpunkt. Daher werden die Bereiche Wortwahl *(choice of words)* bzw. Wortfelder *(word fields)*, Satzbau *(syntax)* und Ausdrucksweise *(tone)* untersucht.

Unter **Sprachebene** *(register)* versteht man die von der Gesprächssituation oder Textsorte abhängige Sprachverwendung, d. h. die charakteristische Wortwahl, Satzstruktur und Ausdrucksweise. Die Sprachebene wird von den Kommunikationspartnern, dem Kommunikationszweck sowie dem Kommunikationsinhalt bestimmt.

Handlungsrahmen ***relationship between the persons who communicate***	**Kommunikationszweck** ***purpose of communication***	**Kommunikationsinhalt** ***subject matter***
eng, vertraut, freundlich, distanziert, formell, feindlich, …	Unterhaltung, Weitergabe von Informationen, Instruktion, Argumentation, Überzeugung …	Werbung, Handel, Wirtschaft, Rechtsprechung, Literatur, Religion, Wissenschaft
close, familiar, friendly, distant, official, hostile …	*entertainment, presentation of information, instruction, argumentation, persuasion*	*advertisement, economy, jurisdiction, literature, religion, science*

Wörter, die nur in formellen Texten verwendet werden, sind im Wörterbuch mit /fml/gekennzeichnet.

Beispiele für *short forms: don't, haven't, can't*

Die **formelle Sprachebene** *(formal register/style)* findet Anwendung in Gesetzestexten, Urkunden, Nachschlagewerken oder Schriftstücken an bzw. von Behörden oder Institutionen. Sie wird auch bei offiziellen Anlässen, wie Ansprachen von Regierungschefs, eingesetzt. Oft liegen diese Texte in geschriebener Form vor und zeichnen sich durch ihre spezielle, mit komplizierten oder in der Alltagssprache nicht geläufigen Begriffen angereicherte Wortwahl aus. Manchmal werden Redewendungen gebraucht, die nur einem begrenzten Kreis von Empfängern verständlich sind. Zudem beherrschen komplexe Strukturen die Satzbauweise der Mitteilungen, sodass ihr Verständnis bei dem Leser oder Hörer einen hohen Grad an Sprachbeherrschung voraussetzt. Auf den Gebrauch von verkürzten Verbformen *(contractions, short forms)* wird ebenso verzichtet wie auf emotionale Ausdrücke. Das verleiht den Texten zwar eine korrekte, jedoch gleichzeitig sehr distanzierte und kühle Ausdrucksweise.
Im alltäglichen Sprachgebrauch treffen wir kaum auf formelle Texte. Aber es gibt Situationen, in denen ein ziemlich förmlicher Grad der Sprachverwendung notwendig ist, beispielsweise in offiziellen Briefen bzw. Mitteilungen an staatliche Behörden oder öffentliche Institutionen. Dann wird die **neutrale Sprachebene** *(neutral register/style)* verwendet. Die Wortwahl orientiert sich am gebräuchlichen Wortschatz der modernen Alltagssprache *(common core English)* und wird grammatikalisch sowie syntaktisch korrekt gebraucht *(standard English)*.

Dadurch wird gewährleistet, dass der Textgegenstand bzw. die Fakten verständlich, präzise und eindeutig mitgeteilt werden. Anwendungsbeispiele sind Bewerbungsschreiben, Leser- und Beschwerdebriefe. Beim Verfassen dieser Schriftstücke sind neben sprachlichen auch äußere Gestaltungsmerkmale zu beachten (↗ S. 166).
Ein weiteres Anwendungsgebiet stellen Beiträge in Sachbüchern und Artikel in Zeitungen oder Zeitschriften dar. Der Vorteil der neutralen Sprachebene, die ohne Dialektausdrücke, emotionalen Wortschatz oder Spezialbegriffe auskommt, liegt darin, dass sie von der Mehrheit der Leser oder Empfänger verstanden wird (↗ S. 153). Deswegen finden wir sie auch in offiziellen Gesprächssituationen, wie Verhandlungen, Ansprachen zu feierlichen Anlässen oder in Reden von Politikern.

In Alltagssituationen trifft man häufig auf Sachtexte, die der **informellen Sprachebene** *(informal register/style)* zuzuordnen sind. Diese Sprachäußerungen werden in der Umgangssprache unter Beachtung der Grundregeln der englischen Sprache verfasst. Sie können Dialekte oder Sprachmerkmale kleinerer Gruppen, z. B. Jugendlicher oder Angehöriger bestimmter Berufsgruppen, enthalten. Diese Besonderheiten können im Gebrauch des Wortschatzes oder in der teilweisen Missachtung der Regeln der Hochsprache liegen. Man verwendet diese Sprachebene, um die Zugehörigkeit zu einer bestimmten sozialen oder regionalen Gruppe zu zeigen oder sich individuell und gefühlsbetont mitzuteilen.

Schüler benutzen untereinander das *informal English.*

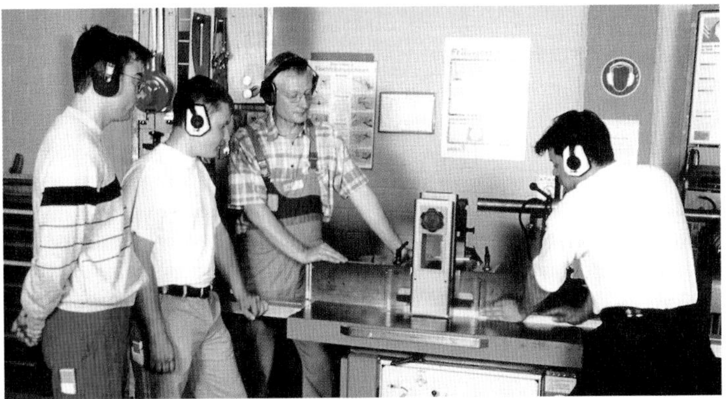

Bestimmte Berufsgruppen benutzen eine Fachsprache mit Fachausdrücken *(technical terms)* für typische Vorgänge und Materialien. Fachsprachen bilden eine eigene Sprachebene.

Die **informelle Sprachebene** umfasst folgende Stufen:
- vertraute Sprachebene *(familiar style),* die im persönlichen Gespräch mit Familienangehörigen, Freunden und Kollegen verwendet wird;
- alltägliche Sprachebene *(colloquial style),* die im täglichen Gespräch sowie in umgangssprachlich verfassten schriftlichen Texten, z. B. Beiträgen in Jugendzeitschriften, gebraucht wird;
- Slang *(slangy style),* eine Art der Alltagssprache, die über lexikalische, grammatikalische oder andere Besonderheiten verfügt, die für den Sprachgebrauch einer Gruppe, z. B. Jugendlicher, typisch ist;
- vulgäre Sprachebene *(vulgar style),* eine vorwiegend mündlich gebrauchte Sprache, die durch die Verwendung sehr drastischer, abwertender und negativ besetzter Begriffe charakterisiert wird.

Auf allen Sprachebenen gibt es schriftliche und mündliche Varianten.

Vorgehen bei der Analyse der Sprachebene

- **Wortwahl *(choice of words)* und Wortfelder *(word fields)*:** In einem Sachtext, z. B. aus einer englischsprachigen Tageszeitung oder Zeitschrift, wird in der Regel die Hochsprache *(standard English)* verwendet. Fremdsprachenlerner z. B. können – auch wenn nicht jedes einzelne Wort verstanden wird – das Vokabular bestimmten Wortfeldern zuordnen und international verwendete Wörter erkennen.
- **Satzbau *(syntax)*:** Die Verwendung bestimmter Satzstrukturen hängt vom Textgegenstand und der kommunikativen Situation bzw. der Textsorte sowie dem Stil des Verfassers ab. Sollen komplizierte Gedanken mitgeteilt werden, verwendet der Autor dazu in der Regel komplexe syntaktische Strukturen. Diese bestehen aus mindestens einem Hauptsatz und einem Nebensatz. Partizipial- und Gerundialkonstruktionen oder Bedingungssätze können Teile von Satzgefügen sein, deren Lesen und Verstehen beim Leser eine gute Sprachbeherrschung sowie viel Aufmerksamkeit erfordern. Einfacher zu erfassen sind dagegen Satzreihen, die aus Hauptsätzen bestehen.
- Die **Ausdrucksweise *(tone)*** zeigt die Haltung des Verfassers zum Textgegenstand und zum Leser oder Hörer. Sie wird durch das Zusammenspiel der oben untersuchten sprachlichen Elemente in jedem Text aufs Neue geschaffen.

Satzgefüge = Hypotaxe *(compound sentence or hypotaxis)*, ↗ S. 101.

Der amerikanische Dokumentarfilmer MICHAEL MOORE ist weltweit für seine satirischen Bücher und Filme bekannt.

Ausdrucksweise *(tone)*	
die Haltung des Autors zum Sachgegenstand oder der Problemstellung des Textes *the author's attitude towards the theme or problem of the text*	die Einstellung des Autors zum Leser oder Zuhörer *the author's attitude towards the reader or listener*
kritisch, voreingenommen, humorvoll, ironisch, spielerisch, sarkastisch, satirisch, ernsthaft *critical, biased, humorous, ironical, playful, sarcastic, satirical, serious*	ungezwungen, gefühlsbetont, freundlich, zurückhaltend, distanziert, locker *casual, emotional, friendly, reserved, detached*

Beispiel von *tone* und *register* in einer sachlichen Berichterstattung, Grundlage ist der Artikel auf S. 141.

tone	register
author's attitude towards the reader: serious author's attitude towards the subject matter: sober, matter-of-fact	neutral register/style: common core English, rather formal choice of words correct usage of the language/standard English passive voice direct and reported speech no emotive words no short forms

3.2.5 Analyse des Stils

Der Stil *(style)* wird durch das Zusammenwirken der Sprachebene mit ihren Bestandteilen Wortwahl, Satzbau und Ton sowie den eingesetzten Stilmitteln geschaffen.

Jeder Verfasser verfügt über seine ganz individuelle Ausdrucksweise, die durch die Einstellung zum Textgegenstand sowie durch seine Haltung zum Leser geprägt ist. Jeder Autor unterliegt jedoch auch Einschränkungen in seiner stilistischen Handlungsfreiheit. So muss er sich an die für verschiedene Textsorten oder Gesprächssituationen geltenden Regeln halten oder die Beschränkungen, die sich aus der Wahl eines Mediums ergeben, beachten. Neben den Bestandteilen der sprachlichen Gestaltung Wortschatz, Satzbau und Ausdrucksweise steht dem Autor eine Vielzahl von Stilmitteln zur Verfügung.

Stilmittel *(stylistic means)* sind Abweichungen vom allgemeinen sprachlichen Ausdruck. Sie rufen eine bestimmte Wirkung beim Empfänger *(effect on the addressee)* hervor. Stilmittel können in allen Teilen des Textes auftreten, auch in der Überschrift.

Beispielhafte Stilanalyse eines Zeitungsartikels

Learning tables by rote is best way

Children taught their times tables by rote can manage arithmetic much better than children taught to calculate or count on their fingers, according to Sylvia Steel of Royal Holloway College.

Dr Steel designed a test for 241 seven- to 12-year-olds in which she found that children used three major strategies: retrieval from the memory, calculation and counting using their fingers or blocks.

She found that the fastest and most accurate strategy was retrieval. Counting was the slowest and least accurate.

"Even for children at the top end of primary and the first year of secondary, only a third could retrieve all the answers that they were given," she said.

Dr Steel concluded that "concrete" and visual methods of teaching numeracy might be part of the problem because those who worked slowly were left behind.

A second, later test found that things had changed – more children were learning number facts such as times tables by rote, and of those, more than half could retrieve all their multiplication facts. None was relying on counting.

"The most effective way of mastering number facts is to learn by rote," Dr Steel told the conference in Exeter. But she emphasised that children should also understand what they were doing.

stylistic means
stylistic device: comparison

stylistic device: contrast

stylistic device: ellipsis

stylistic device: facts and figures

stylistic device: enumeration

stylistic device: quotation

choice of words
words from the word fields *education* and *mathematics*

Glossar

Alliteration (alliteration)
Wiederkehr gleicher Anfangslaute, in der Regel Konsonanten, in betonten Silben benachbarter Wörter.

e. g.: "Girls' power leaves lads lagging behind."

Aufzählung (enumeration)
Auflistung von mehreren Dingen, Handlungen etc. zur Illustration einer Idee oder Handlung.

e. g.: "Not only teachers but also the pupils, their friends and parents were fascinated by the great facilities the new building offers."

Fakten und/oder Zahlen (facts and figures)
Untermauerung von Äußerungen durch die Angabe konkreter Zahlen und/oder Fakten.

e. g.: "Dr Steel designed a test for 241 seven- to 12-year-olds …"

Gegenüberstellung (contrast)
Formulierung gegensätzlicher Vorstellungen oder Ideen in einem Satz oder in benachbarten Sätzen.

e. g.: "She found that the fastest and most accurate strategy was retrieval. Counting was the slowest and least accurate."

Ironie (irony)
Wortwahl, die das Gegenteil der vom Verfasser vertretenen Meinung ausdrückt.

e. g.: spoken by a man who is seriously ill: "The future is a bright and beautiful time, which I shall enter into with all my energies."

Vergleich (comparison)
Verbindung von (mindestens) zwei Dingen oder Ideen

e. g.: "Your eyes are like the sun."

Wiederholung (repetition)
Gehäufte Erwähnung einer Idee, Struktur oder semantischen Einheit, die für den Textgegenstand von besonderer Bedeutung ist:

e. g.: "And that government of the people, by the people, for the people, shall not perish from earth." (ABRAHAM LINCOLN)

Wortspiel (pun)
Meist humorvoller Einsatz von phonetisch ähnlich oder gleich klingenden Wörter oder von Wörtern, die mehr als eine Bedeutung besitzen.

e. g.: "Eat now, play later." (in Abwandlung des bekannten Werbeslogans "Eat now, pay later.")
"Some folks are wise, and some are otherwise." (TOBIAS SMOLLET)

Zitat (quotation)
Übernahme von Einzelwörtern, Wortgruppen oder Sätzen aus anderen Texten.

e. g.: "'The most effective way of mastering number facts is to learn by rote,' Dr Steel said."

stylistic means	effects on the reader or listener
Alliteration is the repetition of (consonant) sounds at the beginning of neighbouring words or of their stressed syllables for rhythmic effect.	to stress/support the main idea of the text, to focus the reader's interest on an important aspect, to make it easy to remember/ memorise a particular idea
Contrast is the bringing together of opposing ideas, views etc.	to stress/emphasise differences in an obvious way, to heighten/intensify the feeling of support/rejection
Listing words which usually illustrate one idea or subject is called **enumeration.**	to emphasize/illustrate am idea or a topic, to convince by referring to examples, to prove/ the validity/truth of a statement/idea
Facts and figures are concrete pieces of information taken from reliable sources e. g. statistics, surveys or studies.	to prove or illustrate a statement or result, to emphasise the reliability of a conclusion
Irony is the use of words that mean the opposite of what they mean literally; the understanding depends on the author's tone and common cultural values.	to entertain/inform the reader in a lively/ humorous way, to point/hint at a critical aspect/idea
Pun is a (mostly humorous) play on words that sound similar or the same but have different meanings.	to entertain the reader, to arouse the reader's interest
A **quotation** consists of a word, word group or sentence which has been taken from another text word by word.	to prove or stress a fact or piece of information with the help of another person's (experts) statement
The repeated use of a word, word group or syntactical structure in a sentence or in neighbouring sentences in order is called **repetition.**	to arouse/attract the reader's interest, to emphasise an important aspect of the subject matter

Die Fachbegriffe für viele Stilmittel werden als nicht zählbare Nomen ohne Artikel gebraucht. Wenn man also im Rahmen einer Stilanalyse über den Einsatz von Stilmitteln berichten möchte, kann man Umschreibungen verwenden, um Fehler zu vermeiden:

Für eine **Stilanalyse** ist es nützlich, sich neben einer Kurzdefinition unterschiedlicher Stilmittel (↗ S. 146) auch Formulierungen für den beabsichtigten Effekt einzuprägen – wie oben ausschnitthaft dargestellt.

The **stylistic device** of … (alliteration, allusion etc.) is used in the text. The **rhetorical means** of … is used by the author.

3.2.6 Analyse der Autorintention

Der Autor möchte den Leser oder Hörer informieren, aufklären, von etwas überzeugen, ihn anleiten oder ihm etwas beschreiben. Um sein Ziel zu erreichen, setzt der Verfasser eine Kombination spezieller Gestaltungsmittel ein, die beim Empfänger die angestrebte Wirkung erreichen soll, d. h., der Autor wählt einen **Texttyp** aus, der seine Absicht wirkungsvoll unterstützt.

Bei der Untersuchung der Autorintention und des Texttyps beurteilt man anhand der Textstruktur sowie der sprachlichen und formellen Gestaltungsmittel, wie der Autor seine Absicht mitteilt. Danach kann man einschätzen, ob sein Bemühen erfolgreich ist. Diese Analyse hat somit einen hohen praktischen Wert für die eigene Textproduktion, denn man lernt die Wirkungsweise von Gestaltungsmitteln am Beispiel. Im Folgenden sollen die grundlegenden Texttypen vorgestellt und Hilfen für die Analysetätigkeit gegeben werden.

MICE

Advice For Householders

Environmental Services

- **deskriptiver Sachtext *(descriptive text)***
  Zweck: Beschreibung einer Person, eines Ortes oder eines Gegenstandes, damit sich der Leser/Hörer das Objekt gut vorstellen kann
  Erläuterung: überwiegend neutrale Darstellung der physischen (äußeren) Merkmale eines Gegenstandes bzw. Lebewesens oder des Ablaufes eines Prozesses
  Merkmale: detaillierte und unvoreingenommene räumliche Beschreibung und Positionsangabe; Angabe zu (äußeren) Formen, Oberflächen, Farben; sachliche, präzise Sprache; neutrale Haltung des Verfasser

Beschreibung z. B. eines Tieres oder eines Bauwerkes

HOW TO ADJUST THE STRAPS

HOW TO KEEP YOUR HELMET AS GOOD AS NEW

- **instruktiver Sachtext *(instructive text)***
  Zweck: Anleitung des Lesers oder Hörers, z. B. zum Erlernen einer Handlung, zum Umgang mit einem Gerät oder zur Anwendung von Hilfsmitteln
  Erläuterung: offene Einflussnahme auf das Verhalten bzw. die Handlungen von Personen durch das Erteilen von Empfehlungen, Anweisungen oder Kommandos
  Merkmale: zumeist konkrete Anrede des Empfängers; Hinweise, Aufforderungen, Empfehlungen, Kommandos, auch Warnungen oft unter Verwendung von Imperativen formuliert; präzise und effiziente sprachliche Darstellung, z. B. durch den Einsatz von Partizipialkonstruktionen realisiert; Zeitform meist Präsens, neutrale Haltung des Verfassers

Gebrauchsanweisung

- **narrativer Sachtext *(narrative text)***
  Zweck: Information des Lesers oder Hörers über die zeitliche Abfolge von Ereignissen oder die Entwicklung eines Geschehens
  Erläuterung: Die Darstellung der Entwicklungsschritte kann chronologisch oder aber zeitlich logisch, d. h. durch die Darstellung von Ursache-Wirkung-Beziehungen, erfolgen.

Merkmale: Die W-Fragen werden meist vollständig beantwortet; oft werden Augenzeugen zitiert; die Darstellung der Wirkungen bzw. Wechselwirkungen einzelner Teilvorgänge steht im Mittelpunkt; oft klar strukturierte Gliederung, Zeitform meist Präteritum (*past*); neutrale Haltung des Verfassers.

Zeitungsbericht z. B. über einen Verkehrsunfall

- **argumentativer Sachtext *(argumentative text)***

  Zweck: direkte Beeinflussung des Lesers/Hörers; die Gegenüberstellung von Vor- und Nachteilen oder einseitiges Aufzeigen der Vorteile bzw. Nachteile

  Erläuterung: Im Mittelpunkt des Textes stehen sich widersprechende Ideen oder provokante Auffassungen, z. B. zu einer Person oder einem Ereignis; die Darstellung der Autormeinung sowie deren Begründung soll den Leser oder Hörer von der Richtigkeit dieser Haltung überzeugen.

  Merkmale: Zitieren von Expertenmeinungen und Beispiele zur Verdeutlichung der Argumente bzw. Gegenargumente; z. T. direkte Ansprache des Adressaten durch Verwendung von Fragen und Imperativformen; klarer Aufbau; präzise sprachliche Darstellung oft unter Verwendung von Fachwortschatz; komplexe syntaktische Strukturen vorherrschend; zumeist subjektive Haltung des Verfassers; aber auch neutrale Haltung möglich.

Diskussionsbeitrag, Kritik an einer Entscheidung oder Entwicklung

Der appellative Text kann auch zu den argumentativen Texten gerechnet werden.

- **appellativer Sachtext *(appellative/persuasive text)***

  Zweck: die mehr oder weniger offene Aufforderung an den Leser oder Hörer, sich einer Sache anzunehmen oder sie zu unterstützen

  Erläuterung: die mehr oder weniger offene Aufforderung an den Empfänger, sich für ein Thema zu engagieren, ein Produkt zu kaufen, eine Handlungsweise anzunehmen oder abzulehnen und eine Maßnahme zu unterstützen

  Merkmale: Der Leser oder Hörer wird direkt angesprochen; präzise, z. T. plakative und konnotative Wortwahl; Wiederholung von Kernwörtern bzw. Kernaussagen; Verwendung von übersichtlichen syntaktischen Strukturen und Imperativen; subjektive Haltung des Verfassers.

Did you know that you are responsible for your dog? Unfortunately, some owners are

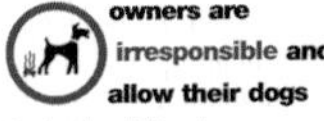

irresponsible and allow their dogs to foul public places. Nottingham City Council has taken the lead by issuing a code of practice outlining the rules on dog fouling, strays, dangerous dogs and the services available to you.

Aufruf zur Unterstützung einer Kampagne; Werbetexte; Predigt

- **erläuternder/expositorischer Sachtext *(expository text)***

  Zweck: umfassende und detaillierte Information des Lesers über einen komplizierten und umfangreichen Sachverhalt

  Erläuterung: Darstellung sehr spezieller und komplexer Ereignisse, Abläufe oder Zusammenhänge auf detaillierte, sachliche und neutrale Weise

Merkmale: Erläuterung des Sachverhaltes unter Einbeziehung von Spezialwissen, Hintergrundinformationen und (historischen bzw. aktuellen) Entwicklungen; Einsatz von Statistiken, Fach- und Faktenwissen, Beispielen, präzise sprachliche Darstellung unter Verwendung von Fachwortschatz; Vorherrschen komplexer syntaktischer Strukturen; sachliche und objektive Haltung des Verfassers

populärwissenschaftlicher Sachtext

In der Praxis trifft man kaum auf Sachtexte, die rein narrativ, argumentativ usw. sind. Das bedeutet, dass man in einem Text in der Regel Elemente verschiedener Texttypen findet. Diese müssen in der Analyse herausgearbeitet werden. Erst dann ist es möglich, die vorherrschenden Merkmale zu erkennen und den dominanten Texttyp zu bestimmen.

Vocabulary for the analysis of the author's intention

the author's intention	die Absicht des Autors ist es,
is to inform about .../reveal .../ report about ...	über ... zu informieren/... zu enthüllen/über ... zu berichten
is to show ... the relationship between A and B	die Beziehung zwischen A und B zu zeigen
is to present a description/to describe/to depict ...	eine Beschreibung vorzustellen/ zu beschreiben
is to instruct the reader/listener to do s. th.	den Leser/Zuhörer anzuleiten
is to explain .../to expose ... in detail	... zu erläutern/im Detail vorzustellen
therefore/that's why/because of that the author uses/employs elements of the ... text type	deswegen/aus diesem Grund verwendet/benutzt der Autor Bestandteile des ... Texttyps
the ... text type dominates, although features of other types can be found as well	der ... Texttyp herrscht vor, obwohl Merkmale anderer Texttypen ebenso gefunden werden können
features of the ... text type are predominantly used to influence/... the reader/listener	Merkmale des ... Texttyps werden vorherrschend verwendet, um den Leser/Zuhörer zu beeinflussen ...
the writer	der Verfasser
comments on .../discusses .../ argues that .../persuades/focuses on .../stresses/emphasizes .../ supports the idea .../presents facts	erörtert .../diskutiert .../vertritt die Meinung, dass .../überzeugt .../lenkt die Aufmerksamkeit auf .../betont .../hebt hervor .../unterstützt die Idee, dass .../liefert Fakten
describes .../depicts ...	beschreibt
instructs .../shows ...	leitet an/zeigt
makes the reader think about (verb infinitive)	bringt den Leser dazu, nachzudenken

3.2.7 Der Umgang mit Zeitungstexten

In der Schule sowie im Alltag lesen wir Beiträge aus englischsprachigen Zeitungen, um uns unmittelbar und lebensnah über die nationalen Ereignisse in dem entsprechenden Land sowie über die landesspezifische Sicht auf das internationale Geschehen zu informieren. Dadurch gelingt es uns, die Fakten und die Sichtweise des englischsprachigen Landes auf historische und aktuelle Vorgänge zu verstehen.

auflagenstärkste britische Tageszeitungen: Daily Mirror, Daily Mail, The Sun, Daily Express, Daily Telegraph, Daily Star, The Times, Daily Record, Financial Times, The Guardian, The Independent

Zeitungen in Großbritannien (newspapers in Great Britain)

- **Boulevardpresse** *(popular newspapers, tabloids)*

Zu den bekanntesten nationalen Tageszeitungen der **Boulevardpresse** *(boulevard press)* gehören *Daily Mail* und *Daily Express.* Die auflagenstarken Titel *The Sun, Daily Mirror* und *Daily Star* werden abwertend auch als Sensationspresse *(sensational paper/gutter press)* bezeichnet.

Zur *popular press* zählen Zeitungen, die auf ein möglichst breites Publikum abzielen.

Die **Beiträge der populären Zeitungen** weisen in der Regel folgende sprachlichen Merkmale auf:
- informelle Sprachebene *(informal register),* in der umgangssprachliche *(colloquial words/phrases)* oder sogar Slangausdrücke *(slangy words/phrases)* enthalten sein können,
- begrenzter Wortschatz, der weitgehend ohne Internationalismen auskommt, sondern für die Benennung komplizierter Dinge Umschreibungen oder Wortschöpfungen verwendet,
- häufiger Einsatz von mehrgliedrigen Verbformen *(phrasal verbs),*
- Verwendung von Superlativen und ausdrucksstarken Begriffen,
- einfacher Satzbau in kurzen und längeren Sätzen,
- Meinungen von Betroffenen oder Experten werden oft in direkter Rede *(direct speech)* wiedergegeben,
- Überschriften beinhalten Sensationsmeldungen; oft sind Stilmittel wie Alliteration, Assonanz oder Wortspiel, zu finden; Spitznamen werden verwendet, um die Distanz zu Politikern oder Stars zu verringern. So werden z. B. der beliebte Fußballspieler DAVID BECKHAM „Becks" und seine Frau VICTORIA „Posh" genannt.

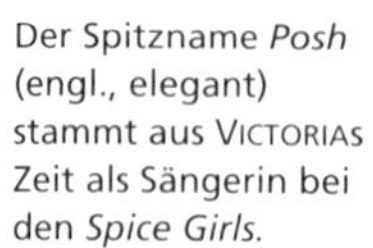

Der Spitzname *Posh* (engl., elegant) stammt aus VICTORIAS Zeit als Sängerin bei den *Spice Girls.*

Bei den **Schlagzeilen** *(headline)* fällt die Verwendung kurzer, griffiger Ausdrücke auf. Sie werden einerseits benutzt, um mit minimalem Aufwand möglichst viele Informationen an den Leser zu bringen. Andererseits klingen viele dieser Begriffe in den Schlagzeilen weitaus dramatischer als neutrale bedeutungsverwandte Wörter, wie in dieser Schlagzeile:

Prince Held In Bomb Alert
statt: "Prince O. was kept from leaving because of a bomb warning at Heathrow Airport".

Die für die Boulevardpresse typische Sprache wird abwertend als *„journalese"* bezeichnet.

to aid (v.)	to help
to alert (v.)	to warn s. b.
to ban (v.)	to stop
blast (n.)	explosion
cash (n).	money
to cut (v.)	to reduce
disaster (n.)	accident or bad event
fiasco (n.)	failure
horror (n./adj.)	s. th. unpleasant, terrible
to free (v.)	to release
to quit (v.)	to stop/give up sth.
to rap (v.)	to criticise
war (n.)	conflict

- **seriöse Tageszeitungen** *(quality newspapers)*

Zu den Zeitungen mit seriöser Berichterstattung zählen *The Financial Times, The Times, The Guardian* und *The Independent.* Wegen ihrer unhandlichen Bögen erhielten sie den Beinamen *broadsheets.* Inzwischen werden verlässliche Informationen und gut recherchierte Beiträge leserfreundlicher auf kleineren Papierbögen angeboten. Das aktuelle Format der Zeitung *The Times* wird als *compact form* bezeichnet.

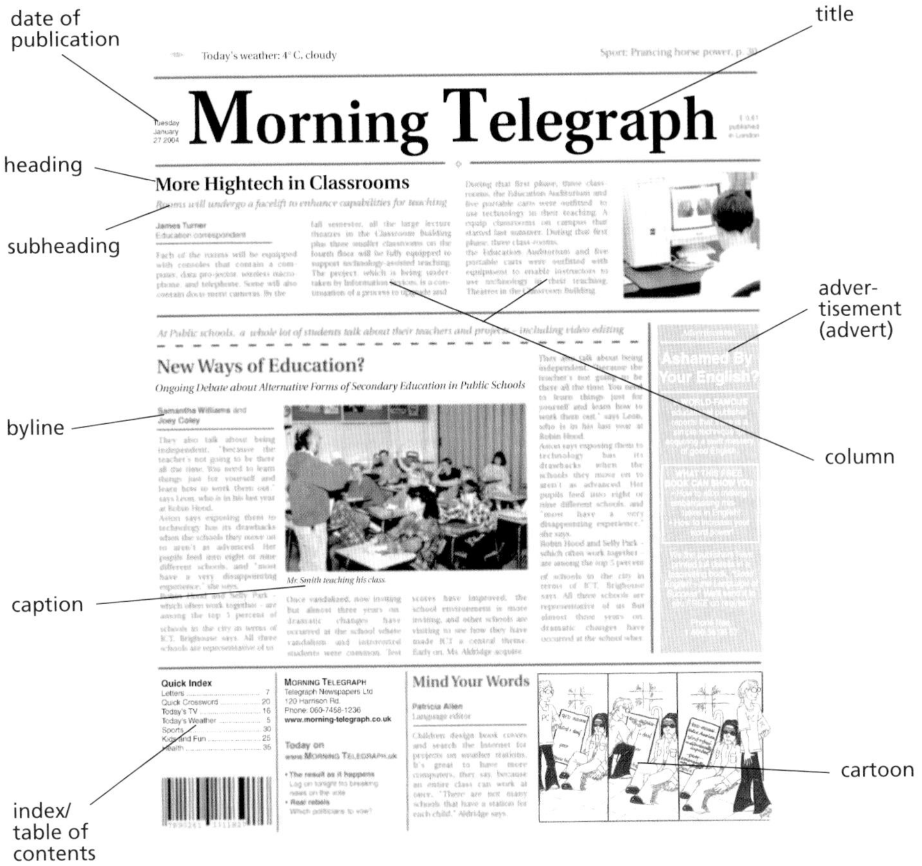

date of publication

title

Today's weather: 4° C, cloudy

Sport: Prancing horse power, p. 30

Tuesday January 27 2004

Morning Telegraph

heading

subheading

More Hightech in Classrooms

Rooms will undergo a facelift to enhance capabilities for teaching

James Turner
Education correspondent

advertisement (advert)

At Public schools, a whole lot of students talk about their teachers and projects – including video editing

New Ways of Education?

Ongoing Debate about Alternative Forms of Secondary Education in Public Schools

byline

Samantha Williams and Joey Coley

column

Mr. Smith teaching his class.

caption

Quick Index
Letters 7
Quick Crossword 20
Today's TV 16
Today's Weather 5
Sports 30
Kids and Fun 25
Health 35

MORNING TELEGRAPH
Telegraph Newspapers Ltd
120 Harrison Rd.
Phone: 060-7458-1236
www.morning-telegraph.co.uk

Today on www.MORNING TELEGRAPH.uk

Mind Your Words

Patricia Allen
Language editor

cartoon

index/ table of contents

Die Beiträge der **seriösen Zeitungen** weisen in der Regel folgende sprachliche Merkmale auf:

- neutrale Sprachebene *(neutral register)*,
- Erweiterung des Standardwortschatzes durch Wörter lateinischen Ursprungs *(words derived from Latin)* sowie Fachausdrücke *(technical terms)*,
- Verwendung langer, kompliziert gebauter Sätze *(hypotactic structures)*, die satzverkürzende Elemente wie Partizipien enthalten,
- Äußerungen von Augenzeugen oder Experten häufig in indirekter Rede *(reported speech)* wiedergegeben,
- Angabe von Zahlen, statistischem Material oder Zitaten verlässlich unter Angabe der Quellen,
- Überschriften überwiegend sachlich und informativ; Einsatz von Stilmitteln wie Alliteration, Anspielung, Wortspiel und Ellipse.

Unter *quality press* versteht man Zeitungen mit hohem Standard, die sich durch seriöse Berichterstattung auszeichnen.

Überschriften *(headings)*

banner – Schlagzeile auf Titelseite, *headline* – Schlagzeile, *heading* – Überschrift, *subheading* – kommentierende Anmerkung zur Überschrift, *crosshead* – Zwischenüberschrift (im Text)

Die Überschrift eines Zeitungsartikels soll das Interesse des Lesers wecken. Deswegen enthält sie in der Regel in wenigen Worten einen klaren Hinweis auf das Thema des Beitrags. Neben sprachlichen Mitteln, wie verkürzte Sätze (*compressed sentences)* oder Ellipsen *(ellipsis)*, stehen folgende verkürzende Konstruktionen zur Verfügung:

- Verzicht auf das Verb *to be* oder die Verwendung des Artikels *("US Senate looking better to opponents of abortion"),*
- Verwendung des *present simple* für bereits abgeschlossene Handlungen *("The queen of commas turns her attentions to a book of manners"),*
- Verwendung von *to + infinitive* für Handlungen, die in der Zukunft stattfinden werden *("English to be spoken by half of the world's population within 10 years"),*
- Verwendung des *past participle* anstatt der kompletten Konstruktion *be + past participle* zur Wiedergabe von Passivkonstruktionen *("written by HEMINGWAY closed to public").*

Arten von Sachtexten in Zeitungen *(types of newspaper articles)*

Zu den fiktionalen Texten in Zeitungen gehören z. B. Romanauszüge (Fortsetzungsroman).

In Zeitungen und Zeitschriften findet man eine Vielzahl von fiktionalen und nicht fiktionalen Texten. Am häufigsten vertreten sind die Textsorten Nachricht, Zeitungsbericht und Kommentar. Entsprechend der Auswahl und Anordnung der Informationen im Text wird hier eine wichtige Auswahl von Sachtexten in Zeitungen und Zeitschriften vorgestellt:

kausal = das Verhältnis Ursache – Wirkung betreffend

- **Zeitungsbericht *(news report):*** Beitrag über ein aktuelles Ereignis, in dem die Fragen „Wer?, Wann?, Wo?, Warum? und Wie?" beantwortet werden. Die Anordnung der Fakten erfolgt chronologisch oder kausal unter Verzicht auf Wertung durch den Autor, wodurch eine objektive Information des Lesers erreicht wird. Der Name des Autors wird in der *byline* genannt *(any article which covers current affairs or topical events (so-called hot news) concentrating on answering the five w's).*
- **Klatsch-Spalte *(gossip column):*** Sammlung meist kurzer Beiträge, die Affären und Klatsch über Prominente enthüllen *(an article revealing the affairs and gossip of celebrities).*
- **Kolumne/Kommentar *(column):*** regelmäßig veröffentlichte Meinungsäußerung zu einer bestimmten Thematik, z. B. Außenpolitik, oder wiederkehrende Kolumne eines bestimmten Autors; der Sachgegenstand wird aus der Sicht des Verfasser subjektiv dargestellt und erörtert *(an article which comments on a current subject matter and expresses the individual view of its author)*
- **Kurznachricht *(news item):*** Form des Berichts; äußerst reduzierte Wiedergabe der wesentlichen Fakten in einem Abschnitt wie in einer Nachrichtenmeldung *(a very short report answering the five w's of a current event in often only one paragraph).*
- **Leserbrief *(letter to the editor, reader's letter):*** eine Lesermeinung zu einem Beitrag einer Zeitung oder zu einer Thematik von allgemeinem Interesse *(the reader's opinion is expressed about an article published in this newspaper or about another topic of interest).*

In der Regel ist der Brief an den Herausgeber der Zeitung oder Zeitschrift gerichtet, da er die Verantwortung für alle in seinem Blatt veröffentlichten Wortäußerungen trägt.

- **Nachricht *(news story):*** Beitrag, in dem die fünf W-Fragen beantwortet werden, sowie Hintergrundinformationen, Erläuterungen sowie die Aussagen von Betroffenen enthalten sind *(an article which deals with topical events in a subjective manner; it answers the five w's who, what, when, where, why, but may contain background information or the view of people involved; the temporal order of the events may be reversed for effect).*

In einer **Rezension** *(book/film review)* wird z. B. ein Roman oder Film vorgestellt und bewertet; die Äußerung wird von den subjektiven Eindrücken des Autors geprägt (*an article informing about and evaluating a film, novel or other piece of art,* ↗ Kapitel 4.1.7).

Neben der inhaltlichen und sprachlichen Gestaltung der Zeitungsbeiträge wird das Interesse des Lesers auch durch die Platzierung des Textes auf dem Zeitungsbogen, durch das Layout oder illustrierende Fotos bzw. Zeichnungen stimuliert.

Vocabulary – newspapers and magazines

people who work for a newspaper or magazine	**Berufe im journalistischen Umfeld**
(chief) editor, editorial team; journalist, reporter, writer	(Chef-)Herausgeber, Herausgeberteam, Journalist, Reporter, Verfasser
photographer, (graphic) designer	Fotograf, Layouter
proprietor	Besitzer,
cartoonist, caricaturist	Zeichner, Karikaturist,
press baron/press lord (derog)/tycoon	Pressebaron
how you can purchase a newspaper/magazine	**wie man eine Zeitung erwerben kann**
to subscribe to …	abonnieren
to buy one at a newsagent's/a newsdealer/a news vendor	im Zeitungskiosk/beim -händler/Straßenverkäufer kaufen
kinds of newspapers defined by target group	**Arten von Tageszeitungen entsprechend ihrer Zielgruppen**
for the demanding/educated reader: quality paper, establishment/elite paper	für anspruchsvolle/gebildete Leser: seriöse/etablierte Zeitungen
for the undemanding reader: popular/mass paper, tabloid,	für den weniger anspruchsvollen Leser: Boulevard-/Massenblätter
religious paper	religiöse Zeitungen
sports paper	Sportzeitungen
business paper	Wirtschaftszeitungen
classifying the readership	**Einteilung der Zeitungsleser**
demanding ↔ undemanding	anspruchsvoll ↔ leicht zufriedenzustellen
educated/intellectual/elite ↔ semiliterate/ordinary	gebildet/intellektuell/elitär ↔ wenig gebildet/durchschnittlich
upper-class, upper-middle class, middle class, working class	der höheren/gehobenen/mittleren Gesellschaftsschicht/der Arbeiterklasse angehörend

derog = derogatory (abwertend)

topics of a paper	**Themen in Zeitungen**
information: current affairs/hot news; international coverage, national/home/domestic news	Informationen: aktuelle Ereignisse, internationale Berichterstattung/nationale Nachrichten
regional/local topics	regionale/lokale Themen
education, politics, society, social issues, special affairs	Bildung, Politik, Gesellschaft, soziales Geschehen, spezielle Ereignisse
sports, financial/economic survey	Sport, Finanz-/Wirtschaftsübersicht
travel report; weather	Reiseberichte; Wetter
entertainment: human interest story, cartoon jokes; crossword puzzle/bingo; serialised novels; gossip; television listings/guide	Unterhaltung: Beiträge über besondere Schicksale, Cartoon, Witze; Kreuzworträtsel/Bingo; Fortsetzungsroman; Klatsch; Fernsehprogramm
advice: consumer tips, cooking/health/fitness, "agony aunt" column; advertisements;	Ratgeber: Verbrauchertipps, Kochen/Gesundheit/Fitness, Ratgeberecke; Werbung
opinion and comments: reviews, editorial/leader, column	Meinungen und Kommentare: (Film-/Buch-)Besprechung, Leitartikel, Kolumne
reader's opinion: letter to the editor, reader's letter	Lesermeinung: Brief an den Herausgeber, Leserbrief
how information can be covered (+)	**wie Informationen dargestellt werden (positiv):**
balanced, factual, in-depth	ausgewogen, sachlich, tiefgehend
provocative, witty	provokant, geistreich
controversial, reliable	gegensätzlich, verlässlich
concise, comprehensive	kurz und knapp, umfassend
critical, sophisticated, objective	kritisch, gebildet, objektiv
how information can be covered (–)	**wie Informationen dargestellt werden (negativ):**
prejudiced/biased, subjective	mit Vorurteilen behaftet, subjektiv
unbalanced, stereotyped	unausgewogen, stereotyp
patronising, trivial	herablassend, niveaulos
moralising, superficial,	moralisierend, oberflächlich,
offensive, unsuitable	beleidigend, unangebracht
kinds of papers as defined by interval or time of publication	**Arten von Zeitungen nach Häufigkeit/Tageszeit ihrer Erscheinung**
daily, weekly, Sunday, monthly, evening	täglich, wöchentlich, monatlich, Sonntags-, Abendzeitung
types of print	**Druck**
in bold (letters), in italics, in black and white, in red/blue/coloured print, in block capitals	fett gedruckt(e Buchstaben), kursiv gedruckt, schwarz/weiß gedruckt, roter/blauer/farbiger Druck, Großbuchstaben

Werbung

Werbung in Zeitungen/Zeitschriften = *advertisement/advert/ad;* Werbung im TV/in Filmen = *commercial*

Fernsehen, Radio, Zeitschriften und das Internet sind ohne Werbeanzeigen oder -filme nicht denkbar. Überall begegnen uns schrille Aufrufe, schräge Vergleiche und lustige Slogans. Werbung liegt in mündlicher und schriftlicher Form vor. Sie wird oft mit Fotos bzw. Filmausschnitten oder anderen Darstellungen einprägsam illustriert, um das Interesse der zukünftigen Kundschaft oder des möglichen Publikums zu wecken. Damit erfüllt der Text vor allem einen informativen und appellativen Zweck, d.h., wesentliche Qualitäten eines Produkts, die Daten einer Show oder Veranstaltung werden dem Leser oder Betrachter durch sprachliche Mittel mitgeteilt. Die äußeren Erscheinungsweisen gedruckter Werbung sind sehr unterschiedlich – wir finden sie auf einer Plakatwand *(billboard),* als bescheidenes Poster an der Kinotür oder aber in Zeitschriften.

Words with positive connotations: balance, beauty, clean, clever, to replenish, health, sport, …

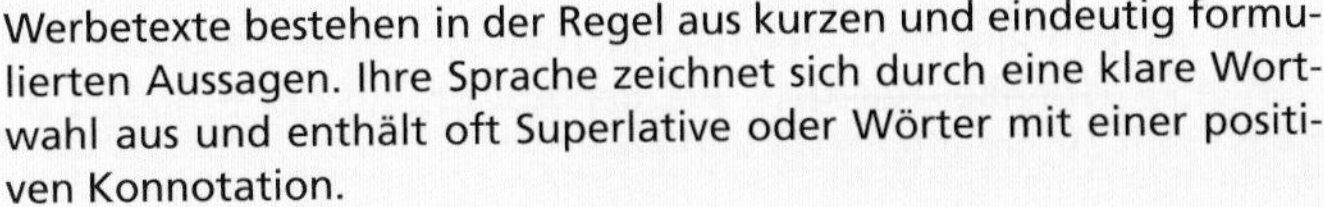

Werbetexte bestehen in der Regel aus kurzen und eindeutig formulierten Aussagen. Ihre Sprache zeichnet sich durch eine klare Wortwahl aus und enthält oft Superlative oder Wörter mit einer positiven Konnotation.

Die Begriffe, die für das Verständnis des beworbenen Produkts oder die Beschreibung seiner Vorzüge von besonderer Bedeutung sind, können durch verschiedene Stilmittel (↗ S. 146) hervorgehoben werden. Häufig bedient man sich dabei der Abweichung von der gewohnten Satzgliedfolge oder der Wiederholung von Schlüsselbegriffen bzw. Satzbaumustern. Des Weiteren gelten der Vergleich, die Gegenüberstellung der „Vorher"- und „Nachher"-Situation, sowie Übertreibung bzw. Untertreibung als wirksame Stilmittel. In den Überschriften oder Werbeslogans findet man oft Reime, die den Erinnerungseffekt beim Leser unterstützen sollen. Bei der **Betrachtung einer Werbeanzeige** sollte man die Anzeige als Ganzes auf sich wirken lassen, ehe man sich den einzelnen Bestandteilen und ihrer Wirkung zuwendet.

Vergleich = *comparison,* Gegenüberstellung = *contrast,* Übertreibung = *exaggeration,* Untertreibung = *understatement*

Tipps zur Bearbeitung und Auswertung *(how to read an advert):*

- Wie wird die Aufmerksamkeit des Betrachters geweckt?
  What's in the advert?
  Zunächst die besonders auffälligen Elemente benennen. Was kann man über die dargestellten Personen oder Gegenstände aussagen? Wie sehen sie aus? Wo sind sie angeordnet? Wie wird das beworbene Produkt dargestellt? Was erfährt man über das Produkt?

- Wie ist die Werbung gestaltet?
  How is the advertisement designed?
  Den Aufbau der Werbung darlegen und ihre Bestandteile beschreiben, z.B. ein Foto, Text oder eine Grafik. Dabei mit dem Vordergrund beginnen. Wie und warum wurden welche Elemente eingesetzt? Dabei auf Licht- oder Farbeffekte, Kameraposition, die Bildschärfe oder andere auffällige Elemente achten.

- An wen ist die Werbung gerichtet?
  Who is the advertisement aimed at?
  Jede Werbebotschaft richtet sich an eine bestimmte Zielgruppe *(target group)*, z. B. Jugendliche mit Spaß an Mannschaftssportarten, Auszubildende usw. Oft läßt sich die Zielgruppe schon an dem Medium, das zur Übertragung der Werbebotschaft genutzt wird, erkennen: Jugendzeitschriften enthalten Werbeträger für Teenies usw. Man kann vom Ort der Veröffentlichung auch auf die Zielgruppe schließen, etwa wenn in Fitness-Studios für Sportbekleidung geworben wird.

- Welches Vorbild bzw. welche Idee wird in der Werbung präsentiert?
  Which image is used in the advert?
  Jede Werbung nutzt eine Botschaft, mit der sich der Betrachter identifiziert oder von der er sich abgrenzen möchte. Insbesondere Jugendlichen werden Modelle präsentiert, welche die angeblichen Ideale der modernen Generation verkörpern: schlank, sportlich, schön, beliebt, erfolgreich. Beim Kauf und der Anwendung eines bestimmten Produkts werden alle diese Vorstellungen angeblich als „Begleiterscheinungen" nebenbei realisiert. Bei der Ablehnung des Produkts wird man somit automatisch zum Verlierer.

- Welcher Werbeeffekt wird eingesetzt?
  Which effect is used in the advertisement?
  Häufig in der Werbung eingesetzte Effekte sind:
  - Vorher-Nachher-Effekt, häufig bei Kosmetikartikeln *("before-and-after" effect).*
  - Humor *(humor):* Es werden mögliche witzig wirkende (Neben-)Wirkungen dargestellt.
  - Wiedererkennungseffekt *(jingle effect):* Es erscheint eine stereotype Wortmeldung, ein einprägsamer Reim oder eine Melodie bei der Werbung für das Produkt.
  - Überraschungseffekt *(surprise):* Hier wird z. B. ein ewig erfolgloser Mensch durch Anwendung eines Produktes zum Superhelden.
  - „Ist das aber niedlich!"-Effekt *("It's cute!" effect):* Babys, Kleinkinder oder Haustiere präsentieren das Produkt.
  - Kontrasteffekt *(contrast effect):* Angeblich gegensätzliche Qualitäten – hervorgerufen durch die Anwendung des Produkts – stehen im Mittelpunkt, z. B. der seriöse Geschäftsmann tritt plötzlich als treusorgender Vater auf.
  - „Perfekt!"-Effekt *("perfect"-effect):* Nur durch das Produkt wird der Anwender rundherum perfekt.

- Welche Rolle spielt der Werbetext?
  What role does the text play in the advertisement?
  - Wo befindet sich der Text und wie wird er präsentiert?
  - Welche Informationen enthält der Text?
  - Wie wirkt der Werbespruch *(slogan)?*
  - Welche Stilmittel werden für den Slogan eingesetzt?
  - Wird ein Markenname *(brand name of the product)* genannt?
  - Welche Ausdrucksweise *(register)* oder sprachlichen Besonderheiten *(rhetorical devices)* werden eingesetzt?

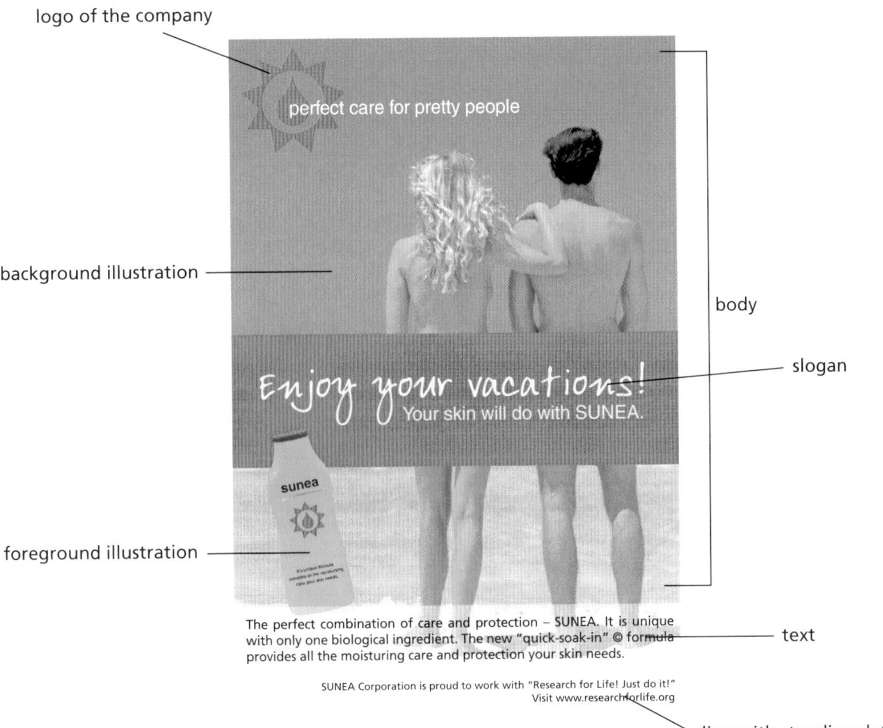

The shining colours of the advert catch the reader's interest. Both the blue sky of the photo in the background and a red ribbon attract the viewer's attention. The slogan "Enjoy your vacations! Your skin will do with SUNEA!" is printed in white. It also 'dresses' a young woman and her partner, who stand on a beach. The photo is in bold colours filling the background. The logo of the cosmetic company SUNEA is in the upper left hand corner. In the lower left hand corner there is a greenish-blue sample bottle of the suntan product. The short advertising text is next to it.
The product advertised is a sun care product. The advert is published in a magazine for girls. So it is aimed at young girls and women who are interested in body care and suntan products.
Seeing the young people in the advert makes you want to enjoy a holiday in the sun, too. If you use the SUNEA product, you will feel as good as they do.
The advert's message is expressed by the words "Enjoy your vacations!". The slogan convinces you that all you need is the cosmetic product to have a great time. The three-line text in small print reassures you of the unique quality of the care product. Vocabulary with positive connotations, (perfect, care, protection) underline the quality of the product. Moreover, the brand name SUNEA reminds you of the sun and its jingle 'perfect care for pretty people' is easy to remember because of alliteration.
You can contact a service hotline www.researchforlife.org operated by the cosmetic company. There you can get more information about the company's research activities.

3.2.8 Die Produktion von Sachtexten

Mündliche oder schriftliche Sachtexte werden dem Kommunikationsinhalt und der Situation entsprechend gestaltet. Sie können in der Länge, im Stil und der Ausdrucksweise ganz unterschiedlich sein.

comprehension questions = Verständnisfragen

Das Beantworten von Verständnisfragen

Die Übernahme von Eigennamen oder einzelnen Schlüsselwörtern ist natürlich gestattet.

Verständnisfragen werden im Unterricht und in Klassenarbeiten eingesetzt, um das Textverständnis zu prüfen. Der Lehrer wird in der Regel nach der Hauptaussage des Textes (Globalverständnis) und nach spezifischen Informationen (Detailverständnis) fragen. Sofern auch nach der Einstellung des Autors zum Thema gefragt wird, ist ein „zwischen den Zeilen Lesen" gefordert. In jedem Fall sollte eine Verständnisfrage gründlich gelesen und so genau wie möglich beantwortet werden. Anstatt ganze Sätze oder Satzteile abzuschreiben, sollte man eigene Formulierungen wählen. Die im Text oder in der Aufgabenstellung genutzte Zeitform wird beibehalten.

Tipps zum Beantworten von Verständnisfragen:
- **Synonyme** *(synonyms)* verwenden, um die Antworten abwechslungsreich zu gestalten.

  "Tom, 14 years old, from Pocklington Grammar School ..." = the (English) boy = the child/teenager/youngster = the pupil

- **Bindewörter** *(connecting words)* oder Konjunktionen *(conjunctions)* verwenden, um die Aussagen zu verknüpfen.

  "He made a lot of effort **and** got excellent marks in school." → **As** he worked hard he earned very good results.

Satzgliedfolge der Adverbialbestimmungen: Art und Weise, Ort und Zeit

- Um neue Satzkonstruktionen zu schaffen, kann man z. B.
  - die **Adverbialbestimmungen anders ordnen**

    "In the mornings Tom always goes to school by bus." → The boy always goes by bus to school in the mornings.

  - lange **Sätze teilen**

    "As Tom has been in the school team for nearly three years his skills as a footballer are well developed." → Tom has been playing in the football team of his school for about three years. That's why he is a good player now.

  - **Relativsätze** bilden

    "Tom has found many friends in the sports team. He thinks that they will come first in the local football league next year." → Tom, who has a lot of new friends in the team, believes they can win the local championship next year.

- **Partizipialkonstruktionen** nutzen

"Tom plays in the football team of Pocklington Grammar School. Moreover, he practises hockey with mates from St Martin's School and Market Weighton State School." → Playing in the football team of his school Tom goes in for hockey with pupils from other schools.

- **Gerundien** verwenden

"Tom is sure that he will be successful in his later school career at college." → Tom believes in succeeding at college.

9-year-old hands in lost cash

by KEN PARKER

A SCHOOLGIRL was praised for her honest act of handing a bag with hundreds of pounds she had found in the street to the police in Canterbury, Kent last week.

Harriet Walker, a nine-year old girl, was on her way to a local supermarket on Saturday, April 30 when she spotted the bag with the cash.

She said, "It was so strange. I almost fell over the bag. When my foot touched it, there was the noise of coins which were clinking inside."

"When I opened the bag there was lots of cash. I've never seen so much money ever before."

Harriet rushed back to her family's home in Canterbury, Kent, where she and her dad counted the cash before they took it to the local police station.

Harriet, a primary pupil at St Martin's Primary School, said, "I'm sure it must have been someone's pension or a whole week's wage. The poor person who lost the bag must be feeling so bad now."

Parents' pride

Mr Walker, 38, who is a freelance finance consultant, said: "It was Harriet's idea to hand it in to the police. She didn't want us to tell anybody about the bag with the cash. She's such a good girl. She's our pride." Harriet's mother, 37, a housewife, said: "She's always been absolutelyhonest. I'm so proud of her."

Sergeant William Smith from the police station said: "Anybody who detects a purse or bag with money shows honesty when he hands it in to the police. Unfortunately, not many people do so nowadays. Harriet is a good role model for other kids."

"Such an act of great honesty should be praised in public for it demonstrates how to be an upright citizen."

Details about the bag or where the money was found have not been disclosed. So the owner can prove that it is theirs.

KENTISH STAR
Monday, May 9, 2005

to praise – loben
to spot – entdecken
to clink – klirren
pension – Rente
wage – Lohn
to disclose – enthüllen

questions	answers	used means
When did Harriet find the cash?	When **the girl** went to the local supermarket on Saturday, April 30 2005 she found **the money.**	synonym synonym
What happened to the money?	**Before handing in** the money to the police Harriet took it home and counted the **cash.**	gerund synonym

What do you learn about the girl and her family?	Harriet Walker and her family live in Canterbury, Kent. She is 9 years old and is a pupil at St Martin's Primary School. Her 38-year-old father, **who works as a self-employed finance consultant,** and her mother, 37, are very proud of their daughter.	relative clause
Why can't you find any details about the cash?	The place where the money was found and the amount of money have not been published. So the person **who lost the bag with the money** has the chance to prove that he or she is the real owner.	relative clause

Das Schreiben einer Inhaltsangabe *(writing a summary)*

Vorzeitigkeit bzw. Nachzeitigkeit von Ereignissen muss beachtet werden.

Diese Textform informiert in kurzer und sachlicher Form über den Inhalt eines Textes. Sie enthält keine persönlichen Wertungen oder Stellungnahmen des Verfassers, sondern beschränkt sich auf die Wiedergabe der wichtigsten Informationen. Eine Inhaltsangabe wird in der Regel im Präsens verfasst und sollte nicht länger als ca. ein Drittel des Originaltextes sein. Deswegen müssen Bindewörter sowie satzverkürzende Konstruktionen bewusst eingesetzt werden. Auf Wiederholungen sollte ebenso verzichtet werden wie auf Zitate oder das Nennen von Beispielen. Dagegen ist die Übernahme von Eigennamen und Schlüsselbegriffen natürlich gestattet. Wichtige Inhaltspunkte, die im Ausgangstext in wörtlicher Rede stehen, sollten in indirekte Aussagen umgeschrieben werden.

Tipps für die Inhaltsangabe eines Sachtextes:

1. Den Text gründlich lesen und **Schlüsselbegriffe** *(key words)* oder **Kernaussagen** *(key phrases)* unterstreichen. Dabei besonders auf die Einleitung achten, da hier in der Regel die „W"-Fragen (Wer? Was? Warum? Wann? Wo?) beantwortet werden.
2. Eine **Übersicht** mit den Kernaussagen anlegen. Anschließend präzise **Stichpunkte mit dem eigenen Wortschatz** formulieren, um das „Gerüst" für die Inhaltsangabe zu erhalten.
3. **Vollständige Sätze formulieren,** dabei Bindewörter *(linking words),* Konjunktionen *(conjunctions)* sowie andere satzverkürzende Mittel verwenden. Beginnen sollte die Inhaltsangabe jedoch mit einem einleitenden Satz, der Angaben enthält zu
   - der Textsorte *(text form),*
   - dem Titel und dem Autor *(title/heading, author),*
   - Zeitpunkt und Ort der Veröffentlichung oder Entstehung *(date and place of publication),*
   - dem Textgegenstand bzw. der Problematik.

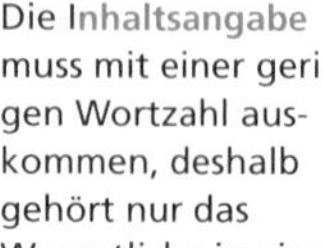

Die Inhaltsangabe muss mit einer geringen Wortzahl auskommen, deshalb gehört nur das Wesentliche in eine Inhaltsangabe.

list of key phrases	word material for the summary
- nine-year-old Harriet Walker from Canterbury, Kent - on the way to local supermarket on Saturday, April 30, 2005 - spots a bag with lots of cash - rushes home, counts the cash, takes it to the local police station - Mr Walker: "It was Harriet's idea to hand it in to the police ... She's our pride."/Mrs Walker: "I'm so proud of her." - Sergeant Smith: "Such an act of great honesty should be praised in public." - details about the bag or where the money was found have not been disclosed - owner can prove it is theirs	- H. W., 9, from Canterbury, Kent - goes to a supermarket on Saturday, April 30, 2005 - finds a bag with money in the street - returns home to count the money, then she hands it in to the police - H.'s father says that his daughter wanted to take the money to the police; he and his wife are proud of her - Sergeant Smith says that honesty like that should be praised - no information about amount of money or place of discovery has been published - the person who lost the cash has the chance to show that he is the real owner

The newspaper article "9-year-old hands in lost cash" published in the *Kentish Star* of May 9, 2005 tells the story of the schoolgirl Harriet, who discovers a big sum of money and hands it to the police. Harriet Walker, 9, from Canterbury, Kent is going to a supermarket on Saturday April 30, 2005 when she finds a lot of money in the street. Having taken the money home to count it she hands it to the police later. Harriet's parents are proud of her. Sergeant Smith admits that honesty like that should be praised. Neither information about the amount of money nor the place of discovery have been published. So the person who lost the cash has the chance to prove that he or she is the real owner.

Der Bericht

Ein Bericht gibt die Fakten und Beobachtungen eines tatsächlich abgelaufenen Geschehens objektiv wieder. Dabei werden die W-Fragen möglichst lückenlos beantwortet. Auf persönliche Wertungen sollte verzichtet werden. Deswegen ist die Verwendung eindeutiger und sachlicher Formulierungen angebracht (Bericht, ↗ S. 283).

Der Bericht (engl. *report)* kann sowohl aktuelle Ereignisse aufgreifen als auch weiter zurückliegende Ereignisse durch die Bereitstellung von Hintergrundinformationen näher beleuchten.

question	details
What happened?	Computer equipment, which had been purchased only a month before, was stolen

Where did it happen?	in the computer labs of Thomson Technical College in Selby, Yorkshire
When did it happen?	at about 8:45 last night
Who was involved?	The school's housekeeper and his wife detected the break-in when they returned from a trip later that evening.
Why did it happen?	Sergeant Eric Kemston from the local police department said, "We've found a lot of different footprints, so there must have been two or even three thieves. They knew that the safety system had not been installed yet. So they came when nobody was there."
How did it happen?	The damaged door still shows where the criminals entered the school building …

Die kürzeste Form eines Berichts ist die **Kurzmitteilung** *(news item)*. Darin werden in meist nur ein oder zwei Sätzen die wichtigsten Fakten dargelegt, d. h. die *w-questions* beantwortet. Solche Mitteilungen werden beispielsweise in Radionachrichten bekannt gegeben.

Computers were stolen from Thomson Technical College in Selby, Yorkshire at about 8:45 last night. The thieves entered the building, which was not burglar-safe yet, through a door which they had broken.

Der **Zeitungsbericht** *(news report)* ist eine besondere Form des Berichts. Er enthält wesentliche Fakten zu einem Vorgang, ohne sie zu werten oder zu kommentieren. Man kann darin auch Aussagen von Augenzeugen, Betroffenen oder Experten in wörtlicher Rede finden.

Computer theft at Thomson college

by JENNY LARIN

COMPUTERS worth £ 3,500, which had only recently been purchased were stolen from the computer labs of Thomson Technical College in Selby, Yorkshire at about 8:45 last night. The school's housekeeper Ian McDaffor and his wife Judy found a broken entrance door when they came back from a weekend trip to Scotland at midnight. Sergeant Eric Kemston from the local police department in Selby said," We've found a lot of different footprints, so there must have been two or even three thieves. They knew that the safety system had not been installed yet. So they came when nobody was there." The broken door is the place where the criminals got into the building. (…)

Kentish Star
11th May, 2005

Die Nachricht *(news story)*

Nachrichtenbeiträge informieren den Leser über aktuelle Geschehnisse. Die journalistischen Fragen Wer?, Wann? und Wo? werden zumeist in den ersten Abschnitten des Artikels beantwortet, während die Klärung der Fragen Wie? und Warum? im Hauptteil erfolgt. Außerdem findet man Äußerungen von Betroffenen oder Experten.

Tipps zum Verfassen einer Nachricht:

- **Fakten** über den Sachverhalt **sammeln** und sich davon überzeugen, dass die Informationen wahr, eindeutig und interessant sind.
- Überlegen, ob der Artikel in der Boulevardpresse oder einer seriösen Zeitung veröffentlicht werden soll bzw. an welche Leserschaft er gerichtet ist. Dementsprechend Wortschatz, Ausdrucksweise und Stilebene auswählen.
- Im einleitenden Abschnitt zunächst den Sachverhalt bzw. das Geschehen vorstellen und die **Fragen Wer?, Wann?** und **Wo?** beantworten. Dabei auf eine **logische Anordnung** der Fakten achten.
- Weitere Abschnitte gestalten, wobei jeder je einem Unterpunkt des Themas gewidmet sein sollte. **Mit den wichtigsten Informationen beginnen.** In einer *news story* sollten außerdem **Hintergrundinformationen** sowie **Äußerungen von Augenzeugen** oder **Spezialisten** enthalten sein.
- Eine passende und interessante **Überschrift** für den Artikel finden.
- Den Beitrag mit einem Foto oder Cartoon illustrieren.

Die Erörterung

Eine **Erörterung** (engl. *comment/ argumentative essay)* ist die schriftliche Auseinandersetzung mit einem kontroversen Thema.

Eine Erörterung beinhaltet die gedankliche Auseinandersetzung des Verfassers mit einem kontroversen Thema, Sachverhalt oder Geschehen. Dabei kann der Autor eine neutrale Position beziehen oder für eine Seite Partei ergreifen. Jedes Argument sollte sachlich begründet werden. Die Stilebene ist neutral. Die Zeitform ist in der Regel das Präsens.

Tipps zum Verfassen einer Erörterung:

1. Vor dem Schreiben:
   - **Material sammeln** und sich umfassend über das Thema informieren.
   - Die **Fakten** zuerst nach „Pro“ und „Kontra“ **ordnen,** dann innerhalb der Gruppen nach ihrer Aussagestärke, beginnend mit dem schwächsten Argument.
   - Den **eigenen Standpunkt formulieren,** wenn eine Parteinahme gefordert ist.

2. Eine Gliederung aufstellen, in der stichpunktartig die Struktur der Erörterung festgehalten wird. Thesen formulieren. Jeder These ein bis zwei Argumente zuordnen, die wiederum von Beispielen bzw. Beweisen gestützt werden.
3. Der Aufbau der Erörterung:
   a) In der **Einleitung** das Problem präzise und verständlich darstellen. Wenn verschiedenartige Meinungen bekannt sind, können sie hier gegenübergestellt werden. Außerdem sollen Zusammenhänge beschrieben oder wesentliche Hintergrundinformationen gegeben werden.
   b) Die Argumentationsführung *(line of thought)*:
      - **Pro-Kontra-Erörterung** – Hier stellt der Verfasser die gegensätzlichen Argumente alternierend aufeinander folgend vor, d. h., ein Proargument wird einem Kontraargument direkt gegenüber gestellt und gegeneinander abgewogen. Oder der Verfasser widmet sich zuerst den Proargumenten, bevor er sich den Kontraargumenten stellt. Er kommt zu dem Ergebnis, dass eine Seite überzeugendere Argumente hervorbringt als die andere. Diese Erkenntnis muss für den Leser logisch nachvollziehbar sein und wird in den Schlussfolgerungen, denen ein gesonderter Abschnitt gewidmet wird, festgehalten.
      - **Steigende Erörterung** – Dieses Verfahren ist praktikabel, wenn nur die Darstellung einer Seite des Problems erfolgen soll. Dabei werden alle Aspekte, die mit dem Thema in Zusammenhang stehen, in der Reihenfolge ihrer Bedeutung, beginnend mit dem schwächsten, betrachtet. Am Ende wird die logische Schlussfolgerung in einem gesonderten Absatz festgehalten.
   c) In der **Schlussfolgerung** *(conclusion)* sollen die Ergebnisse der Erörterung zusammengefasst werden. Weiterhin können mögliche Konsequenzen oder Tendenzen der Problematik vorgestellt werden, die den Leser zum Nachdenken oder zur Bildung einer eigenen Meinung anregen.

Der Brief *(letter)*

Ein Brief dient der schriftlichen Verständigung zwischen Personen, die sich an verschiedenen Orten aufhalten. Die vom Verfasser gewählte Sprache und Stilebene hängt sowohl von dem Inhalt und dem Zweck des Briefes als auch von der Vertrautheit der Korrespondierenden ab. Man unterscheidet folgende **Arten von Briefen:**

In der Literatur findet man häufig nur die Unterscheidung *formal ↔ informal letter* bzw. *personal ↔ business correspondence.*

privater Brief (*private or informal letter*)	**halbprivater Brief (*formal/semi-formal letter*)**	**offizieller Brief (*business letter, formal letter*)**
Briefe, die zwischen Privatpersonen, z. B. Freunden, ausgetauscht werden	Briefe, die zwischen einer Privatperson und z. B. einer Behörde ausgetauscht werden	Briefe, die zwischen Betrieben, Institutionen bzw. Behörden ausgetauscht werden

z. B. eine Einladung, Gratulation oder Danksagung, Urlaubsgrüße	z. B. eine Anfrage *(request)*, Leserbrief *(letter to the editor)*, Bewerbungsschreiben *(letter of application)*	z. B. Bestätigung von Zahlungen, Mahnung, offizielle Einladung

↗ Leserbrief, S. 169
↗ Bewerbungsschreiben und Lebenslauf, S. 171/172

Tipps zum Verfassen von **privaten Briefen:**

1. Gestaltung des Briefes

21 Old Well Road
Cheltenham, Gloucestershire
GL52 6NR

31st March 2005

In der amerikanischen Schreibweise steht die Postleitzahl, durch Komma und Leerzeichen getrennt, direkt hinter dem Zustellungsort.

Hi Rebecca,

Thanks for inviting me to your birthday party. I'd love to come. It will be great to meet all your friends from last year's party again. I'm sure we'll have lots of fun.

I mustn't forget to tell you about my sister's latest boyfriend. He …

Das erste Wort nach der Begrüßung wird großgeschrieben.

Der Text wird in Absätze gegliedert. Bei handgeschriebenen Briefen wird das erste Wort je Abschnitt am Zeilenanfang eingerückt; bei computergeschriebenen Texten kann jeweils direkt am Zeilenanfang begonnen werden. Das erste Wort des Absatzes wird immer groß geschrieben.

Private Briefe werden häufig von Hand geschrieben – auch im Zeitalter von E-Mail und SMS.

2. Da Absender und Adressat miteinander vertraut sind, werden private Briefe in der informellen, umgangssprachlichen *(informal or colloquial style)* oder der neutralen *(neutral style)* Stilebene verfasst. Zwischen Freunden oder Familienangehörigen können Äußerungen verwendet werden, die ansonsten im mündlichen Sprachgebrauch zu finden sind, z. B. umgangssprachlicher Wortschatz *(colloquial language)* und Kurzformen der Verben *(short forms)*. Auf jeden Fall sollte der Brief höflich und sprachlich korrekt sein.
3. Grußformen wie „Dear …" *(first name or nickname)*, „Hello", „Hi", … am Briefanfang sind üblich. Der Verfasser beendet den Brief zumeist mit einer Aufforderung zur Rückantwort, z. B.:

How are things with you?
Hope to hear from you soon.
Drop me a line.
Let's keep in touch.
Write back soon.
I'm looking forward to hearing from you.
Please let me have a quick reply.

Oder er sendet Grüße an den Empfänger oder weitere Personen,

Love,
Give my love to …,
Give my regards to …,

oder verabschiedet sich, bevor er mit seinem Namen (in einer extra Zeile) unterzeichnet.

Yours,
Benjamin

Yours sincerely, (BE) Benjamin	Sincerely yours, (AE) Benjamin

Liegt der Brief handgeschrieben vor, können die Anschrift des Absenders sowie das Datum auch am rechten oberen Rand erscheinen.

Tipps zum Verfassen von **halbprivaten Briefen:**

1. Gestaltung des Briefes:

(sender's name
and address)

(addressee's name
and address)

(date)

Voluntary work in community centre

Dear Sir/Madam,

With reference to our request to support St. Martin's Community Centre we would like to invite you to our charity meeting on Saturday, 31st January …

Zur Angabe des Datums:
BE: 30 March 2005;
AE: 3-30-2005

Für formale Briefe gelten in den verschiedenen Kulturräumen unterschiedliche Konventionen.

Bei computergeschriebenen Briefen setzt sich zunehmend die *block form* durch, d. h., alle Zeilen beginnen unmittelbar linksbündig. Der Betreff wird nur noch selten nach der Begrüßung genannt, sondern befindet sich direkt unter dem Datum und kann mit Betreff *(Re:)* angekündigt werden.

2. Ist der Name des Adressaten bekannt, wird er in der Anrede genannt: *Dear Mr. Kane/Dear Ms Pursey.* Ansonsten wird mit *Dear Sir/Madam* begonnen oder der/die Empfänger mit *Dear Sir/Dear Sirs, …* bzw. die Empfängerin(nen) mit *Dear Madam/Dear Mesdames, …* angeredet. Der Betreff kann auch unter der Anschrift des Adressaten platziert werden und mit Re: angekündigt werden.

re = (with) reference (to); referring to

3. Da sich Verfasser und Empfänger zwar höflich, jedoch distanziert gegenüberstehen, wird die neutrale oder sogar formale Stilebene verwendet. Es sollte auf umgangssprachliche Ausdrücke oder Kurzformen der Verben verzichtet werden. Der Brief sollte sachlich und eindeutig sowie sprachlich korrekt formuliert werden.

4. In einer kurz gehaltenen Einleitung sollte der Grund des Schreibens dargestellt werden. In den folgenden Absätzen können zusätzliche Informationen, Vorschläge oder Nachfragen mitgeteilt werden. Der letzte Abschnitt enthält in der Regel eine Höflichkeitsfloskel, wie z. B.:

   I look forward to hearing from you soon.
   Thank you for your efforts in advance.
   Please inform us about ...
   I should be pleased to receive your ... (answer) soon.
   Looking forward to your reply (with interest).
   Thank you once again for your help.

5. Als Abschiedsgruß dient meist: *Yours faithfully, ...* oder *Yours sincerely, ...*, wobei der Name des Unterzeichnenden in die nachfolgende Zeile geschrieben wird.

Der Leserbrief *(reader's letter, letter to the editor)*

Der **Leserbrief,** der an eine Zeitung oder an den Herausgeber einer Zeitung bzw. Zeitschrift gerichtet ist, stellt eine besondere Form des halbprivaten Briefes dar. Darin äußert sich der Verfasser zu einem in der Zeitung veröffentlichten Beitrag, zur Darstellungsweise einer bestimmten Thematik in der Zeitung oder er teilt seine eigene Meinung zu allgemein interessierenden oder aktuellen Geschehnissen mit. Ein Leserbrief sollte kurz, sachlich und höflich formuliert sein. Er wird in der neutralen bis formalen Stilebene verfasst.

Tipps zum Verfassen eines Leserbriefes:
- In der Einleitung **kurz die eigene Person vorstellen,** d. h. Details erwähnen, die das eigene Verständnis des Sachgegenstandes beeinflussen könnten, wie etwa Alter oder Nationalität.
- Kurz den **Anlass des Schreibens** nennen. Bei einer Meinungsäußerung zu einem journalistischen Beitrag den betreffenden Artikel genau benennen (Titel, Autor, Erscheinungstag, Seite).
- Den **eigenen Standpunkt formulieren** und die eigene Meinung erläutern. Um den eigenen Argumenten Stärke zu verleihen, kann dabei durchaus ein emotionaler Ton angeschlagen werden. Auf Klarheit und Verständlichkeit der Aussagen achten und dabei immer höflich und fair bleiben.
- Im Schlussteil **die wesentlichen Aspekte** des Briefes **zusammenfassen. Vorschläge unterbreiten,** wie mit diesem Leserbrief z. B. verfahren werden soll, etwa die Bitte um Veröffentlichung oder Weiterleitung an einen Journalisten, oder Hinweise bzw. Wünsche an den Herausgeber, ein Thema weiter zu verfolgen.

Der Beschwerdebrief *(letter of complaint)*

In einem Beschwerdebrief äußert der Verfasser seine Unzufriedenheit mit einem Produkt oder einer Serviceleistung gegenüber dem Hersteller oder Dienstleister. Da die Formulierung von Kritik stets heikel ist, sollte man besonders auf eine sachliche und höfliche Ausdrucksweise achten. Die Stilebene ist neutral.

Tipps zum Verfassen eines Beschwerdebriefes:
- Beschreiben, wann, wo und **unter welchen Umständen** das Produkt oder die Leistung erworben oder bestellt wurde.
- Den **Grund der Beanstandung** sachlich und präzise formulieren.
- Einen **Vorschlag unterbreiten,** wie der erwartete Zustand bzw. Service hergestellt werden kann. Dabei konkrete Fristen oder Forderungen stellen, wie eventuelle Verluste behoben werden können.
- Den Brief mit einer **freundlichen Aufforderung** beenden, die gewünschten Änderungen umgehend zu realisieren. Um der Beschwerde Nachdruck zu verleihen, kann man bei auffälligem Fehlverhalten des Dienstleisters auch weitere Maßnahmen, z. B. die Veröffentlichung des Briefes in einer Zeitung, in Aussicht stellen.

Anfrage *(letter of enquiry)*

Wenn man nähere Informationen zu einem Produkt oder einem Serviceangebot erhalten möchte, z. B. Unterlagen für eine geplante Reise ins englischsprachige Ausland oder Produktdaten als Hilfe für eine Kaufentscheidung, so verfasst man Anfragen. Solche Briefe entstehen häufig als Reaktion auf eine Anzeige in Zeitschriften oder Werbebeiträge im Fernsehen. Sie sollten möglichst präzise und kurz gehalten sein. Informelle Sprache wie Kurzformen sollte vermieden werden.

Nach der Begrüßung nimmt man zunächst Bezug auf die Quelle der Informationen:

With reference to your advertisement (ad) in …
Regarding your advertisement (ad) in …, would/could you please send me …
I am told that you …
On recommendation of …
We have obtained your address from …
Mr X has referred to you.
We have read about your product in the press.
We have seen your advertisement in (this week's) edition of …
We have seen your homepage on the Internet.
We have seen from your brochure/booklet/catalogue.

Auch hier kann *Yours faithfully, …* oder *Yours sincerely, …* als Schlussformel verwendet werden.

Anschließend bittet man gegebenenfalls um weitere Informationen:

I would also like to know …
Could you tell me whether …
We would be grateful if you could …

Die E-Mail (e-mail)

Die E-Mail ist eine besondere und sehr moderne Briefform, deren Übertragung digital abläuft und die in der Regel auf dem Bildschirm gelesen wird. Sie kann auch ausgedruckt und wie ein klassischer Brief behandelt werden. Für das Verfassen von E-Mails gelten die Hinweise für private und halbprivate Briefe.

„Hast du schon deine E-Mails gecheckt?" → "Have you already checked your e-mail?"

Symbole und Zeichen in Adressen:

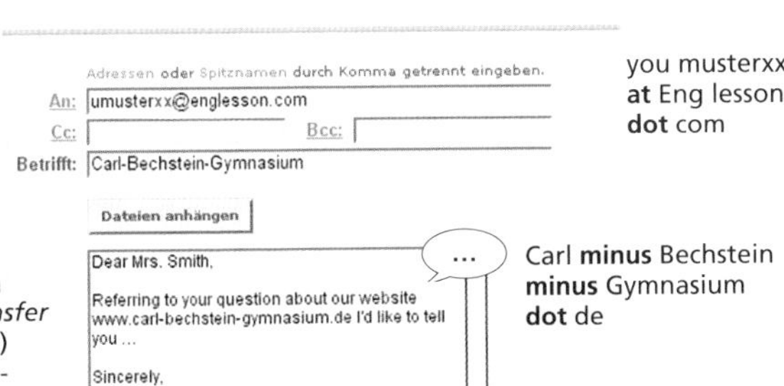

Adressen oder Spitznamen durch Komma getrennt eingeben.
An: umusterxx@englesson.com
Cc:
Bcc:
Betrifft: Carl-Bechstein-Gymnasium
Dateien anhängen

Dear Mrs. Smith,

Referring to your question about our website www.carl-bechstein-gymnasium.de I'd like to tell you ...

Sincerely,
Leo Lippe

you musterxx **at** Eng lesson **dot** com

Carl **minus** Bechstein **minus** Gymnasium **dot** de

Die Bezeichnung *„hypertext transfer protocol"* (http) kann auch weggelassen werden.

Das Bewerbungsschreiben *(letter of application)*

In einem Bewerbungsschreiben, einer Sonderform des halboffiziellen Briefes, empfiehlt sich der Verfasser für eine Ausbildungs- oder Arbeitsstelle bzw. ein Stipendium o. Ä. Deswegen kommt es darauf an, dass er seine besondere Eignung oder Qualifikation selbstbewusst sowie in ansprechender Form darstellt. Dies gelingt am besten durch eine sachliche, präzise und höfliche Ausdrucksweise. Da das Bewerbungsschreiben einen wesentlichen Eindruck über den Kandidaten vermittelt, sollte es besonders akkurat angefertigt und auf sprachliche Korrektheit überprüft werden.

Wer beabsichtigt, sich auf einen Praktikumsplatz, eine Au-Pair-Stelle oder auf einen Ausbildungsplatz im englischsprachigen Ausland zu bewerben, sollte die Unterschiede zwischen Bewerbungen im deutschen Kulturraum und englischsprachigen Bewerbungen berücksichtigen.

Tipps zum Verfassen eines Bewerbungsschreibens:

- **Anlass der Bewerbung** nennen.
- **Bisherige Bildungsabschlüsse** (mit Zeitangaben) und eventuell vorhandene **Erfahrungen im praktischen Arbeitsalltag** (mit Angabe der Arbeitsstätten und Zeiten) aufführen. Dabei mit den am kürzesten zurückliegenden Daten beginnen. Die aktuell ausgeübte vorwiegende Tätigkeit (Profil, Verantwortlichkeiten) beschreiben.
- **Die persönliche Eignung** für die ausgeschriebene Stelle **begründen** unter Bezugnahme auf die in der Ausschreibung formulierten Anforderungen und eigene spezielle Kompetenzen und Kenntnisse.

Es gibt zwei Arten von Bewerbungen:
- die **verlangte Bewerbung** (*solicited application*), die z. B. auf eine Anzeige, eine Stellenausschreibung oder eine konkrete Anforderung hin verfasst wird, und
- die **unverlangte Bewerbung** (*unsolicited application*), mit der man sich initiativ bewirbt.

- Auf Anlagen, z. B. Lebenslauf, Zeugniskopien, Empfehlungsschreiben, verweisen.
- Interesse an einem persönlichen Vorstellungsgespräch bekunden, eventuell mit Terminvorschlag.

Folgende Formulierungen helfen beim Verfassen eines Bewerbungsschreibens:

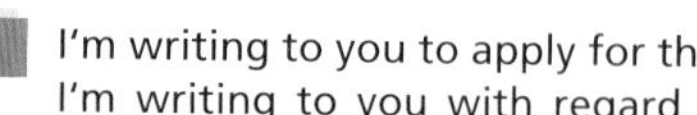

I'm writing to you to apply for the position of ...
I'm writing to you with regard to your job advertisement in the local newspaper of 5th April 2005.

I'm very interested in the job because I have always wanted to work in a jeans shop.
I think I'm qualified for this position because I already have experience as a shop assistant/Ihave already worked in a clothes shop.

Please find my CV enclosed.
I would like to come to your shop for a job interview. Please, contact me at ...

I'm looking forward to seeing you/hearing from you.
Yours sincerely, ...

In Großbritannien wird der Lebenslauf kurz als *CV (curriculum Vitae)* bezeichnet.
Im amerikanischen Sprachraum ist dagegen die Bezeichnung *resume* geläufig.

Der Lebenslauf (curriculum vitae or CV, résumé)

Der Lebenslauf gibt in chronologischer Reihenfolge Auskunft über die persönlichen Daten einer Person. Diese Zusammenstellung wird für Bewerbungsunterlagen in der Regel in tabellarischer Form eingereicht. Es kann jedoch auch die Vorlage als Fließtext verlangt werden.

Tabellarischer Lebenslauf *(résumé, personal data sheet)*
1. Personal details
   Name, Address, Telephone, Fax, E-Mail, Date of Birth, Place of Birth, Nationality
2. Education
   Begriffe für Schulformen oder Bildungsabschlüsse sollten grundsätzlich in ihrer genauen deutschen Bezeichnung genannt werden und, wenn möglich, durch die amerikanischen oder englischen Entsprechungen erklärt werden.
3. Qualifications
4. Job experience
   z. B. in Form von Praktika *(work experience),* Mini- oder Ferienjobs *(after-school/mini/vacation jobs)* oder einer Lehre bzw. Berufsausbildung *(apprenticeship)*
5. Other qualifications
   Hier sollten nur Angaben zu besonderen berufs- oder arbeitsplatzbezogenen Abschlüssen oder Kompetenzen aufgeführt werden, z. B. Abschluss eines PC-Lehrganges bei Bürojob.
6. Languages

Soweit der Spracherwerb nicht mit einem Universitätsdiplom abgeschlossen wurde, kann man seine Kenntnisse selbst bewerten, z. B. als *fluent/a very good command of …* (fließend = sehr gut), *fair/a working knowledge of …* (durchschnittlich = (noch) gute Kenntnisse in Wort und Schrift).

7. Special Interests
   Auch hier sind berufsrelevante Interessen bzw. Hobbies gemeint, wie z. B. die regelmäßige Teilnahme an Computerworkshops.
8. References
   Referenzen können von Personen stammen, mit denen man zusammengearbeitet hat und nicht verwandt ist.
9. Signature, Date

Beim Verfassen des **Lebenslaufes in Fließtextform** kann nach der vorgestellten Gliederung vorgegangen werden. Es ist auf eine eindeutige Wortwahl zu achten. Um die chronologische Anordnung der Fakten zu unterstützen, sollten Bindewörter sinnvoll eingesetzt werden. Es ist eine neutrale Stilebene zu wählen.

deutscher Begriff	**Entsprechung im (BE)**	**Entsprechung im (AE)**
Grundschule	*primary school*	*elementary school*
Gesamtschule	*comprehensive school*	*high school*
Realschule/ Hauptschule	similar to comprehensive school	(Realschule)
mittlere Reife (nach Klasse 10)	*General Certificate of Secondary Education (GCSE)*	es gibt keinen vergleichbaren Schulabschluss
Gymnasium	*grammar school*	*high school*
Abitur	*Advanced Level*	*High School Diploma*
gymnasiale Oberstufe	*Sixth Form*	*College*
Berufsschule	*business college*	*business college*
Berufsausbildung	*vocational training*	*vocational training*
Fachschule (techn. Richtung)	*technical college*	*technical college*
Fachschule (Büro, Handel, Banken)	*commercial college (business college)*	*commercial college*

Englische Schüler absolvieren nach dem Besuch der Sixth Form in mindestens einem Fach die A-Level-Prüfung.

Der Klappentext *(blurb)*

Der Klappentext, der sich auf dem Schutzumschlag eines Buches befindet, soll einen Interessenten zum Kauf oder Lesen des Buches bewegen. Dabei handelt es sich um Werbetexte. Sie enthalten neben einer äußerst knappen Inhaltsangabe und Wertung des literarischen Werkes oft auch Informationen über den Autor und sein Schaffen. Weiterhin kann eine Einordnung des vorliegenden Buches in das Gesamtwerk des Schriftstellers oder eine Würdigung seiner besonderen Verdienste, beispielsweise bei der Darstellung einer speziellen Problematik, enthalten sein. Im Unterricht bietet sich die Aufgabe, einen Klappentext zu formulieren, z. B. nach der Lektüre eines Roman(auszugs) an.

Tipps zum Verfassen eines Klappentextes:
- Thematik des Buches nennen.
- Eine äußerst kurze Inhaltsangabe verfassen, dabei die Namen der Hauptfiguren sowie Handlungsort und -zeit angeben. Am Ende z. B. eine Frage formulieren, die das Problem des Werkes erfasst, ohne den Ausgang vorwegzunehmen.
- Sich knapp zu den Stärken des Buches, z. B. bildhafte Sprache, realistische Darstellung der Hauptfiguren etc., äußern. Es können auch Empfehlungen, z. B. für bestimmte Altersgruppen, für Sekundärliteratur oder andere literarische Werke desselben bzw. anderer Schriftsteller, gegeben werden.
- Relevante biografische Informationen zur Person des Autors geben und das vorliegende Buch in das Gesamtwerk des Autors einordnen.

i

Das Thema Filmrezension *(film review)* wird in Kapitel 4.1.7 behandelt

Es gibt verschiedenartige Situationen, in denen wir uns spontan oder geplant zu realen Geschehnissen oder Personen äußern, etwa im Unterricht die Beantwortung einer Frage oder im Pausengespräch die Aufforderung eines Freundes, über ein Ereignis zu berichten. So unterschiedlich wie die Sprechanlässe sind auch die Anforderungen an die Sachtexte, die wir mündlich von uns geben.
Mündlich kommunizierte Sachtexte werden für die direkte oder aufgezeichnete auditive Kommunikation zwischen Kommunikationspartnern produziert. Deswegen stellen sie besondere Anforderungen an den Sprecher, der neben der inhaltlichen und sprachlichen Gestaltung seiner Mitteilung auch auf die korrekte Aussprache achten muss.

	direkt eingesetzter gesprochener Text	**aufgezeichneter gesprochener Text** mit Sichtkontakt	**aufgezeichneter gesprochener Text** ohne Sichtkontakt
unvorbereiteter Text	Gespräch, Unterhaltung, Dialog	Reportage, Aufzeichnung einer realen Situation	Telefonat, Interview auf Tonträger
vorbereiteter Text	Interview, Bewerbungsgespräch, Diskussion, Besprechung, Vortrag	Dokumentarfilm, Aufzeichnung, Videoaufnahme, Videokonferenz, (Spiel-)Film	Telefonat, Interview auf Tonträger
	Einsatz von sprachlichen Lauten, Redemitteln, Mimik und Körpersprache	Einsatz von sprachlichen Lauten, Redemitteln, Mimik und Körpersprache	Einsatz von sprachlichen Lauten, Redemitteln

3.3 Literarische Texte

„Literatur“ kann zunächst einmal als Sammelbegriff für geschriebene Texte, in Abgrenzung zu mündlichen Formen, verstanden werden. So gehören etwa medizinische Handreichungen oder ein Leitfaden für ein Computerprogramm zur so genannten **Fachliteratur.**

Eine verbreitete Unterteilung ist diejenige in nicht fiktionale und fiktionale Literatur. Kennzeichen eines nicht fiktionalen Textes ist der Bezug zu einem realen Gegenstand oder Sachverhalt. Sachtexte sind deutlich zweckgerichtet (↗ S. 135). Wenn in der Zeitung steht: „Gestern schien in Berlin die Sonne“, so ist dies eine Aussage, die sich überprüfen lässt, die also entweder wahr oder falsch sein kann.

Texte, die sich auf **wirkliches Geschehen** beziehen, bezeichnet man als **Sachtexte.** Zu den literarischen Texten gehören Formen der erzählenden und dramatischen Literatur, die reale und nicht reale (also erfundene) Sachverhalte als wirkliche darstellt.

Wer einen Roman oder eine Erzählung zu lesen beginnt, geht mit anderen Erwartungen an den Text heran als der Leser eines Zeitungsberichtes. Der Zeitungsleser geht davon aus, dass die dargestellten Vorgänge sich wirklich ereignet haben. Um den Wahrheitsgehalt des Berichtes festzustellen, könnte er notfalls Augenzeugen befragen oder Fotos und Tonaufnahmen als Beweismittel hinzuziehen.
In literarischen Texten hingegen beziehen sich Bedeutungen nicht direkt auf reale Sachverhalte, sondern auf eine erfundene Handlung, die in der Fantasie des Lesers eine eigene Welt entstehen lässt. Ein literarischer Text vermittelt dem Leser also nicht in erster Linie Wissen über faktische Sachverhalte, sondern eher Wissen über menschliche Grunderfahrungen. Szenen, Personen und Schauplätze sind mit erdachten Eigenschaften ausgestattet. Daher bezeichnet man literarische Texte als fiktional. Die vom Autor gemachten Angaben lassen sich nicht immer an der Wirklichkeit überprüfen.

fiktional (lat.) = fictio = Bildung, Gestaltung; Erdichtung

Fiktionale Texte geben eine vom Autor **erfundene Handlung** wieder. Der Autor baut vor dem Leser eine Welt auf, auf die der Leser sich „einlässt“. Da sich die Sprache aus den Bezeichnungen für unsere Wirklichkeit (↗ Kapitel 1.1.4) zusammensetzt, ist das dargestellte Geschehen für den Leser vorstellbar.

"The next three evenings, for it was well in to summer, I rode a dozen miles out into the country, where fresh air smelt like cowshit and the land was coloured different, was wide open and windier than in the streets."

ALAN SILLITOE, *The Bike,* 1963, p.4

Die erdachte Situation, die der Autor beschreibt, weist Sachverhalte auf, die dem Leser bekannt sind, z. B. die Jahres- und Tageszeiten. Die Sinneseindrücke, der Geruch, der Wind während der Fahrt aufs Land, erinnern den Leser an eigene Wahrnehmungen und Erfahrungen. Daher ist er in der Lage, sich während des Lesens mit dieser Handlung, die nur in der Vorstellung des Erzählers stattgefunden hat, zu identifizieren.

Ausgehend von der Beschäftigung mit nordischen Mythen, schuf der britische Sprachwissenschaftler J. R. R. TOLKIEN (1892–1973) in seiner Trilogie *Lord of the Rings* eine prähistorische Fantasiewelt, die neben Menschen auch von Zwergen, Elben, Orks und Hobbits bewohnt wird.

Selbst Märchen, Fantasy- und Science-Fiction-Erzählungen, deren Handlung sich weit von unserer Realität entfernt, kombinieren Bekanntes mit Erdachtem, damit der Leser die im Text geschaffene Wirklichkeit erfassen kann. Beispielsweise werden Elfen oder Roboter in der Fantasy- oder Science Fiction Literatur mit menschlichen Eigenschaften ausgestattet. Fiktionale Erzählhandlungen können auch an realen Schauplätzen stattfinden. ERNEST HEMINGWAY wählt den Spanischen Bürgerkrieg (1936 bis 1939) als Handlungshintergrund seines Romans *For Whom The Bell Tolls* (1940). WILLIAM SHAKESPEARE macht die historische Persönlichkeit des JULIUS CAESAR zum Gegenstand einer Tragödie.
Im Unterschied zur Wirklichkeit ist die Handlung eines fiktionalen Textes abgeschlossen. Außerdem stellt der fiktionale Text nur einen **Ausschnitt** einer konstruierten Welt dar. Diese Welt ist dem Leser nur über die Informationen zugänglich, die der Autor ihm zur Verfügung stellt.

Textformen der Literatur

Literarische Texte können vor allem aufgrund folgender Kriterien in Gattungen *(genres)* unterteilt werden:
- formale Gestaltung,
- Textfunktion,
- Kommunikationssituation (Monolog, Dialog oder Kombination aus beidem).

Epik ***(epic genre)***	– Prosa – Vermittlung der Handlung durch einen Erzähler	**Erzähltexte** *(narrative texts)* Kurzformen: *anecdote* (Anekdote), *fable* (Fabel), *parable* (Gleichnis), *short story* (Kurzgeschichte); Langformen: *novelette* (Novelle), *novel* (Roman); neue Formen: *comic, TV novel* (Fernsehroman), *interactive novel* (Internetroman)
Lyrik ***(poetry)***	– Gebundene Sprache – Vermittlung von Gedanken, Eindrücken und Gefühlen durch einen Sprecher	**Versdichtung** Einteilung nach – äußerer Form (z. B. Rhythmus, Reim, Verweis) – nach Versform (z. B. Blankvers; Sonett) – nach innerer Struktur (z. B. Naturlyrik) – nach Genres (Ballade, (Volks)lied, Ode, etc.)

Drama *(drama)*	– Prosa (Dialog, Monolog) – Vermittlung der Handlung durch die Aufführung auf einer Bühne	**Bühnenspiel** *tragedy* (Tragödie), *comedy* (Komödie), Tragikomödie *one-act-play* (Kurzdrama); neue Formen: *filmscript* (Film- und Fernsehdrehbuch)

In einzelnen Unterscheidungskriterien kann die Grenze zwischen den Gattungen fließend sein. Zum Beispiel weisen die Dramen SHAKESPEARES viele lyrische Merkmale auf; moderne Dramen arbeiten z. B. mit Filmeinblendungen, projizierten Texten oder Liedern. Manchmal sorgt ein kommentierender Erzähler als episches Element dafür, dass der Zuschauer das Bühnengeschehen distanzierter wahrnimmt.

3.3.1 Erzähltexte

Als Anfänge der europäischen Literatur gelten die Epen *Ilias* und *Odyssee*, die HOMER (8. Jh. v. Chr.) zugeschrieben werden.

Die mündliche Erzählung bildet den Ursprung der Literatur. Lange bevor die Menschen begannen, Berichte über Vergangenes und Erzählungen aufzuschreiben, gaben sie diese mündlich an die nächste Generation weiter.

Beowulf gilt als das erste bekannte Epos in englischer Sprache. Man geht davon aus, dass es für den mündlichen Vortrag während feierlicher Zusammenkünfte der Adligen und ihrem kriegerischen Gefolge geschaffen wurde. Seit dem 7. oder 8. Jahrhundert war es durch Barden mündlich weitergegeben worden, bevor das Epos dann in der Zeit um das Jahr 1000 handschriftlich aufgezeichnet wurde. Die Verserzählung handelt von König Hrothgar und dem Goten Beowulf, der zum König der Goten aufsteigt und schließlich im Kampf gegen einen Drachen als Held stirbt.

Die wichtigste Rolle in der **mündlichen Überlieferung** spielte der Erzähler. Er besaß die genaueste Kenntnis der Handlung. Von seinem Vortrag hing ab, ob sich die Zuhörer später noch an den Bericht oder die Erzählung erinnern konnten. Um die Zuhörer zu fesseln, musste sein Vortrag voller Spannung sein und Höhepunkte aufweisen. Der **Erzähler** ist auch wesentliches Merkmal der Erzähltexte in der Literatur. Der Erzähler ist eine vom Autor geschaffene vermittelnde Instanz für die Handlung.

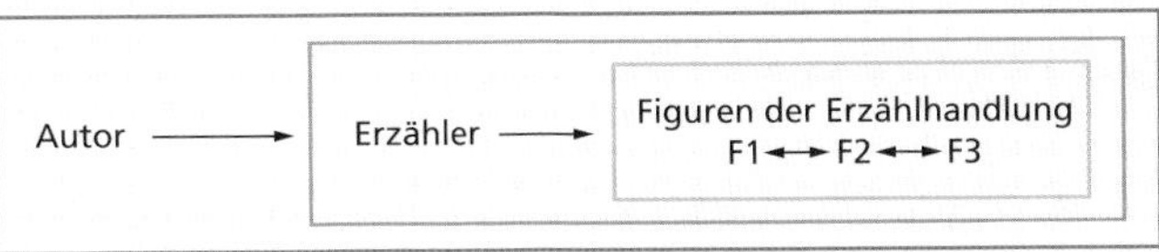

Merkmale erzählender Texte

Der Erzähler. Der Autor schafft einen Erzähler, aus dessen Perspektive die Handlung geschildert wird. Die Gestaltung einer Geschichte hängt entscheidend von der Wahl des Erzählers (z. B. Ich-Erzähler) ab. Er spielt eine wichtige Rolle bei der Identifikation des Lesers mit der Handlung. Der Erzähler ist der direkte Vermittler zwischen dem Leser und der Erzählhandlung. Er gibt der Erzählhandlung eine zeitliche und logische Ordnung. Die Figur des Erzählers prägt den Erzähltext, indem sie
- die Erzählhandlung aus einer bestimmten Perspektive darstellt,
- in die Reihenfolge der Ereignisse eingreift,
- das Erzähltempo bestimmt,
- die Handlung und die darin auftretenden Personen kommentiert.

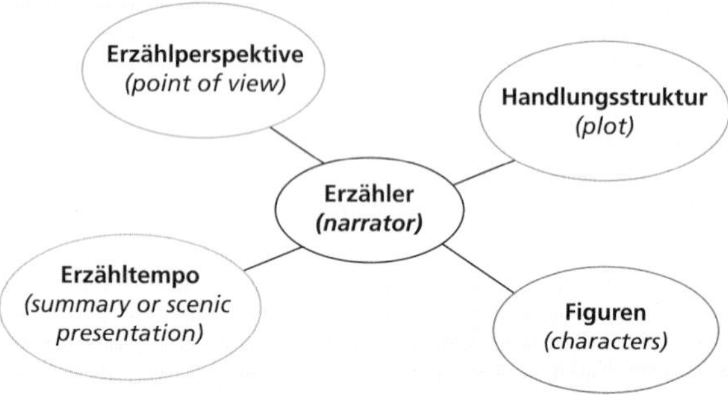

Je nach gewünschter Wirkung auf den Leser entscheidet sich der Autor für eine Erzählperspektive.

Den Standpunkt, von dem aus der Erzähler die Handlung betrachtet und darstellt, bezeichnet man als **Erzählperspektive *(point of view)*.** Die beiden wichtigsten Typen des Erzählers sind:

Third-person narrator
Erzähler, der das erzählte Geschehen als Unbeteiligter von außen betrachtet.
- Der **allwissende Erzähler** kennt die Wahrnehmungen, Gedanken und Gefühle **aller** handelnder Figuren und berichtet über sie *(unlimited point of view):*

  "The policeman knew that the burglar was hiding behind the frontdoor, afraid of being caught."

- Der **personale Erzähler** berichtet aus der Sicht einer der handelnden Figuren. Im Beispiel ist seine Darstellung beschränkt auf die Wahrnehmung der Figur des Polizisten *(limited point of view):*

  "The policeman knew that the burglar was hiding behind the frontdoor."

Sollen bei einer Erzählung die Sichtweisen vieler Charaktere vermittelt werden, wird häufig ein Erzähler in der 3. Person gewählt.

First-person narrator
Ich-Erzähler, der an der Handlung beteiligt ist. Er gehört zur Welt der Erzählung.

"While I was hiding behind the frontdoor I heard footsteps passing outside. It might be the police officer. I kept my breath and tried to stay calm."

Die Sichtweise des Ich-Erzählers ist eingeschränkt *(limited point of view)*, ermöglicht aber die detaillierte Beschreibung der Gedanken, Gefühle und Beobachtungen eines einzelnen Charakters.

Die Handlungsstruktur

Die Handlung einer Erzählung bezeichnet man als ***plot.*** Sie besteht aus einer Kette von Ereignissen, die mittels des Erzählers nach bestimmten Gesichtspunkten angeordnet sind:
- in ihrer zeitlichen Reihenfolge,
- verknüpft nach Ursache und Wirkung,
- verzweigt nach Haupt- und Nebenhandlung,
- vorausdeutend,
- rückblickend.

"It was certainly most unfortunate that Johnnie should have been invited to tea on that Thursday ..."

ANGUS WILSON, *Raspberry Jam.*
From: ANGUS WILSON, *The Wrong Set.* 1949

Im klassischen Detektivroman (lat. detegere = aufdecken) wird der Leser bzw. Zuschauer Zeuge der Ermittlungsarbeit des Detektivs, hier in Gestalt der von AGATHA CHRISTIE erfundenen Miss Marple, die in den 60er Jahren von MARGARET RUTHERFORD verkörpert wurde.

In diesem Beispiel wird zur Spannungserzeugung die chronologische Ereignisfolge umgestellt. Der zitierte Satz leitet die Vorgeschichte der Handlung in der zweiten Hälfte der Geschichte ein. In einer Rückblende erfährt der Leser, welches einschneidende Ereignis dazu geführt hat, dass Johnnie die beiden älteren Damen aus der Nachbarschaft nicht mehr besuchen wird.

Das Erzähltempo

Unter dem Erzähltempo versteht man das Verhältnis zwischen dem Zeitraum, in dem eine Handlung stattfindet *(acting time)*, und der Zeit, die benötigt wird, um von einer Handlung zu berichten *(reading time)*. Das Erzähltempo hat Einfluss auf den Raum, der einem Ereignis in einer Erzählung gegeben wird. Ist das Erzähltempo langsam, nimmt das Ereignis viel Raum ein. Für den Leser ist das ein Signal für die Bedeutung, die dem Ereignis zukommt. Das Erzähltempo kann im Laufe des Erzählvorgangs wechseln, denn es dient als Mittel, um wichtige Ereignisse in den Vordergrund zu stellen, weniger wichtige nur kurz zu erwähnen. Der **raffende Bericht** fasst ausgewählte Ereignisse zusammen und vermittelt einen **Überblick** über ein Geschehen, das sich über einen längeren Zeitraum erstreckt.

summary presentation

"But **most of the time** he sat in his room. **In the afternoons** he listened to the ball game."

BERNARD MALAMUD, *A Summer's Reading. The Magic Barrel.* New York, 1969

Häufig lässt der Erzähler einen bestimmten Zeitraum aus. Zeitsprünge werden durch Zeitadverbien signalisiert wie *Ten years later, After a while, Many a year went round before ..., In 1922 ...*

scenic presentation

Die **szenische Darstellung** breitet ein Ereignis ausführlich und in allen Einzelheiten vor dem Leser aus, sodass der Leser alle Vorgänge mitzuerleben scheint. Der Figurendialog sowie der Einblick in die Wahrnehmungen, Gedanken und Gefühle der Figuren sind Bestandteile der szenischen Darstellung. Abschnitte in szenischer Darstellung beginnen häufig mit Zeitadverbien wie *One morning, One night, On that particular day ...*

The Adventures of Tom Sawyer gilt als eine der erfolgreichsten Titel von Mark Twain (1835–1910). Als Vertreter des amerikanischen Realismus übte er Kritik an der amerikanischen Gesellschaft.

Die Spannungserzeugung

Einen Roman mit wechselnden Schauplätzen und einer Vielzahl unterschiedlicher Figuren mag der Leser als interessant und anregend, jedoch nicht unbedingt als spannend einstufen. Spannung tritt immer in Zusammenhang mit Erwartungen auf. Hinter jeder Spannung verbirgt sich die Frage: Treten meine Erwartungen mit Hinblick auf ein bestimmtes Ereignis ein? Um also in einem Erzähltext Spannung zu erzeugen, muss der Erzähler im Leser vorweg eine **Erwartung** wecken.

"Do it now? – and company there? No – we'll wait till the lights are out – there's no hurry."
Huck felt that a silence was going to follow – a thing still more awful than the murderous talk he had heard. So he stepped back, very careful not to make any noise. He took another step back with the same care; then another and another, and a twig broke under his foot! But there was no sound – nothing happened. (...) When he felt safe, he ran as he had never run before."

MARK TWAIN, *The Adventures of Tom Sawyer,* chapter 23

In diesem Beispiel erfährt Huckleberry Finn, der im Verborgenen mithört, dass die Witwe Douglas Opfer eines Raubmordes werden soll. Huck hat nun **ein Handlungsziel:** Er will das Verbrechen verhindern. Für den Leser liegt die Spannung in den Fragen: Wird sein Vorhaben gelingen? Dies kann man mit **Was-Spannung** bezeichnen. Andererseits stellt sich der Leser auch folgende Frage: „Wie schafft er es, sein Ziel zu verwirklichen?" **Wie-Spannung:** "... a twig broke under his foot!" Huck könnte sich durch dieses Geräusch verraten und von den Verbrechern entdeckt werden. Wird es ihm gelingen, unbemerkt zu entkommen? Je mehr sich die Ausführung des Planes durch plötzlich auftretende Schwierigkeiten verzögert, desto mehr steigt die Spannung für den Leser und für die Hauptfigur.

Andere Möglichkeiten, Spannung zu erzeugen, sind:

- **Andeutungen und Hinweise:** Aufgrund von Andeutungen, Prophezeiungen und Vorausdeutungen erwartet der Leser den Eintritt eines bestimmten Ereignisses, z. B. deutet die Beschreibung eines unheimlichen Schauplatzes auf die Möglichkeit eines Verbrechens hin. Der Leser fragt sich: Was wird geschehen? Oder: Kann der Held das Ereignis abwenden?
- **Unterbrechungen:** Wird die Erzählung im entscheidenden Moment unterbrochen (z. B. durch Schauplatzwechsel am Ende eines Kapitels), steigert sich die Ungewissheit des Lesers.
- **Die Vorgeschichte:** Wenn dem Leser wichtige Ausschnitte der Vorgeschichte unbekannt sind, richtet sich die Spannung auf die vollständige Aufdeckung der Hintergründe. Diese Form der Spannung findet vor allem in Kriminalromanen und in manchen Familienerzählungen Anwendung, wo es um die Aufdeckung eines Familiengeheimnisses geht (z. B. in W. WILKIE COLLINS, *The Woman in White;* AGATHA CHRISTIE, *Murder on the Orient Express).* Die Spannung drückt sich aus in der Frage: Wie ist es zu der jetzigen Situation/zu dem Verbrechen gekommen?

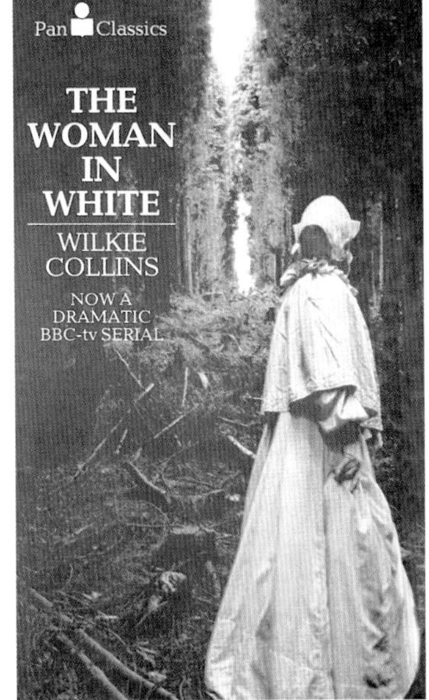

Der britische Schriftsteller WILKIE COLLINS (1824–1889) gilt als Verfasser der ersten Mystery Thriller. *The Woman in White,* veröffentlicht 1860, wurde ein Bestseller – nicht nur im viktorianischen England.

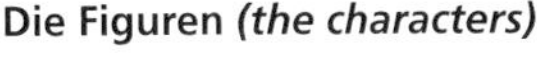

Die Figuren *(the characters)*

Die Figuren stellen den Motor der Erzählhandlung dar. Ihre Entscheidungen und Gespräche lösen neue Handlungen aus; sie bestimmen den Handlungsverlauf. Damit das Handeln der Figuren dem Leser plausibel und vorstellbar erscheint, muss er eine Auswahl von Informationen über die Figuren erhalten. Der Text kann Angaben und Bezüge zu folgenden Aspekten liefern:

Diese Informationen kann der Leser auf zwei Wegen erhalten:

- Charakterisierung durch den Erzähler
  - Der Erzähler selbst **nennt und beschreibt** Merkmale und Verhaltensweisen einer Figur.
  - Der Erzähler **erklärt und bewertet** das Verhalten einer Person.
  - Der Erzähler gibt den Figuren **„sprechende Namen"** ***(telling names)***

The narrator describes what his mother looks like and comments on the way she sees herself: "She is tanned. She is the best-looking woman on the beach, only she will never recognize it."

PAUL LISICKY, *Snapshot,* Harvey Cedars: 1948.
From: *The Madison Review,* Vol. 11, No. 1, 1989

Die britische Autorin SUE TOWNSEND schuf mit dem jugendlichen Protagonisten Adrian Mole den beliebtesten Tagebuchschreiber der 80er-Jahre.

SUE TOWNSEND calls the main character of her book "Adrian Mole". "Mole" is a telling name (= dt. Maulwurf) the reader will associate the qualities of a mole with, e.g. being small, trying to find its way in the dark.

- Charakterisierung durch die Figuren
  - Das Verhalten einer Person wird so dargestellt und bewertet, wie eine andere Figur sie sieht. Da diese Beschreibung persönlich gefärbt ist, muss der Leser sie einer Prüfung unterziehen.
  - Eine Figur kommentiert ihr Handeln aus eigener Sicht.
  - Eine Figur beschreibt ihre eigenen Eindrücke und Gefühle. Der Leser kann sich ein eigenes Urteil über die Person bilden.

In this sentence, the girl talking does not only characterize her sister's behaviour; she also reveals something about her attitude towards her sister: "I mean (...) there were times when my sister Susie seemed more like a stranger than a stranger would have been."

COLBY RODOWSKY, *Mildred.* Connections: *Short Stories,*
ed. by D. R. Gallo, Bantam Doubleday Dell, 1989

Here the reader will be amused by the character's wild exaggerations: "None of the teachers at school have noticed that I am an intellectual. They will be sorry when I am famous."

SUE TOWNSEND, *The Secret Diary of Adrian Mole,*
Methuen 1983, p. 17

Formen erzählender Texte

Mögliche **Unterscheidungsmerkmale** erzählender Texte sind:

Länge
z. B. Roman *(novel)*
Kurzgeschichte *(short story)*

Stoffauswahl
Science-Fiction
Kriminalliteratur
(crime and detection story)
historischer Roman *(historical novel)*

Kurzformen erzählender Texte	
Parabel (parable)	Eine kurze belehrende Erzählung, deren Handlung und Figuren beispielhaft menschliche Werte vorführen.
Ballade (ballad)	Seit dem 18. Jahrhundert Begriff für ein Erzähllied in Versform, das von einem besonderen Ereignis oder dem gesamten Leben einer Figur berichtet.
Fabel (fable)	Eine kurze Erzählung mit belehrender Absicht, in der Tiere menschliches Verhalten angenommen haben. Jedes Tier verkörpert eine bestimmte menschliche Eigenschaft. Die Fabel endet oft mit einer Moral, die auf eine ähnliche Konfliktsituation übertragbar ist.
Märchen (fairy tale)	Eine kurze Erzählung, die unglaubwürdige Ereignisse und mit übernatürlichen Kräften ausgestattete Lebewesen, z. B. Riesen *(giants)*, Hexen *(witches)*, Feen *(fairies)*, Zwerge *(gnomes)*, darstellt. Ein häufig zu findendes Handlungsmuster besteht darin, dass der Held eine Prüfung bestehen oder ein Rätsel lösen muss, um eine unschuldige Person zu erlösen.
Anekdote (anecdote)	Eine knappe Beschreibung einer einzelnen Begebenheit, die in einer Pointe gipfelt. Das für eine bekannte Persönlichkeit oder Personengruppe Typische soll hervorgehoben werden.

PIG AND PEPPER. 89

“Well then,” the Cat went on, “you see a dog growls when it's angry, and wags its tail when it's pleased. Now *I* growl when I'm pleased, and wag my tail when I'm angry. Therefore I'm mad.”
“*I* call it purring, not growling,” said Alice.
“Call it what you like,” said the Cat. “Do you play croquet with the Queen to-day?”

Mit seinen hintergründigen Fantasiegestalten und Wortspielen hob sich *Alice in Wonderland* (1865) wohltuend von der belehrenden Kinderliteratur der viktorianischen Zeit ab.

Die Kurzgeschichte *(short story)*

Die Kurzgeschichte entwickelte sich im 19. Jahrhundert in den USA als eigenständige Form des Erzähltextes, die später auch von anderen Sprachen übernommen wurde. Die amerikanische und die englische Kurzgeschichte bildet eine besondere Form der literarischen Erzählung. Äußeres Merkmal ist die **Kürze.** Der Umfang einer Kurzgeschichte kann sich auf 1000 Wörter beschränken oder auch 20 000 Wörter umfassen. Inneres Merkmal ist die **inhaltliche Dichte:** Mithilfe sparsamer sprachlicher Mittel soll eine möglichst große Aussagekraft erzielt werden. Das erfordert eine planvolle und treffende Gestaltung der Sprache und des Aufbaus der Geschichte.
Von Anfang an muss die Short Story den Leser fesseln und Hinweise zur Bedeutungsentschlüsselung anbieten. Der Einleitungssatz übernimmt die Aufgabe der Exposition. In diesem Anfangssatz konzentrieren sich die Angaben über Ort und Zeit der Handlung, Figuren und den Hauptgedanken der Geschichte.

Bedeutende Autoren amerikanischer Kurzgeschichten sind u. a. Edgar Allan Poe, Ernest Hemingway und Truman Capote.

Als **Exposition** bezeichnet man den Teil einer Erzählung oder eines Dramas, der dem Leser alle Informationen über die Situation und den Handlungshintergrund liefert; sie sind unverzichtbar für das Verständnis des Textes.

Die Entstehung der Short Story ist Bestandteil der amerikanischen Literaturgeschichte.

Um **Spannung** zu erzeugen, findet man in einer Short Story häufig den direkten Einstieg in die Handlung der Geschichte. Der Leser wird erst im Laufe der Erzählung über die Hintergründe der Handlung informiert.

Das **offene Ende** mancher Short Storys dient nicht nur der Knappheit, sondern stellt auch einen Denkanstoß an den Leser dar. Der Leser ist aufgefordert, selbst die Auswirkungen der Handlung aufzuspüren, wie die Ratlosigkeit und Enttäuschung Berthas in folgendem Beispiel:

"Bertha simply ran over to the long windows.
'Oh, what is going to happen now?' she cried.
But the pear tree was as lovely as ever and as full of flower and as still."

KATHERINE MANSFIELD, *Bliss.* From: *Bliss and Other Stories.* Penguin, 1974

Häufig nimmt die Geschichte am Ende der Handlung eine überraschende Wendung. Auch diese Erzähltechnik verlangt vom Leser, sich mit dem Anliegen der Geschichte auseinander zu setzen. Wie z. B. mit dem Thema *equality/racial discrimination* in *Désirée's Baby* von KATE CHOPIN:

Désirée gives birth to a child which, after three months have passed, shows a similarity to the little children of her black servants. Her husband Armand suspects his wife to be a coloured woman and forces her to leave him with the baby, because he cannot bear the shame. When he is burning all his wife`s belongings, by a twist of fate Armand comes upon a letter addressed to his father. From this letter he finally learns that his mother was a black slave. The story ends with the text of the letter, adding neither comment nor Armand's reaction.

Die Sprache der Short Story

Auch in ihrer Sprache zeichnet sich die Short Story durch Konzentration und Knappheit aus. Diese Wirkung wird erzielt durch:
- treffende und bündige Ausdrucksweise,
- Andeutung von Sachverhalten.

"In Fletcher's Woods there was shade beneath the trees, and sunlight, thrown in yellow patches on to the grass, seemed to grow out of the ground rather than come from the sky. The boy stepped from sunlight to sunlight, in and out of shadow."

LESLIE NORRIS, *Blackberries.*
From: LESLIE NORRIS, *The Girl from Cardigan.*
Poetry Wales Press, Bridgend, Wales, 1988

In der Short Story *Blackberries* wird das Wort *sunlight* durch **Wiederholung** hervorgehoben. Dieser Abschnitt beschreibt die Bewegungen des Jungen durch Licht und Schatten. Durch die Beschreibung wird die Erfahrung, die der Junge am Ende der Geschichte machen wird, bereits angedeutet: Er lernt den unterschiedlichen Umgang mit schmerzhaften und angenehmen Erlebnissen. *Sunlight* und *shade/shadow* dienen als Symbole für beide Erlebnisweisen.

foreshadowing = Erzähltechnik, die spätere Ereignisse einer Erzählung vorausdeutet

Schlüsselbegriffe und **Symbole** liefern wichtige Hinweise zur Deutung einer Short Story.

Die Schaffung einer Atmosphäre durch bewusste Wortwahl ist ein typisches Merkmal der Kurzgeschichte. Im folgenden Beispiel führt der Anfang der Geschichte in ihre humorvolle Atmosphäre ein. Der Erzähler, ein Junge, wird durch die Rufe seines Großvaters jäh aus seinen aufregenden Träumen gerissen. Ein Vergleich, Aufzählungen und Adjektive gestalten seinen Traum zu einem Abenteuer. Die verwegene Situation des Traums bildet einen komischen Gegensatz zur Wirklichkeit im Nebenraum: Der Großvater vergnügt sich gerade mit der Vorstellung, von seinem Bett aus eine Kutsche zu lenken.

Die *Academy of American Poets* (www.poets.org) bietet Informationen über Leben und Werk von DYLAN THOMAS (1914–1953), darunter auch Audiomitschnitte.

"In the middle of the night I woke from a dream full of whips as long as serpents, and runaway coaches on mountain passes, and wide, windy gallops over cactus fields, and I heard the old man in the next room crying, 'Gee-up!' and 'Whoa!' and trotting his tongue on the roof of his mouth." […] 'Whoa there, my beauties!' cried grandpa. His voice sounded very young and loud, and his tongue had powerful hooves, and he made his bedroom into a great meadow. I thought I would see if he was ill, or had set his bedclothes on fire …"

DYLAN THOMAS, *A Visit to Grandpa's.*
From: DYLAN THOMAS, *Portrait of the Artist as a Young Dog*. 1940

The first paragraph introduces the lively, humorous and cheerful atmosphere of the short story by describing the boy's dream of a wild and risky ride. He …

Der Roman

Der Roman bildet die Langform unter den Erzähltexten. Die Entstehungszeit des englischen Romans liegt im 18. Jahrhundert. Im 19. Jahrhundert erreichte er größte Beliebtheit und Verbreitung.

Typischerweise wird im Roman ein längerer Lebensabschnitt eines oder mehrerer Protagonisten entfaltet, zumeist in Prosaform. Ein Roman kann alle Darstellungsarten beinhalten, z. B. Gespräche, Monologe, Beschreibungen, Berichte. Zu den bekannten Unterarten des Romans gehören Gattungen wie Abenteuerroman, Briefroman, Entwicklungsroman, Schauerroman, oder utopischer Roman.

Als variantenreichste literarische Form entwickelt sich der Roman immer weiter. Durch die Medien und die Nutzung des Internets entstehen neue Formen, z. B. so genannte Internet- bzw. Cyberromane, bei denen engagierte Leser Einfluss auf den Fortgang der Handlung nehmen können.

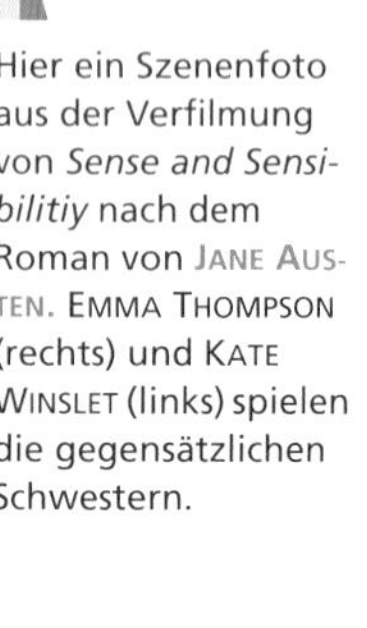

Hier ein Szenenfoto aus der Verfilmung von *Sense and Sensibilitiy* nach dem Roman von JANE AUSTEN. EMMA THOMPSON (rechts) und KATE WINSLET (links) spielen die gegensätzlichen Schwestern.

Der Roman breitet vor dem Leser ein großflächiges Bild von Figuren, Handlungen und Zeiträumen aus. Sein Umfang erlaubt
- eine detaillierte Einführung in Hintergründe und Thematik,
- den Aufbau mehrerer Handlungsstränge,
- den Wechsel zwischen Haupt- und Nebenhandlungen,
- eine Vielfalt der Figuren,
- die detallierte Beschreibung der Charakterentwicklung, sowie der Beziehung der handelnden Figuren,
- wechselnde Schauplätze und Zeitebenen,
- Darstellung eines längeren Zeitraumes.

Der **Roman** erzählt ein komplexes und vielfältiges fiktives Geschehen.

Englischsprachige und amerikanische Romanautoren

	englische Romanautoren	amerikanische Romanautoren
18. Jahrhundert	DANIEL DEFOE: *Robinson Crusoe* JONATHAN SWIFT: *Gulliver's Travels* HENRY FIELDING: *Tom Jones*	
19. Jahrhundert	JANE AUSTEN: *Pride and Prejudice; Emma* CHARLES DICKENS: *Great Expectations; Oliver Twist; David Copperfield; The Old Curiosity Shop* R. L. STEVENSON: *Treasure Island; The Strange Case of Dr Jekyll and Mr Hyde* THOMAS HARDY: *Tess of the D'Urbervilles*	NATHANIEL HAWTHORNE: *The Scarlet Letter* J. F. COOPER: *The Last of the Mohicans; The Pathfinder* HERMAN MELVILLE: *Moby Dick; Typee* MARK TWAIN: *The Adventures of Tom Sawyer; The Adventures of Huckleberry Finn* HENRY JAMES: *The Turn of the Screw*
20. Jahrhundert	RUDYARD KIPLING: *The Jungle Book* JOSEPH CONRAD: *Heart of Darkness; Typhoon* D. H. LAWRENCE: *The Rainbow* GEORGE ORWELL: *1984; Animal Farm* GRAHAM GREENE: *The Heart of the Matter; The Third Man* HANIF KUREISHI: *The Buddha of Suburbia*	JACK LONDON: *The Call of the Wild* JOHN STEINBECK: *The Grapes of Wrath; East of Eden* ERNEST HEMINGWAY: *The Old Man and the Sea; For Whom the Bell Tolls* J. D. SALINGER: *The Catcher in the Rye* TONI MORRISON: *The Bluest Eye; Beloved*

Vokabular für die Untersuchung narrativer Texte

general vocabulary

tale (n.)	Erzählung
short story (n.)	Kurzgeschichte
novel (n.)	Roman
chapter (n.)	Kapitel
paragraph (n.)	Absatz
line (n.)	Zeile
narrative text	Erzähltext
narration (n.)	Erzähltext, -vorgang
narrator (n.)	Erzähler
narrative technique (n.)	Erzähltechnik
to talk about an event	von einem Ereignis berichten
to tell s. o. a story about s. th.	jmd. eine Geschichte erzählen von

setting

the setting = time and place of action	Ort und Zeit der Handlung

the place of action is …	
a story is set in …	stattfinden
to take place	
a story takes place in …/at the time of …	
the scene of action changes	der Schauplatz wechselt
the setting is described in detail	wird ausführlich beschrieben
the setting has a symbolic meaning	… hat symbolische Bedeutung
the setting creates a … mood:	Stimmung:
peaceful	friedlich
sad	traurig
depressing	deprimierend

atmosphere

to create a(n) … atmosphere	eine Atmosphäre schaffen
warm ≠ cold → frozen	warm ≠ kalt → eisig
friendly ≠ unfriendly	freundlich ≠ unfreundlich
gay	heiter
peaceful	friedlich
hostile	feindselig, abweisend
tense	gespannt
strange	merkwürdig
uncanny	unheimlich
to use certain adjectives, verbs or nouns to create an atmosphere	durch die Wortwahl eine … Atmosphäre schaffen
the atmosphere changes when …	die Atmosphäre ändert sich

opening	Textanfang
an abrupt opening	ein abrupter Anfang
an open beginning	ein offener Anfang
to start in the middle of the action	mitten in der Handlung beginnen
to start abruptly	plötzlich beginnen
to have an open beginning	einen offenen Anfang haben

the exposition	Einführung
to introduce	vorstellen, einführen
the main character	Hauptperson, Protagonist
the setting	Schauplatz
the main issue	Hauptthema
the background	Hintergrund
to present the background to a story	Hintergrund darstellen
the exposition is revealed by flashback	in einer Rückblende aufgedeckt

composition	Aufbau
to have a complex/simple structure	eine komplexe/einfache Struktur
a novel/story has a main plot	Haupthandlung
subplot	Nebenhandlung
it has several lines of action	mehrere Handlungsstränge

division of the story	Einteilung in Sinnabschnitte
the narrator tells his story in three parts	der Erzähler erzählt die Geschichte in drei Teilen
he organizes/arranges it in five scenes	anordnen
the story falls into/can be divided into five parts/sections	aufteilen, einteilen
the story has:	
an exposition	Einführung
a rising action	steigende Handlung
a climax	Höhepunkt
a turning point	Wendepunkt
an ending	Ende
the action rises to a climax	… steuert auf einen Höhepunkt zu
the action reaches a turning point	… erreicht einen Wendepunkt
a story has a(n)	Schluss
open ending	offenes Ende
happy ending	glückliches Ende
unhappy ending	unglückliches Ende
surprise ending	überraschendes Ende
sequence of events	Handlungsfolge
an event	ein Ereignis
action (n.)	Handlung
to act (of a person)	handeln
the plot	erzählte Handlung
a story is told chronologically	in der zeitlichen Reihenfolge
it switches from the present to the past	wechselt von … zu
to foreshadow an event	auf ein Ereignis vorausdeuten
suspense	Spannung
to keep the reader in the dark about s. th.	im Ungewissen lassen
to keep the reader in suspense	Spannung aufrechterhalten
to make a story thrilling/exciting	spannend, aufregend
modes of presentation	
to use panoramic/scenic presentation	zusammenfassende/szenische Darstellung
to sum up the action	raffen
to skip a few hours/days/weeks	überspringen
to present an event in detail	ein Ereignis ausführlich darstellen
the narrator	
to talk to the reader	
to address the reader	den Leser anreden
a story can be told:	
by a first-person narrator	Ich-Erzähler
by an eye-witness	Augenzeuge
by a person inside the story	Beteiligter

by a person outside the story	Unbeteiligter
by a third-person narrator	Erzähler in der 3. Person
by an observer	Beobachter
from an unlimited point of view	allwissender Erzähler

the characters

a main character	Hauptfigur
to present a character	darstellen
to characterize a person	charakterisieren
to describe a person's behaviour	Verhalten beschreiben
to describe the way a person behaves	Verhalten beschreiben
to comment on a character	kommentieren
a person's characteristics	Merkmale
outward appearance	äußere Erscheinung
habits	Gewohnheiten
behaviour	Verhalten
attitudes	Einstellungen
opinions	Meinungen
likes and dislikes	Vorlieben und Abneigungen
feelings	Gefühle
motives	Handlungsmotive
relationship towards other characters	Beziehungen zu anderen Figuren

inside the characters

to present s. o.'s thoughts, feelings, perceptions	die Gedanken, Gefühle, Wahrnehmungen einer Person darstellen
the reader is able to share s. o.'s feelings	der Leser kann die Gefühle eines Charakters teilen
the reader is able to identify with a character	der Leser kann sich mit dem Charakter identifizieren

keywords and symbols	Schlüsselwörter und Symbole
choice of words	Wortwahl
to use a keyword/a symbol	Schlüsselbegriff/Symbol verwenden
to repeat a word	wiederholen
repetition	Wiederholung
to underline s. th.	etw. hervorheben, betonen
s. th. is the keyword to a story	Schlüsselwort der Geschichte
to use a leitmotif	wiederkehrendes Bild oder Begriff
a leitmotif stands for s. th.	stehen für, bedeuten
a word has connotations	Nebenbedeutung, Assoziation
e. g. of hope	z. B. Hoffnung
peace	Frieden
reconciliation	Versöhnung
an expression makes the reader associate s. th.	lässt den Leser assoziieren
the deeper meaning of s. th. is …	die tiefere Bedeutung
to read between the lines	zwischen den Zeilen lesen

theme

the story deals with the conflict of …	handeln von
the theme of the story is …	das Thema der Geschichte ist …
the story is about/shows the problem of …	die Geschichte handelt von/zeigt das Problem …
the main event of the story is …	Hauptereignis
the story gives an example of	die Geschichte gibt ein Beispiel

your opinion of the story

the story draws the reader's attention to s. th.	aufmerksam machen auf
the story is …	
boring	langweilig
exciting/thrilling	aufregend, spannend
amusing/entertaining	amüsant, unterhaltsam
hard to understand/	schwer verständlich
too complicated to follow	zu schwer zu verfolgen
to be disappointed by	enttäuscht sein von
to take the reader by surprise	den Leser überraschen
s. th. is of personal interest to the reader	von persönlichem Interesse sein
to find s. th. particularly interesting/astonishing/surprising	besonders interessant erstaunlich/überraschend
to be thrilled/fascinated by	gefesselt/fasziniert sein

3.3.2 Poetische Texte

Die verschiedenen Formen der **Gedichte *(poems)*** werden unter dem Begriff poetische *(poetic)* oder lyrische Texte *(lyricals texts)* zusammengefasst. **Inhaltlich** sind sie durch einen sehr persönlichen Grundton gekennzeichnet. Sie vermitteln die Gefühle, Stimmungen und Meinungen des Sprechers. Gedichte können humorvoll und satirisch sein, aber auch einen ernsthaften oder melancholischen Grundton haben. Ein Charakteristikum ist die ungewöhnliche Kombination von Wörtern, Wortgruppen und Sätzen. Im Gedicht schafft sich der Autor die Ausdrucksform für Themen, mit denen sich sein Inneres beschäftigt: bewegende Eindrücke oder Erfahrungen, tiefe und anhaltende Gefühle, gedankliche Vorgänge. Das Gedicht zeigt

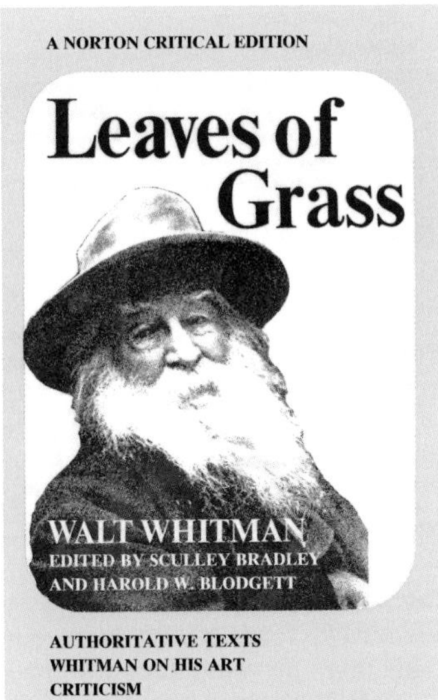

WALT WHITMAN (1819–1892) gilt als einer der einflussreichsten und kreativsten Schriftsteller Amerikas. 1855 veröffentlichte er auf eigene Kosten die Gedichtssammlung *Leaves of Grass,* die u. a. wegen ihrer neuartigen Versform kritisiert wurde.

die persönliche Betroffenheit des Dichters, seine Nähe zum Textgegenstand. Daher spricht man von der **Subjektivität** der Ausdruckshaltung in Gedichten. Der Autor kann sich über einen Sprecher, das **lyrische Ich,** direkt an den Leser wenden. Formal auffällig ist die Anordnung des Wortmaterials in Versen und Strophen. Satzmelodie und Intonation können – natürlich vor allem beim mündlichen Vortag – die Wirkung eines solchen sprachlichen Kunstwerks unterstreichen. Gedichte sind in **gebundener Sprache** verfasst, d. h. in einer Sprache, deren Klang durch **Versmaß, Rhythmus** und **Reim** gestaltet ist. In der Regel sind sie in **Versen** ***(lines)*** und **Strophen** aufgebaut, die ein Reim miteinander verbindet. Häufig wird zur Veranschaulichung eine **bildhafte Sprache** verwendet.

Die einzelne metrisch gebaute Gedichtzeile nennt man **Vers** *(line, verse).*

Lyrik = Bezeichnung für die Dichtung als eine der drei Literaturgattungen (von griech. Λυρα = Leier; Lied)

Die traditionellen **äußeren Merkmale** der Gedichte (Versmaß, Rhythmus, Reim, Strophe) lassen sich auf den **Ursprung der Lyrik** zurückführen: den Versgesang des antiken Griechenlands, der durch eine Lyra begleitet wurde. Der Versgesang bindet den Text an eine Melodie; jede Zeile wird mit einem regelmäßigen Versmaß (d. h. einer bestimmten Abfolge betonter und unbetonter Silben) ausgestattet. Alle Klang- und Rhythmusmittel der Lyrik sowie die Gliederung in Verse und Strophen entspringen der Verwandtschaft von Gedicht und Gesang.

Die folgende Übersicht zeigt verschiedene Gesichtspunkte, nach denen sich die Formen poetischer Texte unterscheiden lassen:

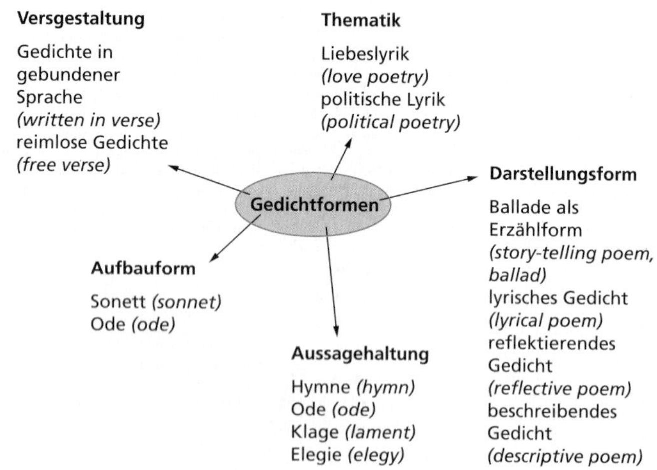

Merkmale poetischer Texte

Die Vielschichtigkeit der Eindrücke und Informationen, die ein Gedicht vermittelt, fordert vom Leser eine intensive Auseinandersetzung mit dem Text, um seine Bedeutung zu erfassen. Diese Vielschichtigkeit und Komplexität wird verursacht durch das Zusammenwirken verschiedener Gestaltungsebenen.

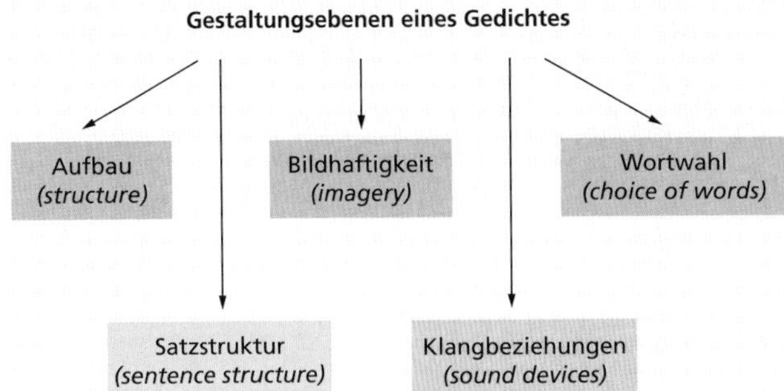

Die genannten Elemente öffnen dem Leser den Zugang zur Bedeutung eines Gedichtes:
- Sie stellen Beziehungen zwischen Wörtern her,
- sie heben bestimmte Wörter hervor und
- sie können zur Stimmung eines Gedichtes beitragen.

Der Aufbau

Hinsichtlich des **formalen Aufbaus** lassen sich die verschiedenen Arten von Strophen *(stanzas)* nach der Anzahl ihrer Zeilen *(verses)* unterscheiden:
- Zweizeiler *(couplet),*
- dreizeilige Strophen *(tercet),*
- vierzeilige Strophen *(quatrain),*
- fünfzeilige Strophen *(quintain),*
- sechszeilige *(sestet)* und die achtzeilige Strophen *(octave).*

In manchen Balladen oder Liedtexten folgt auf jede Strophe ein Kehrreim oder Refrain, der eine oder mehrere Wortzeilen wiederholt. Der Kehrreim kann den Inhalt zusammenfassen oder nochmals hervorheben.

Strophen dienen der äußeren Unterteilung eines Gedichtes. Strophen stellen häufig auch inhaltliche **Sinnabschnitte** eines Gedichtes dar.

Shape poems drücken durch die Wortwahl und die Anordnung der Wörter etwas aus. Einfache Formen können schnell selbst erstellt werden.

Shape poems, pattern poems und *acrostic poems* nutzen **optische Gestaltungsmittel:**

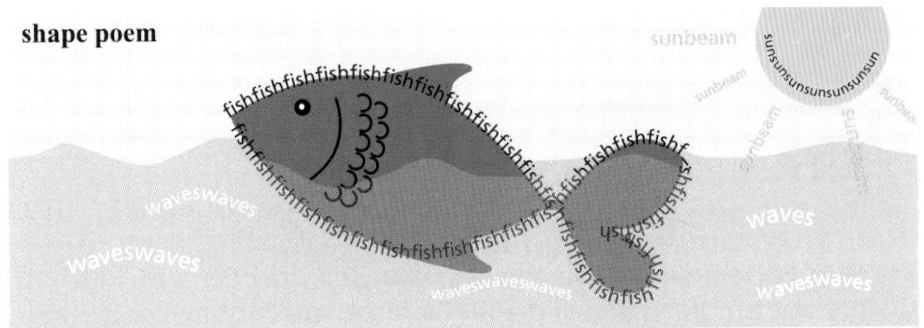

pattern poem:
Die Leserichtung des Gedichtes spiegelt den im Gedicht beschriebenen Vorgang des Durchkreuzens.

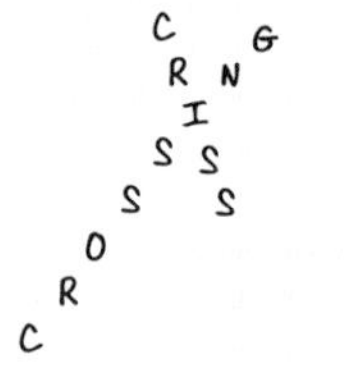

acrostic poem:
Die Anfangsbuchstaben (initials) der Wortreihe bilden das Wort LOVE. LOVE liefert zugleich den Rahmen (framework) und das Thema des Gedichtes.

Losing one's heart
Opening up
Visit on a rainy Sunday
Eyes meeting

Der **inhaltliche Aufbau** eines Gedichtes ist abhängig von seiner Darstellungsform. Zum Beispiel überwiegen in einem Erzählgedicht der Bericht und der Dialog als Formen der Darstellung. Ein reflektierendes Gedicht hingegen gibt den inneren Monolog des Sprechers zu einem Thema wieder. Dann sind Beschreibung und Argumentation die überwiegenden Darstellungsformen.

Die Bildhaftigkeit

Sprachliche Bilder werden in Gedichten zur Veranschaulichung verwendet. Sie sind in der Lage, abstrakte Begriffe wie Frieden oder nicht direkt sichtbare Gefühle wie Liebe oder Trauer in der Vorstellung des Lesers sichtbar und lebendig zu machen. Bildhafte Formulierungen muss der Leser im übertragenen Sinne verstehen.

allegoria (griech.) = das „Anderssagen"

Eine häufig vorkommende bildhafte Figur ist die **Allegorie.** So kann beispielsweise ein Regenbogen als allegorisches Bild der Lebensphasen von der Kindheit bis zum Alter eingesetzt werden oder etwa das Schiff als Versinnbildlichung eines „bewegten Lebens".

Im Unterschied zum Vergleich ("A is like B") sagt eine Metapher „A = B"; das *like* fällt weg.

Die **Metapher** wird auch verkürzter (oder indirekter) Vergleich genannt. Als Sprachbild wird die Metapher bei der Benennung eines Sachverhalts eingesetzt. Dabei wird ein Begriff in einen neuen Bedeutungsbereich übertragen. Um auszudrücken, dass ein Gedicht besondere Momente im Leben eines Menschen verewigen kann, bezeichnet der Dichter es als „Denkmal eines Moments":

> "A Sonnet is a moment's monument"
>
> DANTE GABRIEL ROSETTI, *The Sonnet.* 1880
>
> "All the world's a stage"
>
> SHAKESPEARE, *As you like it.* 1623

Bei einer **Personifikation** werden abstrakte Begriffe oder auch konkrete Gegenstände mittels handelnder und sprechender Personen präsentiert.

Jeder kennt aus Fabeln den sprechenden Fuchs als Sinnbild für einen intelligenten Menschen. Im folgenden Beispiel wird ein Blatt mit menschlichen Eigenschaften und Fähigkeiten ausgestattet, um seine Bewegung zu veranschaulichen:

"The one red leave, the last of **its clan,**
That **dances** as often as it can"

S. T. COLERIDGE, *Christabel.* 1816

Prinzipiell bezeichnet ein **Symbol** (Sinnbild) etwas sinnlich Wahrnehmbares. Durch den Zusammenhang, in dem es auftaucht, erhält es eine tiefere Bedeutung. Beim Beispiel oben dient das letzte Herbstblatt als Symbol des Alleinseins. Bei einem **Vergleich** *(simile)* werden zwei Dinge aufgrund ihrer Ähnlichkeit mit *like* oder *as* in Beziehung gesetzt. Um die Jugend und Schönheit seiner Freundin auszudrücken, vergleicht der Dichter sie mit einer Rose:

simile, lat. = likeness, dt. Gleichnis, Beispiel

"My love is **like a red, red rose"**

ROBERT BURNS, *A Red, Red Rose.* 1794

Satzstruktur und Wortwahl

Um Dinge, die sich schwer darstellen lassen, vermitteln zu können, schöpft der Dichter alle Ausdrucksmöglichkeiten einer Sprache aus. Die poetische Freiheit erlaubt ihm eine Reihe von Abweichungen vom Satzbau und von der Wortwahl der Alltagssprache. Wenn Ausdrücke miteinander kombiniert werden, die in der Alltagssprache nicht als Wortverbindungen benutzt werden, erzielt der Dichter größere Anschaulichkeit. Ungewöhnliche Beschreibungen wie in *Lucy in the Sky with Diamonds* von JOHN LENNON machen auf sich aufmerksam und regen die Vorstellungskraft des Lesers oder Zuhörers an:

"a girl with kaleidoscope eyes"
"marmalade skies"

Auf der Suche nach einer besonders trefffenden, ausdrucksstarken sprachlichen Wendung schaffen Dichter so genannte Wortneuschöpfungen – auch **Neologismen** genannt:
Die Neuschöpfung *oneness* (E. E. CUMMINGS in *A leaf falls,* 1958) drückt den Zustand der Einsamkeit viel plastischer aus als das Wort *loneliness* in der Alltagssprache.
Der Ausdruck *muchlove later* (ROGER MC GOUGH in *The Icingbus,* 1967) macht sowohl Angaben zum Zeitraum wie auch zu der Entwicklung der Liebe zwischen zwei Personen. Viel umständlicher drückt sich hier die Alltagssprache aus: *quite a while after their love had grown.* Die **Satzstruktur** bietet u. a. folgende Mittel der Hervorhebung und zur Herstellung von Bedeutungsbeziehungen:
Eine **Wiederholung *(repetition)*** intensiviert die Aussage.

Der schottische Dichter ROBERT BURNS (1759–1796) erlangte vor allem durch seine Liedkompositionen nationale Bedeutung. Er verband häufig überlieferte Melodien mit emotionalen Texten.

"My love is like a **red, red** rose"

ROBERT BURNS, *A Red, Red Rose.* 1794

Eine ähnliche Wirkung hat die **Anapher *(anaphora)*,** bei der ein Wort an derselben Stelle wiederholt wird:

From: R. L. STEVENSON, *Dedication To Alison Cunningham.* From: *A Child's Garden of Verses.* Penguin Harmondsworth, 1994

"**For all** the story-books you read,
For all the pains you comforted,
For all you pitied, all you bore"

Die Anapher hebt jede der Aussagen besonders hervor.
Eine **Aufzählung *(enumeration)*** sorgt für mehr Anschaulichkeit:

"Showering and springing,
Flying and flinging"

ROBERT SOUTHEY, *Lodore.* From: *Rhymes for the Nursery.* 1820

Bei der **Ellipse *(ellipsis)*** wird ein Wort ausgelassen.

"I asked him whither he was bound, and what (*)
The object of his journey."

WILLIAM WORDSWORTH, *Old Man Travelling.* From: W. WORDSWORTH, S. T. COLERIDGE, *Lyrical Ballads.* 1798

* Das Verb *was* wird aus rhythmischen Gründen ausgelassen.

WILLIAM WORDSWORTH (1770–1850) hat die englische Romantik entscheidend geprägt. Seine Lyrik zeichnet eine Liebe zur Natur aus. Gemeinsam mit S. T. COLERIDGE veröffentlichte er die Gedichtsammlung *Lyrical Ballads.*

Bei der **Inversion *(inversion)*** kommt es zu einer Veränderung der Satzordnung. In dem Beispiel *"She **to the mountain-top** would go"* wird die adverbiale Bestimmung des Ortes zur Betonung vorgezogen (in der Alltagssprache: *She would go to the mountain-top).*
Beim **Parallelismus *(parallelism)*** weisen mehrere Sätze oder Zeilen Übereinstimmung in der Satzstruktur und in der Betonung auf.

"**My love is like** a red, red rose
That's newly sprung in June:
My love is like the melodie
That's sweetly played in tune."

Die Übereinstimmung in Betonung und Satzstruktur wird hier durch die Anapher unterstützt. Bei einem **Zeilensprung *(run-on line)*** wird der Satz in der nächsten Zeile fortgesetzt:

"Silently she went
On reading the letter."

Der erste Teil des Satzes erzeugt eine Erwartung, die in der nachfolgenden Zeile enttäuscht wird. Auf diese Weise wird die Aufmerksamkeit des Lesers auf den nachfolgenden Satzabschnitt gerichtet.

"Fair as a star, when only one
Is shining in the sky."

Durch den Zeilensprung wird das Wort one am Zeilenende besonders betont. Der Sprecher möchte die Einzigartigkeit der bewunderten Frau unterstreichen.

Die Klangmittel

Die Klangmittel erzeugen das für ein Gedicht typische Klangbild. Sie sind mit für die im Text vorherrschende Stimmung verantwortlich. Zum Beispiel verleiht das Vorwiegen dunkler Vokale einem Text eine düstere oder traurige Stimmung; helle Vokale unterstreichen eher die Freude oder Leichtigkeit einer Aussage. Die Verwendung bestimmter Konsonanten kann den Eindruck der Härte (k, p, t) oder aber der Glätte und Weichheit (l, m, n, w) erzeugen, wie z. B. in: "I hear lake water lapping with low sounds" (W. B. YEATS, *The Lake Isle Of Innisfree,* 1890).

Reim = sich wiederholendes Klangmuster, zwei oder mehr Wörter haben einen identischen Klang.

Als Klangmittel wirken in Gedichten
- die verschiedenen Formen des Reimes *(rhyme)* als Muster der Klangwiederholung, insbesondere,
- die Alliteration *(alliteration),*
- die Lautmalerei *(onomatopoeia),*
- das Metrum *(metre),*
- der Rhythmus *(rhythm).*

Als **Reim** bezeichnet man ein Lautmuster, bei dem zwei oder mehrere Wörter in ihrem Klang übereinstimmen.

This nursery rhyme (Kinderreim) has an **embracing rhyme:**

"Who killed Cock Robin? a
I, said the Sparrow, b
With my bow and arrow, b
I killed Cock Robin." a

Häufige Abfolgen von Endreimen *(rhyme scheme)*	
Kreuzreim *(cross rhyme or alternating rhyme)*	abab
Paarreim *(rhyme pairs)*	aabb
Umarmender Reim *(embracing rhyme)*	abba
Schweifreim *(tail rhyme)*	aabccd

Alliteration ist ein Mittel der Lautwiederholung am Wortanfang. Zwei oder mehrere Wörter beginnen mit gleich lautendem Konsonanten.

Am Anfang des Gedichtes *Ode To The West Wind* (1819) von PERCY BYSSHE SHELLEY ahmt die Alliteration das Stürmen des Windes nach:

"O wild West Wind"

Die Wiederholung der f- und b-Laute an den Wortanfängen unterstreicht die zügige Bewegung eines Segelschiffes beim Durchkreuzen des Ozeans:

"The fair breeze blew, the white foam flew,
The furrow followed free; ..."

S. T. COLERIDGE, *The Rime Of The Ancient Mariner.* From: W. WORDSWORTH, S. T. COLERIDGE, *Lyrical Ballads.* 1798

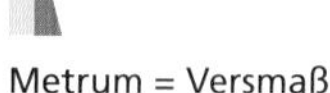

Metrum = Versmaß

Unter dem **Metrum** *(metre)* versteht man die Anzahl der Versfüße pro Zeile. Ein **Versfuß** *(measure, foot)* besteht aus einer betonten Silbe *(stressed syllable: –)* und einer oder mehreren unbetonten Silben *(unstressed syllables: ∪)*.

Ein Metrum kann zweifüßig *(dimeter)*, dreifüßig *(trimeter)*, vierfüßig *(tetrameter)*, fünffüßig *(pentameter)* oder sechsfüßig sein *(hexameter)*.

steigender Versfuß *(rising metre)*	**fallender Versfuß *(falling metre)***
Der Jambus *(iamb or iambic metre)* besteht aus der Abfolge einer unbetonten und einer betonten Silbe: ∪–.	Der Trochäus *(trochaic metre)* besteht aus einer betonten und einer unbetonten Silbe: –∪.
Der Anapäst *(anapaestic metre)* besteht aus zwei unbetonten und einer betonten Silbe: ∪∪–.	Der Daktylus *(dactylic metre)* besteht aus einer betonten und zwei unbetonten Silben: –∪∪.

WILLIAM WORDSWORTH schrieb folgende Zeile in einem dreifüßigen Jambus *(iambic trimeter)*:

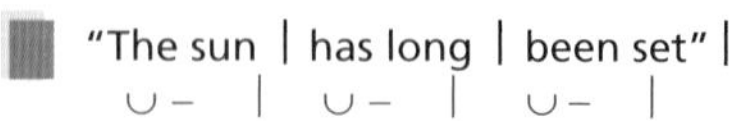

"The sun | has long | been set" |
∪ – | ∪ – | ∪ – |

W. WORDSWORTH, *The Sun Has Long Been Set.* 1799

Der **Rhythmus** eines Gedichts besteht aus einem regelmäßigen Muster der Betonungen, das beim sinnbetonten lauten Lesen einer Zeile entsteht. Die Rhythmusbewegung kann mit dem Metrum übereinstimmen, unabhängig von ihm verlaufen oder sogar gegenläufig sein. Der Rhythmus bestimmt das Tempo des Gedichts (↗ S. 200, *sea shanty)*. Die rhythmische Gestaltung, z. B. ein fließender *(flowing)*, eintöniger *(monotonous)* oder ein lebhafter *(lively)* Rhythmus unterstützt die Ausdruckskraft eines Gedichtes.

Lautmalerei *(onomatopoeia)* bezeichnet die Ähnlichkeit zwischen dem Klang eines Wortes und dem Sachverhalt, den das Wort ausdrückt.

Eine Reihe von Einzelwörtern im Englischen besitzen lautmalerische Eigenschaften, z. B. *buzz, clatter, cuckoo, hiss, whisper.* Darüber hinaus lassen sich durch die gehäufte Verwendung bestimmter Laute akustische Eindrücke nachahmen. In diesem Beispiel imitiert die Häufung der Zischlaute sowie der harten Konsonanten „p" und „t" den Klang des aufprallenden Wassers und der spritzenden Gischt am Wasserfall:

"And whizzing and hissing,
And dripping and skipping,
And hitting and spitting ..."

ROBERT SOUTHEY, *Lodore.*
From: *Rhymes for the Nursery.* 1820

Songs

Lieder sind eng mit Gedichten verwandt. Ihre Texte sind oft in Gedichtform geschrieben.

Liedtexte *(songs, lyrics)* sind meistens in Versform gehalten. Satzbau und Sprache stehen in einem Verhältnis zur Melodie, müssen also „singbar" sein. Die Sprache ist der Melodie angepasst.

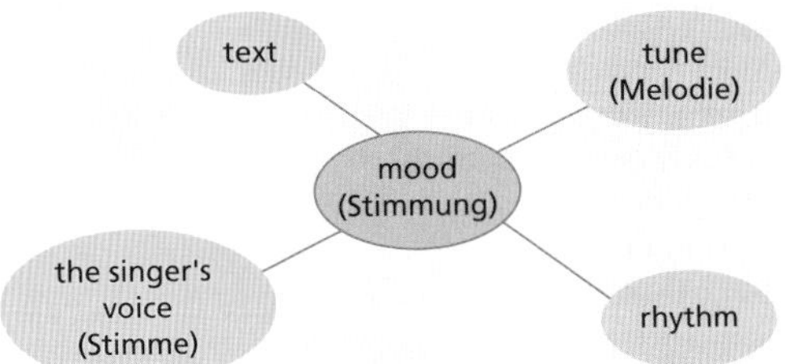

Melodie und Text eines Liedes erzielen die gemeinsame **Wirkung** der **Stimmung,** die ein Lied erzeugt. Auch der Rhythmus und die Qualität der **Stimme,** mit der der Sänger das Lied vorträgt, bestimmen die Gesamtwirkung eines Liedes. Eine tiefe Stimme kann die Wirkung eines nachdenklichen oder beruhigenden Liedes unterstreichen; ein langsamer, monotoner Rhythmus erzeugt eher eine ruhige oder traurige Stimmung.

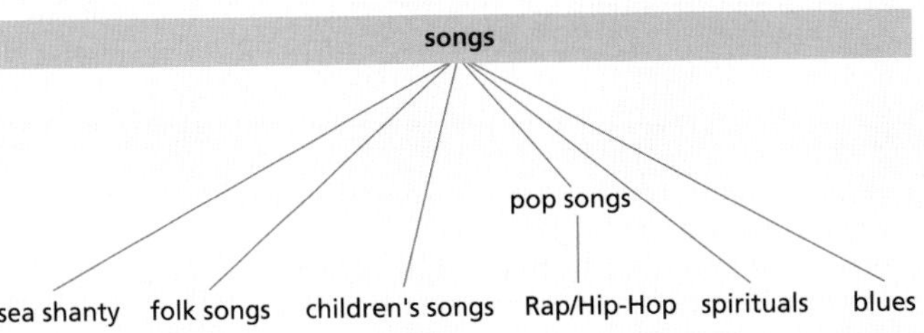

Nachfolgend wird auf Merkmale einzelner Arten von Liedern eingegangen:

Ein ***sea shanty*** *(AE chantey)* ist ein Seemannslied, das im Zeitalter der Segelschiffe begleitend zur Arbeit gesungen wurde. Ähnlich wie beim Tanzlied spielte der Rhythmus eine wichtige Rolle: Er half dabei, Handgriffe im Gleichtakt zu verrichten. Je nachdem, welches Arbeitstempo benötigt wurde, kamen entsprechende *shanties* zum Einsatz.

Viele Tänze der nordamerikanischen Ureinwohner werden nur von Männern oder nur von Frauen getanzt, meist in Kreisform.

Als ***folk song*** gilt das Volkslied eines unbekannten Verfassers, das mündlich überliefert wurde. Die einprägsame Melodie und der sprachlich einfache Text sind allgemein bekannt; von daher kann es auswendig gesungen werden. Häufig vorkommende Themen sind Beruf, Liebe, Tages- und Jahreszeiten. Balladen *(ballads)* und Tanzlieder *(dances)* zählen ebenfalls zu den Volksliedern. Im 19. Jahrhundert wurden Volkslieder gesammelt und aufgezeichnet. Gleichzeitig schufen bekannte Dichter Kunstlieder, die das Volkslied nachahmten.

Wie in jeder Sprache, gibt es auch im Englischen ***children's songs*** für alle Altersstufen: vom beruhigenden Schlaflied *(lullaby)* über das Abzähllied *(counting-out rhyme)* bis zum Erzähllied *(story-telling song)*.
Dieser Text eines Kinderliedes aus dem 19. Jahrhundert weist typische Merkmale auf:

Humpty Dumpty

"Humpty Dumpty sat on a wall,
Humpty Dumpty had a great fall.
All the king's horses,
And all the king's men,
Couldn't put Humpty together again."

Humpty Dumpty
- all but one line rhyme in pairs
- regular rhythm
- a simple text which is easy to remember
- many repetitions

Als ***spiritual*** wird das religiöse Lied der Schwarzen Nordamerikas bezeichnet. Spirituals und Blues haben ihren Ursprung in der Zeit der Sklavenhaltung im 18. und 19. Jahrhundert. Die Schwarzen, die als Sklaven aus Afrika nach Amerika gebracht wurden, schufen christliche Kirchenlieder, deren Gesang und Rhythmus den Volksliedern Afrikas sehr ähnlich waren. Diese gaben ihnen den Trost und die Kraft, um Erniedrigung und Unterdrückung zu ertragen.
Rhythmus und Lebendigkeit sind prägende Bestandteile des Spirituals. Viele Spirituals haben einen Refrain und sehen den Wechsel von Vorsänger und Chor vor.

Blues

Da die Abschaffung der Sklaverei 1856 den Schwarzen in den USA keine Gleichberechtigung garantierte, wurden sie durch die Rassentrennung *(segregation)* gesellschaftlich isoliert. Viele ehemalige Sklaven zogen aus wirtschaftlicher Not in die Städte, wo Ghettos und Slums entstanden.

Blues ist die Bezeichnung für weltliche Lieder der Schwarzen; sie entstanden gegen Ende des 19. Jahrhunderts im Süden der USA. Nach der Abschaffung der Sklaverei 1865 verbesserte sich die wirtschaftliche und gesellschaftliche Situation der Schwarzen nicht. Der Blues erzählt von den Entbehrungen der Landarbeiter und Häftlinge, vom Leiden und von den Sehnsüchten. In der ursprünglichen Form ist der Blues klagend und melancholisch. Anders als die Spirituals wird er von einem einzelnen Sänger vorgetragen. Der Blues erlaubt die spontane **Improvisation.** Blues und Spirituals sind entscheidend für die Entstehung des Jazz gewesen.
Typisch für den Blues ist die Abfolge zweier fast identischer Zeilen und einer dritten Zeile, die im Reim übereinstimmt. Die dazugehörige Melodie wird von Zeile zu Zeile leicht abgewandelt und improvisiert.

"I went to the graveyard, fell down on my knees.
I went to the graveyard, fell down on my knees.
And I asked the gravedigger to give me back my real good man, please."

BETTY SMITH, *Graveyard Dream Blues.* First recorded 1923

Pop songs

pop music, kurz: für *popular music,* auch *Pop* genannt

Pop music, kurz: *Pop,* hat sich in den 1960er Jahren als Zweig der **Unterhaltungsmusik** entwickelt, der speziell junge Hörer anspricht. Ihre Anfänge wurden mit beeinflusst von Rock 'n Roll, Blues und Jazz. In England haben die Beatles maßgeblich zur Entstehung der *pop music* beigetragen, in den USA der Sänger BOB DYLAN. BOB DYLAN wurde durch seine Protestlieder mit politischen und sozialen Themen bekannt. Durch Anlehnung an andere Musikstile, wie z. B. Gospel, Folklore, Klassik, lateinamerikanische und afroamerikanische Vorbildern entwickelten sich zahlreiche verschiedene Richtungen der Popmusik. Bekannt sind z. B. Soul, Reggae, Punkrock, Heavy Metal, Latin Rock, Rap und Hip-Hop. Pop wurde bald als profitabler Zweig der **Musikindustrie** erkannt und vermarktet. **Jugendkultur** und Freizeitindustrie sind ohne *Pop* inzwischen undenkbar geworden. *Pop* verbindet die Jugend weltweit; bedenklich ist jedoch der Verlust nationaler Eigenarten, der

Zu den Klassikern von BOB DYLAN zählen *Blowin' in the Wind, All Along the Watchtower, Mr Tambourine Man.*
Zu den Klassikern der Beatles gehören *Strawberry Fields Forever, Michelle, Penny Lane, Magical Mystery Tour.*

diese Massenkultur begleitet. Musikalische Gestaltung und Texte des *Pop* sprechen einen Massengeschmack an. Die Melodien sind gefällig, einprägsam und leicht wiederzuerkennen. Die Texte betreffen allgemein vertraute Inhalte wie Abschied, Einsamkeit und vor allem die Liebe. Von manchen Interpreten werden immer wieder aktuelle Themen wie Umweltzerstörung, politische Verfolgung oder Hungersnöte aufgegriffen. Die Bekanntheit vieler Titel, abgesehen von einzelnen Klassikern, ist von **Trends** abhängig und nur von kurzer Dauer. *Pop songs* sind in der Regel in Strophen aufgebaut und besitzen einen eingängigen Refrain.

Rap

Rap (to rap = hämmern, klopfen; laut ausstoßen) ist eine neue Richtung des Pop, die zu Beginn der 1980er Jahren von den Jugendlichen der schwarzen Ghettos in den USA geprägt wurde. Rap ist die Form, in der sich die **Hip-Hop-Kultur** musikalisch äußert. Die aggressiv klingenden Rap-Texte werden nicht gesungen, sondern als Sprechgesang zu einem schnellen, kräftigen Rhythmus vorgetragen. Rap als **Sprechgesang** lässt sich auf jahrhundertealte afrikanische Wurzeln zurückführen, z. B. westafrikanische Balladensänger *(Griots).* Ursprünglich ein Ventil für Wut und Enttäuschung über soziale Ungleichheit, ist Rap inzwischen erfolgreich von der Musikindustrie übernommen worden und befriedigt Sehnsüchte auch weißer Jugendlicher.

Hip-Hop = in den 1970er Jahren in der Bronx (New York) entstandene Jugend- und Straßenkultur, zu deren Bestandteilen Rappen, Breakdance und das Sprühen von Graffiti gehören.

Auch in nicht so ernsten Liedern kann der für den Rap typische Rhythmus und Paarreim wirkungsvoll eingesetzt werden:

"Someone knocked, and when I answered the door,
there before my eyes was a dinosaur!
Now I hadn't seen a dinosaur before,
Especially one at my own front door!"

Dulcie Meadows, *The Dinosaur Rap.* Annette Kosseris-Haynes, *A Cup of Giggles – A Saucer of Dreams.* Rydalmere, Australia, 1994

In neuerer Zeit schließt sich die isländische Sängerin BJÖRK der Songwriter-Tradition mit sehr eigenwilligen Kompositionen an. Sie orientiert sich dabei an der isländischen Volksmusik, die sie unkonventionell mit Elementen des Elektropop arrangiert. In so genannten *poetry-slam*-Veranstaltungen werden Gedichte für ein eher junges Publikum vorgetragen. Die häufig im Internet an-gekündigten Veranstaltungsreihen mit Mitmach-Charakter wollen Genuss für Augen und Ohren bieten – und öffnen so diese traditionsreiche literarische Gattung für ein neues Publikum.

www.daniland.com/slam, www.poetryslam.com, educationsworld

Vokabular für die Untersuchung von Gedichten und Songs

general vocabulary	
poetry (n.)	Dichtung
poem (n.)	Gedicht
poet (n.)	Dichter
poetic (adj.)	lyrisch, poetisch
song (n.)	Lied
ballad (n.)	Ballade
stanza (n.)	Strophe
line/verse (n.)	Zeile
refrain (n.), chorus (n.)	Kehrvers
division	**Aufbau**
a poem falls into	
has	
is divided into	ist aufgeteilt in
is composed of	ist aufgebaut in …
it consists of …	besteht aus …
three-line stanzas	
quatrains	
couplets	
a stanza consists of … lines	eine Strophe besteht aus …
introduction	Einleitung
climax	Höhepunkt
a stanza is a …	
couplet	Zweizeiler
tercet	dreizeilige Strophen
quatrain	vierzeilige Strophen
quintain	fünfzeilige Strophen
sestet	sechszeilige
octave	achtzeilige Strophen

meaning	**Bedeutung**
a poem is spoken by the lyrical I/by a speaker	lyrisches „Ich"
a poem deals with	handelt von
is about	
is concerned with	beschäftigt sich mit
presents	stellt dar
describes …	beschreibt
the subject/idea is introduced	wird vorgestellt
expressed	ausgedrückt
developed in …	entwickelt ein …
the poet draws the reader's attention to …	… lenkt die Aufmerksamkeit des Lesers auf
s. th. is a key to	Schlüssel zu
a hint at	Hinweis auf
a clue to the message of a poem	Hinweis auf
a poem wants to show that …	… will zeigen, dass
effect	**Wirkung**
the poem strikes the reader, because …	das Gedicht fällt dem Leser auf, weil …
it stirs up feelings/ associations of …	es löst Gefühle/ Assoziationen aus
it makes the reader associate s. th.	bringt den Leser dazu etwas zu assoziieren
it enables the reader to imagine s.th	ermöglicht dem Leser sich vorzustellen
a poem appeals to the reader's	appellieren an
feelings	Gefühle
emotions	Gefühle
senses	Sinne
a poem has a sad mood	traurige Stimmung
a cheerful mood	heitere Stimmung
a humorous tone	humorvoller Ton
a solemn tone	feierlich
to sound funny	lustig klingen
devices	**Stilmittel**
to use a device	
to make use of a device	ein Stilmittel verwenden
a device is to be found in line …	ein Stilmittel ist zu finden
a device underlines s. th.	betont etwas
creates an effect	hat eine Wirkung
creates an atmospere	Stimmung
the singer's voice	
to murmur	murmeln
to whisper	flüstern
to scream	kreischen
to moan	stöhnen
to tremble	zittern

high ↔ deep, low	hoch ↔ tief
shrill	schrill
faint	schwach
distant	von fern klingend
hoarse	heiser
husky	rauchig
harsh	hart, abweisend
Symbol	**Symbol, Sinnbild**
typographical form	optische Gestaltung
shape poem	
pattern poem	
acrostic poem	
sound devices	**Klangmittel**
the sound of words creates a certain atmosphere in the poem	der Klang der Wörter erzeugt eine bestimmte Atmosphäre
the rhyme draws attention to the words	der Reim lenkt die Aufmerksamkeit der Wörter
onomatopoeia reminds the reader of s. th.	Lautmalerei erinnert den Leser an …
helps the reader imagine s. th.	hilft dem Leser, sich etwas vorzustellen
sound devices give the poem a sound:	
harsh	hart, kalt
fluent	flüssig
(un)pleasant	(un)angenehm
to be written in free verse	in ungebundener Sprache
to have a regular/an irregular rhyme scheme	ein regelmäßiges/unregelmäßiges Reimschema aufweisen
to have a cross rhyme	Kreuzreim
tail rhyme	Schweifreim
embracing rhyme	umarmender Reim
to rhyme in pairs	Paarreim
a poem has a rhythm	
smooth	glatt, weich, ruhig
flowing	fließend
monotonous	monoton
regular	regelmäßig
irregular	unregelmäßig
halting	stockend
syntactical patterns	
to make use of repetition	Wiederholung
to repeat a word	wiederholen
to drop a word	ein Wort auslassen
to leave a word out	ein Wort auslassen
to use ellipsis	
to change the word order	die Satzstellung ändern

a sentence/line is parallel to another	Sätze/Zeilen verlaufen
to have a run-on line in …	Zeilensprung
a sentence runs into the following line	ein Satz setzt sich in der nächsten Zeile fort
choice of words	
to use a word figuratively	im übertragenen Sinne
to use figurative language	bildhafte Sprache
imagery	bildhafte Sprache
to use a simile	Vergleich
a metaphor	Metapher
an image	ein Bild
to create a new word for s. th.	ein neues Wort prägen
to use an unusual expression for s. th.	einen ungewöhnlichen Ausdruck benutzen
to use an unusual combination of words	eine ungewöhnliche Wortkombination benutzen
to use everyday language	Alltagssprache benutzen
poetic language	lyrische Sprache benutzen
to compare s. th. and s. th. else	etw. vergleichen
to compare s. th. to/with s. th.	etw. vergleichen
a word hints at s. th.	auf etw. hinweisen
a word makes the reader associate s. th.	den Leser assoziieren lassen
to form a contrast	einen Gegensatz bilden
to be in contrast to	einen Gegensatz bilden zu
there is a contrast between … and …	es besteht ein Gegensatz zwischen … und …
s. th. contrasts with …	steht im Gegensatz zu
mood of a song	
calm	ruhig
thoughtful	nachdenklich
melancholic	melanchonisch
enchanting	verzaubernd
soothing	tröstend, beruhigend
meditative	meditativ, versunken
sad	traurig
aggressive	aggressiv
gay	fröhlich
humorous	lustig, humorvoll, amüsant
exuberant	ausgelassen
typographical form	optische Gestaltung
to arrange s. th. in the shape of	Wörter/Buchstaben in der Form von … anordnen
in a vertical/horizontal line	in einer senkrechten/waagerechten Linie
to use bold/capital letters	Fettdruck/Großbuchstaben verwenden

3.3.3 Dramatische Texte

Ein **Drama** ist ein sprachliches Kunstwerk, das den Zuschauern durch die Aufführung auf einer Bühne vermittelt wird. Die Personen in einem Drama heißen **Figuren *(characters)*.** Schauspieler *(actors)* übernehmen die **Rollen *(roles, parts)*** dieser Figuren und führen die fiktive Handlung des Dramas aus. Die Zuschauer erleben zeitgleich die fiktive Handlung wie ein reales Geschehen auf der Bühne mit.

Drama, griech. δράμα = Handlung, Geschehen

Der dramatische Text, der die Grundlage der Aufführung ist, besteht aus den Bühnenanweisungen *(stage directions)* und der Figurenrede *(dramatic dialogue)*. Verschiedene **Dramenformen** lassen sich nach folgenden Kriterien unterscheiden:
- Anzahl der Akte, z. B. Einakter *(one-act play, three-act play, five-act play)*,
- Aussagegegenstand, z. B. Problemdrama *(problem play)*,
- Ausgang des Dramas: Tragödie *(tragedy)*, Komödie *(comedy)*.

Tragödie und Komödie bilden die beiden Hauptgattungen des Dramas.

ARISTOTELES (384–322 v. Chr.) hat in seiner *Poetik* die bis heute einflussreichste Theorie des Dramas formuliert.

Die **Komödie** ist ein unterhaltsames Schauspiel, das, oft ausgehend von einem scheinbaren Konflikt, menschliche Schwächen entlarvt und zu einem glücklichen Ausgang führt.

Die Komödie macht zur Steigerung der Unterhaltungswirkung Gebrauch von verschiedenen Formen der Komik: Situationskomik *(situational comedy, stock situations)*, Figurenkomik *(stock characters)* oder Sprachkomik *(verbal wit)*.

Die **Tragödie** ist ein ernstes Schauspiel, dessen Handlung durch einen tief greifenden Konflikt ausgelöst wird. Dieser Konflikt wird entweder von außen an die Hauptfigur *(tragic hero)* herangetragen, welche an der Bewältigung des Konfliktes scheitert, oder die Hauptfigur begeht unwissentlich einen schicksalhaften Irrtum *(tragic flaw)*, an dessen Folgen sie zerbricht.

Einakter *(short play, one-act play)* besitzen ähnliche Merkmale wie die Kurzgeschichte *(short story)*: Sie sind aufgrund ihrer Kürze gekennzeichnet durch gezielte Auswahl des Handlungsausschnittes, Konzentration des Aufbaus und inhaltliche Dichte. Ein Kurzdrama besitzt auch ohne Vorgeschichte und Nachspiel genug Aussagekraft. Da diese Kurzform wenig Raum lässt für die Entwicklung einer Handlung, wird häufig der Endpunkt einer Entwicklung als Gegenstand der Bühnendarstellung gewählt. Ein krisenhafter Moment oder ein Wendepunkt in der Entwicklung der Hauptfigur(en) dient der Veranschaulichung des darzustellenden Problems.

Merkmale des Dramas

Folgende Elemente bilden die Bausteine eines Dramas:

Aufführung *(performance)*	**Aufbau** *(structure)*	**Handlung** *(action)*	**Bühnengespräch** *(dialogues)*	**Figuren** *(characters)*

Die Aufführung

Die Vermittlungsform des Dramas ist die **Aufführung** auf einer Bühne *(performance on stage).* Das hat für den Zuschauer Auswirkungen:

- Der Zuschauer erlebt die Handlung auf der Bühne unmittelbar mit.
- Die räumliche und zeitliche **Nähe zum Bühnengeschehen** bewirkt beim Zuschauer eine direkte Betroffenheit. Es fällt dem Zuschauer leicht, sich mit einer oder mehreren der Figuren zu identifizieren.
- Im Zuschauerraum bildet der Zuschauer mit anderen zusammen das **Publikum** der Aufführung. Er kann die Abfolge des Bühnengeschehens nicht, wie beim Lesevorgang, unterbrechen.
- Während der Leser eines Textes bei unklaren Stellen das Gelesene im Nachhinein noch einmal überfliegen kann, fehlt dem Zuschauer einer Dramenaufführung diese Möglichkeit. Er ist auf die Verständlichkeit des Dialogs und der Bühnenhandlung angewiesen.

In der Regel gibt es keinen Sprecher oder Erzähler als Vermittler zwischen den Zuschauern und der Bühnenhandlung.

Daher ist es das Bedürfnis der Zuschauer, alle wichtigen Informationen durch die Darstellung auf der Bühne zu erhalten. Was nicht auf der Bühne sichtbar gemacht werden kann, muss durch das **Bühnengespräch** berichtet werden. Zum Beispiel erfährt der Zuschauer durch das Gespräch der Figuren, wie es zur momentanen Situation gekommen ist.

> In der Dramenaufführung stehen verschiedene Arten von Übermittlungszeichen zur Verfügung.

In dieser Hinsicht ist das Drama den Erzähltexten und Gedichten gegenüber im Vorteil. Während bei diesen alle Informationen durch das geschriebene Wort an den Leser gelangen, kann das Drama auf eine Vielfalt von **optischen** und **akustischen Zeichen** zurückgreifen.

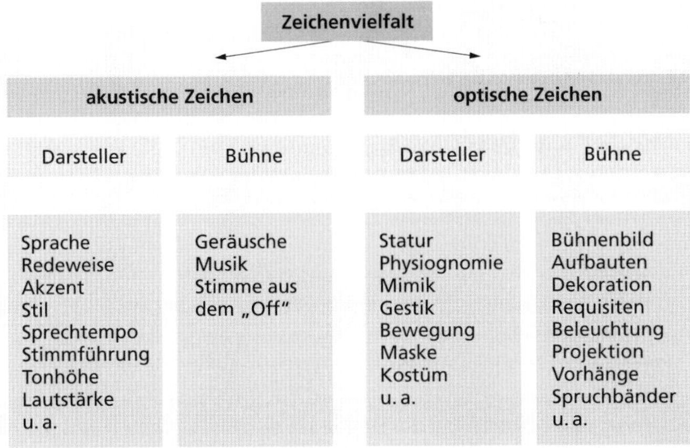

Nicht nur der gesprochene Dialog (verbale Zeichen, akustischer Kanal) liefert wichtige Informationen über die dramatische Handlung; auch die Bühnenausstattung, die Kostüme sowie die gestisch-mimische Darstellung der Figuren (optische Zeichen, visueller Kanal) geben Aufschluss über Atmosphäre, Thema oder Konfliktlösung eines Stückes. Diese gleichzeitige Verfügbarkeit mehrerer Übermittlungskanäle wird auch **Zeichenvielfalt** genannt. Welche Möglichkeiten bei der Darstellung auf der Bühne ausgeschöpft werden sollen, erfahren Schauspieler und Regisseur aus den Bühnenanweisungen.

Unter den **Bühnenanweisungen *(stage directions)*** versteht man die dem Sprechtext eines Dramas beigefügten Anmerkungen des Autors über
- den Schauplatz der Szenen,
- die Gestaltung und Ausstattung der Bühne,
- die Redeweise, Gestik und Mimik der Figuren,
- das Auf- und Abtreten der Schauspieler auf der Bühne,
- Geräusche, Musik und Lichteffekte.

Die Bühnenanweisungen liefern dem Leser eines Dramentextes wichtige Hinweise zum Verständnis des Dramas und zur Absicht des Autors. Denn der Autor kann die Bühnenanweisungen als Instrument benutzen, um die Form der Aufführung nach seinen Vorstellungen zu steuern. Dramenautoren machen von diesem Mittel in unterschiedlichem Umfang Gebrauch. Manche geben nur knappe Hinweise; andere machen sehr genaue Angaben zur gewünschten Bühnenausstattung.

Mit dem Drama *Death of a Salesman* gelang dem amerikanischen Schriftsteller ARTHUR MILLER (1915 bis 2005) 1949 der internationale Durchbruch. MILLER kombinierte nach der Tradition des Realismus soziales Bewusstsein mit den persönlichen Schwächen seiner Charaktere.

Verschiedene Autoren beschreiben ausführlich in den Bühnenanweisungen, wie sie sich die Charakterzüge und das Verhalten der Figuren vorstellen.

Der Aufbau des Dramas

Dramen weisen rein äußerlich eine Unterteilung in größere Hauptabschnitte und untergeordnete Handlungseinheiten auf. Die Hauptabschnitte nennt man **Akte.** Akte sind in kürzere, untergeordnete Handlungsabschnitte unterteilt, die **Szenen** genannt werden.

> Eine **Szene** bildet eine in sich abgeschlossene Handlungseinheit. Innerhalb einer Szene gibt es keinen Wechsel des Schauplatzes und keinen Zeitsprung.

In der Regel zeigt eine Szene die Handlung einer bestimmten Gruppe der Figuren, z. B. eine Auseinandersetzung zwischen den beiden Hauptkontrahenten, oder das Auftauchen eines Problems für den Helden. Der Wechsel zwischen den einzelnen Akten und Szenen ergibt sich häufig aus einem Ortswechsel und aus einem Zeitsprung.

Eine neue Bewegung ging für das moderne Drama von der literarischen Richtung des Realismus aus.

Neben der äußeren Unterteilung weist die Handlung eines Dramas eine Verzweigung in **Haupt- und Nebenhandlungen** auf. Diese durchziehen das Drama als Handlungsstränge. Mit einem Szenenwechsel ist häufig auch ein Wechsel zwischen den Handlungssträngen verbunden. Zwei Handlungsstränge können nebeneinander her laufen, schließlich aber auch miteinander verschmelzen.

Die Handlung. Die Handlung *(action)* eines Dramas lässt sich in einzelne Handlungsabschnitte *(parts)* einteilen.
- Die **Exposition** führt in die Handlung ein. Der Zuschauer erfährt, um welches Thema oder um welchen Konflikt es in dem Drama geht. Die Exposition liefert dem Zuschauer alle Informationen, die er zum weiteren Verständnis des Dramas benötigt. Die Hauptfiguren, der Schauplatz und der zeitliche Hintergrund der Handlung werden vorgestellt. Der Zuschauer lernt die Ausgangssituation und ihre Vorgeschichte kennen.
- Der Handlungsverlauf strebt häufig auf einen **Höhepunkt** zu; der Konflikt spitzt sich zu.
- Der Höhepunkt des Konfliktes löst oft einen Richtungswechsel im Handlungsverlauf aus. Das Schicksal der Hauptfigur wendet sich. Dieser Abschnitt eines Dramas wird als **Wendepunkt** bezeichnet.
- Der letzte Abschnitt zeigt den **Ausgang der Handlung.** Der Konflikt wird entweder auf tragische Weise durch das Scheitern und den Tod des Helden beendet, oder eine Versöhnung, eine gütliche Lösung wird herbeigeführt.

O'NEILLS Drama *Beyond the Horizon* endet tragisch mit dem Tod Roberts. Obwohl seine Lebenspläne unerfüllt blieben, stirbt er befreit und ohne Verbitterung. Er verzeiht Ruth, die ihn innerlich verlassen hat. Trotzdem zeigt Ruth am Ende der letzten Szene eine Haltung der Hoffnungslosigkeit. Sie sieht sich unfähig, im Leben die richtigen Entscheidungen zu treffen.

Folgendes Modell stellt den Idealfall eines Handlungsverlaufs in einer Kurve dar:

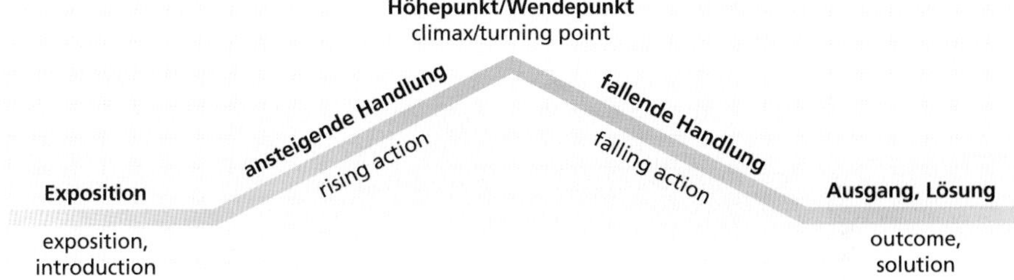

Das Bühnengespräch

Das Bühnengespräch *(dialogue)* ist für jedes Drama von zentraler Bedeutung. In der Regel stellt es den wichtigsten Informationsträger für den Zuschauer oder Leser dar. Folgende Formen des Bühnengesprächs werden eingesetzt:
- der **Monolog** (das Selbstgespräch, *monologue),*
- das **Beiseitesprechen** *(aside),*
- der **Dialog** als Rede und Gegenrede.

Das Bühnengespräch übernimmt im Drama eine Vielzahl von Funktionen:

Das Bühnengespräch als Handlungsauslöser. Das Bühnengespräch selbst ist Sprachhandlung (↗ Kapitel 1.1.4). Jede absichtsvolle Äußerung treibt die Handlung voran. Folgender Ausschnitt aus EUGENE O'NEILLS *Beyond the Horizon* stellt den Schlüsselmoment *(key moment)* der ersten Szene dar. Durch das Bekenntnis ihrer Zuneigung zu Robert stellt Ruth die Weichen für die weitere Entwicklung der Handlung. Ruth handelt, indem sie spricht. Sie überredet Robert, nicht zur See zu fahren, sondern auf der

EUGENE O'NEILL (1888 bis 1953) führender amerikanischer Dramatiker. *Beyond the Horizon* war sein erster großer Erfolg.

Farm zu bleiben. Für die Landarbeit ungeeignet, ist Robert durch seine Entscheidung zum Scheitern verurteilt.

> **Ruth:** *(She suddenly throws her arms about his neck and hides her head on his shoulder)* "Oh, Rob! Don't go away! Please! You mustn't now! You can't! I won't let you! It'd break my – heart!"
>
> EUGENE O'NEILL, *Beyond the Horizon.* Random House 1920, Act I, scene 1

Das Bühnengespräch als Beziehungsstifter. Das Bühnengespräch lässt vor dem Zuschauer ein Geflecht von Beziehungen entstehen. Der Zuschauer erfährt, wie die Figuren zueinander stehen. Eine Beziehung kann geprägt sein durch die Gegensätze

Zuneigung *(affection)* ↔ Abneigung *(dislike),*
Nähe *(close relationship)* ↔ Distanz *(distant relationship),*
Unterstützung *(friendship, support)* ↔ Rivalität *(rivalry).*

Aus dem Bühnengespräch geht ebenso hervor, welche Stellung die Figuren innerhalb des Figurenensembles einnehmen *(position among the characters).* Üblich ist die Aufteilung in **Haupt- und Nebenrollen;** diese ist abhängig davon, wie sehr eine Person die Handlung bestimmt. In manchen Figurenensembles wird eine **Rangordnung** dargestellt, in der es einen Anführer, aber auch einen Außenseiter gibt. Der Konflikt eines Dramas kann sich auch aus der **Rivalität** zwischen dem Helden/der Heldin und einem Gegenspieler entwickeln. Dramen zeigen häufig Entscheidungssituationen, die durch einen Konflikt herbeigeführt werden. Eine Entscheidung verändert die Positionen und Beziehungen der Figuren. Möglicherweise gerät die Hauptfigur in die Isolation *(to be isolated)* oder erlebt eine Niederlage; eine Figur ergreift Partei; oder eine Gruppe von Figuren schließt sich zu einer Reaktion auf ein Ereignis zusammen.

Die Tragödie *Macbeth,* um 1608 von W. SHAKESPEARE, thematisiert den Aufstieg des Heerführers Macbeth zum König, seine Veränderung zum Tyrannen und seinen Fall. Angestachelt von seiner Frau, Lady Macbeth, begeht er einen Mord.

Im Beispiel *Beyond the Horizon* wandelt sich Ruths Beziehung zu ihrem Mann Robert radikal. Da er ihre Erwartungen an einen Ehemann nicht erfüllt hat, ist aus ihrer Liebe Ablehnung und Verachtung geworden. Im Dialog äußert sie ihre aufgestaute Enttäuschung. Dabei berücksichtigt sie nicht, wie tief sie Robert verletzen könnte:

> Ruth: "(...) I hate the sight of you. Oh, if I'd only known! If I hadn't been such a fool to listen to your cheap, silly, poetry talk that you learned out of books! If I could have seen how you were in your true self – like you are now – I'd have killed myself before I'd have married you!"
>
> EUGENE O'NEILL, *Beyond the Horizon.* Act II, end of scene 1

Die Figuren

Um sich die fiktiven Figuren eines Dramas vorstellbar zu machen, muss der Leser oder Zuschauer eine Auswahl von Informationen über die Figuren erhalten. Den größten Anteil an figurenbezogenen Informationen kann er dem Bühnengespräch entnehmen.

Der Zuschauer beobachtet
- Bühnengespräch *(dialogue),*
- Sprache *(language),*
- Stimme *(voice),*
- Mimik *(facial expression),*
- Gestik *(gestures),*
- Körperhaltung *(posture),*

um Informationen über das Verhalten einer der handelnden Personen zu erhalten.

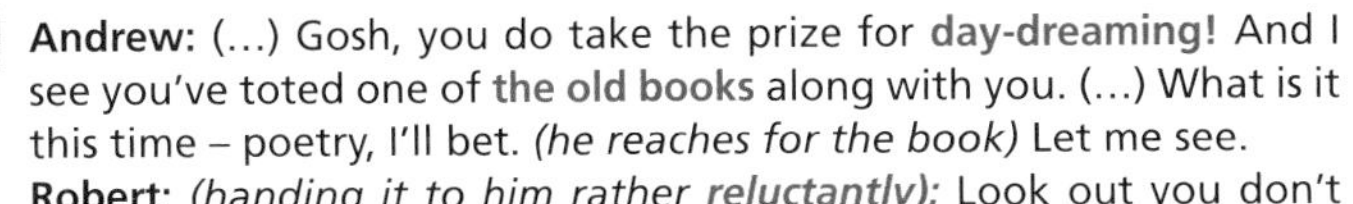

Andrew: (…) Gosh, you do take the prize for **day-dreaming!** And I see you've toted one of **the old books** along with you. (…) What is it this time – poetry, I'll bet. *(he reaches for the book)* Let me see.
Robert: *(handing it to him rather* ***reluctantly****):* Look out you don't get it full of dirt.
Andrew: *(glancing at his hands):* That isn't dirt – it's **good clean earth.** (…)

EUGENE O'NEILL, *Beyond the Horizon,* Act I, scene 1

- Andrew's opinion of his brother
- The movement of Robert's hand (Gestik).
- Andew's attitude towards earth

Robert and Andrew are introduced as two contrasting characters. Robert is the thoughtful, sensitive type who loves his books.
Unlike him, Andrew appears to be "a son of the soil" who shows his respect for earth. He is fit to be a farmer.

In der Eröffnungsszene aus *Beyond the Horizon* werden zwei der Hauptfiguren mit ihren Neigungen vorgestellt. Die Darstellungstechnik, die der Autor hier benutzt, ist die **Gegenüberstellung.** Diese hebt die Gegensätzlichkeit der beiden Brüder Andrew und Robert für den Zuschauer hervor.
Bevor eine Dramenfigur charakterisiert werden kann, müssen folgende Bereiche ihrer Handlungen untersucht werden:
- ihre Entscheidungen *(decisions),*
- ihre Gedanken und Gefühle *(thoughts and feelings),*
- ihre Einstellung zu bestimmten Personen *(attitudes),*
- ihre Reaktionen auf Situationen und Ereignisse *(reactions),*
- die Gestaltung ihrer Umgebung *(surroundings).*

Die Untersuchung dieser Aspekte lässt Rückschlüsse zu auf die **Absichten** einer Person. Außerdem macht sie die Ursachen und **Motive** ihres Handelns verständlich. Häufig durchläuft die Hauptfigur eines Dramas eine **Entwicklung.** Die **Methode des Vergleichs** legt offen, in welcher Hinsicht sich eine Person gegenüber einem früheren Zeitpunkt verändert hat.
Das Verhältnis, das eine Figur zu ihrer Umgebung hat, lässt sich an der **Gestaltung des Bühnenbildes** ablesen. Wohnräume spiegeln häufig die Lebensweise der in ihnen lebenden Menschen. Im Beispiel *Beyond the Horizon* spiegelt der Zustand des Wohnzimmers die Verfassung der Familie MAYO zu verschiedenen Zeitpunkten wieder. Die umfangreichen Bühnenanweisungen, die den Szenen vorangestellt sind, bieten sich für eine vergleichende **Gegenüberstellung** an:

Act I, scene 2	Act II, scene 1 (three years later)
"Everything in the room **is clean, well-kept, and in its exact place,** (...) the atmosphere is one of the **orderly comfort** of a simple, hard-earned prosperity, enjoyed and maintained by **the family as a unit.**"	"The room has changed, not so much in its outward appearance as in its general atmosphere. (...) the chairs appear **shabby** from **lack of paint;** the table cover is **spotted** (...); **holes** show in the curtains; a child's doll, with **one arm gone,** lies **under the table.**"

Wenn sich der Vorhang für den zweiten Akt hebt, ist die Veränderung für den Zuschauer sofort an den Einzelheiten des Wohnzimmers spürbar:

tidy, well-kept ⟷ *untidy, shabby, neglected*

Diese Veränderung hat Auswirkung auf die Atmosphäre des Raumes:

atmosphere of "orderly comfort" ⟷ *atmosphere of carelessness and neglect*

Das Bühneninventar dient hier als Spiegel der Entwicklung, die die Familie Mayo durchlaufen hat. Die Einheit, die die Familie Mayo noch im ersten Akt darstellte, ist zerbrochen. Sie ist durch Probleme belastet und abgelenkt. Die Kraft, sich um Ordnung zu kümmern und das Inventar zu pflegen, ist den Familienmitgliedern abhanden gekommen.

Literarische Texte untersuchen

Die Lektüre. Um während der Lektüre eines Dramas oder Romans den Überblick über die Handlung und die Funktion der einzelnen Szenen zu behalten, sind folgende Methoden hilfreich:
- Unterstreichen wichtig erscheinender Zeilen im Text,
- Notizen am Rand (im eigenen Buch!),
- Markierung wichtiger Stellen durch farbige Haftzettel,
- Eintragungen in eine Übersichtstabelle *(reading log)*, die die Lektüre begleitet.

part/chapter	setting	main characters	action, function of the scene	personal comment
Act I, sc. 1				
sc. 2				
Act II, sc. 1				
Act II, sc..2				

Das ***reading log*** enthält für jede Szene/jedes Kapitel
- Angaben zu Ort und Zeit der Handlung,
- die wichtigsten Personen in diesem Textteil,
- die Funktion der Szene/des Kapitels: z. B. Versöhnungsszene *(reconciliation),* Liebeserklärung *(declaration of love),* Rückkehr *(return),* Lösung *(solution),*
- Zusammenfassung der Handlung in Stichworten,
- persönliche Bemerkungen zur Szene/zum Kapitel.

Bei **Kurzdramen** *(short plays, one-act plays),* die nicht in Akte und Szenen aufgebaut sind, teilt man die Handlung in **Entwicklungsabschnitte** ein. Zu jedem Entwicklungsabschnitt können nach derselben Methode Eintragungen in die Übersichtstabelle gemacht werden.

Aufgabenstellungen

Die Charakterisierung einer Hauptfigur und die Untersuchung einer Szene oder eines Textausschnittes sind **untersuchende Aufgabentypen.** Sie verlangen die sorgfältige Betrachtung der Informationen und der Sprache, die ein Text enthält. Alle Aussagen über den Text sollten möglichst mit Textbeispielen belegt werden. Eine Charakterisierung sollte nach folgendem Schema den Text untersuchen:
- Markierung und Zusammenstellung der Angaben und Einzelheiten über die Figur im Text,
- Erarbeitung der Eigenschaften und Verhaltensweisen der Figur,
- Einordnung in die Figurenkonstellation des Textes,
- Untersuchung der Gründe und Motive für das Verhalten der Figur,
- Erarbeitung der Bedeutung der Figur für den Text und die Handlung.

Figurenkonstellation = Beziehungsmuster zwischen den handelnden Figuren

Characterizing a person
- Who is the character? (name, age, profession)
- What does the person look like?
- What language does he or she use?
- What is the character's relationship to the other persons in the text?
- What kind of person is the character?
- What are the character's motives and intentions in the text?
- What does the character think or feel at the moment presented in the text?
- How does the character react or behave at the moment?
- Does the text show a development of the character's behaviour or feelings?
- What is your opinion of the person's behaviour?

Die **Untersuchung eines Textausschnittes** verlangt zunächst die **Einordnung** des Ausschnittes in den Handlungsverlauf. Die Untersuchung muss feststellen, um welchen Handlungsabschnitt es geht. Vorgeschichte und Folgehandlung müssen geklärt werden. Außerdem fragt diese Aufgabenstellung danach, ob der vorliegende Ausschnitt für das Gesamtgeschehen eine besondere Bedeutung hat. Handelt es sich etwa um eine Schlüsselszene, um den Höhepunkt der Handlung oder das Ende? Gesichtspunkte der Untersuchung sind:

Writing about a scene or an extract taken from a story

- What situation does the scene/part of the story present?
- Who are the main characters?
- What is the relationhip between the characters?
- What happens in the scene/part of the story?
- What are the consequences for the following action?
- What atmosphere is created?
- From whose point of view is the story presented?

Daneben gibt es **kreative Aufgabentypen.** Sie verlangen die selbstständige Herstellung eines Textes in Anlehnung an die im Unterricht präsentierten Vorbilder. Mögliche Aufgabenstellungen sind:

bold, adj. = brave, not afraid of saying what you think or feel

- **Find a title for the text.** Nachdem der Inhalt und das Anliegen eines Textes geklärt worden sind, sucht man nach einer Überschrift, die dieses Anliegen am treffendsten ausdrückt (e. g. the title *BOLD* could be chosen for a story about a person standing up for his rights).
- **Tell the story from another character's point of view.** Die Darstellung der Handlung aus der Sicht einer anderen Person setzt voraus, dass man sich in die Rolle dieser Person versetzt.
- **Find a suitable end for the story/scene.** Es ist wichtig, die Richtung des Handlungsverlaufs festzustellen, bevor man eine *open-ended story* oder eine *open-ended scene* fortsetzt.
- **Turn the poem into a story/a short scene.** Bevor man den Inhalt des Gedichtes mit den Merkmalen einer anderen Textsorte darstellen kann, muss die im Gedicht vermittelte Situation vollständig geklärt werden (What is the speaker's situation?).

The poem

"Whose woods these are I think I know.
His house is in the village though;
He will not see me stopping here
To watch his woods fill up with snow.
(...)
The woods are lovely, dark and deep.
But I have promises to keep,
And miles to go before I sleep,
And miles to go before I sleep."

ROBERT FROST, *Stopping By Woods On A Snowy Evening*. 1923

The poem presents the thoughts of a person who has stopped to watch a wood fill with snow during a winter night. He is on his way to a distant place where he will start on a new job.

Eine **Kurzgeschichte,** die diese Situation enthält, könnte sich mit der Vorgeschichte der Situation beschäftigen: Welche Entscheidung hat diese Person getroffen, bevor sie sich auf den Weg machte? Wie schwer ist ihr diese Entscheidung gefallen?

The story

Vokabular für die Dramenuntersuchung

general vocabulary	
drama (n.), play (n.)	
dramatic (adj.)	
dramatist (n.), playwright (n.)	Dramenautor
short play (n.)	Kurzdrama
one-act play (n.)	Einakter
tragedy (n.)	Tragödie
hero (n.)	Held
heroine (n.)	Heldin
audience	Publikum
comedy (n.)	Komödie
to use/to employ/to make use of humorous elements	komische Elemente einbauen
to use a **pun**	Wortspiel
to play on the meaning of words	Wortspiel
to use **verbal wit**	witzige und geistreiche Sprache
to exaggerate s. th.	übertreiben
to use **exaggeration**	Übertreibung
to make fun of s. th.	sich über etwas lustig machen
to make s. o. laugh	jmd. zum Lachen bringen
to entertain	unterhalten
to amuse	belustigen
dramatic structure	**Handlungsstruktur**
exposition (n.)	Einführung
to introduce the main characters	vorstellen
rising action (n.)	ansteigende Handlung
climax (n.)	Höhepunkt
the action rises to a climax	zum Höhepunkt ansteigen
turning point (n.)	Wendepunkt
the action reaches a turning-point when …	… erreicht einen Wendepunkt als …
falling action (n.)	fallende Handlung
solution (n.)	Lösung
outcome of the action	Handlungsausgang
a play has a happy/tragic/open ending	… glücklichen/tragischen/offenen Ausgang
to put an end to a conflict	einen Konflikt beenden
a conflict comes to an end	
to reconcile	sich versöhnen
reconciliation	Versöhnung
composition	**Aufbau**
a play is a three-act/five-act drama	

a play is divided into three/five acts	**aufgeteilt in**
an act has three/four/five scenes	Szenen
a scene takes place in …	stattfinden
the **setting** of the scenes changes	Schauplatz
a play has a main plot	Haupthandlung
sub-plot	Nebenhandlung
a key scene	Schlüsselszene
a play has … stage directions	Bühnenanweisungen
short	knapp
detailed	ausführlich
precise	genau
the stage directions inform about	informieren über
the characteristics	Eigenschaften
the movements	Bewegungen
the gestures	Gesten
the reactions	Reaktionen
the state of mind	seelische Verfassung
the stage directions hint at the atmosphere and setting of a play	die Regieanweisungen weisen auf … hin
the stage	**Bühne**
to perform a play on stage	ein Spiel aufführen
to enter the stage	die Bühne betreten/
to leave the stage	verlassen
scenery (n.)	Bühnenbild
to design a scenery	Bühnenbild entwerfen
a painted canvas	Kulisse
stage props	Requisiten
to move/remove the stage props	beseitigen, bewegen
to change the scenery	Bühnenbild auswechseln
the curtain rises/falls	Vorhang
the prompter	Souffleur
to wait for a prompt/cue	Stichwort
to use sound/lighting effects	Klang-/Lichteffekte
to light the stage	beleuchten
the characters	**Figuren**
actor (m.)	Schauspieler
actress (f.)	Schauspielerin
to act on stage	auf der Bühne spielen
to play a part/role	eine Rolle spielen
main/minor character	Haupt-/Nebendarsteller
to wear a costume	ein Kostüm tragen
to change costume	sich umziehen
a character speaks	
in an aside	beiseite
in a monologue	im Monolog
talks to the audience	zum Publikum
a person's characteristics, features	Charakterzüge, Merkmale
to change	sich verändern

the most striking feature of a person is shown when …	das auffälligste Merkmal
a person changes his views/attitudes	eine Person ändert ihre Ansichten, Einstellungen
changes sides in a conflict	die Partei wechseln
a person undergoes a development	durchläuft eine Entwicklung
a person's character shows in the	sich zeigen, äußern in
way he behaves towards others	
treats others	wie er andere behandelt
deals with others	wie er mit anderen umgeht
to tend to do s. th.	neigen zu
rival, enemy	Gegner
leader	Anführer
facial expression	**Mimik**
to look tired, worn out/exhausted	müde, erschöpft
alarmed	beunruhigt
worried/anxious	besorgt
blank	ausdruckslos, leer
bored, desperate	verzweifelt
angry/furious	wütend
to look peaceful, cheerful	friedlich, heiter
relieved	erleichtert
way of speaking	**Sprache**
to speak encouragingly	ermutigend
seriously	ernsthaft
affectionately	liebevoll
humorously, solemnly	feierlich
threateningly, aggressively	drohend
hatefully	hasserfüllt
to speak in a matter-of-fact way	sachlich
in a friendly/polite	höflich
rude/impolite way	unhöflich
behaviour towards others	**Verhalten gegenüber anderen**
intention	Absicht
motif, (pl.) motives	Beweggrund, Motiv
to treat s. o.	jmd. behandeln
to behave towards s. o.	sich gegenüber jmd. verhalten
to be s. o. to rely on	verlässlich sein
a person you can trust	vertrauenswürdiger Mensch
a person you can confide in	Vertrauen erweckender Mensch
to support	unterstützen
to encourage	ermutigen
to feel pity for s. o./to pity s. o.	bemitleiden
to pretend to be/do s. th.	vortäuschen
to bully, terrify s. o.	jmd. Angst einjagen
to frighten s. o.	jmd. ängstigen, erschrecken
to boast of s. th., to show off	angeben, prahlen

to let s. o. down	jmd. im Stich lassen
to flatter s.o	schmeicheln
to admire s. o.	bewundern
to look up to s. o.	aufblicken zu
to look down on s. o.	auf jmd. herabblicken
to treat s. o. with contempt	jmd. verächtlich behandeln
to envy s. o. s. th.	jmd. um etw. beneiden
to be jealous	eifersüchtig sein
to be isolated	isoliert sein
to be defeated	unterlegen sein (in einem Konflikt)
reactions	**Reaktionen**
to react to s. th.	auf etw. reagieren
to overreact	überreagieren
to be moved by	bewegt sein
to feel annoyed	verärgert
to be upset	aufgelöst
to be embarrassed	verlegen
to face a problem	mit einem Problem konfrontiert sein
to cope with a problem	ein Problem bewältigen
to be in an inner conflict	sich im inneren Konflikt befinden
to feel pangs of conscience	Gewissensbisse haben
to ease one's conscience	das Gewissen erleichtern
to control one's feelings	Gefühle unter Kontrolle haben
to lose control of one's feelings	die Kontrolle verlieren
to take sides with	Partei ergreifen für
to join s. o.	sich jemandem anschließen

3.4 Andere Medien

3.4.1 Bilder und Fotos

Fotografie = phos (griech.) = Licht, graphein (griech.) = aufzeichnen

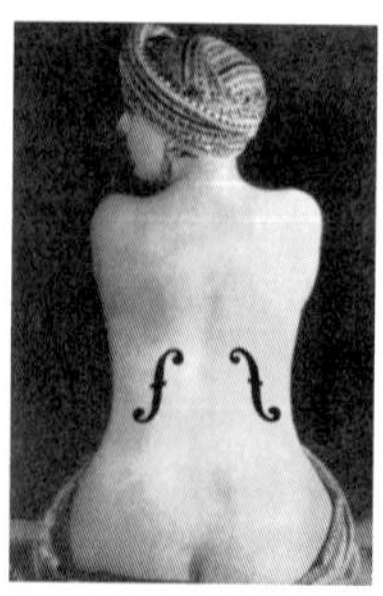

Seit es menschliche Kultur gibt, prägen **Bilder** unser Leben und vermitteln Botschaften, z. B. in Form von dokumentierten Nachrichten, zur Beweisaufnahme, als Kunst im Museum oder zur Illustration in Büchern. Seit der Erfindung der Fotografie in der ersten Hälfte des 19. Jahrhunderts hat sich das **Foto** zu einem bedeutenden Informationsträger entwickelt. Während ein Maler sein Werk vor einer leeren Leinwand beginnt, wählt ein Fotograf einen Ausschnitt aus einer sich ihm darbietenden Szene aus und bannt einen vergänglichen Moment auf eine zweidimensionale Fläche. Die Unterscheidung von Fotografien kann erfolgen nach:

- dem technischen Entwicklungsstand: Foto-Platte, Rollfilm, Kassettenfilm, digitale Fotografie
- der Farbigkeit: schwarzweiß Aufnahme, Farbaufnahme
- dem abgebildeten Objekt: Landschaftsfotografie, Architekturfotografie, Naturaufnahmen, Porträtfotografie, Gruppenfotografie

- dem Zweck: Werbefotografie, Forschungsfotografie, Luftfotografie, Pressefotografie, Röntgenfotografie
- der Funktion: angewandte Fotografie (z. B. zur Illustration oder Erklärung von Mitteilungen oder Aussagen), künstlerische Fotografie (Abbildung als Kunstwerk)
- dem Inhalt: vorwiegend informierende Fotos, vorwiegend ästhetische Fotos, vorwiegend gefühlsbetonte Fotos

Röntgenstrahlen lassen sich nicht mit Linsen oder Spiegeln bündeln. Daher sind abgebildete Objekte nur als Schattenbilder zu sehen.

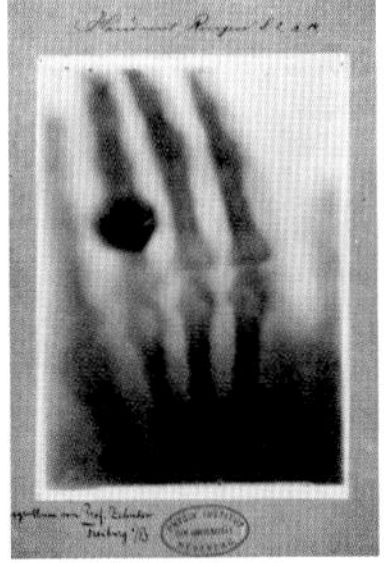

Das Erschließen von Abbildungen

Im Fremdsprachenerwerb dienen uns Bilder und Fotos, die Sachtexte begleiten, in erster Linie als Informationsquelle und unterstützen das Verständnis der sprachlichen Mitteilungen. Ein Bild spricht neben der Wahrnehmung des Betrachters auch dessen Denken, Gefühl und Geschmack an. Daher ist eine systematische Vorgehensweise bei der Erschließung sinnvoll:

1. Schritt: Betrachtung

Das Bild betrachten und herausfinden, was dargestellt wird. Dabei sollte man sich auch Zeit für die Details nehmen.

2. Schritt: Beschreibung

Die **wichtigsten Bildelemente** und ihre Position **beschreiben,** dabei die **Bildfläche** im Vordergrund, linke/rechte sowie obere/untere Bildhälfte **aufteilen.** Auf Details wie Lichteinfall, Farbgebung oder körperliche Besonderheiten achten. Danach weniger bedeutsame Elemente (meist im Hintergrund) beschreiben.

3. Schritt: Deutung

Die **Thematik** des Bildes benennen und dies anhand bestimmter Bildelemente belegen.

4. Schritt Wertung

Stellung zur künstlerischen Gestaltung und zur Aussage des Bildes sowie zur Umsetzung der Thematik durch den Künstler nehmen.

3.4.2 Cartoons

Carton (frz.) = Pappe. Der Begriff bezeichnete ursprünglich einen auf Karton gezeichneten Entwurf, u. a. für Fresken. Heute steht Cartoon für eine witzige, parodistische Zeichnung. Im Englischen bezeichnet *(animated) cartoon* (auch *animated film*) Zeichentrickfilme.

Cartoons *(cartoon).* Durch eine Zeichnung oder eine Folge von Zeichnungen geben Cartoons Informationen wieder, die zusätzlich durch eine Aufschrift *(inscription),* Bildunterschrift *(caption)* oder Sprechblase *(speech bubble)* kommentiert werden können. Sie machen auf humorvolle und satirische Weise auf politische Ereignisse aufmerksam oder kritisieren gesellschaftliche Missstände. In den Textelementen eines Cartoons werden häufig Stilmittel *(stylistic devices)* verwendet, um seine Botschaft oder Kritik zu verdeutlichen. Typische Gestaltungsmittel sind Metapher *(metaphor),* Personifikation *(personification),* Symbol *(symbol)* und Übertreibung *(hyperbole).*

Tipps zum Bearbeiten eines Cartoons

- Die **Quelle** nennen: Wo wurde der Cartoon veröffentlicht? Titel der Zeitung oder Zeitschrift und gegebenenfalls den Inhalt des begleitenden Artikels nennen.
- Sofern vorhanden, die **Textelemente** (z. B. Sprech- und Gedankenblasen) lesen und die **Gestaltungsmittel** nennen.
- Was ist im Vordergrund *(foreground),* in der Mitte *(centre)* und was im Hintergrund *(background)* zu sehen?
- Was stellen die einzelnen Bildelemente dar und welches **Thema** behandeln sie?
- Die **Aussage** oder **Botschaft** des Cartoons beschreiben.
- Den Cartoon **bewerten,** d. h. beurteilen, ob und wie der Zeichner *(cartoonist)* seine Aussage verwirklicht hat.

G M CANTEEN

— THERE'S A FLY IN MY SOUP —

3.4.3 Filme

Der Film ist eine Kunstform, die sich über die Abfolge bewegter Bilder verwirklicht. Er wird für ein öffentliches Publikum geschaffen und kann wiederholt gezeigt werden. In einem Film werden Bilder, Sprache, Laute bzw. Musik zu einem Gesamtwerk kombiniert. Die eigentliche Filmgeschichte beginnt mit der Entdeckung des Stroboskopeffektes, der Tatsache, dass Einzelbilder zu einer Bewegung verschmelzen, wenn sie schnell genug abgespielt werden.

Filmgattungen
types of films

Zeichentrickfilm	Dokumentarfilm	Werbefilm	Spielfilm
animated cartoon	*documentary*	*commercial*	*feature film*

Zum Begriff „Spielfilm" gehören u. a. Genres wie Action- und Abenteuerfilm, Komödie, Krimi, Drama, Horrorfilm, Liebesfilm, Science-Fiction und Western.

Wenn wir uns über **Spielfilme** *(feature film)* unterhalten, ordnen wir den Film zuerst einem bestimmten **Genre** zu.
Die **Entstehung eines Spielfilms** ist ein langer Prozess, an dem viele unterschiedliche Berufsgruppen mitwirken.

literarische Texte, z. B. Roman, Kurzgeschichte, Theaterstück *(literary text, e. g. novel, short story, drama)*
Schriftsteller, Autor, Dramenschriftsteller *(novelist, author; playwright)*

Drehbuch *(screenplay/film script)*
Drehbuchautor *(screenplay writer)*

Aufnahmeplan *(storyboard)*
Regisseur *(director/film maker)*

PRODUCER

Schauspielerei *(acting)*
Hauptdarsteller/-in, Nebendarsteller
(main actor/actress, supporting actors)

Tontechnik/-effekte *(sound effects)*
Tontechniker, Geräuschespezialist
(sound designer/sound editor, foley artist)

Spezialeffekte *(special effects)*
Fachmann für Spezialeffekte, Pyrotechniker
(special effects coordinator, pyrotechnical specialist)

Kostüme, Make-Up *(costumes, make up/hair)*
Kostümbildner, Make-Up-Designer, Friseur
(costume designer, make-up artist, hair stylist)

Beleuchtung, Licht/Farbeffekte
(lighting/colour)
Beleuchter, Lichtassistent *(gaffer, best boy)*

Musik *(music)*
Komponist, Musiker *(composer, musician)*

Kameraführung *(camera)*
Kameramann *(camera operator)*

Requisitenbau *(setting, props)*
Requisiteur, Bühnenbauer,
Tischler, Requisitenbauer
(property master, construction manager, carpenter, scene artist)

Schnitt *(editing)*
Schnitttechniker, Cutter *(editor)*

FILM

Tipps, wie man bei der **Vorstellung eines Films** vorgehen kann:
- Den **Titel,** das **Genre** und das **Thema** des Films nennen,
- die **Besetzung,** d. h. die Schauspieler und den Regisseur vorstellen,
- eine **Inhaltsangabe** vorbereiten, die Angaben zu Ort und Zeit sowie Verlauf der Handlung enthält, ohne das Ende vorweg zu nehmen,
- auf besondere **Stärken** des Films hinweisen, z. B. die Musik oder die Verwendung von Spezialeffekten,
- eine **Empfehlung** aussprechen, ob der Film sehenswert ist und diese Entscheidung begründen.

Vokabular für die Untersuchung von Bildern und Filmen

Vokabular zum Bild/Foto	the viewer´s eye is caught by/attracted by …	das Auge des Betrachters wird angezogen von …
	the view is directed towards/focused on …	der Blick wird auf … gelenkt
	the biggest/smallest subject in the picture is …	der/die größte/kleinste Gegenstand/Person auf dem Bild ist …
	the colours are light/shining/bright/dark/warm/cold	die Farben sind hell/leuchtend/grell/dunkel/warm/kalt
	the composition of the picture is straight/weird	der Bildaufbau ist eindeutig/seltsam
	the colours/light effects create a friendly/sad … atmosphere	die Farben/Lichteffekte schaffen eine freundliche/traurige … Stimmung
	the theme of the picture becomes/does not become obvious	die Thematik des Bildes wird (nicht) ersichtlich
Vokabular zum Cartoon	The cartoon was published in … (title)	Der Cartoon wurde veröffentlicht in …
	The cartoon is taken from "…" (title)	Der Cartoon ist aus … (Titel der Zeitung)
	The cartoon/picture illustrates the article "…"	Der Cartoon illustriert den Artikel „…"
	It refers to … (problem)	Er bezieht sich auf … (Problem)
	The cartoon aims at /hints at/makes fun of …	Der Cartoon ist gerichtet an/spielt an auf/macht sich lustig über …
	The cartoonist criticises/supports …	Der Zeichner kritisiert/unterstützt …
	The message is easy ↔ difficult to understand.	Die Botschaft ist einfach ↔ schwierig zu verstehen.
	The cartoon is successful/fails its purpose.	Der Cartoon erfüllt (nicht) seinen Zweck.
Vokabular zum Film	The (original) title of the film is "…".	Der Originaltitel des Films ist „…".
	It´s a film version/adaptation of a novel/drama …	Es ist eine Filmversion des Romans/Theaterstückes …
	It was made/produced in …	Er wurde in … gedreht.
	it is a fantasy/horror film.	Es ist ein Fantasie-/Horrorfilm.
	It is a film starring (names of actors).	Die Hauptrolle im Film spielt/spielen …
	The story is set in … (place/time).	Die Handlung spielt … (Ort/Zeit).
	The film is especially popular/great for its music/special effects …	Der Film ist insbesondere bekannt/großartig wegen seiner Musik/Spezialeffekte …
	I can/cannot recommend the film because it is really funny/interesting/exciting …	Ich kann den Film empfehlen, da er wirklich sehr lustig/interessant/spannend … ist.
	It is a blockbuster/box-office flop in the USA …	Er ist ein Kassenschlager/Reinfall in den USA …

BEGEGNUNGEN MIT ENGLISCHSPRACHIGEN KULTURRÄUMEN

4

4.1 Methoden produktbezogenen Arbeitens

4.1.1 Mediengestützte Präsentation

Was ist eine mediengestützte Präsentation?

Unter einer Präsentation versteht man die Darbietung eines Themas vor Publikum. Dies kann in Form eines längeren Referats oder eines Kurzvortrags erfolgen. Mediengestützt ist die Präsentation dann, wenn sie Hilfsmittel einsetzt, die das Dargestellte veranschaulichen oder visualisieren. Zur Visualisierung können Medien, wie z. B. Folien auf dem Overheadprojektor, Dias, Videos, die Tafel oder eine Wandzeitung eingesetzt werden.

Bei einem einfachen Vortrag sind die Zuhörer auf das Hören als einzigen Lernkanal angewiesen. Bei einer mediengestützten Präsentation werden dagegen mehrere Lernkanäle angesprochen: das Hören und das Sehen oder sogar das Fühlen, wenn man z. B. ein nachgebautes Modell anfassen kann. Das Publikum kann auf diese Weise sehr viel mehr aufnehmen als durch einfaches Zuhören. Bei der Vorbereitung einer Präsentation muss das Zielpublikum immer berücksichtigt werden. Damit die Präsentation beim Publikum gut „ankommt" und der Vortrag gut verständlich ist, sollten folgende Qualitätskriterien schon bei der Vorbereitung berücksichtigt werden:

Die **Präsentation** hat zur Aufgabe, ein Publikum mit einem mäßig bekannten oder auch neuen Thema vertraut zu machen.

Verständlichkeit

- **Adressatenbezug**
  Die Präsentation ist auf die Interessen und Vorkenntnisse der Zuhörer abgestimmt.
- **Konzentration auf das Wichtigste**
  Die Zuhörer können dem Vortrag besser folgen, weil sie das Gefühl haben, dass jeder Satz wichtig ist.
- **Struktur**
  Der Vortrag hat einen roten Faden aus Einleitung, Hauptteil und Schluss.
- **Anschaulichkeit**
  Der Vortrag ist mediengestützt.
- **Angemessene Sprache**
  Verwendung kurzer Sätze, Vermeidung von „Fachchinesisch", Klärung unbekannter Begriffe.

Diese Qualitätskriterien kann man auf unterschiedlich hohem Niveau erfüllen. Sprich deshalb mit deinem Lehrer ab, welche Anforderungen gestellt werden und in welchem Zeitraum sie zu erledigen sind.

Checkliste zur Absprache mit dem Lehrer:

- Welches Thema soll präsentiert werden?
- Kann ich ein Thema frei wählen?
- Wie lang darf der Vortrag sein?
- Wird Literatur und weiteres Material zur Verfügung gestellt? Muss ich selbst recherchieren?
- Was sind die Bewertungskriterien für die Präsentation? Worauf kommt es an?
- Wie viel Zeit wird für die Vorbereitung eingeräumt?

Die benötigte Vorbereitungszeit steigt mit der Länge der Präsentation, dem Zeitbedarf für die Materialsuche und je mehr Materialien zur Visualisierung vorbereitet werden. Arbeitet man in einer Gruppe, braucht man zusätzlich Zeit, um sich zu treffen und untereinander abzustimmen. Weitere Anhaltspunkte für die Zeitplanung liefert auch diese Liste der Schritte, die man bei der Vorbereitung der Präsentation beachten sollte. Die Vorlaufzeit sollte für einen Kurzvortrag von 5 bis 10 Minuten etwa eine Woche, für einen längeren Vortrag mindestens zwei Wochen betragen.

Arbeitsschritte zur Vorbereitung einer Präsentation:

1. Themenfindung
2. Materialsuche und Auswahl in der Bibliothek und im Internet
3. Materialaufbereitung (Lesen und Bearbeiten des Materials, Aufstellen einer Gliederung)
4. Auswahl und Vorbereitung der Medien
5. Erstellen von Manuskript und Handout und das Einüben der Präsentation
6. Durchführung der Präsentation

1. Themenfindung

Häufig wird der Lehrer das Thema und das Material für den Vortrag vorgeben. Wenn dies nicht der Fall ist, ist es wichtig, das Thema einzugrenzen. *American Indians* z. B. ist ein Oberthema oder ein Themenfeld, das sich in viele Unterthemen aufgliedern lässt. Dieses Themenfeld umfassend zu erarbeiten würde sehr viel Zeit in Anspruch nehmen. Um einen Zugang zum Thema und ein Unterthema zu finden, das man bearbeiten möchte, kann man z. B. die Methoden des *clustering* und des *mindmapping* nutzen.
Beim *clustering* werden um den zentralen Begriff herum alle spontanen Gedanken unzensiert notiert. Dass Gedanken nicht von vornherein zensiert werden, ist wichtig, damit eine möglichst umfangreiche Sammlung von Ideen zu einem Thema zustande kommt. Möglich ist es auch, andere nach ihren Ideen zum Thema zu befragen und diese Ideen in den cluster aufzunehmen. So kann man **Vorkenntnisse** zu einem Thema sammeln. Zum Thema *„American Indians"* könnte ein *cluster* so aussehen:

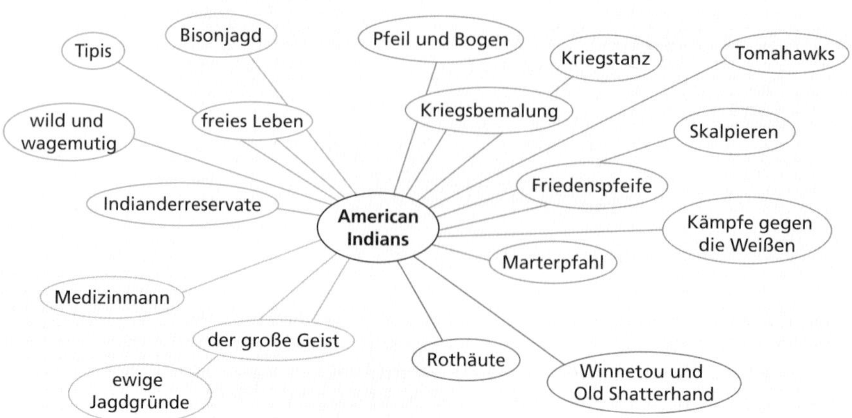

Mit einer *Mindmap* können diese spontanen Einfälle geordnet und miteinander in Zusammenhang gebracht werden. Dazu werden die ersten Einfälle unter Oberbegriffen zusammengefasst. So erhält man Unterthemen des Themenfeldes *„American Indians“:*

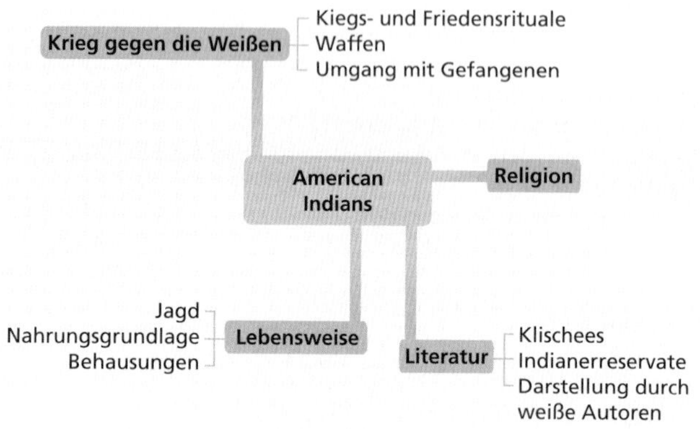

Eine Enzyklopädie ist ein mehrbändiges Lexikon. Es bietet weitaus detailliertere Informationen als ein einbändiges Lexikon oder ein Jugendlexikon.

Um eigene Ideen zu überprüfen und zu erweitern, kann man einen Lexikonartikel lesen. Nicht immer entsprechen Vorkenntnisse auch den historischen oder wissenschaftlichen Tatsachen. Fehlende Vorkenntnisse können mithilfe eines Lexikons aufgearbeitet werden. Für einen ersten groben Überblick eignet sich z. B. ein einführender Artikel aus einem Jugendlexikon oder einem einbändigen Lexikon. Detailinformationen zu einem bestimmten Themenbereich findet man eher in Lexikonartikeln einer Enzyklopädie. Zur Themenfindung kann dies zunächst auch eine deutschsprachige Enzyklopädie sein. Es empfiehlt sich, Artikel aus mindestens zwei Lexika zu lesen, da jedes Lexikon ein Thema mit unterschiedlichen Schwerpunkten darstellt.

Man kopiert den Lexikonartikel, damit man Schlüsselbegriffe markieren und die zugehörigen Nebeninformationen in entsprechenden Farben unterstreichen kann. Am Rand können dann die Themen formuliert werden, die sich aus den Schlüsselbegriffen ableiten. Oft geben auch Zwischenüberschriften im Text Hinweise auf die Unterthemen eines Artikels. Im folgenden Beispiel aus der Online-Enzyklopädie *Xipolis* erscheinen die Themen aus der Mindmap, wie zur Lebensweise der Indianer, ihren Behausungen und zu ihrer Religion, auch im Artikel. Sie wurden hier aus Platzgründen weggekürzt.

Abschnitte zur Lebensweise der Indianer und zu ihrer Religion wurden aus dem Xipolis-Artikel gekürzt. Der vollständige Artikel kann unter www.xipolis.net (kostenpflichtig) nachgelesen werden.

Das Stichwort Krieg gegen die Weißen erhält eine andere Gewichtung: Nach Lektüre des Artikels ist deutlich, dass die Kämpfe der Indianer gegen die Weißen eine Reaktion auf die Landnahme der Europäer waren. Das heißt, die im Lexikonartikel erwähnten „Indianerkriege“ müssen im Zusammenhang mit dieser Landnahme gesehen werden. Weiterhin waren Indianerreservate die letzte Stufe der Verdrängung durch die Weißen, also keine selbst gewählte Lebensweise der Indianer.

Als neuer Unterpunkt ist das Stichwort „berühmte Kriegshäuptlinge“ hinzugekommen. Diese Häuptlinge stehen stellvertretend für die Menschen hinter den kriegerischen Auseinandersetzungen. Sie waren zudem verantwortlich für Entscheidungen, die im Zusammenhang mit den Schlachten und bei Verhandlungen mit den Weißen gefällt wurden.

(...) Die Landnahme der Europäer war vom Widerstand und Freiheitskampf der nordamerikanischen Indianer begleitet **(Indianerkriege):** 1680 verbündeten sich die Puebloindianer im Südwesten gegen die Spanier. 1755 vereinigte Häuptling PONTIAC von den Ottawa mehrere Stämme im Gebiet der Großen Seen und führte 1763 bis 1766 einen Aufstand gegen die Engländer. Shawnee-Häuptling TECUMSEH bemühte sich nach 1805 um ein Bündnis aller Stämme im Mittelwesten und Süden gegen die nach Westen vordringenden weißen Siedler (Scheitern seiner Pläne durch die Niederlage der Indianer in der Schlacht am Tippecanoe River 1811). Im 19. Jahrhundert wurde das Schicksal der indianischen Völker besiegelt. Viele Stämme wurden ab 1830 (Indian Removal Act) in das – mehrfach verkleinerte – Indianerterritorium umgesiedelt. Durch das Abschlachten von über 70 Millionen Bisons zwischen 1830 und 1883 war den Prärie- und Plainsindianern die Existenzgrundlage entzogen worden. Der letzte große Sieg der Indianer gegen die Armee der USA war die Schlacht der Dakota u. a. Stämme unter Führung von CRAZY HORSE und SITTING BULL am Little Big Horn 1876. Weitere bekannte Indianerführer, die zumeist in blutigen Guerillakriegen um die Freiheit und die Rechte ihrer Stämme kämpften, waren u. a. die Apachen COCHISE († 1874) und GERONIMO sowie der Häuptling der Nez PERCÉ CHIEF JOSEPH (1840–1904). Mit dem Massaker am Wounded Knee 1890 war der indianische Widerstand gebrochen. Die einzelnen Stämme hatte man inzwischen alle in Indianerreservationen zusammengedrängt. (...)

Hier sind die zusammengehörenden Schlüsselwörter zu dem Thema mit der entsprechenden Farbe zusammen gefasst worden. Landnahme der Europäer, Widerstand und Kämpfe der Indianer, berühmte Kriegshäuptlinge, Verdrängung in Reservate

Wie aber findet man nun ein Thema, das man innerhalb des vorgegebenen Zeitrahmens bearbeiten kann? Dabei gilt, dass das Thema

- einen persönlich interessieren,
- für den Unterrichtszusammenhang wichtig,
- auch für die Mitschüler von Interesse sein und
- hinsichtlich des Umfangs zur gegebenen Vorbereitungszeit passen sollte.

Ein solches Thema könnte in einer Unterrichtsreihe zu den *„American Indians"* z. B. die Widerstandskämpfe der Indianer gegen die Landnahme und Verdrängung durch die weißen Siedler sein. Hat man sich für ein Themengebiet entschieden, sind verschiedene Herangehensweisen denkbar:

Überblick	**Lernen am Beispiel (exemplarisches Lernen)**	**Vergleich**	**Biografisches Vorgehen**
Man könnte z. B. einen **chronologischen Überblick** über alle Widerstandskämpfe der Indianer geben. Einfacher ist es, wenn man die Kämpfe innerhalb eines begrenzten Zeitraumes und/oder innerhalb eines bestimmten Gebietes betrachtet.	Kennt man sich mit einem Themengebiet noch nicht sehr gut aus, dann betrachtet man vielleicht lieber einen konkreten Fall, z. B. einen einzelnen Kampf, etwas genauer. Man erschließt sich ein Thema dann **exemplarisch,** um von diesem Beispiel auf andere Fälle schließen zu können.	Hat man sich mehrere Beispiele erarbeitet, dann kann man sie miteinander vergleichen. Beim **Vergleich** werden mehrere Fälle, z. B. mehrere Kämpfe der Indianer, miteinander verglichen, um die dahinterstehenden Gemeinsamkeiten und Unterschiede darzustellen.	Beim biografischen Vorgehen stellt man das Leben einer oder mehrerer Personen dar, z. B. das Leben eines berühmten Indianerhäuptlings. Dabei kann man zeigen, wie die Person auf bestimmte geschichtliche Vorgänge reagiert hat, bzw. welche Rolle sie dabei gespielt hat.

Oft vermischen sich die genannten Herangehensweisen: Um z. B. die Hintergründe einer kriegerischen Auseinandersetzung darzustellen, muss man sie in den geschichtlichen Zusammenhang einordnen und auch auf die beteiligten Personen eingehen. Im Folgenden sollen die Kämpfe des Shawnee-Häuptlings TECUMSEH als Beispiel für die Kämpfe der Indianer gegen die weiße Landnahme angesehen werden. Am Beispiel seiner Lebensgeschichte können die Ursachen aufgezeigt werden, die zum Widerstand der Indianer führten. In diesem Zusammenhang wird auch ein chronologischer Überblick über sein Leben und über wichtige Entwicklungen in der Geschichte der USA gegeben.

TECUMSEH lebte von 1768 bis 1813.

TECUMSEH war einer der bedeutendsten Häuptlinge der Shawnee-Indianer. In jahrelanger mühevoller Überzeugungsarbeit versuchte er, die Indianer westlich der Appalachen über die Stammesgrenzen hinweg zu vereinen, damit sie sich gemeinsam gegen das Vordringen der weißen Siedler wehren könnten. Die Reisen, die er zu diesem Zweck unternahm, führten ihn vom Norden der USA bis an den Golf von Mexiko. Gleichzeitig wollte er verhindern, dass die US-Regierung bzw. die Regierungen der einzelnen Staaten die Indianer gegeneinander ausspielten. Die Schlacht am Tippecanoe River, die 1811 in seiner Abwesenheit geführt wurde, vereitelte seine Pläne und machte seine jahrelangen Bemühungen zunichte. Tecumsehs Einigungsbemühungen und seine Persönlichkeit beeindruckten auch seine Gegner, u. a. den Gouverneur des Indiana-Territoriums, William Henry Harrison. Über Tecumsehs Qualitäten als Häuptling sagte Harrison, dass dieser der Gründer eines nordamerikanischen indianischen Reiches ähnlich dem mexikanischen oder peruanischen Reich hätte sein können, hätten die USA, d. h. die weißen Siedler und die US-Armee, dies nicht verhindert.

William Henry Harrison, (1173–1841) war von 1800 bis 1812 Gouverneur des Indiana-Territoriums (das heutige Indiana, Illinois, Wisconsin und Michigan). Harrison führte die Schlacht am Tippecanoe River und den *Battle of the Thames* (1813), in dem Tecumseh getötet wurde.

> "William Henry Harrison was to say: 'If it were not for the vicinity of the United States, he would perhaps be the founder of an empire that would rival in glory Mexico or Peru. No difficulties deter him (...).'"
>
> Harrison quoted in Reed Beard, *Battle of Tippecanoe,* Chicago: Hammond Press, Chicago 1911.

2. Materialsuche und Auswahl

Für den Einstieg in die Materialsuche sind **Enzyklopädien** besonders hilfreich – als Printausgaben oder online. Bei aktuellen Themen eignen sich die Online-Ausgaben englischsprachiger Zeitungsartikel und Zeitschriften. Bei der Suche nach Online-Materialien helfen **Suchmaschinen** und **Webportale.** Für die Materialsuche hilfreiche Webadressen:

Online-Ausgaben von Enzyklopädien	Deutschsprachig ist die Enzyklopädie *Xipolis* (www.xipolis.net). Englischsprachig: die *Encarta* von Microsoft (encarta.msn.com), online oder als Printausgabe ist die *Encyclopedia Britannica* zugänglich (www.britannica.com).
Online-Ausgaben einiger englischsprachiger Zeitungen und Zeitschriften	Die Online-Ausgabe der englischen Tageszeitung *The Guardian* z. B. findest du unter www.guardian.co.uk/, eine Schülerausgabe der *New York Times* unter www.nytimes.com/learning/index.html. Das Magazin *Newsweek* unter msnbc.msn.com/id/3032542/.
Online-Wörterbuch	Das zweisprachige Wörterbuch der *TU München* ist unter dict.leo.org zu finden.

Die meisten Online-Lexika sind kostenpflichtig. Frei zugänglich ist die Internet-Enzyklopädie Wikipedia (www.wikipedia.org), die es in einer deutschen und einer englischen Version gibt. Die englischen Texte sind aber keine Übersetzungen der deutschen Texte!

Lexika. Die Materialsuche zu einem bestimmten Thema kann in der Regel in einem Lexikon beginnen. Lexika gibt es als Buchausgabe, online oder auf CD-ROM. Alle Lexika sind alphabetisch nach Stichworten geordnet. Unter Umständen muss man ein bisschen suchen, bis das richtige Stich-

Oft listen Lexikonartikel oder Artikel aus dem Internet am Ende eines Eintrags weiterführende Literatur auf. Englischsprachige Titel können in Universitätsbibliotheken ausgeliehen oder in den Stadtbibliotheken über die Fernleihe bestellt werden. Dies braucht Zeit!

wort gefunden ist. Oft beziehen sich mehrere Lexikonartikel aufeinander und ergänzen sich. Deshalb ist es sinnvoll, den Hinweisen auf weitere Artikel zu folgen. Möchte man mehr über die Schlacht am Tippecanoe River und Tecumseh erfahren, sind z. B. die Schlagwörter Tecumseh, *Tippecanoe River, Shawnee Indians* sowie *Indian Wars (in the US)* möglich.

Wörterbücher. Das Online-Wörterbuch der Technischen Universität München bietet die Übersetzung von Begriffen und Beispiele für ihre Verwendung in Sätzen. Weiterhin kann man sich Aussprachebeispiele anhören, die allerdings nicht immer auch gut verständlich sind. Liest man z. B. einen Text online und möchte ein Wort nachsehen, kann man das Online-Wörterbuch in einem zweiten Fenster öffnen und so direkt nachsehen. Das Anklicken der Übersetzungsfunktion neben einem auf der Google-Seite angezeigten Suchergebnis bringt wenig Erfolg, da die Qualität der Übersetzung nicht ausreichend ist, um einen Text wirklich zu verstehen. Für die Recherche geeignet sind natürlich auch Wörterbücher in Printausgabe, wie sie auch im Unterricht benutzt werden.

Die bekanntesten Suchmaschinen sind www.google.com und www.yahoo.net.

Suchmaschinen. Die Suche im Internet funktioniert ähnlich wie die Suche im Lexikon mithilfe von Schlagwörtern. Allerdings kann man eine Suchmaschine mit mehreren Schlagwörtern zur gleichen Zeit „füttern“, sodass man nach Eintragungen suchen kann, die sich auf alle genannten Stichwörter (z. B. Tecumseh and Tippecanoe River) beziehen. Weiterhin kann man bestimmen, in welcher Sprache die gesuchten Webseiten verfasst sein sollen. In der Google-Suchmaske klickt man dazu die Funktion „Einstellungen“ oder „Sprachtools“ an. Die Suche zu einem Schlagwort kann unter Umständen eine Unmenge an Informationen liefern. Um die Menge der Suchergebnisse zu begrenzen, kann man die Funktion „erweiterte Suche“ einsetzen. Hat man eine Anzahl an Suchergebnissen erhalten, sollte man aus ihnen die besten auswählen. Zunächst sollen die Texte zum Thema – hier die Ziele Tecumsehs und die Vereitelung seiner Pläne durch die Schlacht am Tippecanoe River – passen und möglichst umfassend darüber informieren. Vorteilhaft sind auch Webseiten, die schon Material für die Visualisierung, wie z. B. Bilder und Karten, bieten. Zusätzlich musst du aber auch die Qualität der gefundenen Materialien beurteilen. Dazu gilt es zu beachten, dass jede beliebige Person und Organisation Informationen ins WWW (World Wide Web) stellen kann. Demzufolge sind Informationen nicht immer richtig und objektiv. Die Adresse einer Webseite liefert Hinweise auf den Verfasser und dessen Zuverlässigkeit:

Auf der Seite des James Madison Center (www.jmu.edu/madison/center) kann man *Search* anklicken und nach Informationen und Abbildungen zu Tecumseh suchen.

Adresszusatz	Bewertung
.ac, .edu	Adressen mit den Zusätzen *.ac* oder *.edu* stehen für *academic* und *educational*. Diese Webseiten werden von Universitäten unterhalten und ihre Informationen sind relativ zuverlässig. Mit Vorsicht zu genießen sind private Webseiten von Studenten, deren Adresse auch einen dieser Zusätze enthalten kann.

.org	Der Zusatz *.org* deutet auf eine Organisation hin, die hinter dieser Webseite steht. Je nach Absicht und Aufgabe der Organisation können diese Informationen sehr gut oder auch einseitig und subjektiv sein.
.com	Kritisch müssen Seiten mit dem Zusatz *.com* und Webseiten mit unklarer Herkunft gelesen werden.

Auch das **Datum der letzten Aktualisierung** kann einen Hinweis auf die Qualität einer Seite liefern. Seiten, die regelmäßig aktualisiert werden, sind in der Regel zuverlässiger als solche, die nicht „gepflegt" werden. Einmal gefundene und als nützlich beurteilte Informationen solltest du sofort speichern oder ausdrucken und die Adresse auf dem Ausdruck notieren. Da Webseiten regelmäßig aktualisiert werden, solltest du auch das Datum des Ausdrucks dazuschreiben, damit du weißt, welche Version einer Seite du benutzt hast. Nur so kannst du noch einmal ohne Probleme auf die Webseite zurückkehren, wenn du dort weitere Informationen suchen möchtest, und deinen Mitschülern und Lehrern korrekte Angaben zur Herkunft deiner Informationen machen.

Quellen aus dem Internet werden folgendermaßen notiert:
Nachname des Autors, Initial seines Vornamens. „Titel des Materials oder der Seite" etc. Datum des Zugriffs. <Internet-Adresse>.

Dedecek, R. „Präsentation". 12.12.2004. <www.magic-point.net/fingerzeig/praesentation/praesentation-ausfuehrlich/praesentation-ausfuehrlich.html>

Wenn deine Quelle die Online-Version einer Zeitung oder Zeitschrift ist, dann notierst du auch den Namen des Artikels und der Zeitschrift:
Nachname des Autors, Initial seines Vornamens. „Titel des Artikels oder der Seite". Name der Zeitung/Publikation. Datum des Zugriffs. <Internet-Adresse>.

Webportale. Eine sinnvolle Hilfe bei der Suche nach Informationen im Internet bieten auch so genannte Webportale. Sie bündeln Informationen und führen über Links zu weiteren Webseiten, die für ein Thema interessant sein könnten. Für den Englischunterricht kann das Webportal von KURT SESTER (www.sester-online.de/englisch/) hilfreich sein.

Für das Thema *„American Indians"* ist das Portal von KAREN M. STROM sehr nützlich (www.hanksville.org/NAresources). Sie liefert einen *„Index of Native American Resources on the Internet"* mit weiterführenden Links zu vielen Themen.

3. Materialaufbereitung

Die Materialaufbereitung umfasst folgende Schritte:
- Lesen der ausgewählten Materialien
- Ausarbeiten einer Gliederung, die die Inhalte des Vortrags festlegt,
- Notieren der wichtigsten Inhaltspunkte mit eigenen Worten.

Lesen. Beim ersten Lesen der Texte geht es zunächst darum, zu erkennen, was für den Vortrag inhaltlich wichtig sein könnte bzw. welche Inhalte du vermitteln möchtest. Dazu solltest du aus der Fülle des gefun-

Informationen zu unbekannten Begriffen kann man im Lexikon oder an anderer Stelle nachlesen. Längere Texte sollte man im Anschluss an diese Bearbeitung mit eigenen Worten zusammenfassen.

denen Materials einen einführenden Text auswählen, mit dessen Hilfe du einen ersten guten Überblick über dein Thema bekommst. Oft ist dies wiederum ein Lexikonartikel, z. B. aus einem Jugendlexikon. Im Anschluss kannst du nach weitergehenden Texten suchen, hier z. B. ein Artikel zu TECUMSEH aus der Online-Enzyklopädie der *Ohio Historical Society.*

Verschiedene Bearbeitungsschritte können zur Orientierung helfen:
- farbige Markierung von Schlüsselwörtern,
- Unterstreichen der dazugehörigen Nebeninformationen,
- Zusammenfassen von Textabschnitten durch Zwischenüberschriften am Rand,
- Markieren unklarer Begriffe.

Wichtige Hilfsmittel für die Textbearbeitung sind Nachschlagewerke wie Wörterbuch, Atlas und Lexikon. Ein Atlas ist wichtig, wenn man Hinweisen auf geographische Gegebenheiten nachgehen möchte. Die Appalachen z. B. werden im Zusammenhang mit der Verdrängung der Indianer aus ihren angestammten Gebieten immer wieder erwähnt. Eine Karte Nordamerikas verdeutlicht sofort ihren Verlauf und ihre Bedeutung als Grenze für die weiße Besiedlung. Ein Lexikon ist unverzichtbar, um die Bedeutung unbekannter Begriffe nachzuschlagen.

Welche Begriffe man als unklar markiert, hängt von den eigenen Vorkenntnissen ab. Die Markierungen sind deshalb von Person zu Person unterschiedlich.

Im folgenden ist der Lexikonartikel der *Ohio Historical Society* zu TECUMSEH zusammengefasst worden. Die Überschriften sind Zwischenüberschriften, die sich aus dem Artikel ableiten. Begriffe, die wichtig erscheinen, zu denen aber weitere Informationen notwendig sind, wurden rot markiert.

Im nächsten Schritt kann man die noch fehlenden Informationen in einem Lexikon oder in weiteren Texten nachlesen. Der vollständige Artikel zu TECUMSEH kann unter www.ohiohistorycentral.org/ohc/history/h_indian/people/TECUMSEH.shtml nachgelesen werden.

TECUMSEH's family history
TECUMSEH was born in 1768, probably at Old Piqua in Ohio. His father died during Lord DUNMORE's war when TECUMSEH was only six years old. TECUMSEH's mother and many other Shawnee Indians who feared the continuous influx of white people moved westward. TECUMSEH's sister and his older brother raised him and trained him to become a warrior.
The Greenville Treaty and the advancement of the whites
In 1794, the Indians were defeated by the army of ANTONY WAYNE in the Battle of Fallen Timbers. Many Indians believed signing over their land to the whites was the only way to make peace with them. Therefore, in the Greenville Treaty of 1795 the Indians handed most of their land – except for the northwestern corner of present day Ohio – over to the whites. TECUMSEH and many other Indians didn't agree with this strategy.

TECUMSEH's beliefs and his endeavours for an Indian confederacy
TECUMSEH strongly believed that only all Indians united would be able to resist further military threat by the whites and further white settlement. He was also convinced that not only one tribe owned a piece of land, but all tribes living on this land. Therefore, only all those tribes together could hand over or sell this land to whites. If a treaty handing over land was signed by only one tribe or some tribes living in this area, then TECUMSEH considered this treaty invalid. TECUMSEH wanted to unite the tribes living west of the Appalachian Appalachian mountainswould stand united against the whites. He traveled widely to convince the tribes' chiefs of his plans. His ultimate goal was a confederacy of all Indian tribes. This confederacy – so he hoped – would be militarily powerful and very effective in negotiations with the whites.
The Prophet and Prophetstown
One of TECUMSEH's younger brothers was called the Prophet because he had had a vision, in which the Shawnee Indians' primary god, the Master of Life, had told him that the Indians should give up all white customs and products to regain their independence from the whites. In 1808, TECUMSEH and the Prophet founded Prophetstown, a village in the Indiana territory. Many Indians who believed in TECUMSEH's and the Prophet's message moved to Prophetstown.
The Battle of Tippecanoe
The governor of the Indiana territory, WILLIAM HENRY HARRISON, feared the growing numbers of Indians joining TECUMSEH and his brother in Prophetstown. In 1811, he led an army against the village. During this time, TECUMSEH was absent from the village. Despite his instructions not to fight HARRISON's army before the confederacy of the Indian tribes was complete, the Prophet ordered his men to attack HARRISON near the Tippecanoe River. The Prophet and his followers were defeated by HARRISON's men and Prophetstown was destroyed. After this defeat, many Indians didn't believe in TECUMSEH and the Prophet any longer. They left Prophetstown and TECUMSEH couldn't convince them to rejoin him. His dream of a confederacy was therefore destroyed alongside with Prophetstown.
The Battle of the Thames and TECUMSEH's death
During the War of 1812 TECUMSEH and his remaining followers were fighting with the British against the Americans. The Indians were hoping that in case of a British victory the British would give the Indians' homeland back to them. TECUMSEH died in 1813, in one of the most important battles of the war, the Battle of the Thames. With him died all hopes for an Indian confederacy strong enough to resist further white advancement.

Vocabulary

continuous influx	fortwährender Zustrom
warrior	Krieger
advancement	Fortschritt, hier: die fortschreitende Besiedelung
to sign sth. over to s. o.	jemandem etwas (hier: Land) überschreiben/übergeben
invalid	ungültig
confederacy	Vereinigung
negotiations	Verhandlungen
independence	Unabhängigkeit

Aufstellen einer Gliederung. Die Zwischenüberschriften eines weitergehenden Textes – wie hier z. B. dem Lexikonartikel zu TECUMSEH – können einen ersten Anhaltspunkt für eine Gliederung der Präsentation liefern.

Eine Gliederung ist das „Inhaltsverzeichnis" eines Vortrags (und auch einer schriftlichen Arbeit). Sie ist der rote Faden, der den Vortrag durchzieht, und teilt sich in Einleitung, Hauptteil und Schluss. In der Einleitung *(introduction)* stellt man klar, welches Thema und welche Gliederung der Vortrag hat, und führt in das Thema ein. Im Hauptteil werden die wichtigsten inhaltlichen Punkte dargelegt. Zum Schluss *(summary and conclusion)* fasst man die Inhalte des Vortrags zusammen. Wo dies vom Thema her angebracht ist, bewertet man das Vorgetragene, d. h., man nimmt eine eigene Position zum Gesagten ein.

Die erste Fassung der Gliederung kann sich während der Materialbearbeitung noch ändern, z. B. wenn man neue Informationen findet, die wichtiger als andere Inhaltspunkte erscheinen, oder wenn neue Schwerpunkte hinzukommen.

Eine erste Grobgliederung zum Thema TECUMSEH könnte so aussehen:

I. Introduction
II. TECUMSEH and his opposition against white settlement
   1. Who was TECUMSEH? A brief history of his family and of the Shawnee Indians
   2. TECUMSEH's first battles and the advancement of the whites
   3. TECUMSEH's beliefs and his endeavours for an Indian confederacy
   4. The visions of the Prophet and the foundation of Prophetstown
   5. The end of the Indian confederacy
III. Summary and Conclusion: What did TECUMSEH's struggles matter?

Nun kann auch eine **vorläufige Überschrift** bzw. ein **vorläufiger Titel** für den Vortrag formuliert werden. Der Titel sollte die wichtigsten inhaltli-

chen Punkte des Vortrags vorwegnehmen. Deshalb sollte der Titel weder zu eng noch zu weit gefasst sein. Der Titel „TECUMSEH" z. B. wäre zu allgemein und würde zu wenig auf den genauen Inhalt des Vortrags verweisen. „TECUMSEH and the battle of Tippecanoe River" z. B. wäre zu eng gefasst, da du ja auf die Hintergründe all seiner Kämpfe und auch auf seine Einigungsbemühungen eingehen möchtest.
„Shawnee Chief TECUMSEH and his opposition against white settlement" z. B. wäre ein besserer Titel, da mit „Widerstand" *(opposition)* alle Kämpfe TECUMSEHS und seine Bemühungen um eine Einigung der Indianer gemeint sind. Im Zusatz „against white settlement" wird seine Hauptmotivation verdeutlicht, durch den Zusatz „Shawnee Chief" bietet sich ein Anknüpfungspunkt, um zu erklären, wer die Shawnee-Indianer sind bzw. waren.

Sollte sich die Gliederung zu einem späteren Zeitpunkt noch ändern, muss auch die Überschrift entsprechend angepasst werden.

Herausschreiben wichtiger Informationen. Mit der Gliederung entsteht ein „Gerüst" des Vortrags, das nun mit Inhalt gefüllt werden kann. Durch Lektüre weiterer Texte, insbesondere auch Lexikonartikel, können unklare Begriffe geklärt werden. Es sollte notiert werden, woher die Informationen stammen, damit man später jederzeit nachlesen kann. Bei Büchern sollten Name des Autors, Titel des Buches und Seitenzahl der Textstelle notiert werden. Nach Sichtung des gesamten Materials kann sich die Gliederung verändern. Nähere Informationen zu Lord DUNMORE's War z. B. zeigen, warum TECUMSEH sich bemühte, die Indianer zu vereinigen. Die Ereignisse und Folgen dieses Krieges verdeutlichen, wie die Indianer in einen Kreislauf aus Vertreibung, Kämpfen und „Friedensverträgen" gerieten und durch Verletzung dieser Verträge durch die Weißen immer mehr Land verloren. Nur durch Einigkeit wären die Indianer in einer kriegerischen Auseinandersetzung oder in Verhandlungen (vielleicht) stark genug gewesen, diesen Kreislauf zu durchbrechen. Nähere Informationen zum *Battle of Fallen Timbers* und *Battle of Tippecanoe River* zeigen, dass es sinnvoll ist, diese Kämpfe als wichtige Stationen in TECUMSEHS Leben bzw. in der Geschichte der Indianer Nordamerikas hervorzuheben. An diesen Kämpfen und ihren Folgen kann man wiederum zeigen, wie die Indianer mehr und mehr Land verloren und verdrängt wurden. Je nachdem, wie viel Zeit für den Vortrag zur Verfügung steht, müssten dann andere Punkte gekürzt werden.

Die Lesemethode des Scanning kann bei der gezielten Suche nach Informationen helfen (↗ S. 27).

Die geänderte Gliederung zum Thema TECUMSEH könnte so aussehen:

I. Introduction
II. TECUMSEH and his opposition against white settlement
   1. The importance of Lord Dunmore's war.
   2. The Battle of Fallen Timbers and the Greenville Treaty
   3. TECUMSEH's beliefs and his endeavours for an Indian confederacy
   4. The Battle of Tippecanoe and the end of the Indian confederacy
III. Summary and Conclusion: What did TECUMSEH's struggles matter?

Zum Schluss kann man anhand bisheriger Notizen noch einmal die wichtigsten Punkte heraussuchen und sie z. B. auf Din-A5-Karteikarten notie-

ren, um diese während des Vortrags als Gedächtnisstütze zu nutzen. Mit der endgültigen Vorbereitung der Karteikarten oder deines Vortragsmanuskripts solltest du aber warten, bis du auch die Medien für deinen Vortrag ausgewählt und vorbereitet hast. Auf die Formulierung der Schlusssätze solltest du besonderen Wert legen. Nach Möglichkeit solltest du das Vorgetragene auch bewerten. Im Zusammenhang mit TECUMSEH könntest du zum Beispiel auf die Gründung der Vereinigten Staaten und die schnell zunehmende Zahl der weißen Siedler zu TECUMSEHS Lebenszeit hinweisen.
In Bezug auf den Inhalt solltest du darauf achten, dass dein Vortrag die wichtigsten W-Fragen zu deinem Thema beantwortet. Die Beantwortung dieser Fragen ist die inhaltliche Minimalanforderung an den Vortrag. Beispiele für W-Fragen:

Du kannst die W-Fragen-Methode auch beim Lesen von Texten benutzen, um dir selbst klar zu machen, um was genau es inhaltlich im Text geht. Dazu formulierst du für dich selbst die Fragen, auf die der Text Antwort gibt.

Who? When? Where? Why? What? Where from? Where to? What against? What for? How? Whom? With whom? Which?

Welches die wichtigsten Fragen sind, kannst du ebenfalls mithilfe eines grundlegenden Textes bestimmen. Der Lexikonartikel der *Ohio Historical Society,* der auf S. 234/235, zusammengefasst wurde, ist ein grundlegender Text zum Thema. Er beantwortet deshalb auch die wichtigsten W-Fragen zu TECUMSEHS Leben und Wirken.

Who was TECUMSEH?	He was one of the Shawnee Indians' greatest leaders.
When did he live?	He was born in 1768 at the Mad River in Ohio and died in 1813, 45 years old in the Battle of the Thames.
Where did he live?	He originated from the Shawnee Homeland in Ohio, but traveled and moved around a lot during his lifetime, from Canada to the Gulf of Mexico.
What and whom did he fight against?	He fought against the continous advancement of white settlers into Indian territory and homelands. He fought in various alliances with the British army against various American armies.
What did he believe in?	TECUMSEH believed that **all** Indian tribes owned the land on which they lived. Therefore, only **all** Indian tribes united could sell the land, not a single tribe or only some of the tribes. According to this belief, treaties such as the Greenville Treaty which were signed by most of the tribes, but not all of them, were therefore invalid. TECUMSEH believed that all Indian tribes should unite in order to fight against white settlement.
Why did his plans fail?	The governor of the Indiana territory, WILLIAM HENRY HARRISON, led an army against Prophetstown

Fortsetzung	while TECUMSEH was absent. The Prophet, contrary to TECUMSEH's orders, convinced the Indians to attack HARRISON's army. He prophesied that no Indian would be hurt by an American bullet. However, the Indians were defeated and many died in the battle of Tippecanoe River. Prophetstown was destroyed by the American soldiers. Because of the Prophet's lie many of TECUMSEH's followers were disappointed and didn't trust him or the Prophet any longer. TECUMSEH's plan for a confederation of all Indian tribes west of the Appalachian Mountains therefore failed before it could be completed.
Who supported him?	TECUMSEH was supported by his brother, the Prophet, who helped him to found Prophetstown. In Prophetstown lived TECUMSEH's supporters from various tribes.

Weiterhin solltest du in deinem Vortrag Begriffe, die deinen Mitschülern unklar sein könnten, klären. Unbekannte Vokabeln kannst du vor oder während des Vortrags an die Tafel schreiben. Schwierige Zusammenhänge solltest du nach Möglichkeit im Zusammenhang mit einem Bild oder Schaubild erklären.

4. Auswahl und Vorbereitung der Medien

Medien machen einen Vortrag für die Zuhörer interessanter und leichter verständlich, da sie das Gesagte visualisieren. Ein Bild sagt mehr als tausend Worte – mit jeder Visualisierungshilfe sparst du dir also auch einen erhöhten Erklärungsaufwand.

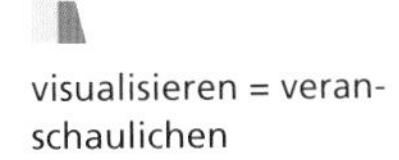
visualisieren = veranschaulichen

Zugleich dienen Medien als Gedächtnisstütze und können so dabei helfen, einen Vortrag freier zu sprechen. Du kannst für den Medieneinsatz z. B. die Tafel, den Overheadprojektor, ein Flip-Chart oder den Computer

(Power-Point-Präsentation), evtl. einen Diaprojektor, Videorekorder und Fernseher oder einen Kassettenrekorder benutzen. Wenn du ein Gerät benötigst, dann gib deinem Lehrer mindestens eine Woche, besser zwei Wochen Vorlaufzeit, um es zu reservieren. Besonders vor den Ferien können Videorekorder z. B. stark beansprucht sein.

Zahlreiche Video- und Audiodateien finden sich z. B. auf www.bbc.co.uk und www.language-box.com/Home.html. Zur Geschichte der USA finden sich viele Audiodateien und Videos in den Freedom Archives. (www.freedomarchives.org).

Filme und Audiomitschnitte. Filmausschnitte und Audiomitschnitte können helfen, einen Vortrag interessanter und spannender zu machen. Falls in deiner Schule ein DVD-Spieler vorhanden ist, kannst du auch Ausschnitte aus einer DVD in englischer Sprache abspielen. Vorsicht kann bei der Auswahl von Ausschnitten aus Spielfilmen geboten sein. Spielfilme stimmen z. B. nicht unbedingt auch mit der historischen Wirklichkeit überein, können aber sehr gut die Stimmung einer Epoche darstellen. Wenn du während deines Vortrags einen Film oder einen Audiomitschnitt benutzen möchtest, musst du genügend Zeit für die Vorführung einplanen. Bei einer Vortragszeit von 10 bis 15 Minuten solltest du nicht mehr als 2 bis 3 Minuten mit Film- oder Audioausschnitten füllen. Denke bei der Auswahl der Mitschnitte auch an das Sprachniveau deiner Zuhörer. Wenn der gesprochene Text relativ schwierig ist, solltest du dich auf einen kurzen Ausschnitt beschränken und den Text auch auf Folie kopiert zeigen. Besonders beeindruckend sind Audiomitschnitte, in denen historische oder lebende Persönlichkeiten selbst sprechen.

Für analoge Filme und Audioaufzeichnungen kann man sich an die nächste Kreisbildstelle wenden.

Folien. Folien sind einfach zu gestalten und bieten viele Möglichkeiten zur Visualisierung. Man kann Folien mit dem Overheadprojektor oder im Rahmen einer Power-Point-Präsentation zeigen. Mit Power-Point lassen sich digitale Film- und Audiodateien direkt einbinden. Achte aber darauf, dass du die Dateien für Folien und Filmmaterial z. B. in einem gemeinsamen Verzeichnis speicherst. Probiere vorher unbedingt aus, ob die Verlinkung funktioniert. Für alle Folien gilt:

- Weniger ist mehr: Die Folien dürfen nicht zu voll sein, damit die Zuhörer sie schneller und besser erfassen können.
- Farbliche Gestaltung und Symbole helfen bei der schnellen Orientierung, wie z. B. >, <, ↑, ↓, ⇒, %, ?, ! usw. Mit ☹ und ☺ oder + und – kannst du positive und negative Aspekte hervorheben.
- Der Text sollte in Druckschrift und so groß geschrieben sein, dass er auch im hinteren Teil des Klassenzimmers gut lesbar erscheint. Gestaltest du die Folien mit dem PC, dann sollte die Schriftgröße mindestens 14 Punkt fett, noch besser 16 Punkt fett sein. Die Schriftart sollte gut lesbar sein, also z. B. nicht in Schreibschrift oder nur in Großbuchstaben. Kurze Sätze sind leichter verständlich.
- Jede Folie sollte eine Überschrift haben, aus der hervorgeht, was genau auf ihr gezeigt wird.
- Die Folien sollten durchnummeriert sein, damit man während des Vortrags nicht durcheinander kommt.
- Bitte den Zuhörern genügend Zeit zum Betrachten der Folien geben, damit sie die Chance haben, alle Informationen aufzunehmen.

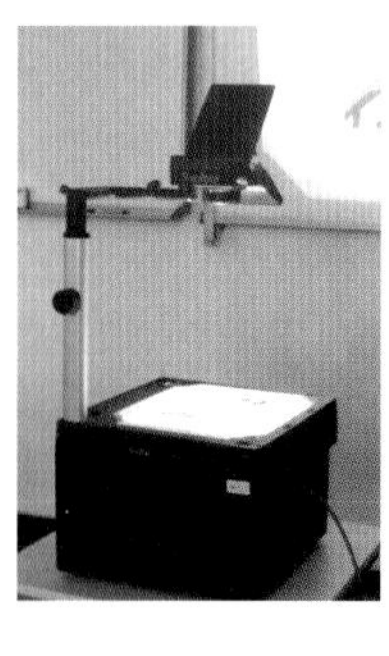

Bilder lassen sich sehr gut auf Folien kopieren. Sie können allein oder mit etwas Textmaterial präsentiert werden. Für den Einstieg zu einem Vortrag zu TECUMSEH würde sich z. B. ein Porträt mit einem **Zitat** eignen.

Das Zitat sollte so gewählt sein, dass eine Kernaussage zum Thema getroffen wird. Das hier vorgestellte Zitat ist deshalb geeignet, weil schon hier ein wesentlicher Grund für das Scheitern TECUMSEHS und der Indianer im Kampf gegen die Weißen vorweggenommen wird: Mit der Gründung der USA handelten die amerikanischen Einzelstaaten vereint und mit Unterstützung einer organisierten Armee. Damit waren sie stärker als die oft uneinigen Indianerstämme.

"If it were not for the vicinity of the United States, he (TECUMSEH) would perhaps be the founder of an empire that would rival in glory Mexico or Peru. No difficulties deter him (...)."

(HARRISON quoted in Reed Beard, *Battle of Tippecanoe*, Chicago: Hammond Press, Chicago 1911. Transcribed into text files by BOB KIPKE and text files into html by NANCY TRICE.

Zitierter Absatz von: www.jmu.edu/madison/center/main_pages/madison_archives/era/native/TECUMSEH/bio.htm. Die Buchangabe in Klammern gibt die Stelle wieder, der das Zitat von HARRISON entstammt.

Für die Darstellung von Lebensläufen eignet sich z. B. ein **Zeitstrahl.** Hier kann man wichtige Ereignisse aus dem Leben einer Person und zugleich für den Vortrag wichtige historische Ereignisse eintragen. **Farben** helfen bei der Orientierung, die Bedeutung des Farbgebrauchs muss aber erklärt werden. Auf Seite 242 sind die Zeiträume, in denen die ehemaligen *homelands* der Shawnee und anderer Stämme im Norden der USA von den Franzosen, Briten und später Amerikanern kontrolliert wurden, mit unterschiedlichen Farben markiert. Die farbliche Markierung verdeutlicht die verschiedenen Phasen in den Kämpfen der Weißen um die Vorherrschaft im Land westlich der Appalachen und damit auch im heutigen Ohio, wo die Shawnee-Indianer lebten.

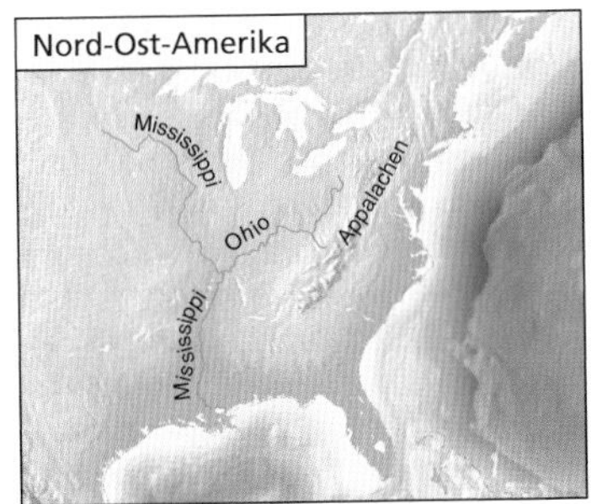

Während des *French and Indian War* kämpften die Franzosen gegen die Briten um die alleinige Vorherrschaft im Gebiet westlich der Appalachen. Die Indianer, die Handel sowohl mit den Briten als auch mit den Franzosen trieben, unterstützten in diesem Kampf die Franzosen. Ein Hauptgrund dafür war, dass die Franzosen zahlenmäßig geringer vertreten waren als die Briten. Bei Kriegsausbruch lebten ca. 60 000 Franzosen in Nordamerika. Die Indianer fürchteten, dass im Fall eines britischen Sieges etwa 2 Millionen britische Siedler in ihr Land strömen könnten. Der *French and Indian War* wurde von den Briten gewonnen, die Indianer weigerten sich dennoch, den Kampf um ihr Land aufzugeben.

French era	**1754–1763**	*French and Indian War* The *Treaty of Paris* (1763) ends the war. In this treaty, the British pledge to prohibit further settlement west of the Appalachian mountains, leaving this land to the Indians.
British era	**1768**	TECUMSEH born in Mad River, Ohio
	1774	TECUMSEH 6 years old, his father dies during Lord DUNMORE's War
	1775	Beginning of the *American Revolution*
	1776	*Declaration of Independence*
	1777	*Articles of Confederation*
	1779	TECUMSEH 11 years old, many Shawneess, including TESUMSEH's mother, move westward
	1782	TECUMSEH 14 years old, his first battle (army led by American General GEORGE ROGERS CLARK)
American era	**1783**	The *American Revolution* ends, in the *Treaty of Paris* Britian recognizes America as an independent country
	1787	US Constitution establishes a federal government
	1791	TECUMSEH 23 years old, Indians in NW-Territory fight American army of ARTHUR ST. CLAIR, Indians victorious
	1794	TECUMSEH 26 years old, *Battle of Fallen Timbers,* Indians defeated Consequence:
	1795	*Treaty of Greenville,* Indians only keep the northwestern corner of present day Ohio
	early 1800's	TECUMSEH wants to form a confederacy of all Indian tribes
	1803	Ohio becomes the 17th American State
	1805	TECUMSEH 37 years old, the Prophet's spiritual awakening, TECUMSEH travels widely
	1808	TECUMSEH 40 years old, Establishment of Prophetstown, where TECUMSEH's followers live
	1811	*Battle of Tippecanoe River,* TECUMSEH absent, Indians living in Prophetstown defeated
	1812	Beginning of the *War of 1812*
	1813	TECUMSEH 45 years old, dies in *Battle of the Thames,* the British allies of the Indians deserted and left the battle to the Indians alone

Möchte man Zusammenhänge, einen Ablauf oder einen Prozess darstellen, dann eignet sich ein **Flussdiagramm.** Möglich ist z. B. eine Anordnung der Elemente von oben nach unten, z. B. um die Hierarchie innerhalb einer Armee zu zeigen. Auch zeitlich nacheinander ablaufende Teile eines Prozesses würde man untereinander anordnen. Stellt man die Bestandteile des Diagramms nebeneinander, verdeutlicht man die Gleichberechtigung oder Gleichzeitigkeit der verschiedenen Elemente. Auf Seite 243 sind die Vorgänge um *Lord DUNMORE's War* unter- und nebeneinander angeordnet, um die zeitliche Abfolge zu verdeutlichen. A und B liefen gleichzeitig, die übrigen Teile nacheinander ab. Die Pfeile verdeutlichen den Kreislauf aus Vertragsbruch/Verdrängung, Kampf, erzwungenem Vertrag und erneuter Verdrängung, der im Verlauf der Eroberung Nordamerikas durch die Briten und Amerikaner zum Landverlust für die Indianer und schließlich zu ihrer Verdrängung in Reservate führte.
Ein Flussdiagramm muss allerdings übersichtlich bleiben. Ausführliche Erläuterungen passen meistens nicht auf die Folie. Hier stehen deshalb die Informationen, die du während eines Vortrags mündlich geben würdest, im erläuternden Text unter dem Flussdiagramm. Beides, Diagramm und

erläuternden Text, könntest du zu dem **Handout** hinzufügen, das du deinen Mitschülern austeilst (Handout, ↗ S. 247).

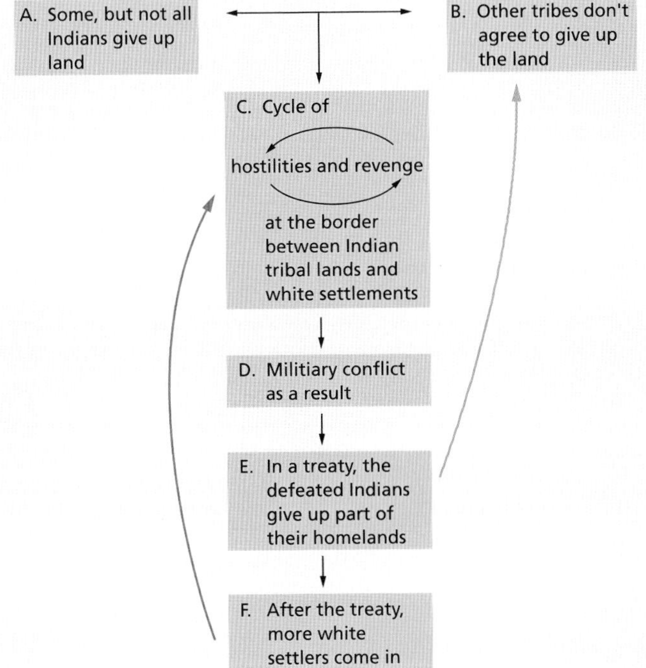

Events leading up to Lord DUNMORE's War and consequences of the war:

A. Some, but not all Indians, give up land:
Many colonists violate the *Proclamation of Paris* (1763) and cross the Appalachian Mountains. To prevent tensions with the Ohio Indians, the British negotiate new boundaries. In the *Treaty of Fort Stanwix* (1768) the Iroqoius – not actually living in Ohio – give the English all their lands east and south of the Ohio river.

B. Other tribes don't agree to the give up land:
The Delaware, Mingo and Shawnee who are living in the area do not agree to give up this land.

C. Cycle of hostilities and revenge at the border between Indian tribal lands and white settlements:
Violating the *Treaty of Fort Stanwix* (1768) and the *Proclamation of Paris* (1763), many settlers push beyond the Ohio River, thousands cross the Appalachian Mountains to the west. In the *Proclamation of Paris* (1763), the British had forbidden English colonists to live west of the Appalachian Mountains. The Indians, the Shawnees in particular,

Proclamation of Paris: Nach dem *French and Indian War* bekamen die Briten das Land zugesprochen, das zuvor von den Franzosen kontrolliert worden war. Dennoch weigerten sich die Indianer, dieses Land, das ihre Heimat war, aufzugeben. Die Briten konnten es sich aus finanziellen Erwägungen nicht erlauben, die Ureinwohner weiterhin zu bekämpfen. Um die Indianer zu besänftigen, versprachen die Briten, dass keine weißen Siedler westlich der Appalachen siedeln durften.

try to drive the settlers back east of the Appalachian mountains. The settlers take revenge. In 1774, they kill 11 Mingo Indians. In reaction to this, the Indians kill white settlers in Pennsylvania.

D. **Military conflict as a result:**
Lord DUNMORE's War. 3000 Pennsylvania and Virginia militia fight 1000 Indians, among them many Shawnee warriors. TECUMSEH's father dies at the *Battle of Point Pleasant* (October 1774).

E. **In a treaty, the defeated Indians give up part of their homeland:**
Lord DUNMORE, governor of Virginia, asks the Indians for peace talks. His army is close to some Shawnee villages. Some villages across the Ohio River have been destroyed by DUNMORE's men. Under pressure, the Indians give up all lands east and south of the Ohio River via a treaty.

F. **After the treaty more white settlers come in:**
Thousands more white settlers come into those lands. In a short while they will need and want more land …

Diagramme sind gut geeignet, um Zahlenverhältnisse zu veranschaulichen. Säulen- und Tortendiagramme eignen sich zum Vergleich von Zahlen in einer Momentaufnahme (Diagramm A und B). Tortendiagramme sind besonders geeignet, um die Aufgliederung einer Gesamtheit in ihre Teile zu zeigen (in Prozent). Die Angst der Indianer vor der britischen „weißen" Übermacht und ihrem Hunger nach immer mehr Land z. B. kann mithilfe der Bevölkerungszahlen erklärt werden. Im Jahr der amerikanischen Unabhängigkeitserklärung, 1776, hatte die weiße Bevölkerung die indianische Bevölkerung zahlenmäßig weit überholt. 1776 war die weiße Bevölkerung mehr als 15-mal so groß wie 1680:

Comparison of White and Native American Population 1776

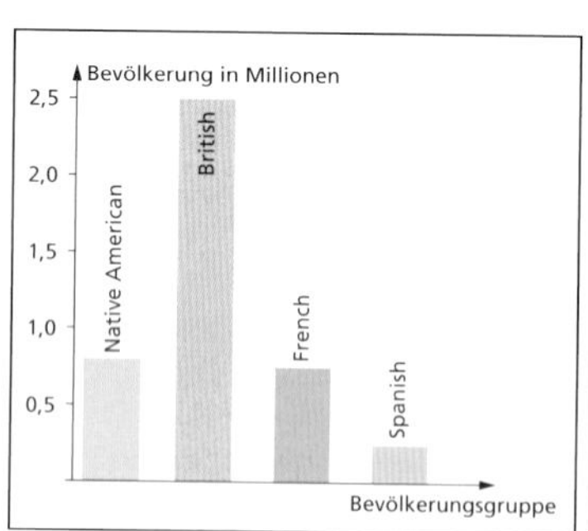

Säulendiagramm

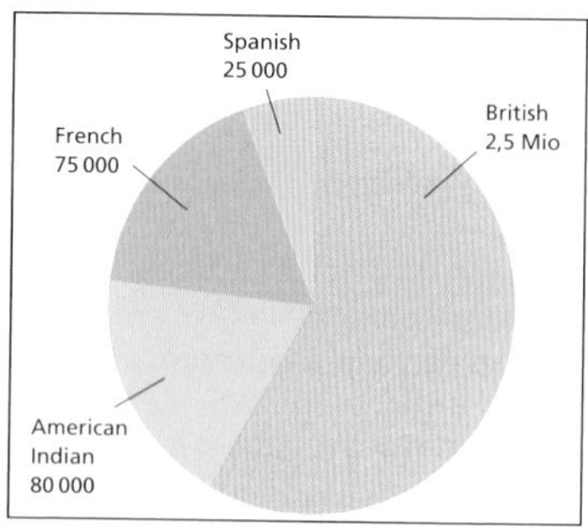

Tortendiagramm

Schätzungen über die Zahl der amerikanischen Ureinwohner vor der Ankunft COLUMBUS variieren stark. Der starke Abfall der Zahl war durch Territorialkriege, Armut und Krankheiten bedingt (www.usinfo.pl/aboutusa/society/native.htm).

Säulendiagramme kann man auch nutzen, um die Entwicklung von Zahlenverhältnissen über einen Zeitraum zu zeigen. Hat man sehr viele Daten, kann man auch ein Kurvendiagramm erstelle. Auf Seite 245 ist die zahlenmäßige Entwicklung der indianischen Bevölkerung zwischen 1492 und dem Jahr 2000 dargestellt. Die Zahlenangaben zu dem Zeitraum um 1492 – dem Zeitpunkt der Entdeckung Amerikas durch CHRISTOPHER KOLUMBUS – variieren stark, da nur im Nachhinein geschätzt werden konnte.

Native American population from 15th to 20th century

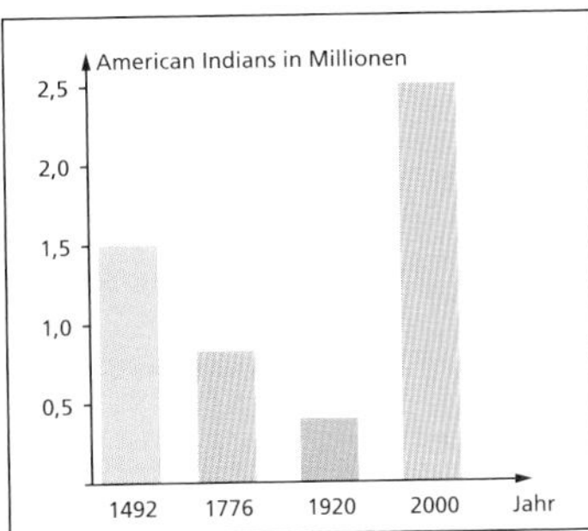

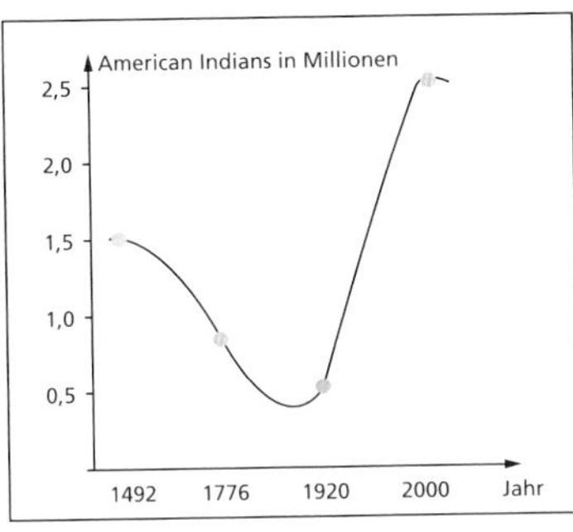

Säulendiagramm Kurvendiagramm

Karten lassen sich ebenfalls auf Folien kopieren oder in eine Power-Point-Präsentation einbinden. Sie können Veränderungen oder Entwicklungen aufzeigen. Die farbliche Gestaltung ist auch hier wichtig und kann den Zuhörern eine schnelle Orientierung ermöglichen. Du kannst Karten auch direkt von einer CD-Rom-Enzyklopädie oder aus dem Internet auf Folie drucken oder in eine Power-Point-Präsentation einbinden. Möchtest du auf Folie drucken, dann prüfe auf einem Papierausdruck die Größe und Qualität der Karte. So verbrauchst du die relativ kostspieligen Folien nicht umsonst.

Eine Karte zum *Greenville Treaty* findet man auf der Seite der Ohio Historical Society unter dem Stichwort *Treaty of Greenville line* (www.ohiohistorycentral.org/ohc/history/h_indian/maps/greenlin.shtml).

Es wurden hier nur einige der Visualisierungshilfen vorgestellt, die man in einem Vortrag zu TECUMSEH einsetzen könnte. Um die Bedeutung des *Greenville Treaty* und die damit verbundene Landabtretung der Indianer zu verdeutlichen, könnte man z. B. eine Karte zeigen. Bei den Erläuterungen zur Schlacht am *Tippecanoe River* und zum *Battle of the Thames* könnte man z. B. Ausschnitte aus einem Roman vorlesen, die einige Szenen aus den Kämpfen beschreiben. Romane oder andere literarische Quellen entsprechen wie auch Filme nicht immer der historischen Wirklichkeit, versuchen aber die Atmosphäre eines Ereignisses einzufangen und wiederzugeben. Möchtest du Ausschnitte vorlesen, dann sollten sie sprachlich nicht zu schwierig sein. Du könntest die Textstellen auch mit in das Handout aufnehmen und unbekannte Wörter darunterschreiben.

Der Roman *Panther in the Sky* von JAMES ALEXANDER THOM (Ballantine Books, New York, 1990) z. B. ist historisch sehr gut recherchiert und beschreibt TECUMSEHs Leben sehr eindrucksvoll.

Obwohl die visuellen Hilfsmittel sehr wichtig sind, gilt, dass dein mündlicher Vortrag selbst ein mindestens ebenso wichtiger Teil deiner Präsentation ist. Bilder allein ergeben noch keinen gut verständlichen Vortrag.

Bilder, Filmausschnitte und andere Medien sollen den Vortrag nur stützen. Der Zusammenhang zwischen den Bildern und ihrer Bedeutung ergibt sich während des Vortrags. Man sollte lieber nur so viele Folien und andere Medien zeigen, wie wirklich notwendig sind. Ansonsten verliert man den „Kontakt" zum Publikum, weil man selbst zu sehr mit dem Material beschäftigt ist.

5. Erstellen von Manuskript und Handout und das Einüben der Präsentation

Manuskript und Karteikarten. Nachdem die Gliederung endgültig steht und zu allen Punkten wichtige Informationen vorliegen, geht es an das Manuskript für den Vortrag. Für welche der Möglichkeiten man sich entscheidet, hängt davon ab, wie sicher man sich im freien Sprechen fühlt. Sprich auch mit deinem Lehrer ab, welche Art von Manuskript er akzeptiert. Es ist möglich,

- einen ganzen Text ausformulieren und dann die wichtigsten Stellen mit Leuchtmarker hervor zuheben.
- Stichworte zu den einzelnen Gliederungspunkten auf Karteikarten zu notieren,
- einen Vortrag auszuformulieren und dann wichtige Stichwörter am Rand zu notieren. Hier sind die Vorteile von Volltextmanuskript und Karteikartenmanuskript kombiniert.

Aber Vorsicht: Die Gefahr des Ablesens ist hierbei groß und manche Lehrer lehnen diese Art des Manuskripts deshalb ab!

Je weniger du notierst und je mehr du im Kopf hast, desto weniger kommst du in Versuchung, deinen Vortrag abzulesen. Ein frei gesprochener Vortrag ist besser als ein abgelesener Vortrag!

Das **Karteikartenmanuskript** ist das Manuskript, mit dessen Hilfe man am besten frei sprechen kann. Dazu noch einige Tipps:

- Karteikarten nur einseitig, groß genug und sauber beschreiben, damit man während des Vortrags ohne Probleme ablesen kann;
- mit verschiedenen Farben arbeiten, das erleichtert die Orientierung;
- Karteikarten nummerieren, damit während des Vortrags die richtige Reihenfolge schnell ersichtlich ist;
- Regieanweisungen für den Medieneinsatz notieren oder auch Hinweise auf kurze Pausen, damit Zuhörer eine Folie genauer betrachten können, Erinnerungen daran, langsam zu sprechen etc.

transparency (engl.) = Folie

Hier ein Beispiel für eine Stichwortkarte.

2. Who was Tecumseh? (...) - 3-

As mentioned before, Tecumseh was one of the most important Indian leaders. To understand his actions, a look at his family history is important.	Tecumseh one of most important leaders	Show transparency 2) with map of Ohio, point out Mad River,
Tecumseh was born in 1768 near the Mad River in what is today the state of Ohio. 1774, Tecumseh six years old: his father was killed fighting in the Battle of Point Pleasant during Lord Dunmore's war (...).	family history born in 1768	show transparency 3 with timeline of his life.

Wie genau die Stichpunkte ausformuliert sind, hängt davon ab, wie frei du Englisch sprechen kannst. Durch gutes Einüben des Vortrags kann man die Fähigkeit, frei zu sprechen, sehr verbessern. Hilfreich ist es, wenn wichtige Sätze wie Einleitungssätze oder Überleitungen als ganze Sätze formuliert werden.

Durch häufiges Durchlesen und lautes Wiederholen kann man sich diese Sätze einprägen und so während des Vortrags natürlich präsentieren.

Handout. Das Handout soll die wichtigen Punkte der Präsentation noch einmal „vor Augen führen“. Informationen, die auf dein Handout gehören, sind:

- dein Name und das Datum deines Vortrags,
- das Thema des Vortrags,
- die Gliederung.

Gegebenenfalls geeignet sind z. B. auch

- wichtige Zitate und Schaubilder,
- eine Liste mit wichtigen und vielleicht unbekannten Vokabeln und Fachbegriffen.

Du kannst das Handout vor oder nach deinem Vortrag austeilen. Wenn du es vorher austeilst, dann gib deinen Zuhörern etwas Zeit, es sich anzusehen. Hat dein Handout zwei Seiten, dann kann es hilfreich sein, die Seiten vor dem Kopieren zu nummerieren oder zusammenzuheften.

Einüben des Vortrags. Sobald die Begleitmedien für den Vortrag fertig gestellt sind, kannst du mit dem Einüben des Vortrags beginnen. Falls dir ein Mitglied deiner Familie oder eine Freundin/ein Freund dabei nicht zuhören können, nimm deinen Vortrag auf. Um den Zeitaufwand realistisch einschätzen zu können, solltest du auch wirklich alle Medien zum Einsatz bringen. Prüfe noch einmal, wie lang Film- und Audiomitschnitte sind, die du zeigen möchtest, und plane die Zeit dafür ein. Denke auch daran, die Geräte zu reservieren, die du benötigst. Versuche nicht, schnell und hastig zu sprechen, wenn dein Vortrag zu lang sein sollte. Kürze dann lieber etwas Material heraus.

Gib deinem Lehrer mindestens eine Woche, besser zwei Wochen Vorlaufzeit, um die Geräte zu reservieren, die du benötigst. Besonders vor den Ferien können Videorekorder z. B. stark beansprucht sein. Bei einer Vortragszeit von 10 bis 15 Minuten solltest du nicht mehr als 2 – 3 Minuten mit Film- oder Audioausschnitten füllen.

Wenn du deinen Vortrag aufgenommen hast, kannst du – falls nötig – dein Sprechtempo, Überleitungen oder auch deinen Ausdruck verbessern. Lass dir ansonsten von deinem Probezuhörer sagen, wo es „hakt“. Wenn etwas nicht gut verständlich ist, kann es auch daran liegen, dass du zu lange und komplizierte Sätze verwendet hast. Mehrere Probedurchläufe können nötig sein, bis der Vortrag wirklich kurz und knapp formuliert und deshalb verständlich wird. Denke während des Übens an deine Zuhörer und daran, wie sie normalerweise im Unterricht sprechen. Versuche nicht, in druckreifen Sätzen zu sprechen, sondern lebendig vorzutragen.
Prüfe zum Schluss noch einmal die Regieanweisungen und Überleitungssätze, die du formuliert hast. Hast du alle Materialien zum richtigen Zeitpunkt und in der richtigen Reihenfolge gezeigt? Wenn nicht, dann sortiere und nummeriere sie noch einmal und ändere die Regieanweisungen entsprechend. Zum Schluss lege alle Materialien bereit. Denke daran, dass du am Abend vor dem Vortrag noch genügend Zeit zur Entspannung einbauen solltest. Diese Entspannungsphase wird dich fit machen für die Anspannung am nächsten Tag. Versuche, deine Arbeit so frühzeitig abzuschließen, dass du dich durch eine möglichst angenehme

Pause belohnen kannst. Gute Zeitplanung schließt auch diese Pause am Abend vor dem Vortrag ein! Denke auch daran, rechtzeitig ins Bett zu gehen – ausgeruht und ausgeschlafen wirst du besser vortragen, als wenn du müde und erschöpft bist.

6. Durchführung der Präsentation

Während des Vortrags sollten folgende Punkte beachtet werden:
- Blickkontakt zum Publikum halten,
- langsam, laut und deutlich sprechen,
- Pausen an geeigneter Stelle einplanen,
- nicht in Hektik geraten, wenn ein Gerät nicht gleich funktioniert, den Lehrer oder einen Mitschüler um Hilfe bitten,
- versuche nicht, um jeden Preis witzig zu sein,
- an die eigene Körpersprache denken.

"Speech - no, he's going to ask his boss for a rise."

Der letzte Punkt ist besonders wichtig. Wie ernst nimmt man einen Redner, der mit tief in den Hosentaschen vergrabenen Händen, hängenden Schultern, mit gelangweiltem Gesichtsausdruck und monotoner Stimme seinen Vortrag hält? Auch einen Redner, der vor lauter Nervosität an seiner Kleidung und seinen Haaren zupft, sich unruhig im Raum hin und her bewegt oder mit den Händen fuchtelt, würde man vermutlich nicht so ernst nehmen. Versuche deshalb, deinen Vortrag mit Enthusiasmus und Interesse vorzutragen, aber gleichzeitig ruhig zu bleiben – auch wenn dies schwer fällt. Um während des Vortrags ruhig und konzentriert zu bleiben, gibt es verschiedenste Hilfsmittel. Welches für dich am besten wirkt, wirst du sicher herausfinden. Wichtig ist die Entspannungsphase am Abend vor deinem Vortrag, damit du den nötigen Abstand hast. Während des Vortrags können ruhiges Atmen in den Bauch, das Anlächeln eines Freundes in der Klasse oder die bewusste Konzentration auf langsames und ruhiges Sprechen z. B. helfen, Spannung abzubauen. Wenn es dir möglich ist, kannst du dich selbst daran erinnern, angespannte Muskeln z. B. im Nacken- und Schulterbereich zu lockern – auch dies kann dir zur Entspannung verhelfen. Etwas Nervosität kann nicht schaden – so bleibt man wach und mobilisiert Kräfte und Konzentration. Im Übrigen können die Zuhörer sehr gut verstehen, wie sich der Vortragende fühlt, und werden kleine Fehler und Unsicherheiten nicht übel nehmen. Solltest du mit deinem Vortrag nicht zufrieden sein, dann bitte deinen Lehrer oder einen Mitschüler um ein Feedback, damit du für das nächste Mal an den Punkten, die noch nicht so gut geklappt haben, arbeiten kannst.

4.1.2 Kommentar

Der Kommentar ist ein Meinungsbeitrag und zählt zur Gattung der argumentativen Sachtexte (↗ Kapitel 3.2). Er ist Teil einer fortlaufenden Diskussion, Debatte oder eines Dialogs über ein im Umlauf befindliches Thema. Daher ist er auch im journalistischen Bereich anzusiedeln, also bei Rundfunk, Fernsehen und Presse.

Als argumentativer Sachtext ist der Kommentar eine Form der Kritik, unterscheidet sich von ihr aber in einem wichtigen Punkt: Eine Kritik bezieht sich immer auf etwas Abgeschlossenes, Vollbrachtes, das nun als Ganzes kritisiert wird. Das kann ein Roman, ein Theaterstück, ein Spielfilm usw. sein. Eine Kritik wird in einem geistes- bzw. literaturwissenschaftlichen Zusammenhang verwendet.

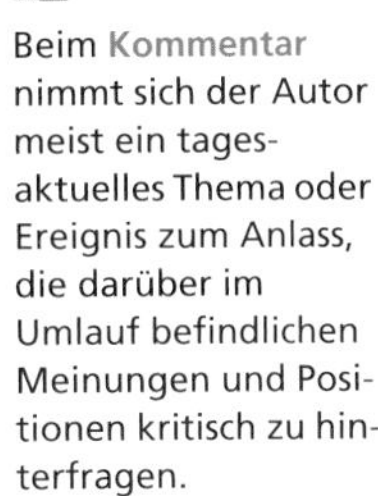

Beim **Kommentar** nimmt sich der Autor meist ein tagesaktuelles Thema oder Ereignis zum Anlass, die darüber im Umlauf befindlichen Meinungen und Positionen kritisch zu hinterfragen.

Als Meinungsbeitrag ist der Kommentar eine **Form der persönlichen Stellungnahme.** Beim Kommentar wird eine bewusst subjektive Wertung vorgenommen. Dies bedeutet, dass andere Positionen zum kommentierten Thema, Debatte, Ereignis etc. hintenangestellt werden. Ein Kommentar muss ihnen nicht gerecht werden, sondern kann sie getrost verwerfen, wenn es dem eigenen Argument dienlich ist.
Obwohl der Kommentar „nur" eine Meinung kundtun soll, also eine subjektive Reaktion darstellt, hat er oft eine weitere Funktion: Er will Reaktionen hervorrufen, provozieren und zum Nachdenken anregen. Bevor man sich daher in Form eines Kommentars zu einer Sache äußert, sollte man die eigene Position kritisch auf ihre Hieb- und Stichfestigkeit abklopfen. Eine Meinungsäußerung ist immer auch mit dem Risiko verbunden, selbst kritisiert zu werden. Nichts ist schlimmer als ein Kommentar, der unglaubwürdig oder gar lächerlich erscheint. Gute Kommentatoren beschäftigen sich daher gründlich mit der Komplexität eines zu kommentierenden Sachverhalts, bevor sie sich Gedanken zur eigenen Position machen und diese in Form eines Kommentars aufschreiben.

Vorbereitung

Wenn in der Schule journalistische Textformen behandelt werden, geschieht dies meist im Zusammenhang mit Textbeispielen aus einer Tageszeitung. Hier empfiehlt es sich, zunächst einmal selbst zur Tageszeitung zu greifen, um sich mit den unterschiedlichen Formen des journalistischen Schreibens vertraut zu machen. So gewinnt man schnell ein erstes Verständnis von den typischen Merkmalen eines Kommentars in Abgrenzung zu anderen Texten. Um nun aber selber

das Schreiben eines Kommentars zu üben, braucht man einen **konkreten Anlass** bzw. ein **konkretes Thema.** Hier eignet sich beispielsweise die häufig in Tageszeitungen veröffentlichte Meinungsumfrage zu einem aktuellen politischen Thema. Eine Meinungsumfrage erhebt häufig den Anspruch, verschiedene Standpunkte zusammenzufassen und somit eine allgemeine Tendenz wiederzugeben. Hier ein Beispiel zum Nordirland-konflikt:

A new opinion poll shows: Outside of Ireland the general consensus is that religious conflict in Northern Ireland should stop as soon as possible. They say it has no place in modern Europe.

Das Schreiben eines Kommentars ist ein **Prozess,** in dem zunächst einmal die eigene Meinung erarbeitet werden muss.

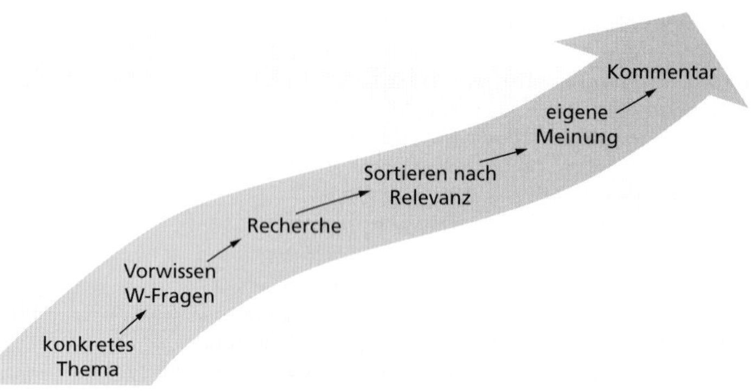

1. **Überprüfung des eigenen Wissens**
   Heute sind wir von vielfältigen Medienangeboten mit lokalem, nationalem oder internationalem Bezug umgeben, die uns mit Nachrichten und Informationen füttern. Durch dieses „Überangebot" ist es schwierig, auf eine aktuelle Diskussion aufmerksam zu werden.
   Der erste Schritt zur eigenen Meinungsbildung ist das **Brainstorming,** um schon vorhandenes Wissen zu aktivieren.

Die Stichworte ermöglichen einen ersten Überblick. Meist fallen einem weitere Aspekte zu einem Thema ein, wenn man erst einmal begonnen hat, die eigenen Gedanken und Assoziationen zu notieren.

2. **Untersuchung der zu kommentierenden Aussage: Themen**
Im zweiten Schritt gilt es, sich darüber klar zu werden, was genau man denn zu kommentieren hat. Hierzu ist eine nähere Betrachtung und Eingrenzung der Aussage erforderlich, zu der ein Kommentar geschrieben werden soll. Eine einfache Formel erleichtert die Untersuchung:

***Who* says *what* and *how*?**

Hat man die drei Elemente *who, what* und *how* gefunden, ist es recht einfach nachzuvollziehen, wie eine Meinung zustande kommt *(why).* Nun kann man diese (kritisch) betrachten. Auf die Meinungsumfrage angewandt, verteilen sich die Elemente nun folgendermaßen:

WHO? people living Ireland
WHAT? religious conflict in Northern Ireland should stop as soon as possible. It has no place in modern Europe.
HOW? new opinion poll (here: format)

Der große Vorteil dieser Aufteilung ist, dass die Themenfelder transparenter werden und man sein eigenes Wissen besser überprüfen kann. Diese Themen bilden den faktischen Kern der Aussage und finden sich daher unter der Frage *what?* Im vorliegenden Beispiel sind dies:

- Religious conflict
- Northern Ireland today (in modern Europe)

Die Vorgeschichte des **Nordirlandkonflikts** reicht bis ins Mittelalter zurück.

Sind die Kernthemen einer Aussage einmal herausgefiltert, ist die erste wichtige Hürde auf dem Weg zum eigenen Meinungsbild überwunden. Denn nun hat man die Möglichkeit, das eigene Wissen auf diesem Gebiet abzuklopfen, um Lücken durch eine weitere Recherche zu schließen.
In diesem zweiten Stadium der Meinungsbildung ist es ebenfalls hilfreich, erneut zu Stift und Papier zu greifen und sich Notizen zu Auffälligkeiten der Aussage zu machen. Wenn man gleich von Anfang an Fragen festhält, die während der Analyse auftreten, erspart das später viel Arbeit beim Erstellen der Gliederung für den eigenen Kommentar. Ungereimtheiten und Widersprüchlichkeiten in der Aussage eignen sich gut als Orientierung, um daran entlang den eigenen Argumentationsgang aufzubauen. Auf diese Weise nimmt man bereits Verständnisfragen des Lesers oder Hörers vorweg.

Statement	Notes	conclusion
• New opinion poll	- How good are opinion polls? - Does it really represent what most people think?	- Public opinion offers no qualified analysis; statement made is too generalised
• People living outside Ireland	- If they don't live there: can they really judge the situation?	- they need to grasp the complexity of situation
• religious conflict in Northern Ireland should stop as soon as possible	- How do religion and politics connect? - Is it possible?	- No politics without religious aspect; politics and solution must include religious groups: long-term process,
• no place in modern Europe	- Is that true? - What does "modern" mean here?	- "modern" is a problematic term: right to claim this?

3. **Eine erste Einschätzung: Wissensstand und Relevanz**
Nun gilt es den eigenen Wissensstand einzuschätzen. Man sollte ein gutes Sachverständnis vom Thema haben und fehlende Informationen möglichst rasch aufarbeiten. Wenn man sich vorher noch nicht aus einem speziellen Interesse heraus mit einem Thema befasst hat, besteht unser Vorwissen häufig aus Klischees, die sich im Gedächtnis verankert haben. Der wichtigste Schritt zur eigenen Meinungsbildung ist daher eine kritische Auseinandersetzung mit diesem angesammelten Wissen. Dazu gehören drei Punkte:

Klischee = verallgemeinerte Vorstellung

- **Wissensumfang/*Scale of Knowledge***
  What is it exactly that I know?
  Do I know enough about the topic?
- **Zusammenhänge/*Context***
  Do I know about the larger context, would I be able to explain it?
- **Relevanz/*Relevance***
  Is what I know relevant for the commentary I am going to write?

Der letzte Punkt verdient besondere Beachtung: Selbst wenn man schon eine ganze Menge zu einem Thema weiß, stellt sich immer noch die Frage nach der Relevanz des eigenen Wissens für die Aufgabe, die man bearbeitet. Nur relevantes Material ist schlussendlich auch verwertbar. Anhand dieser Fragen sollte man sich Notizen zum eigenen Kenntnisstand machen, etwa unter Zuhilfenahme der beim Brainstorming verfassten Notizen. Hat man einmal den eigenen Wissensstand an den Themenfeldern der Aussage gemessen, gewinnt man wertvolle Informationen für das weitere Vorgehen.

4. **Recherche: Themenhintergrund**
Für die Hintergrundrecherche sind die eigenen Fragen und Zweifel der beste Weg zur erfolgreichen Behebung derselben. Sie helfen, die Recherche sinnvoll einzugrenzen. Gerade wenn man das Internet als Informationsquelle nutzt, sprengt das Suchergebnis zu einem oder mehreren Stichworten häufig den Rahmen. Wer das Stichwort *„religious conflict Northern Ireland"* eingibt, wird sich in der Fülle von Informationen nicht mehr zurechtfinden. Deshalb sollte man Vorbereitungen treffen, um das Suchergebnis übersichtlich zu halten.

I know about	Context/Question	Relevancy for explaining themes/topics
• War between Catholics & Protestants	– Why is there a war? How long has it been going on? Are there different parties? Why between two religious groups?	high ++ (religious conflict)
• Bombs, terrorism	– Does the state support terror or what does it do?	high ++ (religious conflict)
• U2	– Role of music in conflict? Do many people think the same as U2?	average –+ (religious conflict; Northern Ireland today)
• marching season	– Who is marching there, when? History of marches?	high ++ (religious conflict)
• IRA	– What does it stand for? Which group, which religion? Is it the only group or are there more?	high ++ (religious conflict)
• "The Devil's Own"	– Hollywood film: should I believe what it tells me?	low – (Northern Ireland today)
• GERRY ADAMS/ politician	– What ideas and goals/what role in the conflict? Other politicians?	high ++ (Northern Ireland today, religious conflict)

Fragestellung

Die besten Suchergebnisse werden erzielt, wenn man konkrete Fragen formuliert, die im Laufe der Recherche beantwortet werden sollen. Die Recherche ist also auf die Beantwortung offener Fragen gerichtet. Um dieses Ziel genauer zu definieren, sollte man sich seine Unterlagen sowie den zu kommentierenden Sachverhalt noch einmal vornehmen. Die schon unter dem Punkt ***Context*** notierten Fragen und Anmerkungen sollten nach Themenbereichen untersucht und strukturiert werden. Am besten erstellt man sich eine Aufgabenliste, die festlegt, was man bei der Recherche herausfinden möchte. Diese kann folgendermaßen aussehen:

Um die Fragestellung nicht ausufern zu lassen, beschränkt man sich am besten auf drei Kernfragen, unter denen man seine Recherche betreiben will. Die im Laufe der vorangegangenen Überlegungen aufgetauchten Fragen sollten hier so weit vereinfacht werden, dass sie sich in **Themenblöcke** gliedern lassen, zu denen man Informationen sucht. In diesem Fall konzentriert man sich auf die historischen Aspekte, die politischen Parteien und die Bevölkerung.

To Do List

Religious Conflict + Northern Ireland today

- Find out about the history of the conflict
- Find out about political parties and groups
- Find out about what people in Northern Ireland think about the conflict

Recherche

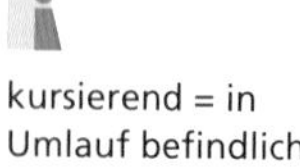

kursierend = in Umlauf befindlich

Im Prozess der eigenen Meinungsbildung ist es von oberster Priorität, Quellen zu finden, die möglichst neutral gehalten sind und kursierende Meinungen und Analysen objektiv darstellen. Beim Thema Nordirland gibt es Tausende von Webseiten, auf denen sich einzelne Personen zu diesem Thema ereifern, Informationen äußerst vereinfacht oder gar propagandistisch darstellen. Gesunde Skepsis sollte also auch die eigene Recherche bestimmen. Es ist besser, eine Behauptung erneut zu überprüfen, bevor man sie für bare Münze nimmt.

Quellen

Dieser Art von unseriösen Quellen kann man recht einfach aus dem Weg gehen, indem man von vornherein bei vertrauenswürdigen Quellen sucht. Da der Kommentar in der Regel Bezug zum Zeitgeschehen hat, sind die eher traditionellen Orte wie die Schul- oder Stadtbibliothek nur beschränkt empfehlenswert. Oft ist der Bestand an Literatur zu einem Thema veraltet. In jedem Fall sollte man immer auf das Erscheinungsdatum eines Buches oder einer Zeitschrift achten, bevor man die Informationen übernimmt. Ein im Jahre 1980 geschriebenes Buch über den Nordirlandkonflikt berücksichtigt beispielsweise nicht die Entwicklungen im Friedensprozess der letzten 25 Jahre und hat daher wenig Nutzen für die eigene Meinungsbildung zum heutigen Stand der Entwicklungen. Aufgrund der Möglichkeit, aktuelles Material auf schnellem und einfachem Weg zu beziehen, ist das Internet die beste Quelle für Hintergrundinformationen.

Internetportale und Websites

Bei den gängigen Suchmaschinen empfiehlt es sich, zunächst einmal nach Webseiten zu suchen, die selber Zugang zu Informationen aus dem gewählten Themenkreis zur Verfügung stellen. Sicher wird man auch auf interessante Webseiten stoßen, wenn man direkt eine der drei vorher formulierten Fragen eingibt. Doch für eine systematische und präzise Suche sollte man auf Portale zurückgreifen, deren Betreiber und Sponsoren seriös sind und die Links zu verschiedenen Unterthemen anbieten.
Die Homepage eines **Uni-Forschungsprojekts** ist mit Sicherheit ein guter Anfangspunkt für die eigene Recherche. Vorausgesetzt, die Homepage ist nicht veraltet, finden sich hier jede Menge Informationen zum neuesten Stand der Forschung. Doch muss man sehr vorsichtig sein, sich nicht in der Fülle des Materials zu verlieren. Relevanz ist nach wie vor das Motto der eigenen Recherche. Als Faustregel gilt hier: nur Artikel lesen, die in der Überschrift ein allgemeines Thema behandeln, also beispielsweise schon im Titel „Der Hintergrund des Nordirlandkonflikts" oder dergleichen erwähnen.

cain.ulst.ac.uk

Ein Beispiel für ein derartiges Projekt in englischer Sprache ist CAIN („**C**onflict **A**rchive on the **In**ternet"), das von der University of Ulster betrieben wird. CAIN sammelt Informationen aller Art zum Nordirlandkonflikt und stellt außerdem viele Links zur Verfügung. Dort veröffentlichte

Beiträge zur Geschichte des Konflikts und Hauptproblemen der aktuellen Diskussion geben einen guten Einblick in die Komplexität der Situation.

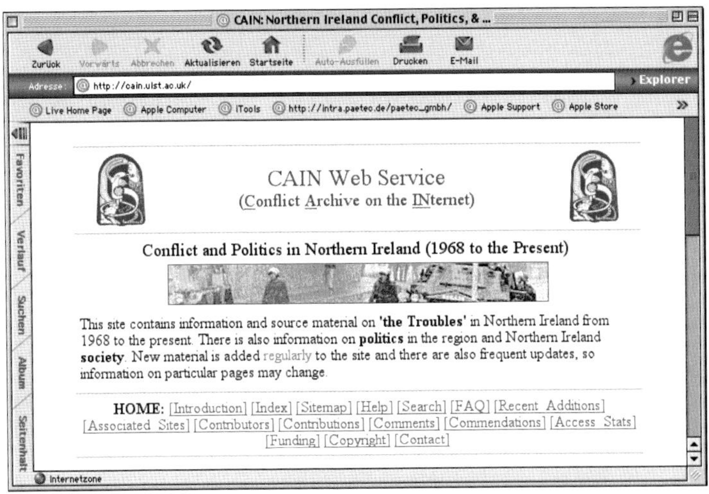

Des Weiteren gibt es die Infoportale der **öffentlichen Medien.** Oft finden sich dort eine große Anzahl an Artikeln zum Nordirlandkonflikt sowie nähere Informationen zu den beteiligten paramilitärischen und sonstigen Gruppen und Politikern. Die Kurzporträts ermöglichen einen guten Überblick über die verschiedenen Haltungen in diesem Konflikt. Als Webseite der Medien gibt es außerdem die Möglichkeit, verschiedene Kommentare anderer Journalisten zum Thema zu lesen.

In diesem Zusammenhang eignen sich ebenfalls die online verfügbaren **Archive** größerer **Tageszeitungen,** in denen man Berichte und Kommentare beispielsweise am Tag des *Good-Friday-Agreement* 1998 einsehen kann. Um nicht zu schnell voreingenommen zu urteilen, sollte man sich andere Kommentare zum Nordirlandkonflikt erst dann durchlesen, wenn man sich selbst für ausreichend informiert hält.

www.sueddeutsche.de; www.frankfurter-rundschau.de; www.guardian.co.uk; www.irish-times.ie

Vonseiten der jeweiligen **Regierung** gibt es bei politischen Konflikten größeren Ausmaßes, wie dem Nordirlandkonflikt, meist auch eine zuständige **Behörde,** bei der sich ein Besuch per Mausklick lohnt. So auch im Falle Nordirlands: Hier ist das ***Northern Ireland Office*** speziell für die Region Nordirland zuständig. Neben den geschichtlichen Hintergründen sind hier die aktuellen politischen Entwicklungen dokumentiert.

www.nio.gov.uk

Schüler lernen natürlich auch voneinander. Im Internet gibt es jede Menge **Infoportale,** die **von Schülern und Studenten** erstellt und betreut werden. Hier kann es allerdings manchmal vorkommen, dass die dort veröffentlichten Texte recht unkritisch ins Netz gestellt wurden. Bei Auffälligkeiten sollte man daher lieber noch einmal die Informationen und Fakten aus unterschiedlichen Quellen kritisch überprüfen, bevor man sie für sich selber verwendet.

Auf dem Internetportal www.derriere.de veröffentlichen auch Schüler Artikel zu politischen und gesellschaftlichen Themen.

Auswertung

Bei der Auswertung der Ergebnisse kommt es vor allem darauf an, sich das Ziel der Recherche vor Augen zu führen: Es soll ein Kommentar geschrieben werden, und zwar zur Meinungsumfrage.

> A new opinion poll shows: People living outside Ireland think that the religious conflict in Northern Ireland should stop as soon as possible. They say it has no place in modern Europe.

Das bedeutet, dass der Kommentar eben nicht jene Fakten und historischen Tatsachen zu den Religionsgruppen, paramilitärischen Organisationen etc. wiedergeben soll, die man sich gerade mühsam angelesen hat. Doch die Nachforschungen waren keinesfalls vergeblich, denn allein auf diesem Weg hat man sich eine ganze Menge Wissen angeeignet, die einen nun zu einem qualifizierten Kommentator der Meinungsumfrage werden lässt. Jetzt kann man die anfangs im eigenen Halbwissen verfassten und mit Fragezeichen versehenen Notizen wieder hervorholen und diese sinnvoll strukturiert zum eigenen Kommentar ausbauen. Die Auswertung der eigenen Forschungsergebnisse ist nichts anderes als die

Beantwortung jener anfänglich notierten Fragen und Anmerkungen. Im Hinblick auf den Kommentar, der im Anschluss verfasst werden soll, kann man sich hier auch schon überlegen, welche für Schlussfolgerungen man aus diesen Antworten ziehen kann.

statement	notes	conclusion
new opinion poll	How good are opinion polls? Does it really represent what most people think?	Can people be so badly informed to say sth like this?
people living outside Ireland	If they don't live there: can they really judge the situation?	Not unless they are well informed; and they are not; lack understanding of complexity of situation
religious conflict in Northern Ireland should stop as soon as possible	How do religion and politics connect? Can it stop like that?	no politics without religious aspect; politics and solution must include religious groups; people have no right to say "should"; long-term process, no quick solution
no place in modern Europe	Is that true? What does "modern" mean here?	it happens; naïve and embarrassing understanding of "modern"; arrogance

Schreiben eines Kommentars

Form und Inhalt. Da der Kommentar zu den argumentativen Sachtexten zählt, ist neben der Stichhaltigkeit der verwendeten Fakten vor allem ein schlüssiger und **logisch strukturierter Aufbau** unabdingbar. Unter Gebrauch des oben erstellten Schemas ergibt sich nun die Struktur eines Kommentars zur Meinungsumfrage „Nordirlandkonflikt". Die Reihenfolge der Aussagen kann hier natürlich vertauscht werden, wenn es die eigene Argumentation flüssiger macht. Generell ist es aber eine Kombination aus Aussage, Notiz und Schlussfolgerung, die einen Aspekt der Meinungsumfrage abdeckt. Ihr liegt das Prinzip **These-Antithese-Synthese/Schlussfolgerung** zugrunde, auf das jeder argumentative Sachtext gebaut ist. Der Kommentator ist im Rahmen einer persönlichen Stellungnahme sehr darauf bedacht, die eigene **„Stimme"** zur Geltung zu bringen. Dies bedeutet, dass die Satzstruktur eines Kommentars eher dem **Sprechrhythmus** angepasst ist als der geschriebenen Sprache. Um den Bezug zum Leser eindeutig herauszustellen, kann man gelegentlich ein **Personalpronomen** für die direkte Ansprache verwenden. Die Verwendung der 1. Person Singular ist jedoch nicht empfehlenswert. Sie lässt den Kommentar zu schnell ins anekdotische, persönliche Erleben abrutschen. Der Kommentar sollte seine **wertende Distanz** jedoch nicht verlieren. Um die Kommunikation mit dem Leser aufrechtzuerhalten, gibt es einige stilistische Mittel (↗ S. 146), die den dialogischen Charakter des Kommentars betonen, wie beispielsweise **Ausrufe** oder **rhetorische Fragen.** Oft ist es auch recht effektiv, **Zitate** einzubauen, um diese dann zu hinterfragen. Da der Aspekt der Glaubwürdigkeit unabdingbar für einen gelungenen Kommentar ist, ist der Verweis auf belegbare Tatsachen oder Fakten durchaus empfehlenswert.

Ein Kommentar zur Nordirlandumfrage kann folgendermaßen aussehen:

Fettgedruckte Formulierungen stammen aus den Schlussfolgerungen von S. 252.

A new opinion poll has shown: People living outside Ireland think that religious conflict in Northern Ireland should stop as soon as possible. They say it has no place in modern Europe.—
So here we go again: another opinion poll offered to us, another so-called insight into a political situation that has been a familiar feature in our media for decades. While it is important to ask people what they think about an issue like the Northern Ireland conflict, there is one simple problem with opinion polls: **public opinion offers no qualified analysis.** We may appreciate people bothering their head when faced with a journalist's question like the present one, yet here we have another **statement** that **is too generalised.** And if time has shown one thing: general solutions do not bring peace to Northern Ireland. Ironically, the people questioned here are in the same situation as those politicians who have being trying to secure lasting peace: **they need to grasp the complexity** of the situation before they can start thinking about a solution. And understanding comes with understanding the way people think on the ground, in the North of Ireland. For outsiders like the interviewees, the call for separation of religion and politics misses the point: in Northern Ireland, there are no **politics without a religious aspect.** The **politics** of Northern Ireland **and** the **solution** to the conflict **must include religious groups** if there should be hope for any kind of progress in the negotiations for lasting peace. Again, it may be an honourable thing for outsiders to call for a quick stop to the violence and suffering. If you ask people in the North, they will surely agree. Everybody prefers a peaceful life to a life lived in constant fear. However, this is going to be a **long-term process, no quick solution** will be possible and indeed, demands to the very opposite will certainly proof counterproductive, if not dangerous.
Usually, we like to think conflicts like the one in Northern Ireland are far away and do not happen on our very doorstep. This is the attitude shown by the people questioned in this opinion poll when they say it has no place in modern Europe. But it happens in our time, in Europe, right here and now. **"Modern" is a problematic term** here since it brings up the question of whether the **rest of Europe** is a **better place** than Northern Ireland. **Have we got the right to claim this?** We may think the Northern Irish conflict to be backward. But the fact that it is still going on should make us think for a moment if our attitude of quick judgements and fast solutions is not going down the wrong path altogether.

Dies hier sind Empfehlungen und Vorschläge, die das Verfassen eines Kommentars erleichtern sollen. Letztendlich zählt bei einem Kommentar aber vor allem die Persönlichkeit des Kommentators, die am besten durch eine glaubwürdige Art und Weise der Präsentation zum Ausdruck kommt.

4.1.3 Zusammenfassung

Eine Zusammenfassung ist die durch Kürze der Form und Präzision des Ausdrucks bestechende, abschließende Wiederholung der Kernaussagen einer Abhandlung. Diese Abhandlung ist in erster Linie durch ihre argumentative Form gekennzeichnet. Sie kann sowohl schriftlich als auch mündlich vorliegen, fiktionaler oder nicht fiktionaler Natur sein.

Die Zusammenfassung ist im Allgemeinen in einen analytischen bzw. interpretierenden Kontext gebunden.

Man kann eine Romanhandlung oder eine wissenschaftliche Abhandlung ebenso zusammenfassen wie eine Diskussion zu einem bestimmten Thema. Die Zusammenfassung beruht häufig auf einer vorangegangenen näheren Analyse der Abhandlung. Denn um die Kernaussagen erfassen zu können, muss man meistens deren argumentative Strukturen sichtbar machen.

fiktionale Texte	nicht fiktionale Texte
Das Zusammenfassen von fiktionalen Texten erfordert einen gewissen analytischen Blick für deren Aufbau und Struktur. Sie bezieht sich aber ausschließlich auf den Text und darf auf keinen Fall den Inhalt der Geschichte interpretieren. Vielmehr stellt die Zusammenfassung eines fiktionalen Textes die einzelnen Handlungselemente kurz und präzise in einen zeitlichen und kausalen Zusammenhang.	Die Zusammenfassung nicht fiktionaler Texte rekapituliert die Kernaussagen eines Textes und gibt diese strukturiert wieder. Es geht darum, die Zusammenhänge zu erfassen und transparent zu machen. Bei einem wissenschaftlichen Aufsatz zu einem bestimmten Thema wäre dies z. B. der eingeschlagene Argumentationsweg, den eine Zusammenfassung gebündelt wiedergibt.

Analyse von fiktionalen und nicht fiktionalen Texten

In der Schule ist die gängigste Form der Untersuchung von Texten die Textanalyse. Sie steht immer unter einer bestimmten Fragestellung und ist daher auf die Erstellung eines eigenen Lösungsweges ausgerichtet. Wollte man die Zusammenfassung formal in den Ablauf der Textanalyse einordnen, so steht sie im Gegensatz zur Inhaltsangabe am Schluss der Arbeit. Aufgabe der Zusammenfassung ist es daher nicht, beispielsweise einleitend die Handlungsschritte

einer Kurzgeschichte aufzuzählen, um dem Leser einen kurzen Überblick über den Inhalt zu verschaffen. Das ist die Aufgabe der Inhaltsangabe. Eine Zusammenfassung gewährt ebenfalls einen Überblick, allerdings nicht über den Inhalt, sondern über die durch die inhaltliche Darstellung formulierten Thesen.

Das bedeutet bei einem **fiktionalen Text:** Wenn der Held einer Geschichte in der Inhaltsangabe verkürzt die Stationen seiner Abenteuer erneut durchläuft, dann gibt eine Zusammenfassung Auskunft darüber, warum er dies tun musste. Hier steht die Zusammenfassung also in direkter Verbindung mit dem vorangegangenen Hauptteil der Textanalyse, nämlich der eigentlichen Untersuchung des Textes unter einer bestimmten Fragestellung. Die Ergebnisse dieser Untersuchung werden abschließend rekapituliert: Bei fiktionalen Texten ist die Zusammenfassung also immer in einen interpretierenden Kontext gebunden und stützt das eigene Argument als Ergebnis einer näheren Untersuchung. Im Zusammenhang mit **nicht fiktionalen Texten** erfolgt die Textanalyse ebenfalls unter einer bestimmten Fragestellung. Auch hier resümiert die Zusammenfassung das Ergebnis der eigenen Untersuchung des Textes unter vorher festgelegten Aspekten und fasst somit den eigenen Argumentationsweg zusammen.

Zusammenfassung: Diskussionen und Debatten

Die bisherigen Beispiele für die Verwendung von Zusammenfassungen haben den einzelnen Text oder die individuelle Analyse berücksichtigt. Eine Zusammenfassung kann aber auch im Kontext einer Debatte oder Diskussion zu einem bestimmten Thema stehen. Diese können mündlich oder schriftlich ausgetragen werden, in jedem Fall werden hier unterschiedliche Positionen zu einem Thema bezogen. Ein gutes Beispiel ist die Politik: Politiker verschiedener Parteien, die sich zu einem Thema äußern sollen, werden alle unterschiedliche Meinungen darüber abgeben. Wollte man diese Diskussion nun zusammenfassen, so müsste man die Kernaussagen der einzelnen Politiker herausfiltern und unter dem Titel der Diskussion über ein Thema zusammenfassen. Das Problem bei Diskussionen oder Debatten ist, dass sie im Gegensatz zu den in sich abgeschlossenen fiktionalen bzw. nicht fiktionalen Texten offen bleiben. Sollte man nun die aktuelle Diskussion zu einem bestimmten Thema zusammenfassen, müssen daher weitere Kriterien berücksichtigt werden. Die Vorbereitung einer derartigen Zusammenfassung fällt somit wesentlich komplexer aus.

Im Folgenden soll nun beispielhaft die Diskussion zum Thema Internetpiraterie für eine Zusammenfassung unter folgender Aufgabenstellung aufgearbeitet werden:

Summarise the current debate in Britain and the USA about music piracy. Work out the different positions taken.

Jährlich werden der Musikindustrie hohe Schäden durch Musikpiraterie zugefügt.

Vorbereitungen. Die Voraussetzung einer jeden Zusammenfassung ist ein grundlegendes Verständnis dessen, was zusammengefasst werden soll. Es kann nämlich schnell passieren, dass man die falschen oder unwichtigen Aspekte einer Aussage in die Zusammenfassung übernimmt, ohne sich dessen bewusst zu sein. Bei Texten über ein bestimmtes Thema ist das Verständnis der inhaltlichen und argumentativen Zusammenhänge Voraussetzung für die erfolgreiche Wiedergabe der Kernaussagen. Ähnlich ist es bei einer Zusammenfassung im Rahmen der eigenen Textanalyse: Spätestens hier kann man erkennen, ob der eigene Argumentationsweg logisch aufgebaut ist. Lässt er sich nämlich nicht schlüssig zusammenfassen, liegen Fehler im Aufbau des Arguments vor. Bei einer Diskussion zu einem ausgewählten Thema geht dieses Grundverständnis noch einen Schritt weiter. Will man die Diskussion nun zusammenfassen, muss man häufig über die verschiedenen Meinungsäußerungen hinweg unabhängig nach Hintergrundinformationen suchen. Denn jeder Teilnehmer versucht natürlich die Zuhörer bzw. Leser von der alleinigen Richtigkeit seines Argumentes zu überzeugen und geht sehr einseitig mit anderen, ebenso wichtigen Meinungen zu dem Thema um.

Überlegungen. Bevor man nun mit der Recherche verschiedener Positionen in der Diskussion um ***music downloads*** beginnt, ist es hilfreich, sich im Vorfeld eigene Gedanken zum Thema zu machen. Diese sollen auf gar keinen Fall Teil der Zusammenfassung werden, vereinfachen jedoch die anstehenden Nachforschungen.

Positionen und Interessen. Je nachdem wie komplex das Thema ausfällt, zu dem eine Zusammenfassung geschrieben werden soll, kann man zunächst einmal überlegen, welche Einzelperson und welche Interessensgruppe sich dazu äußern könnten. Konkret: wer also direkt davon betroffen ist. Positionen und die damit verbundenen Argumente lassen sich immer in einen bestimmten Kontext zurückführen. Jede Position und jedes Argument hat eine eigene Geschichte und einen eigenen Hintergrund, denn sie vertreten in der Regel das Interesse desjenigen, der sie bezieht. Bei einem so komplexen und umstrittenen Thema wie *music piracy* kann man getrost davon ausgehen, dass eine Menge Leute etwas dazu zu sagen haben. Da eine Zusammenfassung jedoch immer die Haupt- bzw. Kernaussagen einer Debatte aufgreift, ist es wenig hilfreich, hier die Meinungen einzelner Personen zu recherchieren. Sicher gibt es davon Tausende im Internet, doch ist es schwierig und viel zu zeitaufwändig, diese alle auf Gemeinsamkeiten und Unterschiede hin zu untersuchen.

Strukturierung und Kategorisierung. Besser ist es, sich für die Zusammenfassung im Vorfeld schon mögliche Übergruppierungen für diese Meinungen zu überlegen. Eine Einteilung in Kategorien hat den großen Vorteil, das diese einzelnen Kategorien die späteren Bausteine der Zusammenfassung sein werden. Sie bilden gleichermaßen die Struktur, auf der die Zusammenfassung aufgebaut wird.

Seine eigenen Überlegungen mag man nun unter folgender Frage anstellen: Wer ist direkt von der Musikpiraterie betroffen?

Who has something to say about music piracy?

Die Aufschlüsselung in verschiedene mögliche Positionen lässt noch einen weiteren Schritt zu: die Frage nach dem Hintergrund, an den diese Haltungen gebunden sind.

Why do they have something to say about music piracy?
Is it because they represent a particular interest?

Unter www.musiciansunion.org.uk findet man die Interessenvertretung britischer Musiker.

position	interest
record company	economic: business, sale of CDs
musicians	songs: intellectual property
individual listeners	private use
media/journalists	documentation of debate, up to date topic

Zum Thema *music piracy* können folgende Weblinks informativ sein:
www.bpi.co.uk (British Phonographic Industry)
www.riaa.com (Recording Industry Association of America)
Hier werden die Interessen der *record companies* und *musicians* vertreten.

Recherche. Wie bei vielen anderen Themen auch, gibt es eine Reihe von Möglichkeiten, eigene Nachforschungen zum Thema *music piracy* anzustellen. Durch die im Vorfeld getätigten Überlegungen werden diese aber erheblich erleichtert. Anhand der bisher vorliegenden Ergebnisse kann man nun mit der systematischen Suche beginnen. Das Internet bietet sich hier wiederum als beste Quelle für Informationen zu aktuellen Themen an. Um eine Vielzahl an Stimmen gebündelt einzufangen, empfiehlt es sich, die Homepages von Dachverbänden und Internetforen aufzusuchen – also Webseiten, die im Allgemeinen die Interessen vieler einzelner Personen unter einem bestimmten Banner vertreten.
Für den privaten Nutzer *(private user)* gibt es Foren und Organisationen wie www.boykott-bpi.co.uk und www.boykott-riaa.com, die sich gegen die Dachverbände der Plattenlabel zusammengefunden haben.

Des Weiteren findet man in den Medien viele Artikel und Kommentare zum Thema. Hier lohnt es sich, beispielsweise die Homepage der BBC aufzusuchen und das Schlagwort *music piracy* einzugeben.

Materialsichtung. Nachdem man die systematische Internetrecherche betrieben hat, liegen nun eine Reihe von Quellen vor, in denen sich Personen oder Institutionen zum Thema *music piracy* zu Wort melden. Diese Aussagen können als repräsentativ gewertet werden, da sie auf wohl durchdachten Vorüberlegungen beruhen: Eine Zusammenfassung dieser Aussagen ist gleichzeitig eine Zusammenfassung der aktuellen Diskussion über *music piracy*.

- **Source 1:**
  record company manager, member of RIAA
  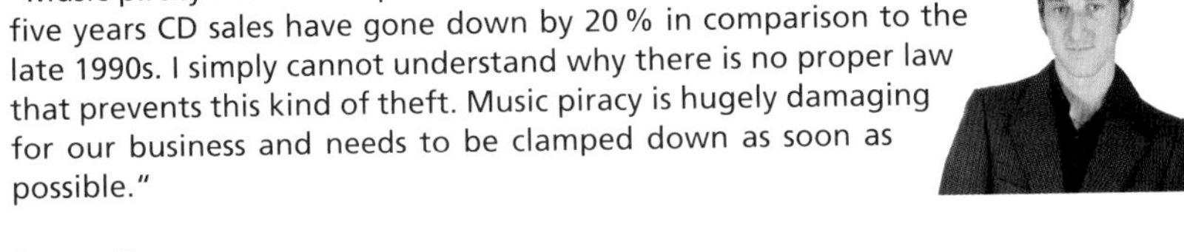
  "Music piracy has been a problem for a long time now. Over the last five years CD sales have gone down by 20 % in comparison to the late 1990s. I simply cannot understand why there is no proper law that prevents this kind of theft. Music piracy is hugely damaging for our business and needs to be clamped down as soon as possible."

- **Source 2:**
  musician, member of the Musicians Union

  "Personally, I don't object to music piracy as such. It's the record companies' fault. The price for a CD is ridiculously high these days: who is able to afford to pay that much? My problem with music piracy is that there are people out there stealing money from me. I make a living from my music, I created my songs – in a way they are my "intellectual property" on sale – and therefore I need people to buy my stuff and not copy it for free."

- **Source 3:**
  anonymous private user

  "In my eyes, music piracy doesn't even exist but is made up by the record industry. Look at all the money they got from me in the past for their over-priced CDs. Now that the technology to download stuff for free is available: why should I not use it? I am no more a criminal than the big bosses up in RIAA."

- **Source 4:**
  technology correspondent, large British newspaper
  "The debate about music piracy has been hugely hyped up over the last few months. American and British record companies' call for persecution of individuals who download music for free misses the point of the actual problem. A recent survey has shown that it is organised crime rather than individual users who cause damage to the industry by selling millions of illegally burned CDs."

Materialanalyse. Hat man sich die vier Stellungnahmen zur Musikpiraterie sorgfältig durchgelesen, geht es im Hinblick auf die Zusammenfassung nun darum, die individuelle Haltung ***(attitude)*** und die Kernaussagen ***(key arguments)*** aus den Zitaten herauszufiltern.
- Welcher Standpunkt wird bei der jeweiligen Aussage vertreten?
- Welches Argument liegt dieser Aussage zugrunde?

Zunächst einmal lässt sich die im Rahmen der Vorbereitungen erstellte Tabelle um den wichtigen Punkt *attitude* erweitern:

What kind of attitude do these people have?

position	interest	attitude
record company	economic: business, sale of CDs	thinks in terms of law and crime: "theft", and represents his industry: "our business"
musician	songs: intellectual property	thinks in terms of personal damage: "stealing money from me", not law: "I don't object to music piracy as such"
individual listener	private use	thinks in terms of personal justice: "all the money they got from me in the past."
media/ journalist	documentation of debate, up to date topic	thinks in terms of objective analysis: "a recent survey has shown"

Hat man einmal die individuelle Einstellung hinter den einzelnen Aussagen herausgestellt, so geht es nun darum, die Hauptaussagen der einzelnen Argumentationsstränge ausfindig zu machen.

 Which are the key arguments?

- … cannot understand why there is no proper law that prevents this kind of theft (source 1)
- … hugely damaging for our business … (source 1)
- … people … stealing money from me (source 2)
- I make a living from my music … my intellectual property (source 2)
- … music piracy … doesn't … exist … made up by the record industry (source 3)
- … technology to download stuff for free is available: why … not use it (source 3)
- … organised crime rather than individual users … cause damage to the industry … (source 4)

Mit der Herausarbeitung der jeweiligen Thesen steht nun auch das Gerüst für die zu erstellende Zusammenfassung.

Schreiben einer Zusammenfassung

Aufbau. Eine gute Zusammenfassung bündelt die verschiedenen Thesen und Kernaussagen auf eine möglichst strukturierte Art und Weise. Man sollte die Herkunft bzw. den Hintergrund der einzelnen Thesen im Kopf behalten. Im Hinblick auf die Struktur der Zusammenfassung lassen sich hier, sofern vorhanden, gegensätzliche Positionen miteinander vergleichen. Eine Diskussion zusammenzufassen heißt nämlich immer auch, das Pro und Kontra eines Themas möglichst klar und nachvollziehbar darzustellen.

Formale Aspekte. Mit der Reduzierung des ursprünglichen Textes auf die Kernaussagen ist gleichermaßen der formale Aspekt der Zusammenfassung vorgegeben. Hierbei geht es um Kürze und Genauigkeit der Aussage. Der Satzbau ist möglichst einfach zu halten. Vom Umfang her ist eine Zusammenfassung eher kurz. Ist sie Teil einer Textanalyse, so kann man sich an der Anzahl der im Hauptteil verwendeten Abschnitte orientieren. Bei Aussagen im Rahmen einer Diskussion oder Debatte verwendet die Zusammenfassung die zuvor herausgearbeiteten Hauptaussagen unter Berücksichtigung des entsprechenden Standpunktes.
Sprachliche Aspekte. Der Sprachstil einer Zusammenfassung geht Hand in Hand mit der Form: Sachlichkeit und Klarheit haben oberste Priorität. Auf eine bildhafte und von zu vielen Fremdwörtern geprägte Ausdrucksweise sollte verzichtet werden. Durch den angemessenen Einsatz von Konjunktionen können zeitliche und kausale Zusammenhänge erstellt werden. Eine Präzisierung der Aussage erhält man z. B. durch den Gebrauch von Partizipialkonstruktionen und Gerundien.

In the discussion about music piracy opinions are very different. Some say it is criminal, others disagree. Calling it dangerous for the entire industry, a record company manager asks for tougher legislation. In contrast, an anonymous user does not see a problem in illegal music downloads. For him, the technology is there and ready to be used freely. A musician, in turn, thinks that the illegal downloading of music means stealing intellectual property. It also puts a musician's existence in danger. A journalist, however, points to a new survey which says organised crime rather than private users is the actual source of the problem.

4.1.4 Diskussion

Die Diskussion ist eine Form des Rundgespräches. Sie kann vorbereitet und organisiert sein, sie kann aber auch spontan gestaltet werden. Eine Diskussion wird von mehreren Teilnehmern geführt und dient der Erörterung über ein Thema oder ein Problem, wodurch neue Perspektiven und Lösungsmöglichkeiten entstehen können.

Diskussion (lat. discutare = zerlegen) = Meinungsaustausch, Auseinandersetzung, Erörtern

Jede Diskussion soll durch den Austausch von Argumenten, Meinungen und Fakten ein Ergebnis herbeiführen. Die Teilnahme an einer Diskussion zielt ab:
- auf die Bildung bzw. Überprüfung von Standpunkten,
- auf die Erarbeitung von Analysen,
- auf die Bildung von Wertungen,
- und auf den Versuch, für bestehende Probleme Lösungen zu finden.

Sie kann mit einer Abstimmung abgeschlossen werden. Der Erfolg einer Diskussion hängt von der Einhaltung festgelegter Regeln ab, die jedem Teilnehmer bekannt sein müssen und die er anerkennt. Nachfolgend werden wesentliche **Diskussionsformen** skizziert.

- **Debatte:** Der Ablauf des Gespräches, z. B. über einen Antrag, ist genau festgelegt, strenge Regeln sind einzuhalten. Für- und Gegensprecher erhalten nacheinander das Wort.
- **offene Debatte:** Der Ablauf ist nicht so streng geregelt wie bei der Debatte, jedoch wird auf gleiche Redezeit geachtet und über einen Antrag gesprochen.
- **Podiumsdiskussion/Expertenrunde:** Experten diskutieren vor interessierten Zuhörern, die aber erst im Anschluss an die Teilnehmer Fragen stellen können.
- **Talkshow:** Gesprächsrunde mit mehreren Personen unterschiedlicher Herkunft, die sich zu einem Thema äußern bzw. ihre Meinungen austauschen, meist für das Fernsehen produziert. Ein bestimmtes Ergebnis wird nicht erwartet.

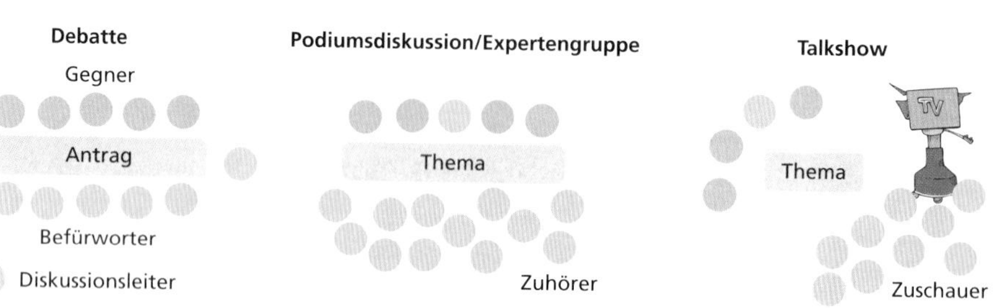

- **Symposium:** Die durch einen Gesprächsleiter geführte Erörterung wissenschaftlicher Themen wird auf einer Tagung durchgeführt, meist werden wissenschaftliche Thesen in Streitgesprächen verteidigt oder abgelehnt.
- **Gruppen- oder Rundgespräch:** Es dient dem Meinungs- und Informationsaustausch innerhalb einer Gruppe, es soll Entscheidungen fördern und andere Standpunkte verständlich machen.
- **Newsgroup:** (engl. *news* = Neuigkeiten, Nachrichten; *group* = Gruppe) Eine Gruppe diskutiert über das Internet miteinander, Menschen aus der ganzen Welt können sich an dieser Form der Diskussion beteiligen, indem sie Fragen stellen, Antworten anbieten oder aber die Diskussion durch Lesen verfolgen.
- **Panelgespräch:** Eine Gruppe von Fachleuten wird innerhalb eines bestimmten Zeitraumes mehrfach zu einem Thema befragt, ein bestimmter Themenbereich wird somit von verschiedenen Seiten beleuchtet.

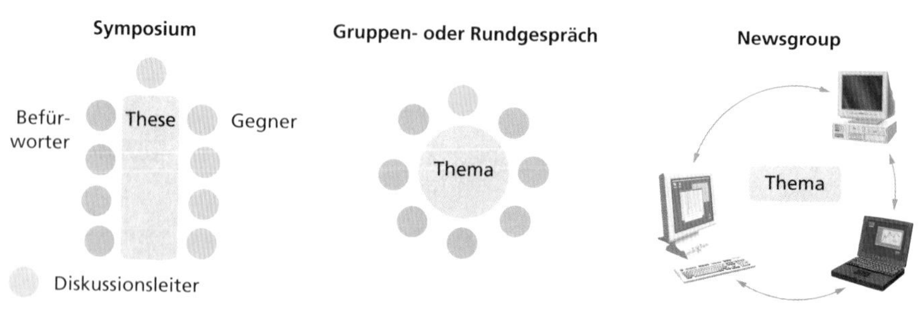

Themen- und Zielfindung für eine Diskussion im Unterricht

Oft ergibt sich im Unterricht die Situation, dass man sich bestimmten Themen in einer Diskussion annähern kann, diese vertieft und zum Abschluss bringt. Als erster Schritt muss das zu diskutierende Thema formuliert, festgelegt und anschließend von allen Diskussionsteilnehmern angenommen werden. Es ist wichtig zu entscheiden, welche Aspekte des Themas erörtert werden sollen und in welcher Reihenfolge dies passieren soll. Außerdem ist es notwendig, sich über das Ziel der Diskussion zu verständigen, damit die Teilnehmer sich während der Diskussionsrunde daran orientieren können. Des Weiteren ist es bereits in dieser Phase unerlässlich, Begrifflichkeiten und Fachtermini zu klären und einheitlich zu definieren, um eine gemeinsame Ausgangssituation zu schaffen.
Bei der Behandlung des Themas **Science and technology today** werden sich häufig kontroverse Ansichten ergeben, wenn es um Nutzen und Gefahren bestimmter Erfindungen und Erkenntnisse geht. Ein möglicher Diskussionsgegenstand könnte aus den verschiedenen Unterrichtsgesprächen über diesen Themenbereich entstehen: ***"Science and technology today – Genetic engineering: Are scientists allowed to play God?"***
Diese Fragestellung fordert zu einer klaren Meinungsbildung heraus, zu der jeder Teilnehmer der Diskussion spätestens am Ende kommen muss. Da es aber nicht möglich sein wird, die eigene Meinung spontan stichhaltig zu begründen und sie überzeugend darzulegen, sind vorbereitende Schritte notwendig.

Zuerst sind die verwendeten Begriffe so zu definieren, dass sich alle Diskussionsteilnehmer darüber einig sind. Die Themenanalyse müsste folgende Begriffe zur Klärung festlegen:

Genetic engineering:
Genetic engineering is the deliberate modification of genetic material in an organism with the aim of changing some of its characteristics or genetic processes. In other words, it is the artificial manipulation of genes.
There are three main fields:
prenatal diagnostics and therapy,
pharmacological research and
the manipulation of genes for modification of an organism.

Scientists:
A scientist is a person who has become expert in his/her specific field of scienece, for example, natural science. He/she tries to find ways of better understanding aspects of our environment and should serve mankind in trying to improve life on earth.

God's role:
Many people believe in God and believe that there is a specific purpose for every being on earth. Some believe that genetic engineering is "playing God" and that it is contrary to God's intention for us.

Durch das Klonschaf Dolly, Mitte der 90er-Jahre aus einer Körperzelle eines erwachsenen Tieres geklont, wurde die Frage nach Nutzen und Risiken der Gentechnik einer breiten Öffentlichkeit zugänglich.

Deutlich wird nach der Klärung der Begriffe, dass die Gentechnik Bahn brechende Entdeckungen und Erfindungen hervorbringt und dass es um die Verantwortung der Wissenschaftler für ihre Arbeit und ihre Ergebnisse geht. Wichtig wird auch die Meinung der Verbraucher zu diesem Thema sein. Davon wird abhängen, welche Rolle der Gentechnik in unserem Leben zugestanden, wie sie angenommen bzw. abgelehnt wird, welche Vorteile sich für alle ergeben, aber auch welche Gefahren daraus entstehen können und wie man ihnen begegnen kann bzw. muss. Schwerpunkt einer Diskussion könnten die Chancen und Risiken dieser neuen Wissenschaft sein. Sie nimmt eine zunehmend wichtig werdende Rolle im täglichen Leben ein. Sie ist längst aus den Laboratorien an die Öffentlichkeit gedrungen und auf vielen Gebieten nicht mehr wegzudenken. Wer kennt nicht das Schaf Dolly oder hat von der Einführung des genmanipulierten Sojamehls bei McDonalds gehört?

Organisatorische Vorbereitung

Einen hohen Stellenwert hat die Einigung über die Regeln der Diskussion, da nur so eine faire und sachliche Diskussion stattfinden und das Ziel erreicht werden kann.

An dieser Stelle ist es wichtig, sich über die äußeren Bedingungen klar zu werden, damit ein Erfolg der Diskussion erzielt werden kann. Folgende Fragen sollten im Vorfeld mit allen Teilnehmern geklärt werden:

- Wie viel Zeit steht zur Verfügung?
- Wie viele Teilnehmer wird die Diskussion haben?
- Wo findet die Diskussion statt?
- Welche Sitzordnung wird vorbereitet?
- Welche technischen Mittel werden benötigt?
- Welche Diskussionsregeln sind festgelegt?

Die Regeln in der Diskussion

- **Fairness**
  Jeder Teilnehmer behandelt die anderen fair und höflich.
- **Respekt**
  Jeder Sprechende hat das Recht, dass niemand dazwischenredet oder die Zuhörer miteinander sprechen.
- **Rederecht**
  Jeder Teilnehmer hat das Recht, aussprechen zu können und nicht unterbrochen zu werden.
- **Sachlichkeit**
  Eine Diskussion darf nicht von Sympathien bzw. Antipathien bestimmt sein, sondern muss auf einer sachlichen Basis erfolgen.
- **Themenbezogenheit**
  Jeder Teilnehmer äußert sich nur zum Thema, um das es geht.
- **Wiederholungsverbot**
  Kein Diskussionsteilnehmer wiederholt bereits Gesagtes.
- **Meinungsfreiheit**
  Jeder Diskussionsteilnehmer darf seine Meinung darlegen und begründen.
- **Meldepflicht**
  Jeder Teilnehmer meldet sich, wenn er das Wort erhalten möchte, und redet nur nach Aufforderung. Die Reihenfolge wird durch die Wortmeldungen festgelegt.

Ausschlaggebend für die Durchführbarkeit einer Diskussion ist die Akzeptanz grundsätzlicher Regeln im Meinungsaustausch mit anderen.

- **Kritik**
  Jeder Teilnehmer darf konstruktive Kritik üben, die die Diskussion voranbringt. Er sollte dabei eine Alternative bzw. eine bessere Lösungsmöglichkeit anbieten.
- **Redezeit**
  Jeder Teilnehmer darf die festgelegte Redezeit nicht überschreiten. Er kann (und sollte) sich auf die Vorredner beziehen.

Der Diskussionsleiter

Eine durch einen Diskussionsleiter gelenkte Diskussion hat den Vorteil, dass alle Teilnehmer die Regeln einhalten und das Ziel der Diskussion mit größerer Wahrscheinlichkeit im Auge behalten wird. Dem Diskussionsleiter kommen wichtige Aufgaben zu, deshalb sollte er schon in der Planungsphase benannt werden. So kann er sich – wie alle anderen Teilnehmer – gezielt auf seine Aufgabe vorbereiten. Der Diskussionsleiter nimmt folgende spezielle Aufgaben wahr:

- Er eröffnet die Diskussion und stellt das Thema vor (z. B. mit interessanten Fragen, einem aktuellen Bezug, einem Erlebnis usw.).

> "Genetic engineering is a relatively new field of science. Everybody has heard something about it but often we forget the positive aspects of what this new knowledge can bring. People who believe in genetic engineering as a positive force see chances for mankind. Religious people or sceptics feel the risks outweigh the positive aspects. Discussions, weighing the positive and negative aspects of genetic engineering, are necessary if we are to act responsibly on this issue."

- Er ist verantwortlich für die Einhaltung der Regeln, d. h., er ermahnt alle, die sich nicht in jedem Fall daran halten.
- Er darf Redner unterbrechen und ihnen gegebenenfalls das Wort entziehen, wenn die Regeln nicht beachtet werden (Lautstärke, Themenbezug, Angemessenheit der Sprache, Redezeit, Wiederholungen).
- Er kann Vorschläge für den weiteren Verlauf machen und thematische oder methodische Anregungen geben (z. B., wenn sich niemand zu Wort meldet).

> "I think that we are all responsible for our future. That's why we have to think carefully about developments in genetic engineering and where ethical aspects should play a role in restricting certain developments in science. Everybody should have an opinion on this. What do you think?"

- Er achtet darauf, dass alle Teilnehmer zu Wort kommen, die vorher eine Wortmeldung abgegeben haben (Reihenfolge der Wortmeldungen).
- Er versucht, alle Teilnehmer der Diskussion mit einzubeziehen.
- Er gibt kurze Zusammenfassungen, stellt Ergebnisse fest und weist auf noch offene Punkte hin.

"I see that we have different opinions about genetic engineering. But all of us think that we must obey the laws we have and we must listen to the news and keep an eye on our scientists. It is not easy but ..."

- Er greift ausgleichend ein, wenn die Diskussion zu emotional wird.
- Er stoppt „Vielredner".
- Er gibt Anstöße zum weiteren Verlauf, wenn die Diskussion ins Stocken gerät.
- Am Ende sollte der Diskussionsleiter Konsequenzen aus der Diskussion ableiten, die Diskussion einschätzen und abwägen, ob ein weiterer Diskussionsbedarf zum Thema besteht.

"Thank you everybody for speaking and giving your opinions. It was very interesting to listen to your arguments and all the pros and cons of the issue. We certainly haven't begun to cover all the aspects of genetic engineering but I'm sure we have all learned more and are now ready to listen more attentively to the new developments and theories the scientists have. The discussion is not over, it has only just begun."

Inhaltliche Vorbereitung: Recherchen/Materialsichtung

Die aktive Teilnahme an einer Diskussion setzt entsprechende Sachkenntnis voraus. Daher ist es notwendig, zu dem Thema entsprechende Informationen zu sammeln, sie auszuwerten (↗ Kapitel 4.1.5, Referat) und sich eine Meinung zu bilden. Um überzeugend in einer Diskussion auftreten zu können, sollte jeder Teilnehmer Informationen so aufbereiten, dass sie während der Diskussion von allen Teilnehmern wahrgenommen werden können. Hierfür kommen eine ganze Reihe unterschiedlicher Darstellungsmittel infrage.

- Auf Stichwortzetteln kann man wichtige Fachbegriffe notieren und Zusammenhänge skizzieren, um dieses Wissen während des eigenen Beitrags zur Verfügung zu haben.

WATSON und CRICK stellten 1953 ihr -Watson-Crick-Modell vor – eine räumliche Darstellung der DNS in Gestalt einer Doppelhelix. Sie bezogen sich dabei auf Vorarbeiten von ROSALIND FRANKLIN.

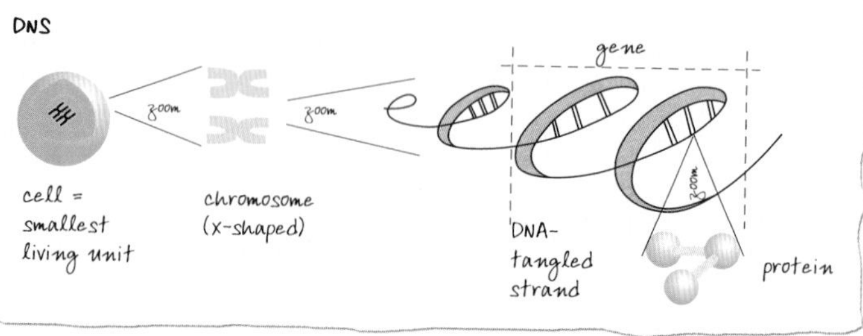

Auch ein Cluster oder eine Mindmap kann hilfreich sein, um die Zusammenhänge innerhalb eines Themenkomplexes zu verdeutlichen.

- In einer Tabelle können verschiedene Aspekte, hier Vor- und Nachteile, gegeneinander abgewogen werden.

pros 🙂	cons 🙁
• produce some organs for transplantations • fast growing plants	• have money: to get a new organ you need money • new plants can have long term negative effects on human beings

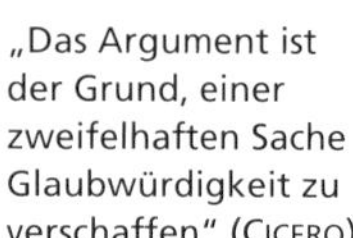

„Das Argument ist der Grund, einer zweifelhaften Sache Glaubwürdigkeit zu verschaffen" (CICERO).

- Es kann den eigenen Redebeitrag beleben und intensivieren, wenn man sich passende Zitate, z. B. auf Karteikarten, notiert.
- Eine unterstützende Wirkung haben natürlich auch Bilder bzw. Fotos zur Visualisierung.

"... AND I'D LIKE TO THANK ALL THE LITTLE PEOPLE WHOM I STEPPED ON IN ORDER TO GET TO WHERE I AM..."

Vorbereitete Argumente sind in einer Diskussion unerlässlich. Wenn man seine Meinung überzeugend begründen will, muss man seine Behauptungen auf Beweise (Beispiele, Zitate, Belege, Fakten, Tatsachen) stützen. Die in überzeugender Weise vorgetragenen Argumente sowie deren Stichhaltigkeit entscheiden darüber, ob eine These von den anderen Diskussionsteilnehmern angenommen wird oder nicht.

Praktische Vorbereitungen

Neben der Stichhaltigkeit der Argumente ist die Rhetorik von zentraler Bedeutung.

Auch die räumlichen Gegebenheiten sollten zum Erfolg einer Diskussion beitragen. Die Sitzordnung wird voher festgelegt und ermöglicht Blickkontakt. Alle technischen Hilfsmittel (Mikrofon, Overheadprojektor usw.) müssen bereitgestellt werden. Um in der Diskussion überzeugend zu sein, sollte sich jeder Teilnehmer aktiv vorbereiten, indem er mithilfe seiner Materialien übt, seine Argumente in einem Probelauf laut vorzutragen.

Durchführung der Diskussion

Der Diskussionsleiter übernimmt die Verantwortung für die Durchführung. Wenn die eigene Meinung von anderen Teilnehmern kritisiert wird, sollte man zuhören, konstruktive Kritik annehmen und daraus logische Konsequenzen ziehen. Hilfreich kann es sein, sich Notizen zu einzelnen Redebeiträgen zu machen. So kann man direkt auf den Vorredner reagieren.

4.1.5 Referat

Das Referat ist ein frei gehaltener mündlicher Vortrag, der über ein bestimmtes Thema oder einen Sachverhalt informieren soll. Bei dieser monologischen Redeform ist es wichtig, übersichtlich, deutlich und dem Zuhörerkreis angemessen zu sprechen.

Das Referieren gehört zum Schulalltag. Meistens wird vom Lehrer ein Thema vorgegeben, welches scheinbar wenig Spielraum zulässt. Jedoch liegt es häufig in der Hand des einzelnen Schülers, Schwerpunkte zu suchen und diese dann themengerecht zu bearbeiten. Es braucht Zeit und planvolle Vorarbeiten, um genau das zu treffen, was einem selbst vielleicht besonders liegt bzw. interessiert.

Im Folgenden soll aufgezeigt werden, wie man an die Erarbeitung eines Referates zum Thema ***„Young people in Britain, America, Australia and Germany – school life and free time activities"*** herangehen kann.

Auch für andere Aufgabenstellungen ist ein solcher Verlaufsplan nützlich.

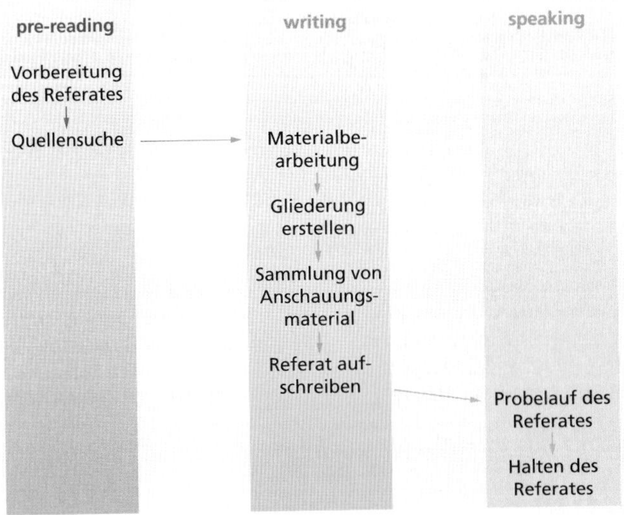

Vorbereitung des Referates

Um sich dem genannten Thema zu nähern und das vorhandene Vorwissen sowie Ideen zu ordnen, kann man gut die Methode des Brainstormings (↗ Kapitel 4.1.1) anwenden und dann eine Mindmap oder ein Cluster anfertigen:

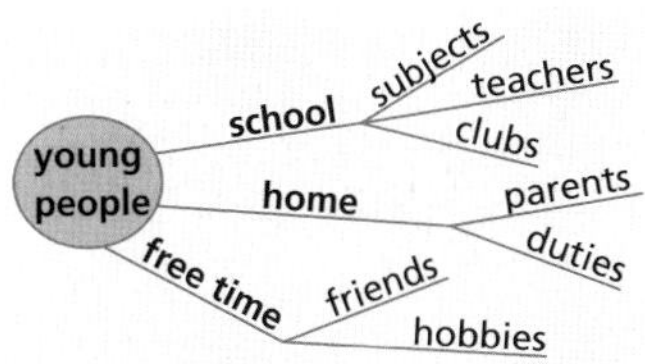

Eine weitere Möglichkeit, sich an ein Thema heranzutasten, ist die Bildung von Fragen, die das Referat beantworten sollte. Bereits an dieser Stelle der Themenfindung kann es nützlich sein, Begrifflichkeiten zu klären. Nur wenn alle Zuhörer das Gleiche unter bestimmten Fachbegriffen verstehen, werden sie den Ausführungen des Referenten folgen können.

Mögliche Fragen zum Thema:

School life
- What kinds of schools are there in the USA?
- How old are children when they start or finish school?
- Which subjects are taught?
- When does school begin?
- What does "school life" include?

Free time
- What do young people in the US do in their free time?
- Are there typical activities?
- Where do they do these activities?
- How much money do they usually spend on free time activities?

Es ist schon anhand der skizzierten Frageliste ersichtlich, dass das Thema zu viel Aspekte beinhaltet – zumal hier exemplarisch nur die USA genannt wurden, der Vergleich aber auch Großbritannien und Australien einschließen soll. Daher ist es sehr wichtig, Schwerpunkte zu setzen und diese mit deinem Lehrer abzusprechen. Mithilfe einer thematischen Landkarte erkennst du sehr schnell die verschiedenen Puzzleteile, die zusammengesetzt das Thema ergeben könnten.
Für jeden Teilaspekt kann ein Kärtchen mit Ideen und/oder Fragen beschriftet werden. Schlage deinem Lehrer solche Unterthemen vor,
- die dich selbst interessieren,
- zu denen du bereits Vorwissen hast und
- von denen du annimmst, dass sie auch deine Zuhörer interessieren könnten.

Auch kleine Haftzettel sind hierfür sehr gut geeignet.

Organisatorische Vorüberlegungen zum Referat

Die Ausarbeitung des Referates wird einen längeren Zeitraum in Anspruch nehmen. Folgende Fragen sollten nun geklärt werden.

Organisatorische Fragen	Endtermin 15.09.!	☐
Medieneinsatz:		
OHP	Frau Sommer fragen	☐
Tafel	Ja	☐
Computer	eventuell	☐
TV	–	☐
Video	?	☐
DVD	Nein	☐
Inhaltliche Fragen	bis wann	☐
Informarionsquellen	25.02.	☐
Hilfen für Zubehör	10.03.	☐
Wortliste	noch offen	☐
Bilder	?	☐

Quellensuche

Es kommt darauf an, aus den unzähligen Möglichkeiten die besonders geeigneten auszuwählen und diese effektiv und zielgerichtet zu nutzen. Folgende Quellen bieten sich an:

- Schulbücher
- Fachbücher
- Zeitungen
- Zeitschriften
- Magazine
- Internet
- Umfragen
- Fernsehen
- Statistiken
- Grafiken
- Interviews
- eigene Erfahrungen/eigenes Wissen

Das amerikanische Schulsystem ist dreistufig und gliedert sich in Grundschule *(Elementary School)*, Sekundarstufe *(High School)* und Universität *(College)*.

In **Bibliotheken** gibt es auch englischsprachige Bücher. Suche in den dortigen Katalogen (meist als Datei im Computer vorhanden), vor allem im Schlagwortkatalog. Wähle geeignete Suchworte wie *school systems, young people in …, social situation of young people.*

Das **Internet** bietet selbstverständlich eine Fülle von Informationen. Du solltest bei deinen Recherchen aber bedenken, dass es nicht ganz einfach ist, die richtigen Informationen herauszufiltern. Da jeder etwas ins Internet stellen kann, ist es nicht immer gegeben, dass die Informationen tatsächlich korrekt sind. Vor allem Zahlen sollten auf ihre Richtigkeit geprüft, indem man mehrere Quellen anklickt und Vergleiche anstellt.

Internetkataloge können bei der Auswahl behilflich sein. Anders als die Suchmaschinen werden diese durch Redaktionen geprüft, aktualisiert und in entsprechende Themenbereiche unterteilt. Somit wurden also schon im Vorfeld Zusammenstellungen vorgenommen, die die Suche erleichtern können.

Bekannte Suchmaschinen sind:
www.google.de
www.msn.de
www.yahoo.co.uk
www.yahoo.com
www.lycos.com
www.dino-online.de
www.altavista.com

Suchmaschinen durchsuchen die bei ihnen gemeldeten Webseiten auf bestimmte Wörter oder Kombinationen von Wörtern.

Natürlich ist eine Suchmaschine nur so erfolgreich, wie du sie vorher auf die Suche schickst. Du musst sehr genau überlegen, welche Suchbegriffe du eingibst, damit du möglichst zielsicher auf die benötigten Informationen stößt. Dabei ist zu beachten, dass du erfolgreicher bist, wenn du deinen Begriff (Schlüsselwort) so konkret wie möglich eingibst. Manchmal sind mehrere Fragen hintereinander nötig, um zum Erfolg zu kommen.

- *kinds of school* ***and (+)*** *Great Britain*
  Beide Begriffe sollen im Dokument vorkommen.
- *kinds of school* ***near*** *school clubs*
  Mit dem Wort *near* vermeidest du Seiten, in denen z. B. *kinds of school* vorkommt, aber nur *school clubs* als Fußnote erwähnt ist.
- *kinds of school* ***not (–)*** *further education*
  Diese Seiten würden die weiterführenden Schulen ausschließen.
- *school**
  Mit diesem Joker **(*)** kann nach Begriffskombinationen mit *school* gesucht werden (z. B. erscheinen Seiten mit: *high school, American School Admission).*

Für junge Leute sind z. B. die folgenden Magazine:
www.seventeen.com
www.cosmogirl.com

Auch das Angebot an **Zeitungen und Zeitschriften,** von denen es zahlreiche Ausgaben in englischer Sprache gibt, ist zu empfehlen, vor allem, wenn man aktuelle Fakten sucht. Allerdings verlangt die dort verwendete Sprache mitunter ein entsprechendes Leserhintergrundwissen. Auch der Besuch der Magazin-Homepages lohnt sich. Dieses Vorgehen ist weitaus kostengünstiger, außerdem kann man auf die Archive zurückgreifen. Auch dein Englischlehrer kann bestimmt weiterhelfen, um an das eine oder andere interessante Material heranzukommen.

Materialbearbeitung

Nicht für jedes Material lässt sich jede Lesestrategie (↗ Kapitel 1.2) anwenden. Es ist wichtig, die zum jeweiligen Text passende Methode herauszusuchen. Wichtig bei der Auswahl einer Methode ist das Leseziel.

Wofür könnte der Text dienen? Es bietet sich an:
- Markierungen/Unterstreichungen vorzunehmen,
- Randnotizen zu machen,
- den Text zu strukturieren,
- den Text zusammenzufassen,
- einen Stichpunktzettel anzufertigen,
- Zusammenhänge aufzudecken,
- Vergleiche zur eigenen Lebenswirklichkeit zu ziehen …

Ein Stichpunktzettel (oder Stichwortmanuskript) hilft als Wegweiser und Gedächtnisstütze, die Reihenfolge und Beziehung der Überlegungen wiederzugeben.

Wichtig für eine effektive Bearbeitung eines Textes oder Textausschnittes ist die kritische Prüfung der Herkunft: Die Selbstdarstellung einer australischen Schule vermittelt Informationen in anderer Weise als die zusammenfassende Darstellung einer Austauschorganisation.

Texte durch Bilder visualisieren

Bilder erleichtern das Verständnis der Gesamtbotschaft und heben eine textliche Aussage glaubhafter hervor. So lassen sich z. B. Unterschiede in der Schulkleidung schnell vermitteln, wenn das entsprechende Bildmaterial mitgeliefert wird.

Vergleiche ziehen

Für das gewählte Thema bietet sich ein Vergleich an, da auf diese Weise Einzelaspekte (wie Größe der Schule, Schulfächer, Stundenplan etc.) kompakt dargestellt werden können.

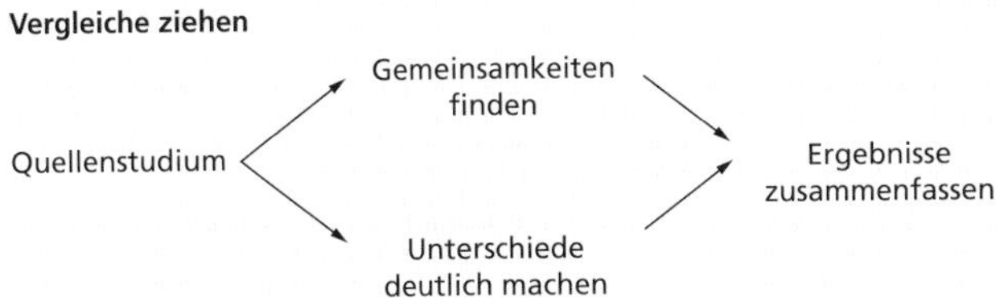

Quellenstudium

Es ist wichtig, sich mit verschiedenen Fakten aus ausgewählten Texten, Übersichten, Tabellen usw. auseinander zu setzen und mit deren Hilfe eigene Ableitungen zu treffen. Meist liefern Texte bereits passendes Sprachmaterial und Aspekte, die man beim Vergleich berücksichtigen kann. Nach der Lektüre der einzelnen Texte kannst du nach dem Markieren der Schlüsselwörter bereits den Textaufbau erkennen und leicht ein Gerüst ableiten, wie der Vergleich gegliedert werden kann. Für die sprachliche Gestaltung ist es hilfreich, das Sprachmaterial zu untersuchen und geeignete Wendungen anzustreichen bzw. zu notieren.

Hier ein Beispiel für einen authentischen Text von *studyUSA*:

Understanding American Education
Most Americans attend twelve years of primary and secondary school. With a secondary school ("high school") diploma or certificate, a student can enter college, university, vocational (job training) school, secretarial school, and other professional schools.

Primary and Secondary School: Begins around age six for U.S. children. They attend five or six years of primary school. Next they go to secondary school, which consists of either two three-year programs or a three-year and a four-year program. These are called "middle school" or "junior high school" and "senior high school" (often just called "high school"). Americans call these twelve years of primary and secondary school the first through twelfth "grades".
Higher Education: After finishing high school (twelfth grade), U.S. students may go on to college or university. College or university study is known as "higher education"[...]
Study at a college or university leading to the Bachelor's Degree is known as "undergraduate" education. Study beyond the Bachelor's Degree is known as "graduate" school, or "postgraduate" education. Advanced or graduate degrees include law, medicine, the M.B.A., and the Ph.D. (doctorate).

Where you can get a U.S. higher education
1. State College or University: A state school is supported and run by a state or local government. Each of the 50 U.S. states operates at least one state university and possibly several state colleges. Some state schools have the word "State" in their names.
2. Private College or University: These schools are operated privately, not by a branch of the government. Tuition will usually be more expensive than at state schools. Often, private colleges and universities are smaller in size than state schools.
3. Two-Year College: A two-year college admits high school graduates and awards an Associate's Degree. Some two-year colleges are state-supported, or public; others are private. [...]
4. Community College: This is a two-year state, or public college. Community colleges serve a local community, usually a city or county. [...]
5. Professional School: A professional school trains students in fields

such as art, music, engineering, business, and other professions. Some are part of universities. Others are separate schools. Some offer graduate degrees.

Undergraduate (College) Years

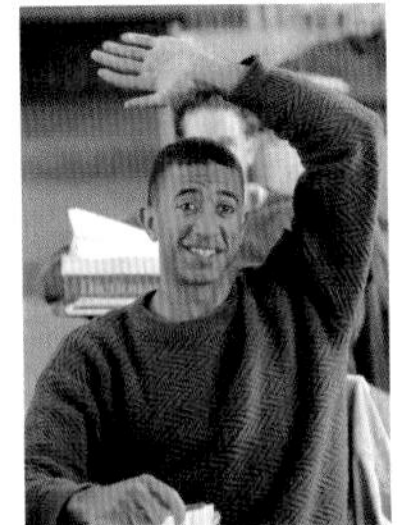

Course of study: U.S. students usually study a wide variety of subjects while in college. Many students do not specialize exclusively in one field until graduate school.
The first two years of college are called the "freshman" and "sophomore" years. Students in the first year are called "freshmen", and they are "sophomores" in the second year. [...]

Grade and Course

The word "grade" has two meanings. It describes a year of education. Americans call the first year of school "first grade". The word "grade" also means a mark or rank, such as a "grade" B, or a good "grade" on an exam. Thus an American could say, "In the ninth grade, my grades were average". The word "course" usually means "subject". For example, a student would take a course in accounting for one term or semester. A "course of study" is a full program consisting of several courses. Business Administration is a course of study, and accounting would be one of the courses in that program. The "junior" and "senior", or third and fourth years, are the "upper classes". Students in these years are known as "juniors" and "seniors" – "upperclassmen". When they enter their junior year, they must choose a "major" field of study. They must take a certain number of courses in this department, or field. In some schools, students also choose a "minor" field. There is usually time for students to choose several other "elective" (extra) courses in other subjects. [...]

Classroom learning: Classes range from large lectures for several hundred students to smaller classes and "seminars" (discussion classes) with only a few students. Students enrolled in lecture courses are often divided into smaller groups, or "sections". The sections meet separately to discuss the lecture topics and other material.
Professors usually assign textbook and other readings each week. They also require several written reports each semester (term). [...]

Academic year: The school calendar usually begins in August or September and continues through May or June. [...]
The academic year at many schools is composed of two terms or semesters. Other schools use a three-term calendar known as the "trimester" system. Still others divide the year into the "quarter" system of four terms, including a summer session which is optional.

Credits: Each course is considered to be worth a number of "credits" or "credit hours". This number is roughly the same as the number of hours a student spends in class for that course each week. A course is typically worth three to five credits.
A full program at most schools is twelve or fifteen credit-hours (four or five courses per term). International students are expected to enroll in a full program during each term. [...]

Marks: Professors give each student a mark or "grade" for each course. The marks are based upon:

1. Classroom participation.
   Discussion, questions, conversation; Students are expected to participate in class discussions, especially in seminar classes. This is often a very important factor in determining a student's grade.
2. A midterm examination.
   Usually given during class time.
3. One or more research or term papers, or laboratory reports.
4. Possible short exams or "quizzes".
   Sometimes the professor will give an unannounced "surprise quiz". This doesn't count heavily toward the grade but is intended to inspire students to keep up with their assignments and attendance.
5. Final examination.
   Held some time after the final class meeting.

- **Gemeinsamkeiten finden**
  Bei einem Vergleich kommt es immer darauf an, bestimmte Gegebenheiten zueinander in Beziehung zu setzen und sie eventuell auch zu bewerten. Dies setzt Fachwissen voraus, das man sich mithilfe eigener Recherchen aneignet. Festgestellte Gemeinsamkeiten können z. B. in einer Tabelle zusammengefasst werden.

- **Unterschiede deutlich machen**
  Beim Vergleich unterschiedlicher Schultypen können gerade die Unterschiede zur eigenen Lebenswelt für die Zuhörer besonders interessant sein. Gerade ungewöhnliche Details kann man sich besser einprägen.

- **Ergebnisse zusammenfassen**
  Jeder Vergleich ist nur so wertvoll wie dessen Auswertung. Dies kann direkt durch den Wortbeitrag geschehen, aber auch visuelle Hilfen sind hierfür sehr geeignet.

- **Gliederung erstellen**
  Bei der Bearbeitung des Materials hast du nun viele Informationen zur Verfügung, die für dein Referat von Bedeutung sein können. Bestimmt hast du eine riesige Anzahl von Wissenswertem gesammelt, sodass du gar nicht weißt, wie du alles unterbringen kannst. Daher ist es spätestens jetzt notwendig, an eine Gliederung deines Referates zu denken. Erinnere dich an deine Schwerpunkte, die du bereits mit deinem Lehrer abgesprochen hast, und überlege, welche Teilaspekte nach dem Quellenstudium noch eingebracht werden müssten. Erst so kannst du deine Notizen und dein Material sinnvoll zusammenfügen. Ordne deine Materialien nun den jeweiligen Unterthemen bzw. Aspekten zu. Du solltest dabei kleine Zettel benutzen, auf denen eine jeweils passende Überschrift zu den verschiedenen Punkten geschrieben steht. So kannst du bei deinen nächsten Überlegungen mit deren Hilfe zu einer sinnvollen Gliederung gelangen. Sie lassen sich so lange verschieben, bis du dir sicher bist, dass du den richtigen „roten Faden“ gefunden hast.

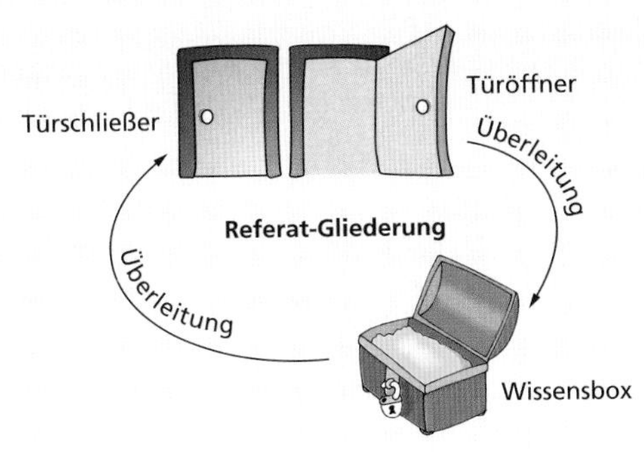

„Türöffner" Einleitung	**„Wissensbox" Hauptteil**	**„Türschließer" Schluss**
• aktuelles Ereignis • interessante Fakten • provozierende Frage • Ereignis aus jüngster Vergangenheit • Karikatur/Bild Thema nennen „Türöffner" **Neugier erwecken**	• Informationen • Argumente • Aspekte nach Wichtigkeit gliedern „Wissensbox" **Wissen vermitteln**	• Bogen zur Einleitung spannen • Fazit/Zusammenfassung • eigene Meinung „Türschließer" **Abschluss finden**

Überleitung Überleitung

Sammlung von Anschauungsmaterial

Visuelles Material kann die mündliche Rede unterstützen und die Verständlichkeit der Ausführungen erleichtern bzw. lange Erklärungen überflüssig machen. Folgende visuelle Materialien sind denkbar:

- Bilder
- Fotos/Dias
- Karten
- Grafiken
- Cartoons
- Diagramme
- Illustrationen
- Overheadfolien
- Power-Point-Präsentationen
- Tafelbilder
- …

Wenn die Entscheidung für bestimmte visuelle Materialien gefallen ist, sollte deren Einsatz genau geplant werden. Markiere daher bereits in der Redevorlage, an welcher Stelle welche Materialien eingesetzt werden sollen und welche technischen Hilfsmittel dafür benötigt werden.

Referat aufschreiben

Es ist bestimmt nicht leicht, ein Referat in einer Fremdsprache zu halten. Doch auch die Zuhörer haben eine schwierige Aufgabe zu bewältigen, wenn sie bis zum Ende der Ausführungen zuhören wollen. Der Referent hat den Vorteil, dass er nach allen Recherchen und Vorbereitungen mit dem Thema vertraut ist. Man sollte darauf vorbereitet sein, für die Zuhörer unbekannte Wörter und Fachbegriffe erklären zu können. Dies kann mittels einer vorbereiteten Wörterliste geschehen, die man vor dem Referat austeilt, aber auch „spontan“ während des Vortrags geschehen. Andere wichtige Hilfsmittel sind Karteikarten mit ausformulierten Sätzen zu einem wichtigen Aspekt.

Redevorlagen

Grobgliederung	Einzelheiten	
... US education	grade	year of education, e.g. first grade = first year mark or rank (in an exam), e.g. grade B or good grade

Probelauf des Referates

Mit einem „Probelauf“ verschafft man sich einen Überblick, wie viel Zeit man tatsächlich benötigt und ob die eigenen Aufzeichnungen hilfreich und ausreichend sind. Es wird auch deutlich, ob der geplante Einsatz der Anschauungsmaterialien sinnvoll und organisatorisch machbar ist. Eine besonders gut geeignete Variante ist das Besprechen einer Kassette, um selbstkritisch zu überprüfen, wie Aussprache, Betonung und Wortwahl wirken.

Referat-Fahrplan

Einleitung/starter		Hauptteil/main part	
notice 1	picture 1	notice 3	table 1 (black board)
notice 2	folio 1	notice 4	folio 2

4.1.6 Bericht

Der **Bericht** findet häufig im Journalismus Anwendung.

Ein Bericht ist ein Sachtext, in dem ein Ereignis oder eine Handlung und die Folgen, die daraus resultieren, objektiv geschildert werden. Er gibt Fakten nach dem Prinzip der abnehmenden Wichtigkeit präzise und wertneutral wieder.

Dabei werden weder weiterführende Beschreibungen, noch wertende oder beim Leser Stimmungen erzeugende Vokabeln verwendet, die Auskunft über Gedanken oder Befindlichkeiten des Berichterstatters geben könnten. Als objektive Darstellung beinhaltet der Bericht daher keine Stellungnahme, Bewertung oder Einschätzung des Ereignisses oder der Handlung. Somit stellt der Bericht eine Information dar, die neutral auf etwas bereits Geschehenes zurückblickt und einen Überblick darüber verschafft.

Oft werden die W-Fragen mit *how?* ergänzt.

Eine Orientierungshilfe beim Schreiben eines Berichts bieten die so genannten W-Fragen *(who, what, when, where, why)*. Je ausführlicher diese Anhaltspunkte bei der Gestaltung des Berichts berücksichtigt werden, desto vielschichtiger wird die vermittelte Information und desto geringer wird das Bedürfnis des Lesers oder Zuhörers, weitere Informationen zum angesprochenen Thema zu recherchieren.

Vorbereitung

In einem ersten Schritt ist es zunächst hilfreich, bereits vorhandenes Wissen zum Thema, welches z. B. im Unterricht besprochen, in Zeitungsartikeln gelesen oder dazu Fernsehbeiträge gesehen wurde, zusammenzutragen und zu strukturieren. Wichtig ist schon hierbei, dass keine Informationen herangezogen werden, die eine Wertung enthalten, denn der Bericht muss neutral gestaltet werden.

Am Beispiel des Themas **„Australian detention camp hit by protests – immigrants suffer from bad conditions"** soll der Verlauf der Berichterstellung verdeutlicht werden.

What do I know already?	**What else needs to be investigated?**	**What information is irrelevant?**
– immigrants arrive by boat (→ "boat people") – Australia is not able to deal with the illegal people – or just not willing to? – immigrants were sent to far away detention camps – suffered from bad conditions – camps are overcrowded – Australian government criticized	– what happened in the detention camp? – who criticized the Australian government? – why does Australia insist on such strict immigration rules?	– boats were caught during the night – prime minister defended election platform – people had nothing to drink

Recherche/Materialsichtung

Ein Grundgerüst ist nun im Idealfall vorhanden. Im Anschluss daran ist zu überlegen, welche Fragen noch offen sind und nach welchen Antworten somit gesucht werden muss, um den Informationsgehalt des Berichts zu optimieren und umfassend zu gestalten.

Nützlich für die Hintergrundrecherche ist es zunächst, sich zu überlegen, unter welchen **Schlagwörtern** die Recherche nach zusätzlichen Informationen überhaupt durchgeführt werden soll. Die Stichwörter werden auch dabei helfen, die Menge an Suchergebnissen einzuschränken. Dabei hilft wiederum eine Übersicht, welche die wichtigsten bisher bekannten Punkte zum Thema wiedergibt.

Die Ermittlung weiterer Fakten kann gezielter verfolgt werden, wenn sie anhand von vorab formulierten **Fragestellungen** durchgeführt wird.

- How can the Australian immigration policy be characterized?
- Why does Australia insist on strict immigration rules?
- What is the current situation in the detention camp?

Für die Recherche der noch fehlenden Informationen stehen Printmedien (z. B. Zeitungen, Zeitschriften, Lexika, Magazine) und elektronische Medien (z. B. Suchmaschinen, CD-ROM, Online-Versionen von Zeitungen, Zeitschriften und Lexika) zur Verfügung. Das Internet wird mit der zunehmenden Nutzung von Computern im Unterricht (und natürlich auch in der Freizeit) bereits einen Großteil der Recherche ausfüllen können. Ganz besonders wichtig bei dieser Form der Informationsbeschaffung ist es, auf authentisches Material zu achten, damit der Bericht auch glaubwürdig wird.

Eine Übersicht über sowohl Schul- als auch Stadtbibliotheken bietet: de.dir.yahoo.com/nachschlagen/bibliotheken.

In Bibliotheken ist mit Sicherheit viel Material vorhanden, das Antworten auf die geschichtliche Entwicklung, also nicht unbedingt tagesaktuelle Aspekte der Einwanderungspolitik Australiens liefert. Dennoch ist es wichtig, auf die Erscheinungsdaten der Bücher zu achten und auch mehrere Ausgaben heranzuziehen, um Vergleiche anstellen zu können.

Zeitungen und Zeitschriften liefern dagegen Informationen zum Zeitgeschehen. Je jünger das Ausgabedatum, desto mehr verwendbare aktuelle Fakten, Bilder und Zitate sind vorhanden.

Boat people werden ganz allgemein illegale Auswanderer genannt, die über den Seeweg ihre Heimat verlassen.

- **Zeitungen** (Die Welt, Die Zeit, Süddeutsche Zeitung, The Sydney Morning Herald, The Age, Melbourne Herald Sun)
- **Zeitschriften** (Der Spiegel, Focus, The Economist, The Spectator, The Times Literary Supplement, Newsweek)

- **Internetsuchmaschinen** (hier Google Australien: www. google.au). Das Internet ist wahrscheinlich das Recherchetool, auf das – wie oben erwähnt – am ehesten zurückgegriffen wird. Es ist einfach in der Handhabung und liefert binnen Sekunden eine umfangreiche Ergebnisliste. Die Arbeit beginnt jedoch damit, aus der Vielzahl an ermittelten Funden die passenden Informationen herauszufiltern und dabei auf vertrauenswürdige und seriöse Inhalte zu achten. Auch hier ist wiederum das Datum der Informationsveröffentlichung wichtig, denn schnell können sich schon seit längerem nicht mehr aktualisierte Seiten einschleichen.

- **Fernsehen** (ARD/ZDF, WDR, Bayerischer Rundfunk, Hessischer Rundfunk, news.bbc.co.uk/)
  Bei sehr aktuellen Themen ist die Wahrscheinlichkeit groß, dass diese in Formaten wie Nachrichtensendungen oder Reportagen im gegenwärtigen Sendeplan platziert werden. Handelt es sich um weiter zurückliegende Ereignisse, ist es möglich, Aufzeichnungen von den Sendern zu erhalten.

- **Statistiken** (Statistische Jahrbücher, Statistische Landesämter, Statistisches Bundesamt: www.destatis.de)
  Zahlen und andere Daten sind der Inhalt von Statistiken. Sie unterstreichen die Authentizität des Berichts. Das *Department of Immigration and Multicultural and Indigenous Affairs* liefert folgende Informationen:

www.immi.gov.au/facts/74unauthorised.htm

Unauthorized arrivals by sea
Since 1989 almost 14 000 illegal immigrants have arrived by boat. 1996 to 2001 saw a further increase in numbers. Since August 2001 numbers continued to drop to zero in 2002-03. In the next year there was only one boat carrying over 50 people.

Besteht einmal Unklarheit über die genaue Definition eines Begriffs, der im Bericht verwendet werden soll, z. B. Immigration + Einwanderung, bieten Lexika, Enzyklopädien und andere Nachschlagewerke einen schnellen Überblick.

z. B. unter: www.britannica.com, www.brockhaus.de, www.encarta.msn.com, www.autenrieths.de/links/linklexi.htm#Lexika. Links eine unter Zuhilfenahme unterschiedlicher Quellen formulierte Definition.

im|mi|gra|tion, act of moving from one place to another, intention is either temporary or a permanent stay: people immigrate because of professional (better job opportunities), social (family reunion), economic (poverty in home country) or political reasons (persecution, racial discrimination); the main immigration countries in the past centuries were Australia and America.

- Bundeszentrale für Politische Bildung (www.bpb.de)
- **Speziell:** *Department of Immigration and Multicultural and Indigenous Affairs* (www.immi.gov.au); www.noborder.org *(migration issues); Australian Bureau of Statistics* (www.abs.gov.au)

Während der Hintergrundrecherche sollten neben den eingangs erwähnten **Suchschlagwörtern** und **Zielfragestellungen** besonders folgende, als **W-Fragen** bekannte Hauptpunkte berücksichtigt werden. Egal wie kurz der Bericht auch ist: Die Beantwortung dieser Fragen innerhalb des Textes erhöht den Grad an Informativität. Aus der bislang erfolgten Materialsichtung könnten die Fragen beispielsweise schon kurz, mit Stichworten versehen, beantwortet werden:

- **Who?** Who was it about?
  illegal immigrants, refugees, asylum seekers, detainees in Australian detention centre
- **What?** What happened?
  riots, protests, rebellion because of disastrous and harsh conditions; hunger strikes, police were pelted with stones
- **Where?** Where did the action/incident take place?
  detention camp near remote town of Woomera, South Australia
- **When?** When did it happen?
  two days ago

Je nachdem, welche Informationen die recherchierten Quellen preisgaben, sind eventuell auch auf die folgenden Fragen bereits Antworten gefunden worden. Zusätzliche Information:

- **How?** Which circumstances led to the action/incident?
  unbearable conditions in the detention camps; processing of migration claims took a long time, aggressive immigration policy
- **Why?** Was the action/event of advantage to somebody?
  Did it hinder or support anything?
  change in public opinion, awareness of immigrants' situation increased, Australian government criticised, media visit cancelled, international human rights groups became aware of the development

Kritische Überprüfung des Materials

International agierende Hilfsorganisationen für Menschenrechte sind z. B. Amnesty International (www.amnesty.org) oder Human Rights Watch (www.hrw.org)

Die Ergebnisse der Recherche sollten aufgrund der Aktualität des Themas und des Aufsehens, welches die strikte Einwanderungspolitik Australiens und die Behandlung der Immigranten nach sich zieht, recht zahlreich sein. Menschenrechtsorganisationen wurden auf das Geschehen aufmerksam und äußerten Kritik an den Zuständen in den Flüchtlingslagern. Die anfangs notierten Stichpunkte, die das Vorwissen bereits lieferte, werden nun um die hinzugekommenen Informationen, Daten und Fakten erweitert, wobei stets berücksichtigt werden muss, dass der Bericht nur eine **objektive** Darstellung eines Ereignisses oder einer Handlung ist. Bei der Menge an Recherchematerial kann es nämlich leicht passieren, dass sich wertende oder kommentierende Beiträge, die während der Suche zusammengestellt wurden, in die Bearbeitung des Berichts „einschleichen".

Praktische Vorbereitung der Textproduktion

Formale Vorbereitung. Vor der Textproduktion müssen formale Kriterien berücksichtigt werden:
- Gibt es eine Vorgabe hinsichtlich der Textlänge?
- Welche spezielle Zielgruppe soll der Bericht erreichen?
- In welchem Medium bzw. in welchen Medien wird der Bericht erscheinen?

Bei Verwendung eines Berichts für den Rundfunk wäre beispielsweise eine klar artikulierbare und verständliche Wortwahl wichtig, da der Hörer sonst Gefahr läuft, nur einen Teil des via Radio übermittelten Textes deutlich zu verstehen.

Inhaltliche Vorbereitung. Der Bericht hat informierenden Charakter und wird daher oft im journalistischen Bereich verwendet. Dazu kann man sich vorab einfach noch einmal einen Zeitungsartikel oder Fernsehnachrichten ansehen, die überwiegend im Stil eines Berichts verfasst sind. Es dominieren dort klare, informierende und wertneutrale Aussagen, während der Autor auf die Wiedergabe seiner eigenen Meinung verzichtet. Stattdessen wird z. B. durch ein Zitat die Meinung einer anderen Person wiedergegeben: "… national security comes first, the foreign minister said last week …".

Bericht schreiben

Die Beantwortung der als „roter Faden" dienenden W-Fragen sollte möglichst vollständig geschehen. Somit erhöht sich der Grad an Informativität und der Bericht kann gleich beim Lesen oder Hören und ohne zusätzliche Informationen verstanden werden. Durch die Recherche weiterer Hintergrundinformationen in den genannten Quellen wurde das Vorwissen erweitert. Das vorhandene neue Material muss den oben genannten Fragen zugeordnet und Wichtiges von weniger relevanten Informationen getrennt werden.
Wie ist ein Bericht nun aufzubauen? Aus der Perspektive der 3. Person oder des Ich-Erzählers ist das Bedeutsamste des Berichts gleich an den Anfang zu stellen. Um einen **strukturierten Aufbau** zu gewährleisten, sollten bereits die ersten Zeilen die prägnantesten Fakten enthalten und dem Leser/Zuhörer/Zuschauer somit einen kompakten Überblick über das Geschehen bzw. das Ereignis geben. Daran schließen sich weitere Informationen nach dem Prinzip der abnehmenden Wichtigkeit an. Dabei ist immer auf einen präzisen Sprachgebrauch zu achten.

Australian detention centre hit by protests

Two days ago, about **300 asylum seekers broke out** of **Woomera** detention centre, South Australia. During their nightly break-out the detainees **set fire** to one official building and **attacked police with stones.** Most of the detainees disappeared into the remote backcountry and are still on the run. Only a few have been recaptured and returned to the camp. Police roadblocks have been set up around the centre.
In the past, asylum seekers have often attracted the public's attention to the **harsh conditions in the detention centre** and to the **long processing of their claims** that sometimes took months or even years. **Hunger protest, self-harm and suicide attempts** have been frequent.

Fettgedruckte Formulierungen stammen aus den Antworten von S. 286.

Australian immigration authorities justified the long processing of the claims with necessary investigations in the immigrants' home country. Woomera is one of five Australian mainland detention centres used to hold the asylum seekers while their applications for refugee protection visas are processed. In this case, most of the detainees are people from small Chinese provinces seeking asylum because of persecution. They started protesting because of the government's decision to stop processing their applications for protection visas as refugees. The government argued that the fall of the dictatorial regime in the remote Chinese provinces invalidated many of the claims for protection for persecution. Many of the protesting asylum seekers maintained that in spite of the regime's fall they would be persecuted because of their faith.
International concerns were voiced about the conditions under which the asylum seekers were held, the treatment being worse than for convicted criminals. There were definitely too many people herded together, as observation teams stated. Furthermore, the Woomera facility neither offered enough room nor sleeping accommodations. Medical care hardly existed. Consequently, many diseases had already started spreading.
Australia has a controversial zero-tolerance policy of mandatory detention for all asylum seekers, including women and children, who arrive at its shores. Earlier this year, the government planned to set up a migration exclusion zone off the Australian mainland's northern coast including a large area of widespread islands. As a consequence, asylum seekers who landed there illegally by boat or by air were not able to apply for refugee protection visas anymore. Despite international criticism of the severe Australian policy and the inhuman and unbearable camp conditions the prime minister said: "The Australian government will not change the situation but will carry on protecting and tightening our borders".

Das *Woomera detention centre* wurde 1999 als Reaktion auf den plötzlichen Ansturm von Flüchtlingen errichtet.

4.1.7 Rezension

Eine Rezension ist die wertende, kritische Besprechung eines neu erschienenen Buchs, einer Theateraufführung, eines Films, eines Tonträgers oder eines Konzerts. Sie erscheint in schriftlicher Form in den journalistischen Medien Zeitung, Zeitschrift und Online-Publikation. Die Rezension hat immer einen aktuellen Bezug zum intellektuellen und politischen Klima einer Gesellschaft und wird in der Regel unter dem Namen des Autors veröffentlicht.

Im Gegensatz zum Kommentar (↗ Kapitel 4.1.2) geht eine Rezension über die Formulierung einer persönlichen Meinung hinaus, indem sie zusätzlich die gattungsspezifischen Merkmale eines Werks berücksichtigt. So werden bei der Filmrezension oft auch technische Details wie die Kameraführung betrachtet, oder Informationen zu Schauspielern und Regisseur gegeben. Die Rezension eines Theaterstücks kann ebenfalls das Bühnenbild und die Kostüme erwähnen. Außerdem betrachtet die Rezension das Werk in Zusammenhang mit dem Oeuvre des Autors sowie in Bezug auf den gesellschaftlichen und kulturellen Kontext. Abhängig vom Medium der Veröffentlichung kann eine Rezension formal und inhaltlich auf die Ansprüche und Erwartungen der Leserschaft abgestimmt sein.

Oeuvre = künstlerisches (Gesamt)werk

Als eine Form des argumentativen Sachtextes entspricht die Rezension in der Regel der persönlichen Meinung des Autors. Dabei sollte sie jedoch einen wesentlichen Aspekt berücksichtigen: Sie soll dem Leser ein noch unbekanntes Werk vorstellen und ihn zur eigenen Aus-einandersetzung mit dem Werk bewegen. Kritik ist in einer Rezension durchaus erlaubt, sollte aber mit Bedacht verwendet werden.

Vorbereitung

Im Folgenden sollen am Beispiel des Films ***„Ae Fond Kiss"*** (in der deutschen Version: *Just a Kiss)* von KEN LOACH die einzelnen Schritte zum Verfassen einer Rezension aufgezeigt werden. Sie lassen sich in drei Phasen aufteilen, in denen man dem Film auf unterschiedliche Art und Weise begegnet und schließlich aus den Ergebnissen eine Bewertung formuliert. Diese Arbeitsschritte können auch für die Rezension eines Buches, Theater- oder Musikstücks verwendet werden.

KEN LOACH, britischer Regisseur, der in seinen Filmen die Darstellung sozialer Veränderungen bisweilen mit Galgenhumor koppelt.

Pre-viewing

Zur wesentlichen Vorbereitung einer Rezension gehört die Vorbereitung auf das zu rezensierende Werk. Viele Leute bevorzugen ein unvoreingenommenes Herangehen an Inhalt und Konzeption eines Werks. Sie wollen beispielsweise einen Film „genießen" und nicht gleich schon mit bestimmten Erwartungen den Kinosaal betreten. Anders macht es jedoch der Rezensent: Durch seine Vorbereitung auf den Film hat er sich ganz bewusst einen **Erwartungshorizont** aufgebaut, der ihm bei der Betrachtung und Beurteilung des Gesehenen weiterhelfen wird. Dies bedeutet nicht, dass der Film nur oberflächlich auf bestimmte Kriterien geprüft wird. Jene Vorbereitungen ermöglichen die für den Rezensenten unerlässliche kritische Distanz zum Gesehenen, denn Hintergrundwissen hilft bei der analytischen Betrachtung des Films. Emotionale Reaktionen sind dabei ebenfalls von Bedeutung, sollten aber immer in einen analytischen Zusammenhang gebracht werden.

Pre-viewing activities dienen der Vorbereitung auf einen zu betrachtenden Film oder ein Theaterstück.

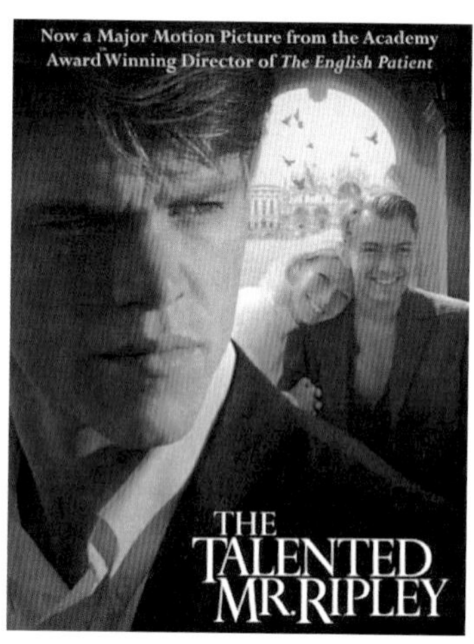

Pre-viewing: Browsing. Informationen zu aktuellen Filmen sind meistens schon im Internet zu finden, bevor der Film überhaupt angelaufen ist. Gerade britische oder US-amerikanische Filme sind oft schon eine Weile in Umlauf, bevor sie außerhalb des englischsprachigen Kulturraums Premiere haben. Soll man als Schüler eine Rezension zu einem solchen Film schreiben, kann man davon ausgehen, dass dies schon jemand zuvor getan hat. Dies bedeutet wiederum nicht, dass hier die Meinung anderer kritiklos übernommen werden soll. Vielmehr bieten solche Texte eine exzellente Quelle für Anregungen zur weiteren Recherche. Anhand der vorliegenden Informationen zu ***Ae Fond Kiss*** kann man sich nun eigene Fragen überlegen, die im Laufe der Recherche beantwortet werden sollen.

Ae Fond Kiss	**background information**
• Film about modern British/ Scottish society, multiculturalism, tradition vs. modernity • Love story: Pakistani guy & Irish woman • KEN LOACH • Title: poem by ROBERT BURNS	• What do I know about modern British/Scottisch society? • Clichéd story? Love vs. society etc or more? • Other films? Typical film for him? • Role of poem/quote for film?

Eine gute Quelle für Informationen zu zeitgenössischen Film-, Buch-, Theater- und Musikproduktionen sind die Homepages der jeweiligen kulturellen Vertretungen eines Landes im Ausland. Hier finden sich oft eine Reihe von Links zu den verschiedenen Genres und Gattungen. Erste Adresse für den britischen Kulturraum ist die Homepage des British Council: www.britishcouncil.de.

Pre-viewing: Vokabular und genrespezifischer Ausdruck. Eine weitere wichtige Vorbereitung auf den Film ist die Überprüfung des eigenen Fachvokabulars. Das hilft später beim Schreiben der Rezension, einen präzisen Ausdruck zu finden, und hat noch einen weiteren, nicht zu unterschätzenden Vorteil: Die Wiederauffrischung des entsprechenden Fachjargons sensibilisiert gleichzeitig für den Aufbau und die Gestaltung des Films. Hat man sich also z. B. die Fachbegriffe für eine Textanalyse wieder ins Gedächtnis gerufen, ist es recht einfach, die einzelnen Komponenten von „*Ae Fond Kiss*" zu registrieren und in ihren größeren Zusammenhängen zu begreifen – schließlich beruht jeder Film auf einem Skript.

While-viewing

Das Ziel der while-viewing activities ist eine Beteiligung des Betrachters an einem Film, Theaterstück etc.

Beim Ansehen eines Films im Kino sind die *while*-Aktivitäten sehr eingeschränkt realisierbar. Besser geht es dem Rezensenten eines Buchs: Er kann entweder gleich wichtige Passagen im Text anstreichen oder das Buch kurz aus der Hand legen, um eigene Ideen zu notieren. Im Idealfall sieht man sich als Schüler den Film auf DVD oder Video an: So ist es möglich, wichtige Passagen nochmals abzurufen bzw. den Film einfach anzuhalten. Selbst wenn man den Film nur einmalig im Kino anschauen kann, erleichtert die eigene Vorbereitung das Erkennen erster konzeptioneller Zusammenhänge, die dann beim anschließenden Analysieren des Gesehenen weiter ausgebaut werden können.

Post-viewing

Wenn man den Film zu Ende gesehen hat, ist es an der Zeit, die im Vorfeld erstellten Notizen und Fragen zu vergleichen und anschließend zu analysieren. Eine Rezension ist immer eine **Mischung aus Analyse und persönlichem Urteil.** Der eigene Geschmack spielt durchaus eine Rolle bei der Bewertung des Films, rückt aber zunächst einmal in den Hintergrund. Die Nachbereitungen eines Films bilden gleichzeitig die ersten Vorbereitungen für das Schreiben einer Rezension.

Die post-viewing activities bilden die abschließende Phase von Aktivitäten, mit deren Hilfe man sich u. a. inhaltlich mit dem filmischen Gesamtwerk auseinandersetzt.

Schreiben einer Rezension

Werkanalyse. Bevor man nun mit den Notizen beginnt, sollte man anstreben, das Gesehene zu ordnen, um bestimmte Zusammenhänge erkennen zu können. In den Vorbereitungen zur Rezension soll es nun darauf ankommen, Analyse und die in der Pre-viewing-Phase recherchierten Hintergrundinformationen miteinander zu verbinden. Nur so ist es letztendlich möglich, eine Einschätzung über den Erfolg oder Misserfolg des Films zu geben. Um einen Überblick zu gewinnen, kann man den Film in jene Komponenten der Textanalyse aufschlüsseln, die man sich schon vor dem Ansehen des Films ins Gedächtnis gerufen hatte. Die Kriterien bei der Untersuchung eines Textes – egal ob Theaterstück oder fiktionaler Text – sind die gleichen.

Who?	Characters	Roisín and Casim, older sister, younger sister, mother and father
What?	Theme	identity in modern Scottish society, tradition vs. modernity
	Plot	development of love between Roisín and Casim and its consequences for Casim's family
	Subplot	Tahara's emancipation from tradition
When?	Setting	present-day Glasgow, middle class
How?	Style	analytical, naturalistic

Kontext. In einem zweiten Schritt geht es nun darum, diese Ergebnisse in weitere Zusammenhänge zu bringen. Das bedeutet, dass bisher nur den Film betreffende Kriterien in den Kontext der eigentlichen Entstehung des Films gebracht werden. Die Leitfrage für alle weiteren Untersuchungen lautet: **What is the film saying and how is this done?**

Man muss nun versuchen, den Film in verschiedene Kontexte zu setzen, um seinen Inhalt daran zu vergleichen und daraus Schlussfolgerungen über die Qualität und Wirkung der Umsetzung zu treffen. Kein Film oder Text existiert völlig unabhängig von anderen Filmen oder Texten, sondern hat immer auch Bezug zu der Zeit, in der er verfasst wurde. Insofern gibt es immer eine ganze Reihe von Maßstäben, die an das Werk angelegt werden können.
Schwerpunkte der eigenen Überlegungen ergeben sich meist individuell aus dem Stoff und der Thematik des jeweiligen Werks. Dennoch kann sich die eigene Analyse an folgenden Punkten orientieren:

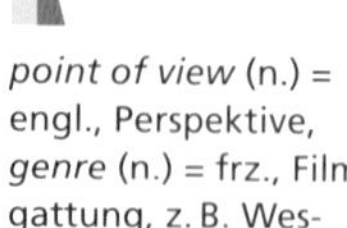

point of view (n.) = engl., Perspektive, *genre* (n.) = frz., Filmgattung, z. B. Western
mood (n.) = engl., Stimmung

- What is the author's/director's purpose in making this film/text?
- When was the film made?
- What is the relation between the time of action and the year(s) the film was produced?
- What genre does it belong to?
- Are there any models?
- Does it stick to the rules of genre or does it break them? If yes, how and why?
- What is the point of view and how is it constructed?
- What is the mood and how is it created?
- Who is the author/director?
- How does this film relate to other things he has made?

Beurteilung. Das Ziel dieser Überlegungen ist das Verfassen einer eigenen Rezension – daher ist der letzte und wichtigste Schritt der Pre-writing-Phase das eigene Urteil.

Is what the film is doing and how it is done successful?
If yes: why? If no: why not?

Für den Zweck der Rezension ist es unabdingbar, diese Frage für sich selber zu klären, bevor man zum Schreiben der Rezension übergeht. Kann man keine klare Antwort auf diese Fragen finden, besteht allerdings die Möglichkeit, die eigenen Zweifel zum Aufhänger für die Rezension zu machen – vorausgesetzt, man kann sie begründen.

Schreiben einer Rezension *(while-writing)*

Das in den Vorbereitungen erlangte Urteil über das Werk spielt nun eine zentrale Rolle beim Verfassen der Rezension: Es ist die eigene These ***(thesis)***, auf die der Verlauf der Rezension ausgerichtet ist. Hier darf man jedoch nicht vergessen, dass eine Rezension den Leser eher dazu anregen soll, sich selbst mit dem Werk auseinander zu setzen. Ein absoluter Verriss eines Textes, Films, Theaterstücks etc. kann auch eine Form der Rezension sein. Hier sei aber Vorsicht geboten: Dies bedarf einer sehr genau begründeten und in sich schlüssigen Beurteilung, ansonsten wird die Rezension unglaubwürdig oder rutscht gar ins Lächerliche ab. Möchte man also seinem Missfallen an einem Werk Ausdruck verleihen, sollte dies mit äußerster Vorsicht getan werden. Stilistisch darf eine Rezension aber ruhig etwas umgangssprachlicher formuliert sein. Der Leser soll merken, dass es sich hier nicht um eine wissenschaftliche Analyse eines Werks handelt, sondern um die bewusst subjektiv formulierte Meinung des Verfassers.

Die neuseeländische Regisseurin JANE CAMPION wurde mit *The Piano* auch in Europa bekannt.

Gliederung

Als Form des argumentativen Sachtextes setzt sich eine Rezension aus verschiedenen „Bausteinen“ zusammen, die dem Leser das Werk in seinen Einzelheiten vorstellen und schließlich zu einer Beurteilung darüber führen. Folgender Aufbau ist daher empfehlenswert:

A. Einleitung *(introduction)*

Die Einleitung beinhaltet folgende Aspekte:

- Verfasser (beim Film Regisseur/*director* und ggf. Drehbuchautor/*screenplay writer),* Titel und Informationen zur Veröffentlichung (Jahr, Verleger oder Verleih)
- Gattung des Werks (beim Film *Ae Fond Kiss* ist es ein *social drama)*
- Thema *(identity in modern Scottish society)*
- Informationen zum Hintergrund des Themas *(Scotland as multicultural society: problems of second generation immigrants born in Scotland; conflict between (Eastern) traditional values and (Western) modernity.)*
- Informationen im Hinblick auf das Gesamtwerk des Verfassers: *Part of LOACH's trilogy about life in Glasgow – other films "My name is Joe" (1998) and "Sweet Sixteen" (2002)*

Andere Gattungen beim Film sind beispielsweise *action film, comedy, documentary, science fiction* usw.

B. Inhaltsangabe (*summary)*

Die Inhaltsangabe gibt bei Sachtexten eine kurze Zusammenfassung der Kernaussage und der wichtigsten Argumente, bei fiktionalen Texten/Filmen einen kurzen Überblick über den Handlungsstrang/***plot.*** Man sollte nicht schon die gesamte Handlung vorwegzunehmen, sondern die Spannung und das Leserinteresse aufrechterhalten.

- *Development of love between Roisín and Casim and its consequences for Casim's family.*

C. Reaktion und Beurteilung *(reaction and evaluation)*

Eine Rezension gibt die persönliche Meinung des Autors wieder und ist somit an dessen ästhetisches Empfinden und ideologische Ausrichtung gebunden. Würde man drei verschiedenen Menschen den gleichen Film vorführen und sie bitten, eine Rezension zu schreiben, so würde dies drei verschiedene Beurteilungen des Films ergeben.

In diesem dritten Teil der Rezension geht es darum, die eigene Reaktion transparent und für den Leser nachvollziehbar zu machen. Die in der Pre-writing-Phase herausgearbeiteten Überlegungen liefern zusammen mit den Ergebnissen der Werkanalyse und den Überlegungen zum Kontext des Werks Hinweise zum Aufbau des dritten Teils, der sich an folgenden Punkten orientieren kann:

1. **Allgemeine Reaktion und erste Eindrücke (*general impressions):***
   Durch eine kurze Bemerkung zu den eigenen ersten Eindrücken ermöglicht man dem Leser einen besseren Zugang zu dem Meinungsbild, das hier geformt wird. Zugleich wird der Leser ebenfalls daran erinnert, dass die Rezension die Meinung des Verfassers darstellt und er diese nicht akzeptieren muss (wenn er feststellt, dass andere Rezensenten anders empfunden haben).

coherent (adj.) = engl., zusammenhängend
incoherent (adj.) = engl., nicht zusammenhängend

   - Did I like the film?
   - Was it interesting or boring, coherent or incoherent?
   - Why?

2. **Beurteilung von Thematik und Absicht *(theme and purpose):***
   Jedes Kunstwerk stellt eine Art Dialog mit einem (imaginären) Publikum dar, folglich gibt es neben der Thematik immer auch eine Absicht, die beispielsweise ein Regisseur mit seinem Film verfolgt.

   - What is my view of this topic or theme?
   - Do I like it?
   - Is it up to date and relevant, or has it been used over and over before?
   - Is there a certain ideology the director tries to follow?
   - Do I approve of it – why or why not?

3. **Beurteilung der Umsetzung *(adaptation of ideas)***
   An der stimmigen Zusammenwirkung von Inhalt und Form eines Werks lässt sich schnell dessen Wirkung und Erfolg abmessen.

   - Are the characters well chosen?
   - Is the point of view convincing and does it manage to express the film's/director's intention?
   - Does the story/plot-line develop the theme with success?
   - How have other directors dealt with a similar theme and topic – which one do I like better?

D. Zusammenfassung *(summary)*

Hier kann man abschließend noch einmal kurz die wesentlichen Kritikpunkte zusammenfassen und eine Empfehlung (z. B. Kinobesuch) für den Leser aussprechen.

Rezension von KEN LOACH's *Ae Fond Kiss*

KEN LOACH's new film *Ae Fond Kiss* is the third part of his trilogy on life in modern-day Glasgow (the other films are *My Name is Joe* (1998) and *Sweet Sixteen* (2002)). *Ae Fond Kiss* takes a close look at what happens to young people who were born in Scotland but whose families come from a foreign, in this case, Eastern country. There are many problems on the way to personal happiness.

Ae Fond Kiss tells the story of Casim, son of a Pakistani Muslim family, and Roisín, an Irish music teacher working at the school of Casim's younger sister Tahara. The lovers' first meeting is the result of a racial attack on Tahara by some of her classmates. Here, the film's central conflict is created. The story continues to tell how the couple deals with the disapproval of their love by Casim's family and by more conservative members of Scottish society. Casim himself has to think deeply about his own roots and family traditions. The question he has to answer for himself is whether he should lead his life according to his parents' wishes or whether he will be able to find his own, individual happiness.

Being a love story between two young people from an Eastern and a Western background, *Ae Fond Kiss* shows under what pressure such a relationship can get, even in our modern times. Although one might say that the film's subject, love against the wishes of family and society, is a rather well-used story, LOACH's handling of this classical theme is surprisingly fresh. On the one hand, this is thanks to the actors' sensitive approach to their roles. Eva Birthistle and Atta Yacub give a very naturalistic performance and the viewer gets a good insight into the characters' difficult relationship. On the other hand, it is Loach's own sensitivity in handling the story of his film. He is not afraid to show his audience the hard facts of life: damage done to family and friends, wounds that will not heal. Yet at the same time he is able to make us feel and understand the magic of love that unfolds between Casim and Roisín. In *Ae Fond Kiss,* Casim has to break away from his personal background. But the consequences both he and Roisín suffer are carefully balanced out by the portrayal of a love that seems strong enough to survive in spite of all this.

If you like to see a film that sticks to real life and its beauty without getting sentimental for the sake of selling more tickets at the box office, *Ae Fond Kiss* is one to watch out for.

1990 war Glasgow europäische Kulturhauptsstadt. In Bildmitte befindet sich die Royal Concert Hall von JOHN LESLIE MARTIN.

4.1.8 Interview

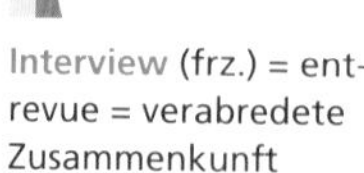

Interview (frz.) = entrevue = verabredete Zusammenkunft

> Bei einem Interview werden durch direkte Befragung Daten ermittelt. Das Interview weist dabei einen Frage-Antwort-Charakter auf, der auch noch bei Veröffentlichung vom Mediennutzer, also vom Leser, TV-Zuschauer, Radio-Hörer oder Internet-Nutzer, in dieser Form erkennbar ist.

Das Prinzip des Interviews ist demnach die Befragung, bei der durch einen Fragenden (Interviewer) Informationen oder Meinungsbilder zu einem bestimmten Geschehen, zu einem Sachverhalt, zu Produkten oder zu Personen zusammengetragen werden. Wenn ein Ereignis im Mittelpunkt des Interesses steht, können auch Augenzeugen interviewt werden. Bei der Betrachtung eines Sachverhalts hingegen oder der Einschätzung einer Person sind es oft Experten/Fachleute, die wegen ihres Hintergrundwissens und ihrer Kompetenz hinsichtlich des zu beleuchtenden Themas befragt werden.

Interviewkonstellationen

Man unterscheidet Einzelinterviews und Gruppeninterviews. Aus diesen Ausgangskonstellationen ergeben sich theoretisch folgende Durchführungsmöglichkeiten:

1. Eine Person wird von einem Interviewer befragt.
2. Eine Person wird von mehreren Interviewern befragt.
3. Mehrere Personen werden von einem Interviewer befragt.
4. Mehrere Personen werden von mehreren Interviewern befragt.

Formen des Interviews

Die Erhebung von Informationen ist vor allem in journalistischen Bereichen ein wichtiges Instrument, um eine Recherche zu vervollständigen. Je nachdem, welchen Zweck das Interview erfüllen soll, welche Informationen also benötigt werden, können zudem drei Gruppen von Interviews unterschieden werden.

Personenbezogenes Interview. Hintergrund dieser Interviewform ist es, mehr über eine Person herauszufinden. Die zu befragende Person soll Informationen über sich (z. B. bevorzugte Freizeitaktivitäten, Vorlieben und Abneigungen) oder über Themen, mit denen sie sich beschäftigt, preisgeben. So kann sich die Öffentlichkeit ein genaueres Bild von dieser Person machen.

Interview with U2 band leader BONO who founded an organisation (DATA) to focus public attention on issues confronting Africa. What made him do it? How does an Irish rock star become interested in Africa?

Umfrage. Mithilfe einer Umfrage werden meist auf der Straße oder in einem eigens dafür hergerichteten Umfeld (Interviewraum auf einer Veranstaltung) möglichst viele Personen zu einem speziellen Thema angesprochen. Dabei können bestimmte Zielgruppen ausgewählt werden, z. B. Frauen zwischen 17 und 35 Jahren, Rentner, Kfz-Mechaniker, oder es wird ohne speziellen Fokus eine Personengruppe interviewt, die aufgrund ihrer zufälligen Zusammensetzung die Bevölkerung repräsentieren soll. Die Frage(n) sollte(n) zudem so gestaltet sein, dass die Interviewten mit möglichst kurzen Antworten reagieren können. Somit weitet sich die Auswertung der Umfrageergebnisse nicht ins Uferlose aus und die Antworten bleiben besser miteinander vergleichbar. (Klare, eindeutige Antworten wie „ja",„nein", „weiß nicht", „egal" sind einfacher für die Auswertung, als wenn jeder Befragte mit einem ausführlichen Kommentar Stellung beziehen würde.)

Interview with the following target group → students. Opinion poll about: Do you think there should be a better supply of English newspapers and magazines in the school library?

Sachinterview. Nach einer bestimmten Nachricht ist es mitunter notwendig, z. B. durch die Konsultation eines Experten den Hintergrund des Themas näher zu beleuchten. Ein Sachinterview dient dazu, weitere Erklärungen und Ergänzungen ins Blickfeld zu rücken, mit denen die anfängliche Meldung besser verstanden werden kann.

Konsultation = Beratung durch einen Wissenschaftler oder Fachmann

Yesterday's evening news reported that global warming is speeding up faster than scientists expected. Today, Professor James Hawkins, University of Melbourne, confirmed: Due to the extensive emission of CFC the ozone layer is suffering irreparable damage. With the receding ozone layer more amounts of cancer-causing ultraviolet rays pass the atmosphere …

Fragetechniken

Schließlich kann auch das Verhalten des Interviewers während der Befragung unterschiedlicher Natur sein, wodurch eine spezifischere Unterscheidung hervorgerufen wird. Der Interviewer wird vor Beginn der Befragung überlegen, welchen Stil er bei der Formulierung seiner Fragen anwenden wird, um seinen Vorstellungen entsprechend zu einem optimalen Gesprächsergebnis zu gelangen. Dabei kann der Interviewer auf nachstehende Arten der Befragung zurückgreifen:

- **standardisiertes/gebundenes Interview**
  Das standardisierte Interview ist durch eine strenge, meist vorher genau festgelegte Abfolge von Fragen anhand eines Fragenkatalogs charakterisiert. Das Gespräch zwischen den Interviewpartnern verläuft in einem ununterbrochenen Dialog. Auf jede Frage folgt unmittelbar eine Antwort. Die Veröffentlichung des Interviews sieht allenfalls eine Kürzung vor, es wird jedoch nicht durch Einschübe (zusätzliche Bemerkungen oder Erklärungen) unterbrochen.
- **freies/offenes Interview**
  Diese Interviewform weist keinen festgelegten Verlauf auf. Die Gestaltung der Befragung ergibt sich während der Durchführung und kann individuell gelenkt werden. Bei der Veröffentlichung des Interviews kann die Abfolge von Fragen und Antworten durch Einschübe, wie Zusammenfassungen, Beobachtungen, oder durch Gesprächsphasen in indirekter Rede unterbrochen werden.
- **hartes Interview**
  Bei dieser Befragungsart tritt der Interviewer bewusst autoritär und somit auch herausfordernd auf.
- **weiches Interview**
  Ein so genanntes weiches Interview wird dann geführt, wenn der Befragende eine positive und emotional einzustufende Stimmung erzeugt. Er geht dabei auf den Interviewpartner durch eine bestimmte Mimik (besorgt aussehen), weiche Gesten (Kopfnicken) oder zustimmende Bemerkungen unterstützend ein und etabliert so ein Vertrauensverhältnis.

Anhand des folgenden Themas soll die Vorbereitung und beispielhafte Durchführung eines Interviews verdeutlicht werden.

Die traditionelle australische Folk Music blickt größtenteils auf anglo-irische Wurzeln zurück. In neuerer Zeit trafen die unterschiedlichsten Varianten, welche die Einwanderer aus ihren Heimatländern mitbrachten, zusammen.

"The Reddish Wombats" – a new Australian band causes quite a sensation with unusual folk rhythms. Even more unusual are the band members' origins: Their families come from all over the world. During a concert the band is going to give in Germany you might have the opportunity to do an interview. Try to find out what the band is like and how the multicultural background affects their music!

1. Allgemeine Vorbereitungen

Struktur. Interviews sind in allen gängigen Medien ein weit verbreitetes Instrument der Daten- und Informationserhebung. Man kann sich demnach in diversen regionalen und überregionalen Tageszeitungen, Zeitschriften, Magazinen, im Rundfunk, im Fernsehen und natürlich auch im Internet eine Reihe von Interviews durchlesen, anhören oder ansehen, die eine gute Hilfestellung bei der Vorbereitung des eigenen Interviews liefern. Auf diese Weise kann man sich schon einmal ein Bild davon machen, welche Art von Fragen gestellt werden könnten (wenn zuvor ein thematisch ähnliches Interview betrachtet wurde), welchen Umfang die Befragung haben könnte, wie die Interviewpartner auf die Fragen reagieren oder bei welcher Antwort man als Interviewer noch einmal nachhaken kann. Für die strukturelle Vorbereitung des Interviews sind folgende Aspekte wichtig:

- An welchem Ort findet das Interview statt?
- In welcher Situation trifft man den Gesprächspartner voraussichtlich an?
- Welche Erwartungen werden von beiden Seiten an das Interview gestellt?

Für den deutschen Sprachraum etwa politische Diskussionsrunden wie der „Presseclub", Nachrichten wie „Tagesschau" und „heute"); für den englischsprachigen Raum „HARDtalk" (interview programme on bbc world), Newshour.

Doch selbst bei sorgfältigster Interviewvorbereitung kann einem der Gesprächspartner an diesem Tag einfach nicht wohlgesonnen sein. Dann besteht das Können des Interviewers darin, aus dieser widrigen Ausgangssituation dennoch ein für beide Seiten erfolgreiches Gespräch zu zaubern.

Nicht zuletzt muss man auch an das notwendige Equipment denken. Ein Aufnahmegerät, ein Mikrofon, Notizzettel, eventuell auch eine Kamera oder ein Fotoapparat sind je nach Interviewform (Personeninterview, Umfrage, Sachinterview) notwendig, um das Gespräch abzurunden.

Inhalt. Neben den strukturellen Voraussetzungen müssen auch die thematisch-inhaltlichen Aspekte gut vorbereitet sein. Da ein Interview immer eine Gesprächsform darstellt, wird vom Interviewer erwartet, dass er genaue Kenntnis zum Themenhintergrund besitzt, um mit dem Gegenüber „ins Gespräch" zu kommen. Um ein günstiges Gesprächsklima zu fördern, sollte der Interviewer in der Lage sein, sowohl einen guten Einstieg als auch einen flüssigen Gesprächsverlauf zu etablieren. Wer sich durch einen Berg von Notizen arbeiten muss, um die nächste Frage zu formulieren oder noch einmal nach Informationen zu suchen, wirkt unprofessionell. So läuft man Gefahr, dass sich der Interviewpartner nicht ernst genommen fühlt und schließlich das Interesse verliert.

Blickkontakt und flüssig formulierte Fragen erhöhen die Gesprächsbereitschaft.

Vorab notierte Fragen und Stichwortimpulse können dem Interviewer als Gedächtnisstütze dienen und zu einem flüssigen Gesprächsverlauf beitragen. Voraussetzung hierfür ist eine Verinnerlichung der Notizen, damit man die Fragen wiedergeben kann, ohne auf den Notizzettel zu schauen. Möglich ist es auch, dem Gesprächspartner bereits vor dem eigentlichen Interview die geplanten Themenfelder vorzulegen. Allerdings riskiert man dabei, bei der Durchführung des Interviews keine spontanen Antworten mehr zu erhalten.

Erste Überlegungen zum Beispielinterview. Die oben genannte Themengebung gibt bereits einen Hinweis darauf, welche Interviewform sich hier anbietet, nämlich das personenbezogene Interview. Die Bandmitglieder stehen im Mittelpunkt, wir wollen etwas über die Personen, deren familiäre Hintergründe und schließlich auch über die Band und deren Musik erfahren.

Da während eines Interviews stets ein direkter Kontakt zum Befragten entsteht, ist es eine Grundvoraussetzung, als Interviewer über umfangreiches Hintergrundwissen zum Thema – in diesem Fall auch zu den Personen – zu verfügen. Damit ist natürlich nicht gemeint, dass man als Interviewer als überfliegender Experte auftreten oder den/die Befragten durch sein Wissen einschüchtern soll. Im Fall des personenbezogenen Interviews ist es beispielsweise nicht notwendig, sämtliche Eckpunkte des Lebenslaufs zu verinnerlichen. Man sollte auch ein Gespür dafür entwickeln, auf welche Aspekte des bisherigen Werdeganges der Interviewpartner vielleicht nicht gern angesprochen werden möchte.

Weiterhin ist zu überlegen, wo das Interview stattfinden kann. Wie aus der Aufgabenstellung hervorgeht, wird es demnächst ein Konzert geben. Bei dieser Gelegenheit bestünde, die Möglichkeit einen Interviewtermin zu vereinbaren. Mit Blick auf das hier genannte Beispiel wäre ein „Liveinterview" am besten geeignet. Diese Art des Interviews sieht man häufig in Musiksendungen. Der Moderator fungiert als Interviewer, der die Band z. B. zum gerade erschienenen Album befragt.

Eine Alternative, wenn sich tatsächlich kein Gesprächstermin während der geplanten Konzerttour in Deutschland ergibt, bietet sich durch ein **Interview per Telefon.** Oder noch besser – in den Zeiten der computerbasierten Kommunikation – ein **Interview via Internet.** So wäre es z. B. im Rahmen eines eigens dafür eingerichteten Chatrooms möglich, Fragen in Echtzeit zu stellen und spontane Antworten darauf zu erhalten. Eine technisch perfekte Abrundung wäre natürlich eine Webcam, aber nicht immer ist diese Ausstattung vorhanden. In unserem Beispiel gehen wir im Folgenden dennoch davon aus, dass sich das Interview am besten über das Internet realisieren ließe.

Nun gilt es, einen **Interviewtermin** zu finden. Am besten schlägt man dem Interviewpartner verschiedene Terminalternativen vor. Im Internet gibt es sicherlich einige Anlaufstellen, über die man den richtigen Ansprechpartner hinsichtlich einer Terminvereinbarung recherchieren kann. Existiert eine Internetseite der Band, findet man dort zumindest eine E-Mail-Adresse, über die sich alles Weitere organisieren lässt. Fanklubs helfen bestimmt auch gern weiter.

2. Recherche/Materialsichtung

Die Recherche nach Informationen bietet sich bei diesem Thema in Musikzeitschriften, im Internet und bei Musiksendern bzw. -sendungen an.
- Zeitschriften: Musikexpress, Stereo, Bravo, BPM CULTURE/US, Mojo, Spex, Spot on, Visions
- Internet: Suchmaschinen wie www.google.de, www.google.com.au, www.lycos.de u. a.
- TV-Musiksender: MTV, VIVA, VH1
- australische Zeitungen und Zeitschriften: The Sydney Morning Herald, The Age, The Mercury, The Drum Media, BMA Magazine

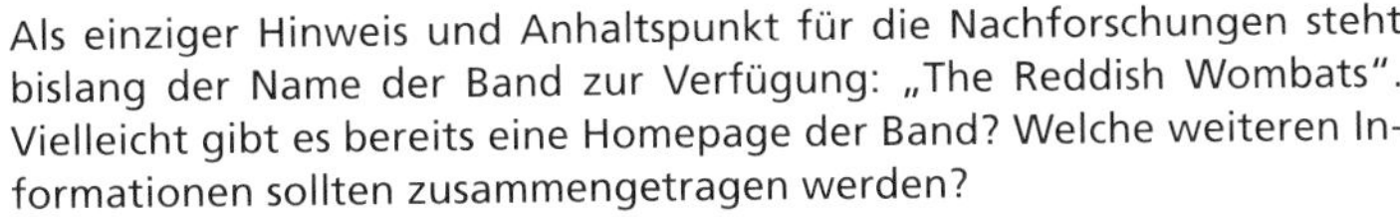

Als einziger Hinweis und Anhaltspunkt für die Nachforschungen steht bislang der Name der Band zur Verfügung: „The Reddish Wombats“. Vielleicht gibt es bereits eine Homepage der Band? Welche weiteren Informationen sollten zusammengetragen werden?

- When was the band founded?
- Who are the members? What are their names?
- How old are they?
- Who plays the instruments? Who sings the vocals?
- Which instruments do they play?
- Where do they come from? From which countries?
- What were their families' intentions in coming to Australia?
- Where did they first meet?
- What is behind the band name? Who had the idea?
- What are the elements of their music?
- Do they also write songs in one of their mother tongues?
- Do they feel "Australian"?

Jene Fragen, die noch nicht durch die Suche nach Hintergrundinformationen beantwortet werden konnten, bieten sich schon einmal als Interviewfragen an. Die restlichen Fragen, auf die durch die Recherche eine Antwort gefunden wurde, müssen unbedingt abrufbar im Gedächtnis bleiben, damit man während des Interviews darauf zurückgreifen kann. Außerdem sind diese Angaben praktisch, um z. B. eine Frage während des Interviews einzuleiten:

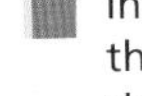

In an interview with "The Mercury" last year you said that during the first months on tour you hardly got used to the lack of sleep. Has that changed since or are you still dog-tired during the day?

Somit erweckt man den Eindruck, die Entwicklung der Band mit verfolgt zu haben und stets auf dem Laufenden zu sein.

3. Materialaufbereitung

Anhand des recherchierten Materials und des gewonnenen Hintergrundwissens können nun die Interviewfragen vorformuliert werden. Die Namen der Bandmitglieder wurden bei der Recherche herausgefunden und erlauben die direkte Ansprache der Personen.

Name	Age	Country	Instrument
Mikaela	17	Croatia	piano
Isabella	18	Spain	harp
Jean	18	France	accordion
Hang	19	China	violin

Interviewfragen formulieren. Die Fragen sollten kurz und präzise gehalten werden. Der Interviewpartner muss gleich verstehen können, worum es bei der Frage geht, die zudem derart offen gestaltet sein muss, dass nicht nur ein einfaches „Ja" oder „Nein" als Antwort genügt. Ein offener Fragecharakter ergibt eine ausführlichere Antwort und erhöht somit die Informationsdichte. Außerdem muss man im Gespräch darauf achten, dass man im Eifer des Gefechts nicht gleich mehrere Fragen hintereinander stellt. Dabei verliert der Interviewpartner möglicherweise schnell den Überblick und die Beantwortung einer Frage wird einfach vergessen.

4. Durchführung

Das Interview sollte stets mit einer positiv gestimmten Gesprächseröffnung beginnen. Bevor man also zu den eigentlichen Fragen kommt, beginnt man das Interview mit einer eher nebensächlichen, einleitenden Frage. So kann man einschätzen, wie es um die Gesprächsbereitschaft des Interviewpartners bestellt ist. Im gegebenen Beispiel könnte man beispielsweise mit einer Frage zur aktuellen Konzerttour durch Deutschland beginnen:

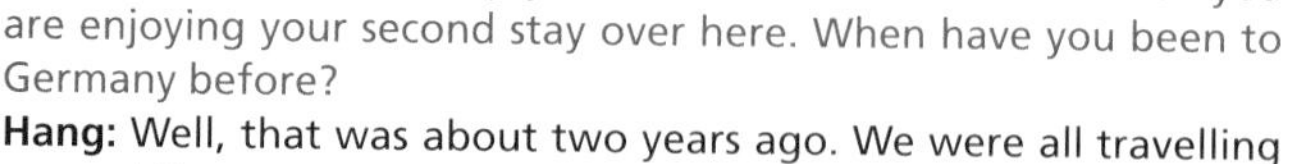

While on stage yesterday you told the audience how much you are enjoying your second stay over here. When have you been to Germany before?
Hang: Well, that was about two years ago. We were all travelling around Europe on our own, visiting sights and cities. It was mere coincidence when we met on that train to Frankfurt.

Why were you going to Frankfurt?
Isabella: We wanted to go to a folk festival. I saw Hang reading something about the festival and that's how we started talking.

What about Mikaela and Jean?
Jean: I was actually on my way to France. However, I nearly missed the stop where I was supposed to change trains. I was rushing towards the doors and on my way I ran into Mikaela and I spilt her coffee all over her. She said, thank you, what am I going to wear at the festival tomorrow? She was furious!

And you asked her what festival she was talking about?
Jean: Right. She told me about it and in the end I was "forced" to come along. I had missed my train anyway. Then during the concert we met Isabella and Hang who both had the Australian flag painted on their foreheads – and so had we. That's how we met in Germany.

That's definitely an unusual encounter!
Mikaela: And we found out that we all liked folk music. That was unusual, too.

So who had the idea of setting up a band?
Isabella: It was more or less a slow process. Hang once came up with an application form for a newcomer band contest. First we didn't take it that seriously but with the day of the contest approaching we got more excited and met every day for rehearsal.

That was the Australian Newcomer Contest in 2004 and the Australian audience was stunned!
Hang: They were! We couldn't believe it. I mean folk music isn't necessarily on top of the charts. However, we combine modern music trends with folk elements and the people seem to like it!

How does the music come to you?
Where do you get your inspiration?
Hang: Part of our inspiration comes from our cultural background. Although we were born in Australia our parents kept to their customs, taught us their mother tongue and their traditions.
On the other hand we grew up in Australia which is an amazing country. There are lots of different cultural influences which can be found in our music. That's what we want to do: make music which reflects all the different influences that came together in Australia.

Diese Entscheidungsfrage ist ein Beispiel für eine geschlossene Frage.

Do you intend to write songs in one of your mother tongues?
Jean: Actually, we already did that! However, we haven't put the songs on an album yet. But we certainly will!

What about your band name? A lot of people wonder about it!
Mikaela: That's another funny coincidence! When we got to know each other we talked a lot about our families, when they came to Australia, how we grew up and how we spent our childhood. The funny thing now is that, as children, we were all absolutely scared of wombats! They run incredibly fast and by doing so they raise a lot of dust. And as you know, Australian soil is very, very RED ... That's how we settled on "The Reddish Wombats"!

How do your families cope with the new situation?
You're often travelling and working abroad.
Isabella: I think they got used to it. Although my mom is always ringing me up wherever I go.
Hang: That's true. They keep saying how proud they are but they are afraid as well.

I guess parental worries cannot be avoided ...
Jean: I wonder how they will respond to our world tour next year ...

I'm sure the tour is going to be great! I wish you all the best and hope to see you again!

5. Nachbereitung

Nachdem das mündliche Interview durchgeführt und z. B. per Aufnahmegerät aufgezeichnet oder in anderer Form gespeichert wurde, besteht nun die Möglichkeit der Nachbereitung. Das oben gezeigte Beispiel ist bereits nachbereitet. Während des Interviews sollte man sich als Interviewer voll und ganz auf das eigentliche Gespräch und dessen Steuerung konzentrieren. Die anschließende schriftliche Fixierung des Gesprächsverlaufs erlaubt Korrekturen und eventuell auch Ergänzungen. Diese sollten natürlich nicht den eigentlichen Verlauf des absolvierten Gesprächs verändern. Es können aber beispielsweise Informationen ausgeschlossen werden, die zu viel über das Privatleben des Interviewten verraten und aus verschiedenen Gründen nicht für die Öffentlichkeit bestimmt sind.

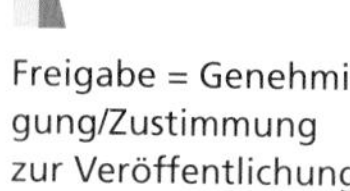

Freigabe = Genehmigung/Zustimmung zur Veröffentlichung seitens des Befragten

In jedem Fall muss das Interviewergebnis dem Gesprächspartner vor einer möglichen Veröffentlichung vorgelegt werden, um die Freigabe einzuholen. Genau wie der Interviewer das Gesprächsergebnis nicht durch zu viele Korrekturen verändern sollte, wäre eine Neugestaltung des Interviews durch den Befragten ebenso kontraproduktiv und würde das Interview schließlich verfälschen. Es besteht dann keine Pflicht mehr zur Veröffentlichung. Kommt es zu einer Publikation, sendet man dem Gesprächspartner ein Belegexemplar.

4.1.9 Essay

essayer (frz.) = versuchen

Der Essay ist eine freie Form des schriftlichen Erörterns. Er ist eine knappe, anspruchsvolle Abhandlung über ein literarisches, geschichtliches, kulturelles, aktuelles oder wissenschaftliches Thema.

Die Funktion eines Essays liegt darin, den Leser zum Denken anzuregen, ihn zu provozieren und ihn zu bewegen, sich dadurch mit dem behandelten Thema auseinander zu setzen. Dem Verfasser eines Essays kommt es bei seinen Ausführungen weder auf wissenschaftlich genau durchgeführte Analysen noch auf eine systematische Gedankenführung an. Er möchte seine Gedanken einbringen und diese einfließen lassen, ohne dabei auf eine systematische Anordnung zu achten, teilweise werden seine Assoziationen sprunghaft aneinander gereiht.

Assoziation (frz.) = Verknüpfung von Vorstellungen und Gedanken

Vorbereitung eines Essays

Ein **Essay** ist die argumentative Abhandlung eines Themas in schriftlicher Form.

Themen- und Zielfindung. Meist ergibt sich das Thema aus der Unterrichtssituation oder aus einem gegenwärtigen bzw. zukünftigen Lerngegenstand. Wichtig ist, dass man sich über die Funktion des Essays für den Unterricht klar wird: Soll er ins Thema einführen, zum Denken anregen oder soll eine anschließende Diskussion (↗ Kapitel 4.1.4, Diskussion) damit eingeleitet werden? Des Weiteren ist wichtig festzustellen, ob ein genereller Überblick über das Thema oder eher eine Analyse des Themas im Vordergrund stehen soll. Im Unterricht kommt es häufig vor, dass Themen aus dem unmittelbaren Lebensbereich der Schüler behandelt werden und sie den Auftrag bekommen, einen Essay darüber zu schreiben. Solch ein Themenbereich ist z. B. **„Being a teenager – best years of life".**

Ein Essay ist die argumentative Abhandlung eines Themas in schriftlicher Form.

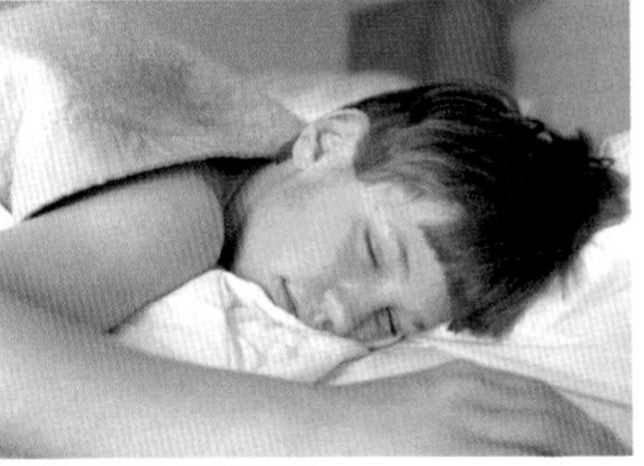

Falls vom Lehrer keine Einschränkungen bzw. konkrete Festlegungen getroffen werden, kann der Verfasser selbst festlegen, in welche Richtung sein Thema gelenkt werden soll und welche Funktion es haben könnte. Sicher wird man bei der Auswahl von den eigenen Interessen und dem vorhandenen Wissen ausgehen. Wie auch die Wahl ausfällt, wichtig ist, dass das Thema zum Anliegen des Essays passt.
Bevor man anfängt, ein Thema endgültig zu formulieren, kann man mithilfe des Brainstormings alles notieren, was dazu passen könnte. Dabei sollte das Anliegen des Essays nicht mit beachtet werden, denn sonst ist der Gedankenfluss zu sehr eingeschränkt.

Folgende Unterthemen könnten sich bei den ersten Vorüberlegungen ergeben:

- What does "best years" mean ?
- What does it mean to be young: party every day?
- Who are important people for young people? Who can give useful advice?
- What is important to teenagers?
- What kind of problems do young people have?
- What do teenagers worry or complain about?
- What does the future bring after school – new friends, university, a job, more responsibilities?
- Are there any fears?
- Which rules do young people have to follow? What do parents expect from their children?
- What happens to the body?
- How do young people experience "first love"? How and when is the first intercourse?
- Is it possible to take responsibility for an own baby?
- Is there any help for young girls who are pregnant?
- What can a young father do?

Wenn man sich z. B. seine eigene Situation zu Hause und in der Schule ins Gedächtnis ruft, wird einem klar, dass dieses Thema auf jeden Fall nicht so eindeutig positiv, wie es formuliert ist, betrachtet werden kann. Auch bestehen Differenzen zwischen den Ansichten der älteren und der jungen Leute. Daher ist es bei der Vorbereitung des Essays wichtig, ein

Thema zu formulieren, das den eigenen Interessen entspricht, über das man selbst recherchieren möchte und das für die Leser interessant sein könnte. Die entscheidenden Argumente für oder gegen ein Thema sollten aber sein, wie viel Ideen man dazu hat und welche Funktion der Essay haben soll.

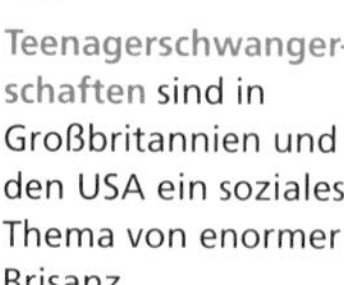

Teenagerschwangerschaften sind in Großbritannien und den USA ein soziales Thema von enormer Brisanz.

Aus allen bisherigen Vorüberlegungen könnte sich z. B. das Thema **Teen pregnancy** ergeben, das den unmittelbaren Lebensbereich von Jugendlichen anspricht und einen aktuellen Bezug auf die möglichen Veränderungen im Leben von Teenagern nimmt. Zu diesem Thema gibt es viel zu beleuchten, zu diskutieren und zu klären. Daher könnte der entstehende Essay mehrere Funktionen (Information, Provokation, Identifikation) erfüllen und wäre sehr gut für den Einsatz im Unterricht geeignet.

Organisatorische Vorbereitung

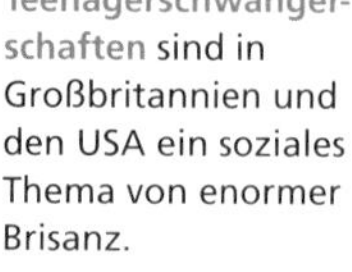

These (lat.) = Satz, Lehrsatz, Leitsatz oder Behauptung, die zu beweisen ist

Hat man sich für ein Thema entschieden, sollte man dieses mit dem Lehrer absprechen und sich auch über die Funktion des Essays verständigen. Besonders geeignet als Thema sind eine formulierte Frage, die beantwortet wird, eine These, die zu beweisen ist, oder eine Behauptung, zu der Stellung genommen werden muss. Des Weiteren sind Umfang, Abgabetermin sowie weitere Anforderungen an den Essay (äußere Form, Anzahl der Kopien, Bildmaterial) abzustimmen.

Inhaltliche Vorbereitung: Recherchen/Materialsichtung

Ist das Thema erst einmal geklärt, sollte man sich fundierte Sachkenntnisse aneignen. Beginnen kann man mit einer Mindmap, die hilft, die eigenen Gedanken festzuhalten bzw. zu sortieren.

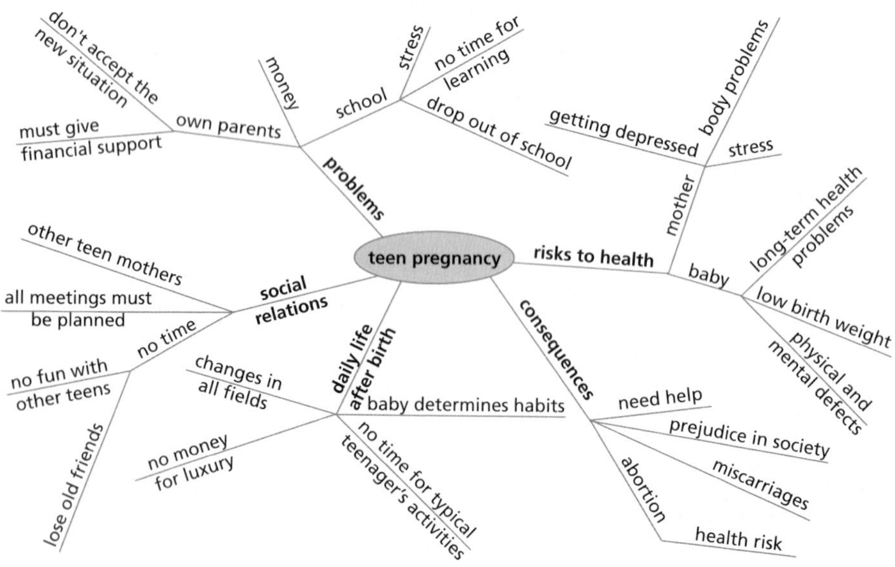

Danach sind Informationen zu sammeln, zu sichten, kritisch zu bewerten und auf ihre Verwendbarkeit zu prüfen (↗ Kapitel 4.1.4, Diskussion, oder 4.1.5, Referat).

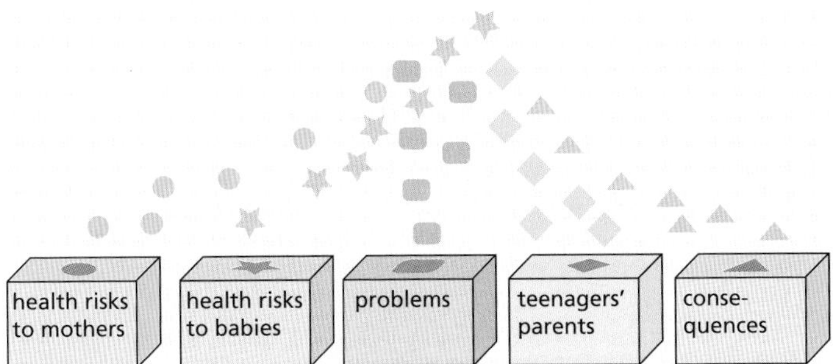

Verwendet man Fakten oder ganze Textpassagen aus Printmedien, sind diese in einer Quellenangabe kenntlich zu machen. Dazu gehören neben dem Namen des Autors und dem Initial seines Vornamens auch Titel des Buches/der Zeitung/Zeitschrift/des Artikels, auch die Seite und der Verlag sowie das Erscheinungsjahr und die Auflage.

Think-before-you-drink campaign: "The truth about you & Booze", CosmoGirl -Magazine, April 2003, Page 40/41

Alle wörtlich übernommenen Textstellen sind in nach oben gestellte Anführungsstriche zu setzen und als Zitat zu kennzeichnen, andernfalls muss man sich den Vorwurf des Plagiats gefallen lassen.

Plagiat (lat.) = Diebstahl geistigen Eigentums eines anderen

Das Internet bietet aktuelle Informationen zu gegenwärtig gültigen Gesetzen, zu möglichen Bestimmungen und zeigt meist die neuesten Zahlen zum Thema. Da es in den verschiedenen Ländern unterschiedliche Auffassungen zum Umgang mit minderjährigen werdenden Müttern gibt, wären Vergleiche über bestehende Abtreibungsgesetze, Jugendgesetze, Sozialgesetze usw. denkbar. Allerdings muss darauf geachtet werden, dass die Informationen tatsächlich zum Thema und zur Funktion des Essays passen.

Folgende Suchbegriffe könnten bei der Suche nützlich sein: „teen+pregnancy+problems+statistics"

Internetadressen: www. pregnancy-info.net, www.cbctrust.com, www.policyalmanac.org/culture/abortion.shtml, www.statistics.gov.uk

Wenn man statistische Erhebungen und Auswertungen zu Hilfe nimmt, ist eine Quellenangabe unbedingt notwendig. Bei Webseiten werden neben dem Namen des Autors, dem Initial seines Vornamens, dem Titel des Materials/Artikels/der Seite etc. auch die Internet-Adresse und das Datum, an dem die Seiten das letzte Mal besucht wurden, aufgeschrieben. Das ist notwendig, weil verschiedene Angaben ständig aktualisiert oder aber ganze Seiten aus dem Netz genommen werden.

"ETR's Resource Center for Adolescent Pregnancy Prevention"
www.etr.org/recapp/stats, 28. Dezember 2004

Materialaufbereitung

Es ist möglich, dass verschiedene Zahlen grafisch dargestellt sind und diese ausgewertet werden bzw. die verschiedenen Angaben in Beziehung zueinander gesetzt werden müssen. Dabei ist es wichtig, die entsprechenden Legenden besonders genau zu lesen, um die gegebenen Informationen, die Entwicklung von Zahlen oder aber auch deren Proportionen aufzuzeigen bzw. deren Bedeutung zu ermitteln.
Aber auch bei der Sichtung und Auswertung der gewonnenen Informationen bietet es sich an, selbst Grafiken zu erstellen und diese später in den Essay einzubauen. Bei den Überlegungen sollte man sich davon leiten lassen, bei welchen Zahlen es sinnvoll ist, Vergleiche anzustellen, bei welchen eher deren Entwicklung darzustellen ist oder aber welche zueinander gehören und zusammengefasst werden können.

Teen pregnancy

problems

girls don't have good parenting skills, young fathers often absent

don't know what happens to their body

having an own responsibility for the baby – don't know what that means

drop out of school

become financially dependent on her family or on welfare

health risks to the teenage mother

under 16 five times more likely to die during or immediately after pregnancy than women between 20 to 24

death rate from pregnancy complications very high among girls under 15

is more likely to be undernourished and suffer premature or prolonged labour

high factor of stress

teens are affected by sexually transmitted diseases

health risk to the baby

babies have a higher health risk, e. g. low birth weight

a risk of dying in early infancy

poor eating habits of the mother, smoking, alcohol and drugs increase the risk to the baby for physical and mental birth defects

consequences for teenagers' parents

have to help their daughters with educating the baby

have to give financial support

must keep an eye on their grandchildren

must change their daily life when the baby is born

get another "own" child, often not wanted

conclusions

found organizations which take care of teenage mothers and their babies

provide advice and support by specialists and older women for young mothers

start campaigns for safer sex methods and avoiding pregnancy

all pregnant teenagers should have medical care beginning early in their pregnancy

provide guidance by parents to their children about sexuality and the risks and responsibilities of intimate relationships and pregnancy

> About 11 percent of all U.S. births in 2002 were to teens (ages 15 to 19). The majority of teenage births (about 67 percent) are to girls aged 18 and 19. About one million teenagers become pregnant each year in the United States. It means approximately 520.000 births, 403.000 abortions and 77.000 miscarriages.

Quelle: www.modimes.org

Ähnlich verhält es sich mit der Zusammenfassung der Fakten in Tabellen. Dadurch werden Zugehörigkeiten und/oder Über- und Unterordnungen deutlich. Beim Erstellen von Tabellen sind die Kriterien wichtig, nach denen die Einordnung vorgenommen werden soll. Eine solche Tabelle ist als visualisierendes Element in einem Essay durchaus zulässig und unterstützt die Verständlichkeit der Ausführungen. Zumindest kann sie aber das erworbene Wissen sortieren und strukturieren, damit die schriftliche Ausformulierung der Erkenntnisse leichter wird.

Praktische Vorbereitungen

Wenn genug Material zur Verfügung steht, sollte es nach Wichtigkeit und Informationsgehalt geprüft werden. Spätestens jetzt sollte man sich über die Gliederung seines Essays klar werden. Dazu kann ein Flowchart hilfreich sein, da es der grafischen Veranschaulichung von Entwicklungen und Zusammenhängen dient und Ebenen und Elemente eines Prozesses durch Linien und Pfeile in Beziehung setzt.

Flowchart = Flussdiagramm

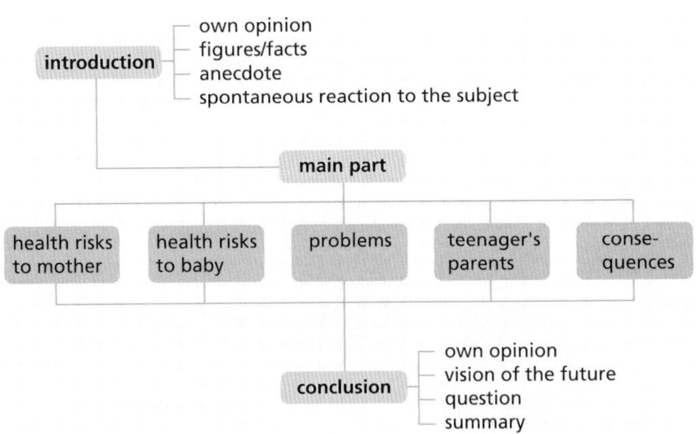

Da der Zeitraum für die Erarbeitung begrenzt ist, erfüllt ein Zeitplan gute Dienste. Hilfreich ist es, mit einem Kalender zu arbeiten. Hier sind vielleicht schon andere Termine vorgemerkt, die den eigentlichen Arbeitsfluss nicht gefährden sollen. So muss man sich also genau überlegen, wie lange man für welche Arbeitsschritte braucht und an welchen Stellen auch Hilfestellung von anderen Personen notwendig sind. Möchte man z. B. mit Betroffenen sprechen und diese Informationen in seinem Essay verarbeiten, ist eine gründliche Vorbereitung des Gesprächs notwendig, der Termin ist abzustimmen und auch die Nachbereitung wird eine gewisse Zeit in Anspruch nehmen.

Montag	Dienstag	Mittwoch	Donnerstag	Freitag	Sonnabend	Sonntag
Bibliothek, Bücher ausleihen und lesen	im Internet suchen und Stichpunkte erarbeiten	Treff mit Susi: Gespräch	Gliederung erstellen	Einleitung und Schluss formulieren	Hauptteil formulieren	Essay überarbeiten, Abschrift bzw. Ausdruck
Vorbereitung Gespräch mit Susi, Termin absprechen	Stichpunkte durchsehen, sortieren	Gespräch auswerten	frei	Tabellen und Grafiken erstellen	frei	frei

Formulieren eines Essays

Jeder Essay hat einen Titel, der, falls vom Lehrer gefordert, auf einem Deckblatt steht. Der Name des Verfassers, die Klasse und das Datum dürfen nicht fehlen. Beim Ausarbeiten ist darauf zu achten, dass jeder neue Gedanke auch äußerlich sichtbar wird. Das heißt, dass der Text optisch durch einen jeweiligen neuen Zeilenanfang strukturiert wird. Bei einem inhaltlichen Abschnittwechsel bietet sich eine Leerzeile an, die dem Leser sofort signalisiert, dass etwas Neues beginnt. So fällt es dem Adressaten leichter, den Gedankengängen des Verfassers zu folgen und Rückschlüsse zu ziehen. Ausgewählte Bilder, Tabellen und Grafiken sind an den Stellen zu platzieren, an denen sie den Text unterstützen können. Sie werden mit einer Bildunterschrift und einer Nummer versehen und ebenso wie die Zitate am Ende des Essays in einer Quellenangabe oder als Fußnote auf der jeweiligen Seite erfasst.
Jeder Essay enthält eine Einleitung, einen Hauptteil und einen Schluss (↗ S. 273). Das Thema *„Teen pregnancy"* fordert zu einer spontanen Reaktion heraus. Diese Tatsache sollte am Anfang des Essays genutzt werden. Der Verfasser kann seine Meinung kundtun, Zahlen nennen oder mit einer Anekdote beginnen. So wird der Einstieg ins Thema erleichtert und beim Leser Interesse geweckt.

Last summer my best friend, she is 16 now, told me that she thought she was pregnant. I saw the shock in her face. So what? My first reaction was to congratulate her. What a nice thing to have an own baby! Becoming a mother did mean being an adult; I tried to calm her down. I didn't see all the other aspects of having the responsibility for a baby. I read a lot about teen pregnancy – the risks, the consequences and the problems. Now she has her baby and I have noticed that it is easier to make a baby than to be a good mother.

Bei der Ausarbeitung sollte man sich strikt an seine Gliederung halten und seine Stichpunktzettel auch in dieser Reihenfolge zur Ausformulierung bereitlegen. Abschließend sollte man überprüfen, ob die Gedankengänge schlüssig und die Zusammenhänge deutlich sind, die Rechtschreib- und Grammatikregeln eingehalten sowie die nachgeschlagenen Wörter im richtigen Kontext verwendet wurden.

ANHANG A

Grammatische Termini

term	German translation	example
adjective	Adjektiv	tall, clever, expensive
adverb adverb of degree adverb of frequency adverb of indefinite time adverb of manner adverb of place adverbial phrase	Adverb Gradadverb Häufigkeitsadverb Adverb der unbestimmten Zeit Adverb der Art und Weise Adverb des Ortes (der Richtung) zusammengesetzte Adverbialbestimmung	well, firstly, clearly quite, too, extremely sometimes, usually, often always, never, before slowly, terribly, happily somewhere, here, there in the evening, without knowing
article definite article indifinite article	Artikel bestimmter Artikel unbestimmter Artikel	 the a, an
auxiliary	Hilfsverb	can, do, have
comparative comparison	Komparativ, erste Steigerungsform Steigerung, Vergleich	more expensive, smaller, better She is smarter than him.
conditional sentence	Bedingungssatz	You can go if you want.
conjunction	Konjunktion, Bindewort	and, but, after, although
contact clause	Relativsatz ohne Relativpronomen	This is the restaurant *I wanted to show you.*
future perfect	Futur II, vollendete Zukunft	In June *I will have passed* my English exam.
future progressive	Verlaufsform der Zukunft	Tomorrow *I'll be working* from 9 to 5.
gerund	Gerundium	I love *skiing.* Tom is fond of *gardening.*
going-to-future	Futur mit *going to*	We *are going to* have a party tonight.
if-clause	Nebensatz mit *if*, *if*-Satz	Call me, *if you need help.*
imperative	Imperativ, Befehlsform, Aufforderung	Close your books. Listen to me.
infinitive	Infinitiv	to talk, to run, to develop
-ing-form	*-ing*-Form des Verbs	leaving, moving, showing

main clause	Hauptsatz	*He can't come on Monday,* because he has to see the doctor.
modal auxiliary	modales Hilfsverb	can, could, will, would, may, might
modal substitute	modales Ersatzverb (anstelle eines modalen Hilfsverbs)	be allowed to, have to, be able to
noun countable noun uncountable noun	Substantiv zählbares Substantiv nicht zählbares Substantiv	book, glass, friend, space, time flower/flowers, book/books money, water, information
object direct object indirect object	Objekt, Satzergänzung direktes Objekt, Sachobjekt indirektes Objekt (meist Personenobjekt)	She is opening *a tin.* She gave him *the dictionary.* I like *dancing.* She bought *her father* a present.
participle construction	Partizipialfügung, Partizipialkonstruktion	*Opening the door,* I saw that the room was empty.
passive impersonal passive personal passive	Passiv „unpersönliches Passiv" „persönliches Passiv"	The book *was written by* an American author. She *is said* to quit the job. My friend *had been offered* a job in London.
participle past participle present participle	Partizip Partizip Perfekt Partizip Präsens, Partizip I	 gone, helped, bought, stopped Tom is writing an article.
past perfect	Plusquamperfekt, Vorvergangenheit	Jill couldn't go to the concert, because she *had forgotten* her ticket.
past perfect progressive	Verlaufsform des past perfect	The passengers *had been waiting* for two hours when the train arrived.
past progressive	Verlaufsform der Vergangenheit	While he *was talking* on the phone the doorbell rang.
plural	Plural, Mehrzahl	glass/*glasses,* mouse/*mice,* foot/*feet,* woman/*women*
positive statement	bejahter Aussagesatz	I can do that for you. He's got a sister.
possessive determiner	Possessivbegleiter (besitzanzeigender Begleiter)	my, your, his, her, its, our, their
prefix	Präfix, Vorsilbe	in-, un-, re-, dis-

preposition	Präposition	about, under, above, because
present participle	Partizip Präsens, Partizip I	Tom is *writing* an article.
present perfect	present perfect (Perfekt, vollendete Gegenwart)	He *has opened* the window.
present perfect progressive	Verlaufsform des present perfect	The group *has been travelling* for two days.
present progressive	Verlaufsform des present (der Gegenwart)	Joe *is reading* the newspaper.
progressive form	Verlaufsform des Verbs	*He's watching* television. *They have been waiting* for hours.
pronoun personal pronoun possessive pronoun reflexive pronoun relative pronoun	Pronomen, Fürwort Personalpronomen (persönliches Fürwort) Possessivpronomen Reflexivpronomen Relativpronomen, bezügliches Fürwort	 I, you, he, she, it, me, him, them mine, yours, his, hers, ours yourself, himself, herself that, who, which, whose
prop-word	Stützwort	the first *one* and the second *one*
quantifier	Mengenbezeichnung	some, any, much, a little, few
question	Frage(satz)	Do you know where it is?
question tag	Frageanhängsel	Paul is at home, *isn't he?* Your aren't driving, *are you?*
question word	Fragewort	who? what? when? how?
reflexive pronoun	Reflexivpronomen	yourself, himself, herself
regular verb	regelmäßiges Verb	(to) work/worked/worked
reported speech	indirekte Rede, nicht wörtliche Rede	Jill told me *(that) she was ill.*
relative clause defining relative clause non-defining relative clause	Relativsatz, Bezugssatz bestimmender/notwendiger Relativsatz nicht bestimmender Relativsatz, nicht notwendiger Relativsatz	That's the man *who lives next door.* The teacher *who told you that* was right. Yesterday I talked to the man *who is living next door.*
reported speech	indirekte Rede, nicht wörtliche Rede	Michael said *(that) he didn't know.*
s-genitive	*s*-Genitiv	*my father's* car, *Anne's* address

simple past	einfache Form der Vergangenheit	*He went* to the pub.
simple present	einfache Form der Gegenwart	*They listen* to the news.
statement negative statement positive statement	 verneinter Aussagesatz bejahter Aussagesatz	 *I don't have enough time. There aren't any more questions.* I can do that for you.
sub-clause, subordinate clause	Nebensatz	We couldn't go to the cinema *because we didn't have enough money.*
subject	Subjekt	*Anne* lives in Manchester. *His car* is red.
subject question	Subjektfrage, Frage nach dem Subjekt	Who gave you the book? What happened?
superlative	Superlativ, höchste Steigerungsform	highest, most interesting, most carefully
tense	(grammatische) Zeitform, Tempus	
verb full verb irregular verb regular verb	Verb Vollverb unregelmäßiges Verb regelmäßiges Verb	help, consider, develop wait, ask, laugh be/was/been; lay/laid/laid work/worked/worked
verb of motion	Verb der Bewegung	come, go
verb of perception	Verb der Wahrnehmung	see, watch, listen, notice
verb of rest	Verb der Ruhe	stay, sit, lie, stand
will-future	Futur mit *will*	He*'ll go* to France in February.
yes/no question	Entscheidungsfrage	Can you help me? Are you from Canada?

Register

Bildquellenverzeichnis

aisa, Archivo iconográfico, Barcelona:185/2; Archiv der Archenhold-Sternwarte Berlin: 9; Back-Arts GmbH: 310; Bibliographisches Institut & F. A. Brockhaus, Mannheim: 7, 8, 177, 181, 191, 195, 196, 227, 231, 290, 295; CartoonStock Ltd., Bath: 16/1, 222, 248, 272/1; City of Nottingham: 149; Corbis, London und Düsseldorf: 37, 213; Corel Photos Inc.: 5, 138, 199, 200, 260 ; DaimlerChrysler Konzernarchiv, Stuttgart: 299; Deutsche Telekom AG: 132/1; Deutsches Zentrum für Luft- und Raumfahrt e. V.: 87; Duden Paetec GmbH: 133/2, 171, 305/1; Hemera Photo Objects: 25, 33, 34, 108, 109, 161, 166, 259, 263, 281, 300, 308; HVBG/metropress: 143; I. Mühlhaus, München: 43; Istituto Geografico de Agostini, Novara: 10; Krüger, Werner/Deutsche Lufthansa AG: 39; Lembeck, Dr. Ute, Berlin: 134, 165, 169; Liesenberg, Dr. Günter, Berlin: 23, 29, 44, 301; Lodd, Virginia, Berlin: 298; M. Kube, ehem. Archiv Dr. Karkosch, Gilching: 293; Mahler, Heinz, Berlin: 6, 66; Messe Berlin GmbH: 296; MEV Verlag, Augsburg: 11; Meyer, Prof. Dr. Lothar, Potsdam: 240, 291; PHOTO DISC ROYALTY FREE: 47, 88, 131, 261, 269, 277/1, 279, 282, 302, 311; Photo Disc, Inc.: 20, 27, 31/1, 33, 35/2, 38, 49, 90, 100,132/2, 133, 151, 159, 162, 185/1, 239, 249/1, 265, 272, 277/2, 278, 305/2; Photoarchiv Panorama: 197; picture-alliance/akg-images, Frankfurt am Main: 14, 179, 183, 201/1, 220, 239; picture-alliance/dpa, Frankfurt am Main: 17, 27/2, 28, 176/2, 186, 201/2, 202, 203, 208, 210, 212, 230, 241, 252, 284, 288, 289; picture-alliance/kpa photo archive, Frankfurt am Main: 144; Raake, Susanne, Berlin: 57, 140, 176/1, 249/2; Raum, Dr. Bernd, Neuenhagen: 16/2; Schulzentrum an der Butjadinger Straße, Bremen: 74; Siemens AG/München: 276; SuperStock/mauritius images: 225; The Yorck Project, Berlin: 221; Thyrolph, Christian, Berlin: 31/2; üstra Hannoversche Verkehrsbetriebe AG, Hannover: 21; W. Claus, Fulda: 207; Titelbild: Getty Images Deutschland GmbH, München

 Internet und CD-ROM – so gehts ...

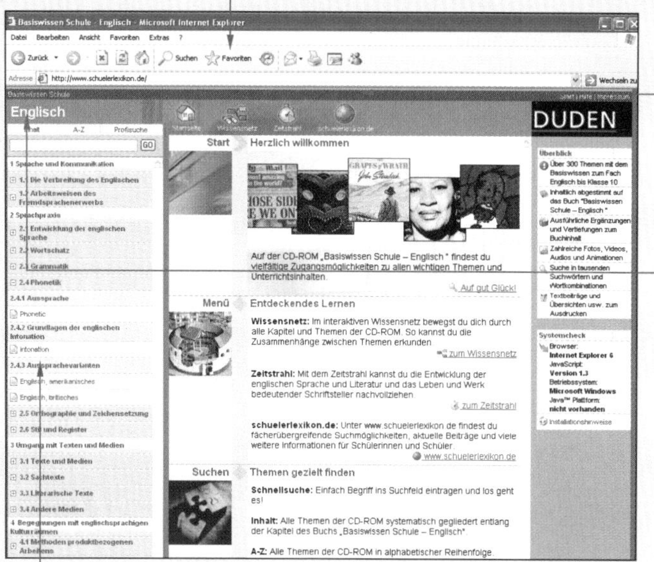

Die **Icons** am oberen Rand des Bildschirms führen dich zur Startseite des Lexikons zurück, starten das **Wissensnetz,** den **Zeitstrahl** oder bringen dich zum Schülerlexikon im Internet.

Zu den hunderten Themen des Lexikons gelangst du über das Inhaltsverzeichnis, das Register von A–Z oder über die **Profisuche.**
Mit der Profisuche kannst du auch nach mehreren Begriffen gleichzeitig suchen oder dir die interessantesten Medien der CD-ROM anzeigen lassen.

Nach dem Klicken auf einen Absatz des Inhaltsverzeichnisses klappt das Menü auf und es werden dir alle **Themen,** die zu diesem Absatz gehören, angezeigt.

Durch einen Klick auf ein **Bild** in der Medienleiste wird dieses vergrößert dargestellt oder es laufen z. B. **Animationen** und **Videos** ab.

Durch einen Klick auf eines dieser **Suchwörter** springst du sofort an die entsprechende Stelle im ausführlichen Text des Themas.

Über „Thema anzeigen!" gelangst du zum **ausführlichen Text** mit Abbildungen, z. T. mit Animationen, Videos, Übungen usw.

Die **verwandten Themen** listen alle Themen auf, die einen inhaltlichen Bezug zu dem Thema haben, das gerade angezeigt wird.

Java

Die Scheibe im Buch

Die CD-ROM enthält mehrere hundert Fachthemen. Diese Themen bestehen aus einer kurzen Annotation ❶ und einem dazu gehörigen Langtext ❷. In der Annotation sind wichtige Begriffe aufgeführt, die direkt mit den entsprechenden Textabschnitten im Langtext ❸ verknüpft sind.

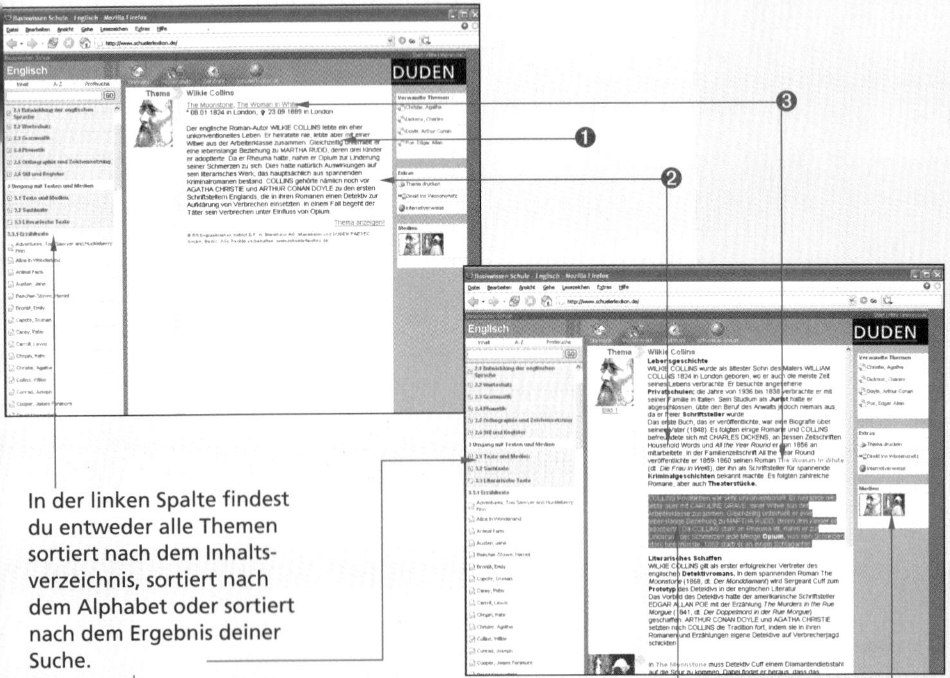

Die meisten Themen verfügen neben dem Text über verschiedene Medien, die in Medienspalte in der Mitte des Bildschirms aufgelistet werden. Dies können u. a. s Bilder, Videos, Audios, Flash-Animationen, Übungen, PDF-Dateien.

In der linken Spalte findest du entweder alle Themen sortiert nach dem Inhaltsverzeichnis, sortiert nach dem Alphabet oder sortiert nach dem Ergebnis deiner Suche.

In der rechten Spalte werden dir die Medien des aktuellen Themas angezeigt. So kannst du schnell und direkt zu den Bildern, Videos, Animationen usw. gelangen.

Alle Texte und Bilder der CD-ROM können ausgedruckt oder über die Funktionen „Kopieren“ und „Einfügen“ in einem anderen Programm (z. B. einer Textverarbeitung) weiter verwendet werden.

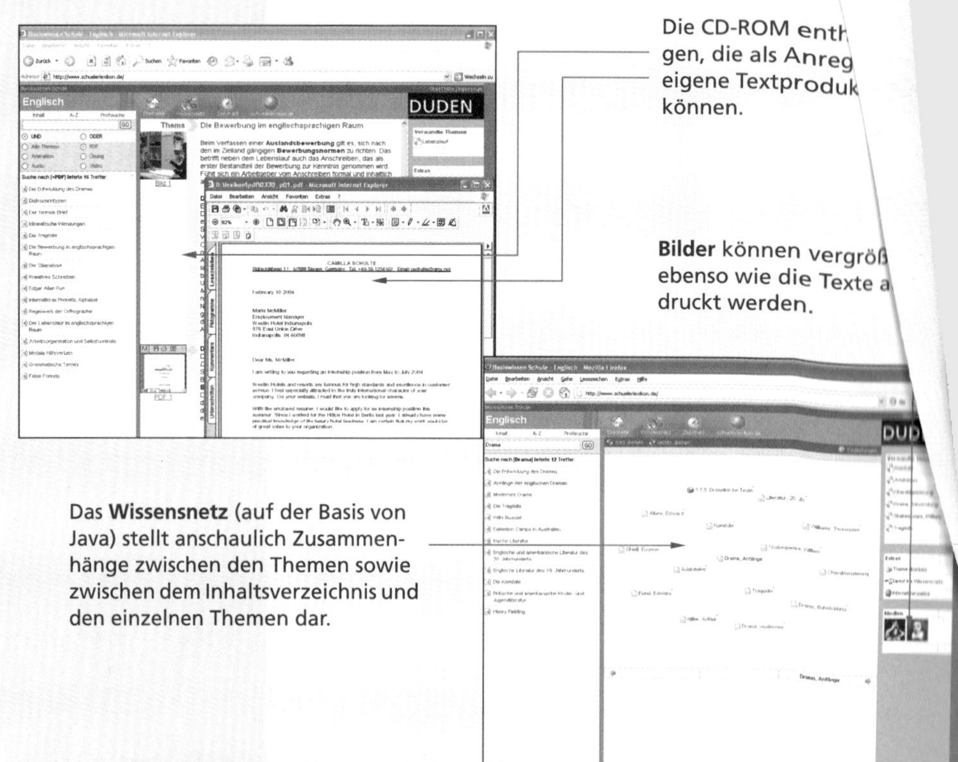

Die CD-ROM enth gen, die als Anreg eigene Textproduk können.

Bilder können vergröß ebenso wie die Texte a druckt werden.

Das **Wissensnetz** (auf der Basis von Java) stellt anschaulich Zusammenhänge zwischen den Themen sowie zwischen dem Inhaltsverzeichnis und den einzelnen Themen dar.

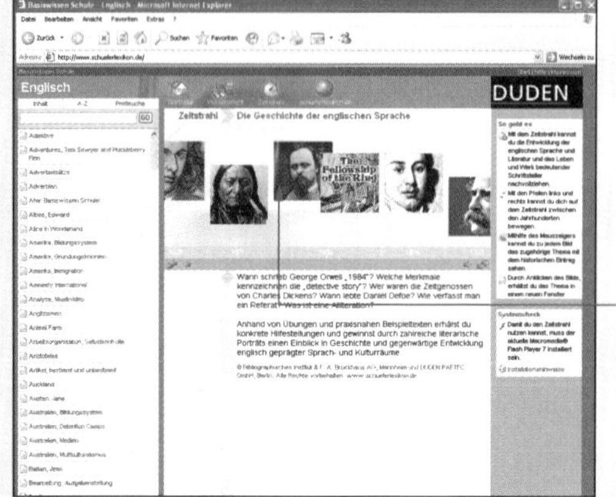

Videos und **Audios** können mithilfe des Quicktime-Players (auf der CD-ROM vorhanden) abgespielt werden.

Über den **Zeitstrahl** hast du einen schnellen Zugriff auf historische Ereignisse oder auf Biografien von Persönlichkeiten. Die Nutzung des Zeitstrahls setzt das Flash-PlugIn (auf der CD-ROM enthalten) für deinen Browser voraus.

Internet und CD-ROM – so gehts ...

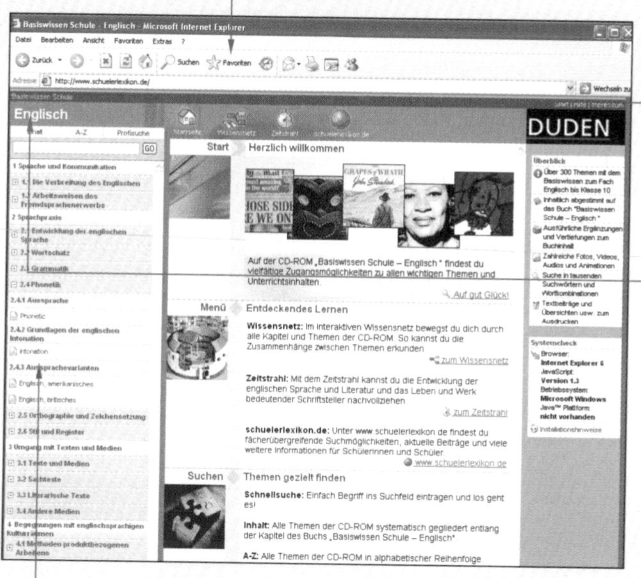

Die **Icons** am oberen Rand des Bildschirms führen dich zur Startseite des Lexikons zurück, starten das **Wissensnetz,** den **Zeitstrahl** oder bringen dich zum Schülerlexikon im Internet.

Zu den hunderten Themen des Lexikons gelangst du über das Inhaltsverzeichnis, das Register von A–Z oder über die **Profisuche.** Mit der Profisuche kannst du auch nach mehreren Begriffen gleichzeitig suchen oder dir die interessantesten Medien der CD-ROM anzeigen lassen.

Nach dem Klicken auf einen Absatz des Inhaltsverzeichnisses klappt das Menü auf und es werden dir alle **Themen,** die zu diesem Absatz gehören, angezeigt.

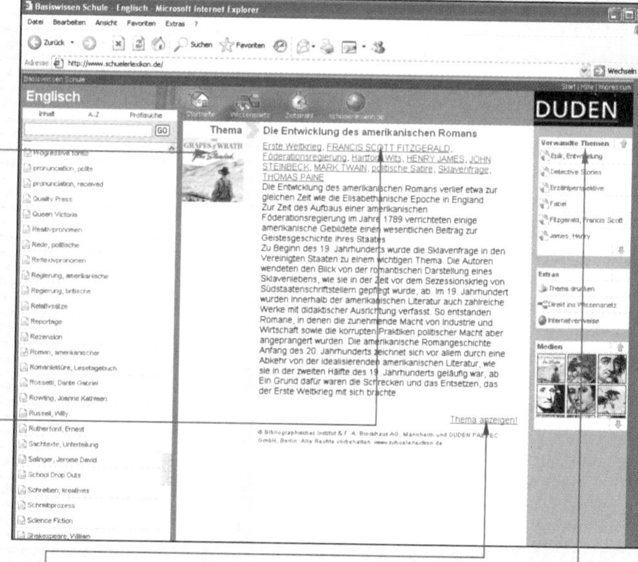

Durch einen Klick auf ein **Bild** in der Medienleiste wird dieses vergrößert dargestellt oder es laufen z. B. **Animationen** und **Videos** ab.

Durch einen Klick auf eines dieser **Suchwörter** springst du sofort an die entsprechende Stelle im ausführlichen Text des Themas.

Über „Thema anzeigen!" gelangst du zum **ausführlichen Text** mit Abbildungen, z. T. mit Animationen, Videos, Übungen usw.

Die **verwandten Themen** listen alle Themen auf, die einen inhaltlichen Bezug zu dem Thema haben, das gerade angezeigt wird.

Die CD-ROM enthält mehrere hundert Fachthemen. Diese Themen bestehen aus einer kurzen Annotation ❶ und einem dazu gehörigen Langtext ❷. In der Annotation sind wichtige Begriffe aufgeführt, die direkt mit den entsprechenden Textabschnitten im Langtext ❸ verknüpft sind.

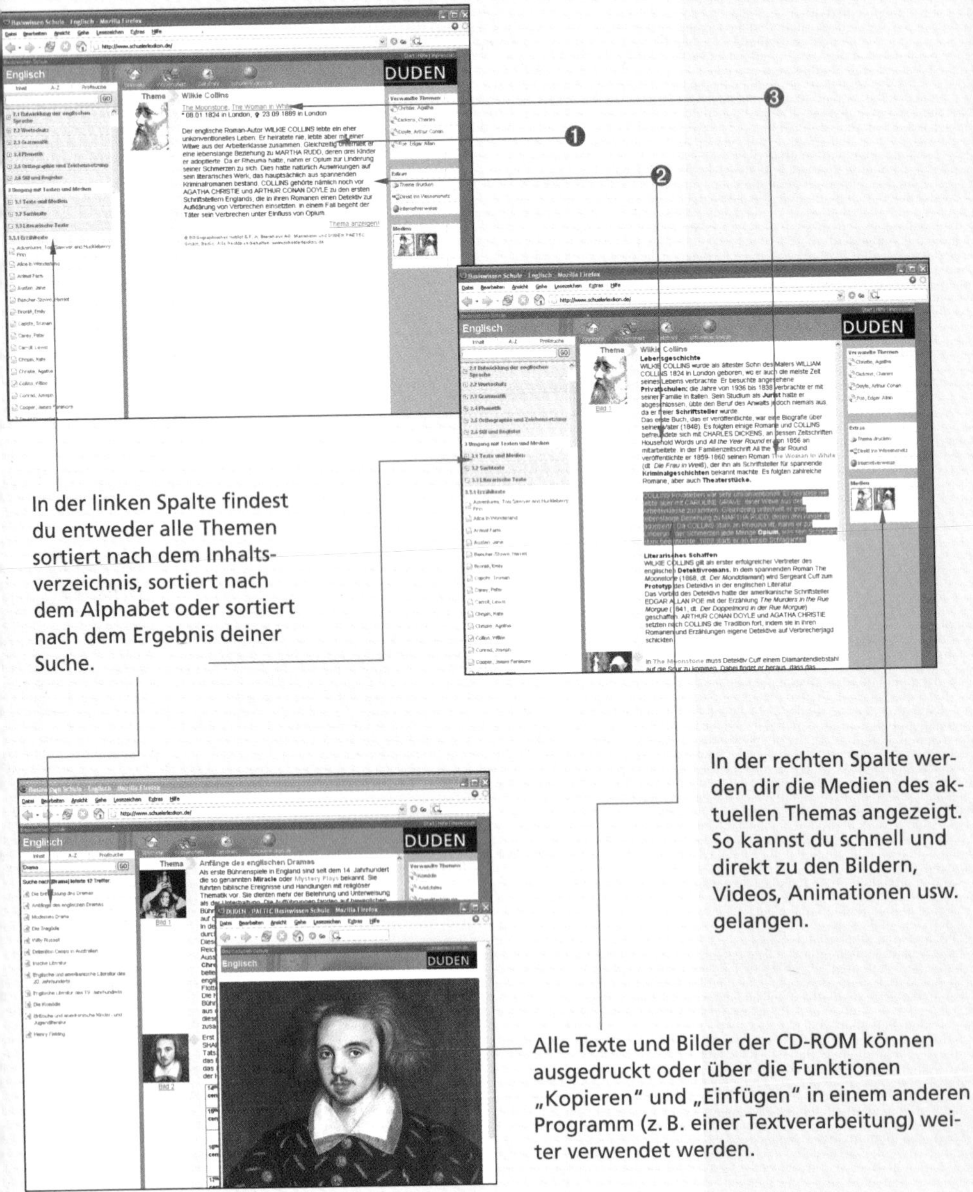

In der linken Spalte findest du entweder alle Themen sortiert nach dem Inhaltsverzeichnis, sortiert nach dem Alphabet oder sortiert nach dem Ergebnis deiner Suche.

In der rechten Spalte werden dir die Medien des aktuellen Themas angezeigt. So kannst du schnell und direkt zu den Bildern, Videos, Animationen usw. gelangen.

Alle Texte und Bilder der CD-ROM können ausgedruckt oder über die Funktionen „Kopieren" und „Einfügen" in einem anderen Programm (z. B. einer Textverarbeitung) weiter verwendet werden.

e im Buch

Die meisten Themen verfügen neben dem Text über verschiedene Medien, die in einer separaten Medienspalte in der Mitte des Bildschirms aufgelistet werden. Dies können u. a. sein: Bilder, Videos, Audios, Flash-Animationen, Übungen, PDF-Dateien.

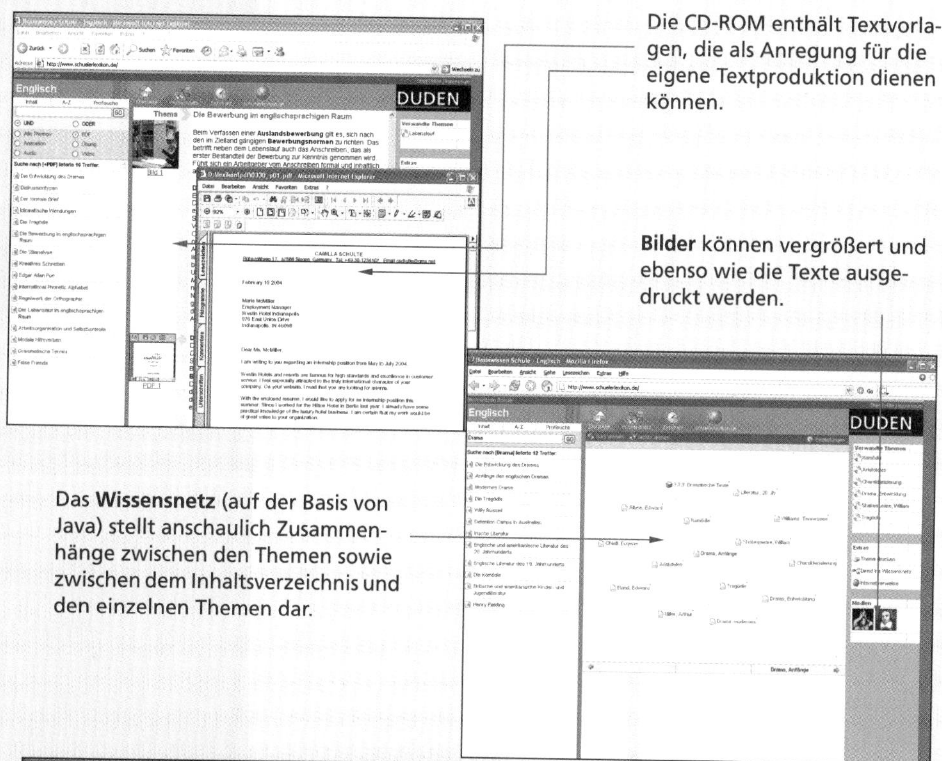

Die CD-ROM enthält Textvorlagen, die als Anregung für die eigene Textproduktion dienen können.

Bilder können vergrößert und ebenso wie die Texte ausgedruckt werden.

Das **Wissensnetz** (auf der Basis von Java) stellt anschaulich Zusammenhänge zwischen den Themen sowie zwischen dem Inhaltsverzeichnis und den einzelnen Themen dar.

Videos und **Audios** können mithilfe des Quicktime-Players (auf der CD-ROM vorhanden) abgespielt werden.

Über den **Zeitstrahl** hast du einen schnellen Zugriff auf historische Ereignisse oder auf Biografien von Persönlichkeiten. Die Nutzung des Zeitstrahls setzt das Flash-PlugIn (auf der CD-ROM enthalten) für deinen Browser voraus.